수학만 기출문제집

중 3

수학 시험을 제대로 준비하고 싶다면,

100점을 위한 '수학만'의 알찬 시스템

PART 1 <단원별 구성>

핵심 개념 > 필수 기출 + Best 쌍둥이 > 100점 완성 > 서술형 완성 > 실전 테스트

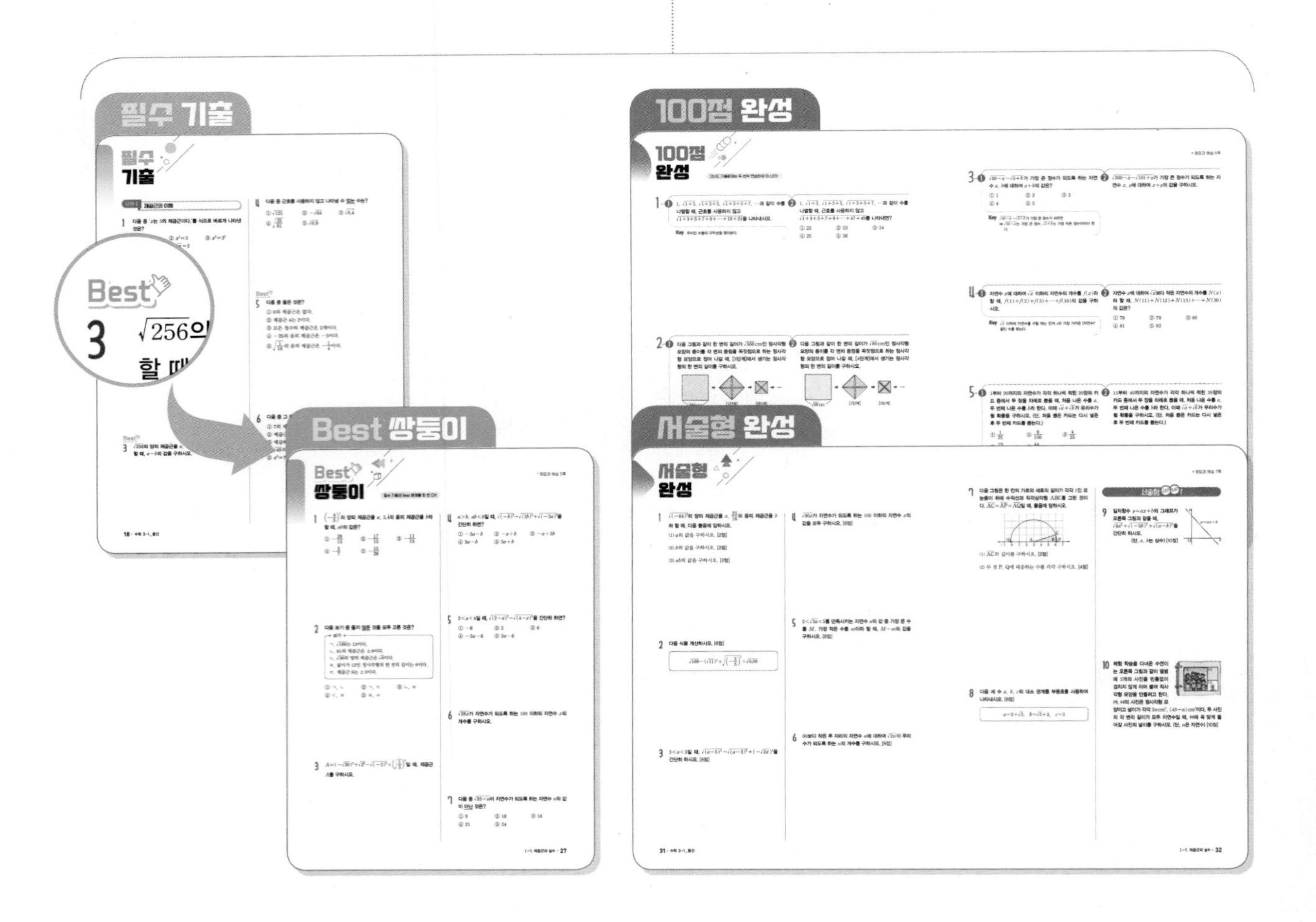

PART 1
실력 다지기

★ **'실제 시험 문제'를 풀어야 '실제 시험'에 대비할 수 있다!**
전국 중학교 기출문제를 유형별, 난이도별로 분석하여 중단원별로 구성하였습니다.

★ **'중요한 문제', '어려운 문제'는 집중적으로 반복 학습하는 것이 중요하다!**
필수 기출에 구성된 문제 중 최다 빈출 문제와 100점 완성에 수록된 고난도 문제는 쌍둥이 문제로 반복 구성하여 완벽하게 풀 수 있도록 하였습니다.

수학만 기출문제집!

PART 2 <시험 전 범위 구성>

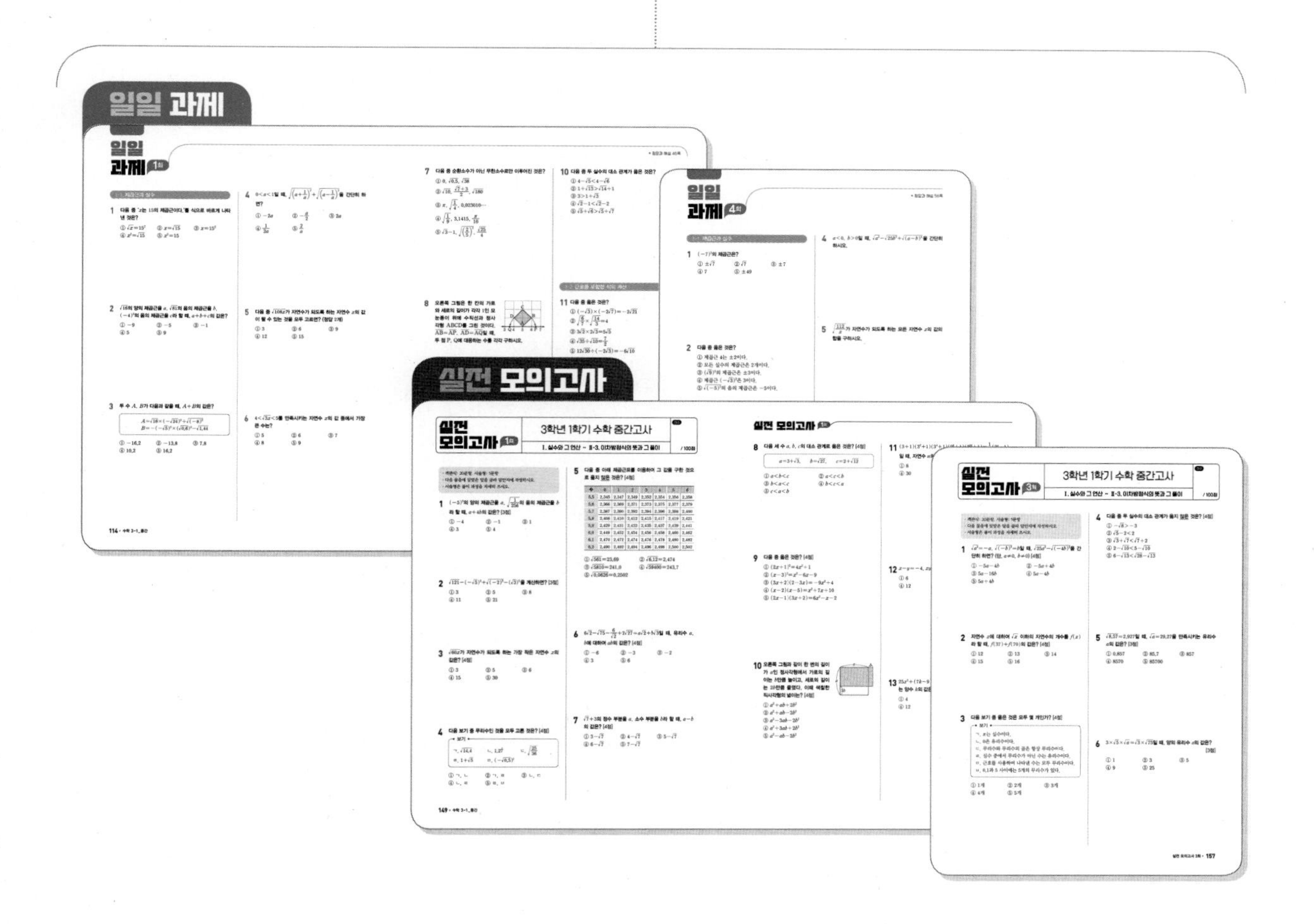

PART 2
실전 감각 키우기

★ **기출문제+예상 문제로 집중 마무리!**
시험 전 범위에서 적중률 높은 문제만을 구성하여 자신의 실력을 점검할 수 있도록 하였습니다.

★ **실전에 강해야 진정한 실력!**
실제 학교 시험과 같은 형식의 문제를 풀면서 실전 감각을 키울 수 있도록 하였습니다.

차례

1학기 기말	
II. 식의 계산과 이차방정식	3. 이차방정식의 뜻과 그 풀이
	4. 이차방정식의 활용
III. 이차함수	1. 이차함수와 그 그래프
	2. 이차함수 $y=ax^2+bx+c$의 그래프

핵심
개념

1 ★ 제곱근과 실수

1 제곱근의 뜻과 표현

(1) 제곱근의 뜻

어떤 수 x를 제곱하여 a가 될 때, 즉 $x^2=a$일 때 x를 a의 제곱근이라 한다.

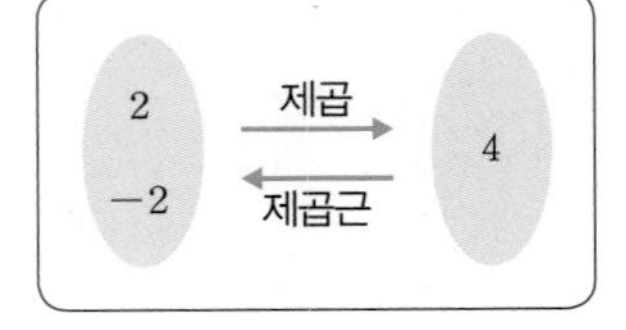

① 양수의 제곱근은 양수와 음수 2개가 있고, 그 절댓값은 서로 같다.

② 0의 제곱근은 0 하나뿐이다.

③ 음수의 제곱근은 없다. ← 양수나 음수를 제곱하면 항상 양수가 된다.

(2) 제곱근의 표현

① 제곱근을 나타내기 위해 기호 $\sqrt{\ }$ (근호)를 사용하고, $\sqrt{a}$를 '제곱근 a' 또는 '루트 a'라 읽는다.

② 양수 a의 제곱근 중 양수인 것을 양의 제곱근($\sqrt{a}$), 음수인 것을 음의 제곱근($-\sqrt{a}$)이라 한다.

③ $\sqrt{a}$와 $-\sqrt{a}$를 한꺼번에 $\pm\sqrt{a}$로 나타내기도 한다.

➡ $x^2=a\,(a>0)$이면 $x=\pm\sqrt{a}$이다.

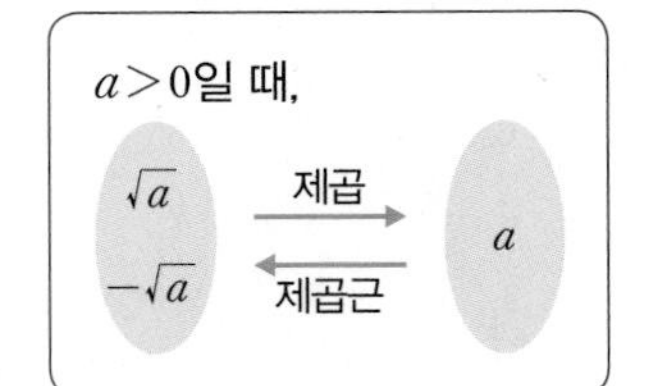

예 3의 양의 제곱근은 $\sqrt{3}$, 음의 제곱근은 $-\sqrt{3}$이므로 3의 제곱근은 $\pm\sqrt{3}$이다.

참고 근호 안의 수가 어떤 유리수의 제곱이면 근호를 사용하지 않고 나타낼 수 있다.

예 $\sqrt{4}=\sqrt{2^2}=2$, $-\sqrt{4}=-\sqrt{2^2}=-2$

(3) $a>0$일 때, a의 제곱근과 제곱근 a

	a의 제곱근	제곱근 a
뜻	제곱하여 a가 되는 수	a의 양의 제곱근
표현	$\sqrt{a}$, $-\sqrt{a}$	$\sqrt{a}$
개수	2개	1개

2 제곱근의 성질

(1) $a>0$일 때, (a의 제곱근을 제곱하면 a가 된다.)

① $(\sqrt{a})^2=a$, $(-\sqrt{a})^2=a$ 예 $(\sqrt{3})^2=3$, $(-\sqrt{3})^2=3$

② $\sqrt{a^2}=a$, $\sqrt{(-a)^2}=a$ 예 $\sqrt{5^2}=5$, $\sqrt{(-5)^2}=5$ → 근호 안의 수가 어떤 수의 제곱이면 근호를 사용하지 않고 나타낼 수 있다.

(2) $\sqrt{a^2}=|a|=\begin{cases} a\ge 0\text{일 때,} & a \\ a<0\text{일 때,} & -a \end{cases}$ 예 $\sqrt{2^2}=2$ 예 $\sqrt{(-2)^2}=-(-2)=2$

3 제곱근의 대소 관계

$a>0$, $b>0$일 때,

(1) $a<b$이면 $\sqrt{a}<\sqrt{b}$ 예 $3<5$이므로 $\sqrt{3}<\sqrt{5}$

(2) $\sqrt{a}<\sqrt{b}$이면 $a<b$, $-\sqrt{a}>-\sqrt{b}$ 예 $\sqrt{3}<\sqrt{5}$이므로 $3<5$, $-\sqrt{3}>-\sqrt{5}$

참고 $a>0$, $b>0$일 때, a와 $\sqrt{b}$의 대소를 비교하려면 $\sqrt{a^2}$과 $\sqrt{b}$를 비교한다.

예 4, $\sqrt{15}$에서 $4=\sqrt{16}$이고 $\sqrt{16}>\sqrt{15}$이므로 $4>\sqrt{15}$

4 무리수와 실수

(1) 무리수: 유리수가 아닌 수, 즉 순환소수가 아닌 무한소수로 나타내어지는 수

(2) 실수: 유리수와 무리수를 통틀어 실수라 한다.

(3) 실수의 분류

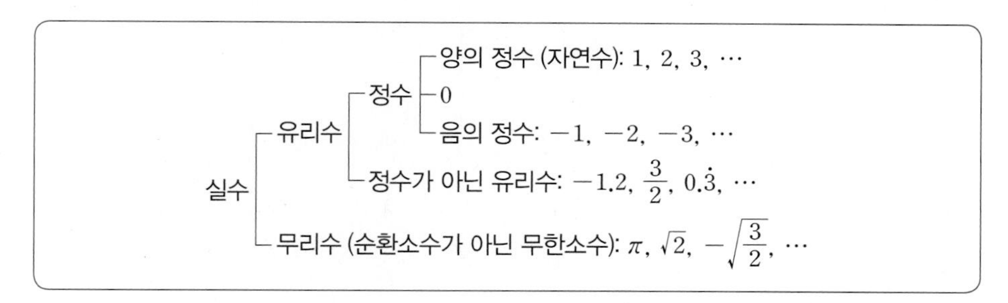

(4) 무리수를 수직선 위에 나타내기: 직각삼각형에서 피타고라스 정리를 이용하여 빗변의 길이를 구하면 무리수를 수직선 위에 나타낼 수 있다.

예 ❶ 수직선 위에 원점 O를 한 꼭짓점으로 하고 직각을 낀 두 변의 길이가 각각 1인 직각삼각형 AOB를 그린다.
➡ $\overline{OA}=\sqrt{1^2+1^2}=\sqrt{2}$

❷ 원점 O를 중심으로 하고 $\overline{OA}$를 반지름으로 하는 원을 그릴 때, 원과 수직선이 만나는 두 점 P, Q에 대응하는 수는 각각 $\sqrt{2}$, $-\sqrt{2}$이다.

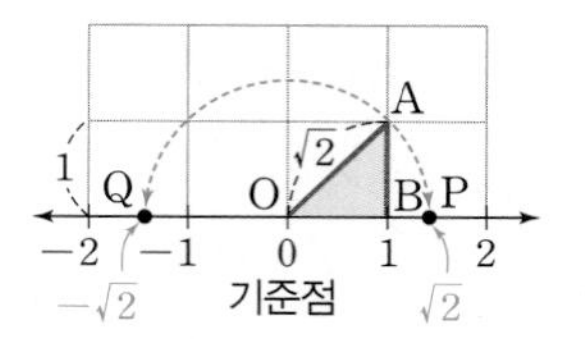

(5) 실수와 수직선

① 모든 실수는 각각 수직선 위의 한 점에 대응하고, 수직선 위의 한 점에는 한 실수가 반드시 대응한다.

② 서로 다른 두 실수 사이에는 무수히 많은 실수가 있다.

③ 수직선은 유리수와 무리수, 즉 실수에 대응하는 점들로 완전히 메울 수 있다.

5 실수의 대소 관계

(1) 두 실수 a, b의 대소 관계는 $a-b$의 부호로 판단한다.

① $a-b>0$이면 $a>b$ ② $a-b=0$이면 $a=b$ ③ $a-b<0$이면 $a<b$

예 $1+\sqrt{3}$ □ 3 ➡ $(1+\sqrt{3})-3=\sqrt{3}-2=\sqrt{3}-\sqrt{4}<0$이므로 $1+\sqrt{3}$ $\boxed{<}$ 3

(2) 부등식의 성질을 이용한다.

예 $\sqrt{3}-\sqrt{2}$ □ $2-\sqrt{2}$ ➡ $\sqrt{3}<2$이므로 양변에서 $\sqrt{2}$를 빼면 $\sqrt{3}-\sqrt{2}$ $\boxed{<}$ $2-\sqrt{2}$

6 제곱근표

1.00부터 99.9까지의 수의 양의 제곱근의 값을 소수점 아래 넷째 자리에서 반올림하여 나타낸 표

예 $\sqrt{2.62}$의 값은 오른쪽 제곱근표에서 2.6의 가로줄과 2의 세로줄이 만나는 칸에 적힌 수인 1.619이다.

수	0	1	2	3	⋯
2.5	1.581	1.584	1.587	1.591	⋯
2.6	1.612	1.616	1.619	1.622	⋯

2 ★ 근호를 포함한 식의 계산

1 제곱근의 곱셈과 나눗셈

$a>0$, $b>0$, $c>0$, $d>0$이고 m, n이 유리수일 때,

(1) 제곱근의 곱셈

① $\sqrt{a}\times\sqrt{b}=\sqrt{a}\sqrt{b}=\sqrt{ab}$ 　예 $\sqrt{2}\times\sqrt{3}=\sqrt{2}\sqrt{3}=\sqrt{2\times3}=\sqrt{6}$

② $m\sqrt{a}\times n\sqrt{b}=mn\sqrt{ab}$ 　예 $3\sqrt{2}\times2\sqrt{5}=(3\times2)\times\sqrt{2\times5}=6\sqrt{10}$

(2) 제곱근의 나눗셈

① $\sqrt{a}\div\sqrt{b}=\dfrac{\sqrt{a}}{\sqrt{b}}=\sqrt{\dfrac{a}{b}}$ 　예 $\sqrt{6}\div\sqrt{2}=\dfrac{\sqrt{6}}{\sqrt{2}}=\sqrt{\dfrac{6}{2}}=\sqrt{3}$

② $m\sqrt{a}\div n\sqrt{b}=\dfrac{m}{n}\sqrt{\dfrac{a}{b}}$ (단, $n\neq0$) 　예 $9\sqrt{10}\div3\sqrt{5}=\dfrac{9}{3}\sqrt{\dfrac{10}{5}}=3\sqrt{2}$

③ $\dfrac{\sqrt{a}}{\sqrt{b}}\div\dfrac{\sqrt{c}}{\sqrt{d}}=\dfrac{\sqrt{a}}{\sqrt{b}}\times\dfrac{\sqrt{d}}{\sqrt{c}}=\sqrt{\dfrac{a\times d}{b\times c}}=\sqrt{\dfrac{ad}{bc}}$ 　예 $\dfrac{\sqrt{3}}{\sqrt{2}}\div\dfrac{\sqrt{6}}{\sqrt{8}}=\dfrac{\sqrt{3}}{\sqrt{2}}\times\dfrac{\sqrt{8}}{\sqrt{6}}=\sqrt{\dfrac{3\times8}{2\times6}}=\sqrt{2}$

2 근호가 있는 식의 변형

(1) 근호가 있는 식의 변형

① 근호 안의 수에 제곱인 인수가 있으면 근호 밖으로 꺼낼 수 있다.

$\sqrt{a^2b}=a\sqrt{b}$, $\sqrt{\dfrac{b}{a^2}}=\dfrac{\sqrt{b}}{a}$ 　예 $\sqrt{12}=\sqrt{2^2\times3}=2\sqrt{3}$, $\sqrt{\dfrac{2}{9}}=\sqrt{\dfrac{2}{3^2}}=\dfrac{\sqrt{2}}{3}$

② 근호 밖의 양수는 제곱하여 근호 안에 넣을 수 있다.

$a\sqrt{b}=\sqrt{a^2b}$, $\dfrac{\sqrt{b}}{a}=\sqrt{\dfrac{b}{a^2}}$ 　예 $3\sqrt{5}=\sqrt{3^2\times5}=\sqrt{45}$, $\dfrac{\sqrt{3}}{2}=\sqrt{\dfrac{3}{2^2}}=\sqrt{\dfrac{3}{4}}$

(2) 제곱근표에 없는 수의 제곱근의 값

a가 제곱근표에 있는 수일 때,

① 근호 안의 수가 100 이상인 수 ➡ $\sqrt{100a}=10\sqrt{a}$, $\sqrt{10000a}=100\sqrt{a}$, …

예 $\sqrt{26.2}=5.119$일 때, $\sqrt{2620}=\sqrt{100\times26.2}=10\sqrt{26.2}=10\times5.119=51.19$

② 근호 안의 수가 0 이상 1 미만인 수 ➡ $\sqrt{\dfrac{a}{100}}=\dfrac{\sqrt{a}}{10}$, $\sqrt{\dfrac{a}{10000}}=\dfrac{\sqrt{a}}{100}$, …

예 $\sqrt{2.62}=1.619$일 때, $\sqrt{0.0262}=\sqrt{\dfrac{2.62}{100}}=\dfrac{\sqrt{2.62}}{10}=\dfrac{1.619}{10}=0.1619$

3 분모의 유리화

(1) 분모의 유리화: 분모가 근호를 포함한 무리수일 때, 분모와 분자에 0이 아닌 같은 수를 곱하여 분모를 유리수로 고치는 것

(2) 분모를 유리화하는 방법

$a>0$이고 a, b, c가 유리수일 때,

① $\dfrac{b}{\sqrt{a}}=\dfrac{b\times\sqrt{a}}{\sqrt{a}\times\sqrt{a}}=\dfrac{b\sqrt{a}}{a}$ 　예 $\dfrac{1}{\sqrt{3}}=\dfrac{1\times\sqrt{3}}{\sqrt{3}\times\sqrt{3}}=\dfrac{\sqrt{3}}{3}$

② $\dfrac{\sqrt{b}}{\sqrt{a}}=\dfrac{\sqrt{b}\times\sqrt{a}}{\sqrt{a}\times\sqrt{a}}=\dfrac{\sqrt{ab}}{a}$ (단, $b>0$) 　예 $\dfrac{\sqrt{3}}{\sqrt{2}}=\dfrac{\sqrt{3}\times\sqrt{2}}{\sqrt{2}\times\sqrt{2}}=\dfrac{\sqrt{6}}{2}$

③ $\dfrac{c}{b\sqrt{a}}=\dfrac{c\times\sqrt{a}}{b\sqrt{a}\times\sqrt{a}}=\dfrac{c\sqrt{a}}{ab}$ (단, $b\neq0$) 　예 $\dfrac{5}{2\sqrt{3}}=\dfrac{5\times\sqrt{3}}{2\sqrt{3}\times\sqrt{3}}=\dfrac{5\sqrt{3}}{6}$

4 제곱근의 덧셈과 뺄셈

근호 안의 수가 같은 것을 동류항으로 보고 다항식의 덧셈, 뺄셈과 같은 방법으로 계산한다.

$a>0$이고 l, m, n이 유리수일 때,

(1) $m\sqrt{a}+n\sqrt{a}=(m+n)\sqrt{a}$ 예 $3\sqrt{2}+4\sqrt{2}=(3+4)\sqrt{2}=7\sqrt{2}$

(2) $m\sqrt{a}-n\sqrt{a}=(m-n)\sqrt{a}$ 예 $5\sqrt{2}-3\sqrt{2}=(5-3)\sqrt{2}=2\sqrt{2}$

(3) $m\sqrt{a}+n\sqrt{a}-l\sqrt{a}=(m+n-l)\sqrt{a}$ 예 $3\sqrt{2}+5\sqrt{2}-4\sqrt{2}=(3+5-4)\sqrt{2}=4\sqrt{2}$

참고 $\sqrt{a^2b}$ 꼴은 $a\sqrt{b}$ 꼴로 고치고, 분모에 근호를 포함한 무리수가 있으면 분모를 유리화하여 간단히 한 후 계산한다.

예 $\sqrt{8}+\frac{6}{\sqrt{2}}=2\sqrt{2}+\frac{6\times\sqrt{2}}{\sqrt{2}\times\sqrt{2}}=2\sqrt{2}+3\sqrt{2}=(2+3)\sqrt{2}=5\sqrt{2}$

5 분배법칙을 이용한 제곱근의 덧셈과 뺄셈

$a>0$, $b>0$, $c>0$일 때,

(1) $\sqrt{a}(\sqrt{b}\pm\sqrt{c})=\sqrt{a}\sqrt{b}\pm\sqrt{a}\sqrt{c}=\sqrt{ab}\pm\sqrt{ac}$ 예 $\sqrt{2}(\sqrt{3}+\sqrt{5})=\sqrt{6}+\sqrt{10}$

(2) $(\sqrt{a}\pm\sqrt{b})\sqrt{c}=\sqrt{a}\sqrt{c}\pm\sqrt{b}\sqrt{c}=\sqrt{ac}\pm\sqrt{bc}$ 예 $(\sqrt{2}-\sqrt{3})\sqrt{5}=\sqrt{10}-\sqrt{15}$

6 근호를 포함한 복잡한 식의 계산

❶ 괄호가 있으면 분배법칙을 이용하여 괄호를 푼다.

❷ $\sqrt{a^2b}$ 꼴은 $a\sqrt{b}$ 꼴로 고친다.

❸ 분모에 근호를 포함한 무리수가 있으면 분모를 유리화한다.

❹ 곱셈, 나눗셈을 먼저 한 후 근호 안의 수가 같은 것끼리 덧셈, 뺄셈을 한다.

예 $\sqrt{3}(\sqrt{6}-5)+\frac{10}{\sqrt{2}}$

$=\sqrt{18}-5\sqrt{3}+\frac{10}{\sqrt{2}}$ ❶

$=3\sqrt{2}-5\sqrt{3}+\frac{10}{\sqrt{2}}$ ❷

$=3\sqrt{2}-5\sqrt{3}+5\sqrt{2}$ ❸

$=8\sqrt{2}-5\sqrt{3}$ ❹

7 무리수의 정수 부분과 소수 부분

(1) (무리수)=(정수 부분)+(소수 부분)

→ 0<(소수 부분)<1

(2) (무리수의 소수 부분)=(무리수)−(무리수의 정수 부분)

➡ $\sqrt{a}$의 정수 부분이 n이면 소수 부분은 $\sqrt{a}-n$

예 $1<\sqrt{3}<2$이므로 ($\sqrt{3}$의 정수 부분)$=1$, ($\sqrt{3}$의 소수 부분)$=\sqrt{3}-1$

1 ★ 다항식의 곱셈

1 다항식의 곱셈

분배법칙을 이용하여 식을 전개한 다음 동류항이 있으면
동류항끼리 모아서 간단히 한다.

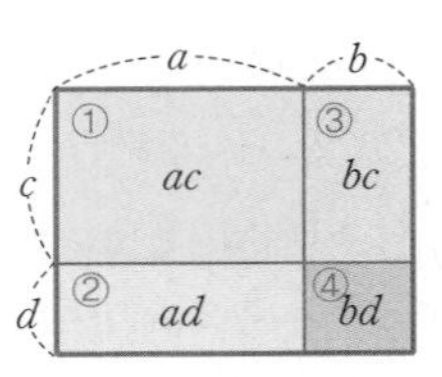

$$(a+b)(c+d)=\underset{①}{ac}+\underset{②}{ad}+\underset{③}{bc}+\underset{④}{bd}$$

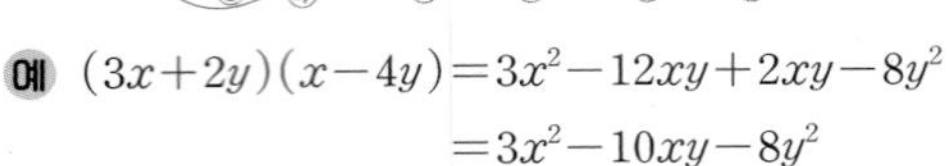

예 $(3x+2y)(x-4y)=3x^2-12xy+2xy-8y^2$
$=3x^2-10xy-8y^2$

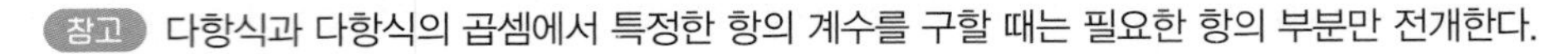

참고 다항식과 다항식의 곱셈에서 특정한 항의 계수를 구할 때는 필요한 항의 부분만 전개한다.

2 곱셈 공식

(1) $(a+b)^2=a^2+2ab+b^2$ ← 합의 제곱 (곱의 2배)

$(a-b)^2=a^2-2ab+b^2$ ← 차의 제곱 (곱의 2배)

예 $(x+4)^2=x^2+2\times x\times 4+4^2=x^2+8x+16$
$(x-4)^2=x^2-2\times x\times 4+4^2=x^2-8x+16$

참고 전개식이 같은 다항식
$(-a-b)^2=\{-(a+b)\}^2=(a+b)^2$
$(-a+b)^2=\{-(a-b)\}^2=(a-b)^2$

(2) $(a+b)(a-b)=a^2-b^2$ ← 합과 차의 곱 (합, 차, 제곱의 차)

예 $(2x+3)(2x-3)=(2x)^2-3^2=4x^2-9$

(3) $(x+a)(x+b)=x^2+(a+b)x+ab$ (합, 곱)

예 $(x+3)(x-4)=x^2+(3-4)x+3\times(-4)=x^2-x-12$

(4) $(ax+b)(cx+d)=acx^2+(ad+bc)x+bd$ (곱, 곱)

예 $(2x+5)(x-1)=(2\times 1)x^2+\{2\times(-1)+5\times 1\}x+5\times(-1)$
$=2x^2+3x-5$

3 곱셈 공식을 이용한 수의 계산

(1) 수의 제곱의 계산: 곱셈 공식 $(a+b)^2=a^2+2ab+b^2$ 또는 $(a-b)^2=a^2-2ab+b^2$ 을 이용한다.

예 $99^2=(100-1)^2=100^2-2\times100\times1+1^2=9801$

(2) 두 수의 곱의 계산: 곱셈 공식 $(a+b)(a-b)=a^2-b^2$ 또는 $(x+a)(x+b)=x^2+(a+b)x+ab$를 이용한다.

예 $41\times39=(40+1)(40-1)=40^2-1^2=1599$

$41\times43=(40+1)(40+3)=40^2+(1+3)\times40+1\times3=1763$

(3) 제곱근의 계산: 제곱근을 문자로 생각하고 곱셈 공식을 이용하여 계산한다.

예 $(\sqrt{2}+1)^2=(\sqrt{2})^2+2\times\sqrt{2}\times1+1^2=2+2\sqrt{2}+1=3+2\sqrt{2}$

4 곱셈 공식을 이용한 분모의 유리화

분모가 두 수의 합 또는 차로 되어 있는 무리수이면 곱셈 공식 $(a+b)(a-b)=a^2-b^2$ 을 이용하여 분모를 유리화한다.

예 $\frac{3}{\sqrt{2}+1}=\frac{3(\sqrt{2}-1)}{(\sqrt{2}+1)(\sqrt{2}-1)}=\frac{3(\sqrt{2}-1)}{(\sqrt{2})^2-1^2}=3\sqrt{2}-3$

$\frac{2}{\sqrt{3}+\sqrt{2}}=\frac{2(\sqrt{3}-\sqrt{2})}{(\sqrt{3}+\sqrt{2})(\sqrt{3}-\sqrt{2})}=\frac{2(\sqrt{3}-\sqrt{2})}{(\sqrt{3})^2-(\sqrt{2})^2}=2\sqrt{3}-2\sqrt{2}$

참고 분모 모양에 따라 분모, 분자에 다음과 같이 곱하여 분모를 유리화한다. (단, $b>0$)

분모 모양	분모, 분자에 곱해야 할 수
$a-\sqrt{b}$	$a+\sqrt{b}$
$a+\sqrt{b}$	$a-\sqrt{b}$
$\sqrt{a}-\sqrt{b}$ (단, $a>0$)	$\sqrt{a}+\sqrt{b}$ (단, $a>0$)
$\sqrt{a}+\sqrt{b}$ (단, $a>0$)	$\sqrt{a}-\sqrt{b}$ (단, $a>0$)

5 곱셈 공식을 변형하여 식의 값 구하기

두 수의 합 또는 차, 곱이 주어질 때, 다음과 같이 변형하여 계산한다.

(1) $a^2+b^2=(a+b)^2-2ab$

$a^2+b^2=(a-b)^2+2ab$

(2) $(a+b)^2=(a-b)^2+4ab$

$(a-b)^2=(a+b)^2-4ab$

참고 (1), (2)의 식에 b 대신 $\frac{1}{a}$을 대입하면 다음과 같은 식을 얻을 수 있다.

$a^2+\frac{1}{a^2}=\left(a+\frac{1}{a}\right)^2-2$, $a^2+\frac{1}{a^2}=\left(a-\frac{1}{a}\right)^2+2$

$\left(a+\frac{1}{a}\right)^2=\left(a-\frac{1}{a}\right)^2+4$, $\left(a-\frac{1}{a}\right)^2=\left(a+\frac{1}{a}\right)^2-4$

2 ★ 인수분해

1 인수분해

(1) 인수: 하나의 다항식을 두 개 이상의 다항식의 곱으로 나타낼 때, 각각의 식을 처음 다항식의 인수라 한다.

(2) 인수분해: 하나의 다항식을 두 개 이상의 인수의 곱으로 나타내는 것을 그 다항식을 인수분해한다고 하고, 인수분해는 전개와 서로 반대의 과정이다.

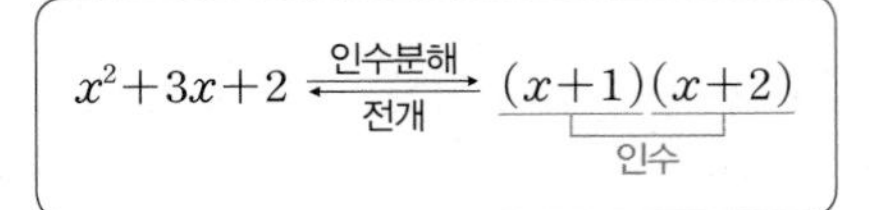

(3) 공통인 인수를 이용한 인수분해: 다항식의 각 항에 공통인 인수가 있을 때는 분배법칙을 이용하여 공통인 인수를 묶어 내어 인수분해한다.

$ma+mb+mc=m(a+b+c)$ (공통인 인수)

2 인수분해 공식

(1) 인수분해 공식 ①

① $a^2+2ab+b^2=(a+b)^2$　**예** $x^2+2x+1=x^2+2\times x\times 1+1^2=(x+1)^2$

$a^2-2ab+b^2=(a-b)^2$　**예** $x^2-4x+4=x^2-2\times x\times 2+2^2=(x-2)^2$

② 완전제곱식: $(a-1)^2$, $3(x+2y)^2$과 같이 다항식의 제곱으로 이루어진 식 또는 이 식에 수를 곱한 식

(2) 완전제곱식이 될 조건

다음과 같은 방법으로 완전제곱식을 만들 수 있다.

① $a^2\pm2\boxed{a}\boxed{b}+b^2$ (제곱, 제곱)

② $a^2\pm\boxed{2ab}+b^2$ (제곱근 $\pm a$, 제곱근 $\pm b$, 곱의 2배)

예 ① $x^2+3x+\square=x^2+2\times\boxed{x}\times\boxed{\frac{3}{2}}+\square$ (제곱, 제곱) ➡ $\square=\left(\frac{3}{2}\right)^2=\frac{9}{4}$

② $4x^2+\square x+9=(2x\pm3)^2$ ➡ $\square=\pm2\times2\times3=\pm12$

참고 x^2+ax+b가 완전제곱식이 되기 위한 조건 ← x^2의 계수가 1인 경우

➡ ① $b=\left(\frac{a}{2}\right)^2$　② $a=\pm2\sqrt{b}$ (단, $b>0$)

(3) 인수분해 공식 ②

$a^2-b^2=(a+b)(a-b)$　**예** $4x^2-9=(2x)^2-3^2=(2x+3)(2x-3)$

(4) 인수분해 공식 ③

$x^2+(a+b)x+ab=(x+a)(x+b)$

예 x^2+4x+3에서 합이 4, 곱이 3인 두 정수는 1, 3이므로

$x^2+4x+3=(x+1)(x+3)$

(5) 인수분해 공식 ④

$acx^2+(ad+bc)x+bd=(ax+b)(cx+d)$

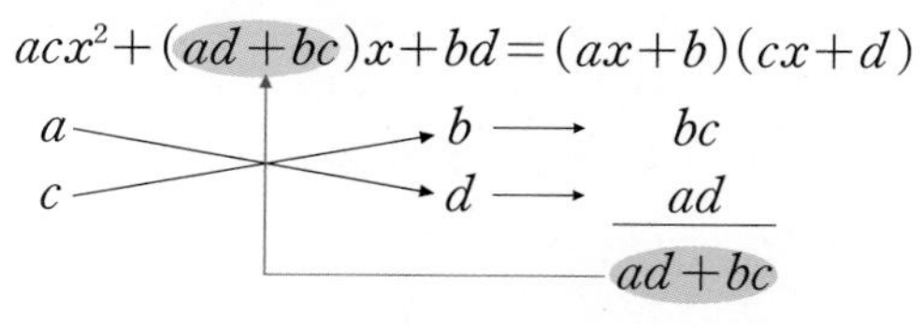

예 $2x^2+9x+4=(x+4)(2x+1)$

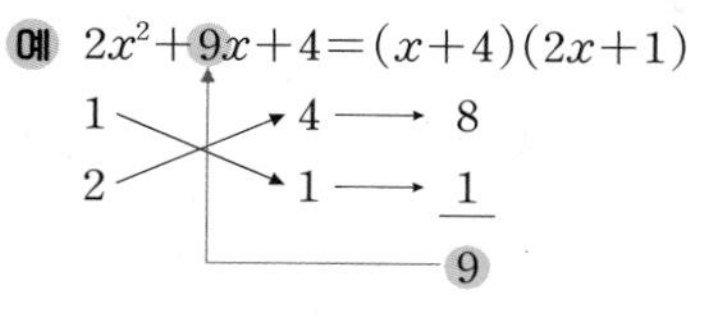

(6) 인수분해 공식을 이용한 수의 계산

① 공통인 인수로 묶기 ➡ $ma+mb=m(a+b)$를 이용한다.

예 $8\times49+8\times51=8\times(49+51)=8\times100=800$

② 완전제곱식 이용하기 ➡ $a^2\pm2ab+b^2=(a\pm b)^2$을 이용한다.

예 $98^2+2\times98\times2+2^2=(98+2)^2=100^2=10000$

$13^2-2\times13\times3+3^2=(13-3)^2=10^2=100$

③ 제곱의 차 이용하기 ➡ $a^2-b^2=(a+b)(a-b)$를 이용한다.

예 $85^2-15^2=(85+15)(85-15)=100\times70=7000$

3 복잡한 식의 인수분해

(1) 공통부분이 있는 경우의 인수분해

공통부분이 있으면 공통부분을 한 문자로 놓고 인수분해 공식을 이용한다.

예 $(x+y)^2-8(x+y)+16=A^2-8A+16=(A-4)^2=(x+y-4)^2$

→ 공통부분 $x+y$를 A로 놓기 → A에 $x+y$를 대입

(2) 항이 4개인 경우의 인수분해

① (2개의 항)+(2개의 항)으로 묶기: 공통인 인수가 생기도록 두 항씩 묶어 인수분해한다.

예 $xy+x+y+1=x(y+1)+(y+1)=(x+1)(y+1)$

② (3개의 항)+(1개의 항)으로 묶기: 완전제곱식으로 인수분해되는 3개의 항과 나머지 1개의 항을 A^2-B^2 꼴로 변형하여 인수분해한다.

예 $x^2-y^2-2x+1=(x^2-2x+1)-y^2=(x-1)^2-y^2=(x+y-1)(x-y-1)$

(3) 항이 5개 이상인 경우의 인수분해

차수가 가장 낮은 문자에 대하여 내림차순으로 정리하여 인수분해한다.

→ 내림차순: 다항식을 어떤 문자에 대하여 차수가 높은 항부터 낮은 항의 순서대로 나열하는 것

예 $x^2+xy+3x+y+2=(x+1)y+(x^2+3x+2)$ ← y에 대하여 내림차순으로 정리

$=(x+1)y+(x+1)(x+2)$

$=(x+1)(x+y+2)$

→ 공통인 인수 $x+1$로 묶어 내어 인수분해

4 인수분해 공식의 활용

주어진 식을 인수분해한 후 문자에 수를 대입하거나 주어진 조건을 대입하여 계산한다.

예 ① $x=95$일 때, $x^2+10x+25$의 값

➡ $x^2+10x+25=(x+5)^2=(95+5)^2=100^2=10000$

② $x+y=4$, $xy=3$일 때, $x^3y+2x^2y^2+xy^3$의 값

➡ $x^3y+2x^2y^2+xy^3=xy(x^2+2xy+y^2)=xy(x+y)^2=3\times4^2=48$

3 ★ 이차방정식의 뜻과 그 풀이

1 이차방정식과 그 해

(1) x에 대한 이차방정식

등식의 모든 항을 좌변으로 이항하여 정리한 식이 (x에 대한 이차식)$=0$ 꼴로 나타나는 방정식을 x에 대한 이차방정식이라 한다.

➡ $ax^2+bx+c=0$ (단, a, b, c는 상수, $a\neq0$)

예 $x^2+3x-1=0$, $2x^2+1=0$

(2) 이차방정식의 해

① 이차방정식의 해(근): 이차방정식 $ax^2+bx+c=0$을 참이 되게 하는 미지수 x의 값

예 이차방정식 $x^2-4x+3=0$에서

$x=1$을 대입하면 $1^2-4\times1+3=0$ ➡ $x=1$은 해이다.

$x=2$를 대입하면 $2^2-4\times2+3\neq0$ ➡ $x=2$는 해가 아니다.

② 이차방정식의 해를 모두 구하는 것을 이차방정식을 푼다고 한다.

2 $AB=0$의 성질을 이용한 이차방정식의 풀이

두 수 또는 두 식 A, B에 대하여

$AB=0$이면 $A=0$ 또는 $B=0$

참고 '$A=0$ 또는 $B=0$'은 다음 세 가지 중 하나가 성립함을 의미한다.

① $A=0$, $B\neq0$　② $A\neq0$, $B=0$　③ $A=0$, $B=0$

3 인수분해를 이용한 이차방정식의 풀이

❶ 주어진 이차방정식을 정리한다. → $ax^2+bx+c=0$ 꼴

❷ 좌변을 인수분해한다.

❸ $AB=0$의 성질을 이용한다.

❹ 해를 구한다.

$x^2-x=6$에서 ❶ $x^2-x-6=0$

❷ $(x+2)(x-3)=0$

❸ $x+2=0$ 또는 $x-3=0$

❹ $\therefore x=-2$ 또는 $x=3$

4 이차방정식의 중근

(1) 이차방정식의 중근

이차방정식의 두 해가 중복될 때, 이 해를 이차방정식의 중근이라 한다.

예 $(x-1)(x-1)=0$, $(x-1)^2=0$　$\therefore x=1$ ← 중근

(2) 이차방정식이 중근을 가질 조건

① 이차방정식이 (완전제곱식)$=0$ 꼴로 인수분해되면 중근을 갖는다.

② 이차방정식 $x^2+ax+b=0$이 중근을 가지려면 좌변이 완전제곱식이 되어야 하므로

➡ $b=\left(\frac{a}{2}\right)^2$ ← (상수항)$=\left(\frac{x\text{의 계수}}{2}\right)^2$

예 $x^2+4x+\square=0$이 중근을 가지려면 $\square=\left(\frac{4}{2}\right)^2=4$

5 제곱근을 이용한 이차방정식의 풀이

(1) 이차방정식 $x^2=k\,(k\ge0)$의 해 ➡ $x=\pm\sqrt{k}$

예 $x^2=3$의 해 ➡ $x=\pm\sqrt{3}$

(2) 이차방정식 $(x-p)^2=q\,(q\ge0)$의 해 ➡ $x=p\pm\sqrt{q}$

예 $(x-2)^2=5$의 해 ➡ $x=2\pm\sqrt{5}$

6 완전제곱식을 이용한 이차방정식의 풀이

이차방정식을 $(x-p)^2=q$ 꼴로 고쳐 제곱근을 이용하여 푼다.

❶ 이차항의 계수를 1로 만든다.

❷ 상수항을 우변으로 이항한다.

❸ 양변에 $\left(\dfrac{x\text{의 계수}}{2}\right)^2$을 더한다.

❹ (완전제곱식)=(상수) 꼴로 고친다.

❺ 제곱근을 이용하여 해를 구한다.

$2x^2-8x+2=0$에서

❶ $x^2-4x+1=0$

❷ $x^2-4x=-1$

❸ $x^2-4x+\left(\dfrac{-4}{2}\right)^2=-1+\left(\dfrac{-4}{2}\right)^2$

❹ $(x-2)^2=3$

❺ $\therefore\ x=2\pm\sqrt{3}$

7 이차방정식의 근의 공식

x에 대한 이차방정식 $ax^2+bx+c=0\,(a\neq0)$의 해는

➡ $x=\dfrac{-b\pm\sqrt{b^2-4ac}}{2a}$ (단, $b^2-4ac\ge0$)

예 이차방정식 $x^2+3x-2=0$에서 → $a=1,\ b=3,\ c=-2$

$x=\dfrac{-3\pm\sqrt{3^2-4\times1\times(-2)}}{2\times1}=\dfrac{-3\pm\sqrt{17}}{2}$

참고 x의 계수가 짝수일 때, x에 대한 이차방정식 $ax^2+2b'x+c=0\,(a\neq0)$의 해는

➡ $x=\dfrac{-b'\pm\sqrt{b'^2-ac}}{a}$ (단, $b'^2-ac\ge0$)

예 이차방정식 $2x^2-6x+1=0$에서 → $a=2,\ b'=-3,\ c=1$

$x=\dfrac{-(-3)\pm\sqrt{(-3)^2-2\times1}}{2}=\dfrac{3\pm\sqrt{7}}{2}$

8 여러 가지 이차방정식의 풀이

(1) 계수가 소수 또는 분수인 경우

① 계수가 소수이면 양변에 10, 100, 1000, …을 곱하여 계수를 정수로 바꾸어 정리한 후 이차방정식을 푼다.

② 계수가 분수이면 양변에 분모의 최소공배수를 곱하여 계수를 정수로 바꾸어 정리한 후 이차방정식을 푼다.

(2) 괄호가 있으면 전개하여 $ax^2+bx+c=0$ 꼴로 고친다.

(3) 공통부분이 있으면 (공통부분)$=A$로 놓고 $aA^2+bA+c=0$ 꼴로 고친다.

I

실수와 그 연산

1. 제곱근과 실수

출제 유형

- 유형 1 제곱근의 이해
- 유형 2 제곱근의 성질
- 유형 3 제곱근의 성질을 이용한 계산
- 유형 4 $\sqrt{a^2}$ 꼴을 포함한 식 간단히 하기
- 유형 5 $\sqrt{(a-b)^2}$ 꼴을 포함한 식 간단히 하기
- 유형 6 $\sqrt{Ax}$, $\sqrt{\frac{A}{x}}$가 자연수가 되도록 하는 자연수 x의 값 구하기
- 유형 7 $\sqrt{A+x}$, $\sqrt{A-x}$가 자연수 또는 정수가 되도록 하는 자연수 x의 값 구하기
- 유형 8 제곱근의 대소 관계
- 유형 9 제곱근을 포함한 부등식
- 유형 10 무리수와 실수
- 유형 11 무리수를 수직선 위에 나타내기
- 유형 12 실수와 수직선
- 유형 13 제곱근표
- 유형 14 실수의 대소 관계
- 유형 15 수직선에서 무리수에 대응하는 점 찾기
- 유형 16 두 실수 사이의 수

필수 기출

유형 1 제곱근의 이해

1 다음 중 'x는 3의 제곱근이다.'를 식으로 바르게 나타낸 것은?

① $x=3^2$ ② $x^2=3$ ③ $x^2=3^2$
④ $x^2=\sqrt{3}$ ⑤ $\sqrt{x}=3$

2 다음 중 옳지 않은 것은?

① $\frac{1}{25}$의 제곱근 ⇨ $\pm\frac{1}{5}$
② $(-4)^2$의 제곱근 ⇨ ±4
③ $\sqrt{100}$의 제곱근 ⇨ ±10
④ 0.36의 제곱근 ⇨ ±0.6
⑤ 15의 제곱근 ⇨ $\pm\sqrt{15}$

Best

3 $\sqrt{256}$의 양의 제곱근을 a, $(-3)^2$의 음의 제곱근을 b라 할 때, $a-b$의 값을 구하시오.

4 다음 중 근호를 사용하지 않고 나타낼 수 없는 수는?

① $\sqrt{121}$ ② $-\sqrt{64}$ ③ $\sqrt{0.\dot{4}}$
④ $\sqrt{\frac{25}{81}}$ ⑤ $\sqrt{0.9}$

Best

5 다음 중 옳은 것은?

① 0의 제곱근은 없다.
② 제곱근 4는 2이다.
③ 모든 정수의 제곱근은 2개이다.
④ -25의 음의 제곱근은 -5이다.
⑤ $\sqrt{\frac{1}{16}}$의 음의 제곱근은 $-\frac{1}{4}$이다.

6 다음 중 그 값이 나머지 넷과 다른 하나는?

① 7의 제곱근
② 제곱근 7
③ 제곱하여 7이 되는 수
④ $\sqrt{49}$의 제곱근
⑤ $x^2=7$을 만족시키는 x의 값

7 오른쪽 그림과 같이 한 변의 길이가 각각 2cm, 3cm인 두 정사각형의 넓이의 합과 넓이가 같은 정사각형을 만들 때, 새로 만든 정사각형의 한 변의 길이를 구하시오.

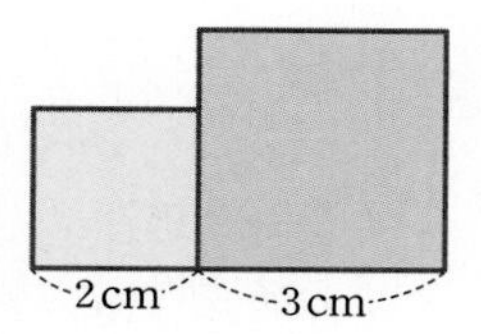

유형 2 제곱근의 성질

8 다음 중 그 값이 나머지 넷과 다른 하나는?

① $(\sqrt{5})^2$ ② $\sqrt{5^2}$ ③ $\sqrt{(-5)^2}$
④ $(-\sqrt{5})^2$ ⑤ $-\sqrt{(-5)^2}$

9 다음 중 옳은 것을 모두 고르면? (정답 2개)

① $\sqrt{6^2}=\pm 6$ ② $-\sqrt{\left(-\frac{3}{8}\right)^2}=\frac{3}{8}$
③ $\sqrt{(-9)^2}=-9$ ④ $-\sqrt{15^2}=-15$
⑤ $-(-\sqrt{3})^2=-3$

10 다음 중 가장 큰 수는?

① $\sqrt{3^2}$ ② $\sqrt{\left(\frac{9}{4}\right)^2}$ ③ $-(-\sqrt{6})^2$
④ $(-\sqrt{7})^2$ ⑤ $-\sqrt{(-8)^2}$

유형 3 제곱근의 성질을 이용한 계산

Best

11 $\sqrt{25}-\sqrt{(-3)^2}+(\sqrt{2})^2-(-\sqrt{5})^2$을 계산하면?

① -3 ② -2 ③ -1
④ 0 ⑤ 1

12 다음 중 옳지 않은 것은?

① $\sqrt{16}+\sqrt{(-1)^2}=5$
② $\sqrt{3^2}-\sqrt{(-7)^2}=-4$
③ $\sqrt{12^2}\div\sqrt{(-4)^2}=3$
④ $\sqrt{36}+\sqrt{(-2)^2}\times(-\sqrt{3})^2=10$
⑤ $\sqrt{\frac{9}{16}}-\sqrt{0.25}\div\sqrt{\left(-\frac{2}{3}\right)^2}=0$

필수 기출

유형 4 $\sqrt{a^2}$ 꼴을 포함한 식 간단히 하기

13 $a>0$일 때, 다음 중 옳지 않은 것은?

① $\sqrt{a^2}=a$
② $(\sqrt{a})^2=a$
③ $-\sqrt{a^2}=-a$
④ $(-\sqrt{a})^2=a$
⑤ $\sqrt{(-a)^2}=-a$

14 $a<0$일 때, $\sqrt{a^2}+\sqrt{(-3a)^2}-\sqrt{25a^2}$을 간단히 하면?

① $-9a$ ② $-3a$ ③ $-a$
④ a ⑤ $7a$

15 $a>0$, $b<0$일 때, $\sqrt{(-4a)^2}-\sqrt{36b^2}-\sqrt{a^2}$을 간단히 하면?

① $3a-6b$ ② $3a-3b$ ③ $3a+3b$
④ $3a+6b$ ⑤ $5a+6b$

Best

16 $a-b<0$, $ab<0$일 때, $\sqrt{(-a)^2}-\sqrt{9b^2}+\sqrt{49a^2}$을 간단히 하면?

① $-a-9b$ ② $-a+9b$ ③ $6a-3b$
④ $8a+3b$ ⑤ $-8a-3b$

유형 5 $\sqrt{(a-b)^2}$ 꼴을 포함한 식 간단히 하기

17 $a>3$일 때, $\sqrt{(3-a)^2}+\sqrt{(a-3)^2}$을 간단히 하면?

① 0 ② a ③ $a-2$
④ $-a+6$ ⑤ $2a-6$

Best

18 $5<a<8$일 때, $\sqrt{(5-a)^2}-\sqrt{(8-a)^2}$을 간단히 하면?

① $-2a-13$ ② $-2a-3$ ③ 3
④ $2a-13$ ⑤ $2a+13$

19 $a>0$, $ab<0$일 때, $\sqrt{(-a)^2}-\sqrt{(b-a)^2}+\sqrt{4b^2}$을 간단히 하면?

① $-2b$　② $-b$　③ b
④ $a-b$　⑤ $2a+b$

20 $b<c<a<0$일 때, 다음 식을 간단히 하면?

$$\sqrt{(a-c)^2}-\sqrt{b^2}+\sqrt{(b-c)^2}$$

① $-a+2b$　② $-a+2c$　③ $a-2c$
④ a　⑤ $a+2b-2c$

유형 6 $\sqrt{Ax}$, $\sqrt{\dfrac{A}{x}}$가 자연수가 되도록 하는 자연수 x의 값 구하기

Best

21 $\sqrt{56x}$가 자연수가 되도록 하는 가장 작은 자연수 x의 값은?

① 7　② 12　③ 14
④ 16　⑤ 21

22 $\sqrt{216x}$가 자연수가 되도록 하는 두 자리의 자연수 x의 개수는?

① 1개　② 2개　③ 3개
④ 4개　⑤ 5개

23 자연수 x에 대하여 $100<x<200$일 때, $\sqrt{720x}$가 자연수가 되도록 하는 모든 x의 값의 합은?

① 205　② 305　③ 385
④ 425　⑤ 430

24 $\sqrt{\dfrac{24}{x}}$가 자연수가 되도록 하는 가장 작은 자연수 x의 값을 구하시오.

25 $\sqrt{\frac{108}{n}}$과 $\sqrt{300n}$이 모두 자연수가 되도록 하는 자연수 n의 개수는?

① 1개 ② 2개 ③ 3개
④ 4개 ⑤ 무수히 많다.

유형 7 $\sqrt{A+x}$, $\sqrt{A-x}$가 자연수 또는 정수가 되도록 하는 자연수 x의 값 구하기

26 $\sqrt{18+x}$가 자연수가 되도록 하는 가장 작은 자연수 x의 값은?

① 5 ② 6 ③ 7
④ 8 ⑤ 9

27 $\sqrt{40+x}$가 자연수가 되도록 하는 100 이하의 자연수 x의 개수는?

① 3개 ② 4개 ③ 5개
④ 6개 ⑤ 7개

Best

28 $\sqrt{24-x}$가 자연수가 되도록 하는 모든 자연수 x의 값의 합은?

① 15 ② 23 ③ 43
④ 58 ⑤ 66

29 $\sqrt{17-x}$가 정수가 되도록 하는 자연수 x의 값 중 가장 큰 수를 a, 가장 작은 수를 b라 할 때, $a+b$의 값을 구하시오.

30 $\sqrt{50-2n}$이 자연수가 되도록 하는 모든 자연수 n의 개수는?

① 1개 ② 2개 ③ 3개
④ 4개 ⑤ 5개

유형 8 제곱근의 대소 관계

Best

31 다음 중 두 수의 대소 관계가 옳은 것은?

① $\sqrt{15}<\sqrt{13}$　② $-\sqrt{5}<-\sqrt{7}$

③ $-\sqrt{\frac{2}{3}}>-\sqrt{\frac{3}{4}}$　④ $6<\sqrt{35}$

⑤ $0.1>\sqrt{0.1}$

32 다음 중 세 번째로 큰 수는?

$$-2,\ \sqrt{10},\ 0,\ \sqrt{5},\ -\sqrt{8},\ \sqrt{\frac{1}{2}}$$

① $\sqrt{10}$　② 0　③ $\sqrt{5}$

④ $-\sqrt{8}$　⑤ $\sqrt{\frac{1}{2}}$

33 $0<a<1$일 때, 다음 중 그 값이 가장 큰 것은?

① a　② a^2　③ $\sqrt{a}$

④ $\frac{1}{a}$　⑤ $\sqrt{\frac{1}{a}}$

유형 9 제곱근을 포함한 부등식

Best

34 $5<\sqrt{2x}<6$을 만족시키는 자연수 x의 개수는?

① 1개　② 2개　③ 3개

④ 4개　⑤ 5개

35 다음 중 $3\le\sqrt{2x+1}<4$를 만족시키는 자연수 x의 값이 아닌 것은?

① 4　② 5　③ 6

④ 7　⑤ 8

유형 10 무리수와 실수

Best

36 다음 중 무리수는 모두 몇 개인지 구하시오.

$$-\sqrt{0.1},\ \sqrt{\frac{9}{121}},\ \pi,\ 0.\dot{7},\ \sqrt{(-4)^2},\ \frac{\sqrt{3}}{2}$$

필수 기출

Best

37 다음 중 옳은 것은?

① 순환소수는 모두 유리수이다.
② 무한소수는 모두 무리수이다.
③ 순환소수가 아닌 무한소수는 유리수이다.
④ 근호를 사용하여 나타낸 수는 무리수이다.
⑤ 유리수인 동시에 무리수인 수가 있다.

38 다음 중 $\sqrt{5}$에 대한 설명으로 옳지 않은 것은?

① 무리수이다.
② 5의 양의 제곱근이다.
③ 제곱하면 유리수가 된다.
④ 근호를 사용하지 않고 나타낼 수 있다.
⑤ 소수로 나타내면 순환소수가 아닌 무한소수가 된다.

39 다음 조건을 모두 만족시키는 x의 개수는?

• 조건 •
(가) x는 30 이하의 자연수이다.
(나) $\sqrt{3x}$는 무리수이다.

① 24개 ② 25개 ③ 26개
④ 27개 ⑤ 28개

40 다음 중 (가)에 해당하는 수를 모두 고르면? (정답 2개)

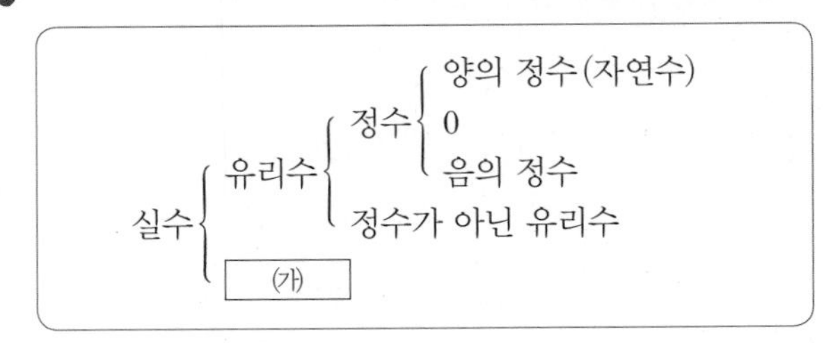

① 3.14 ② $\sqrt{2.5}$ ③ $\sqrt{\frac{16}{81}}$
④ $\sqrt{0.\dot{1}}$ ⑤ $\sqrt{225}$의 양의 제곱근

유형 11 무리수를 수직선 위에 나타내기

Best

41 오른쪽 그림은 한 칸의 가로와 세로의 길이가 각각 1인 모눈종이 위에 수직선과 직각삼각형 ABC를 그린 것이다. $\overline{AC}=\overline{AP}=\overline{AQ}$일 때, 두 점 P, Q에 대응하는 수를 각각 구하시오.

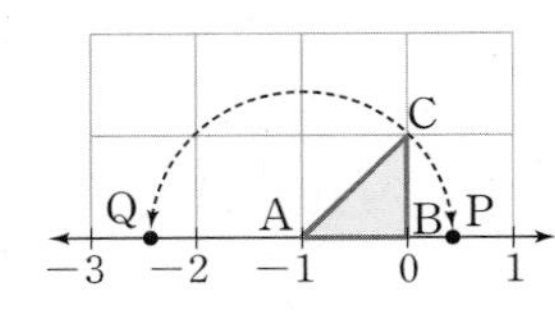

42 다음 그림과 같이 수직선 위에 한 변의 길이가 1인 4개의 정사각형이 있을 때, $2-\sqrt{2}$에 대응하는 점은?

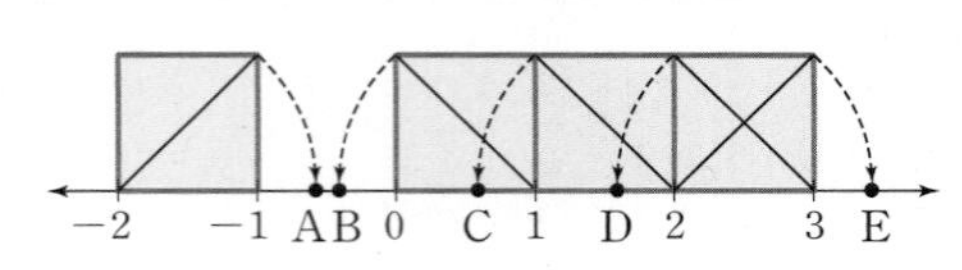

① 점 A ② 점 B ③ 점 C
④ 점 D ⑤ 점 E

43 다음 그림은 넓이가 6인 정사각형 ABCD를 수직선 위에 그린 것이다. $\overline{AB}=\overline{AP}$가 되도록 수직선 위에 점 P를 정할 때, 점 P에 대응하는 수는?

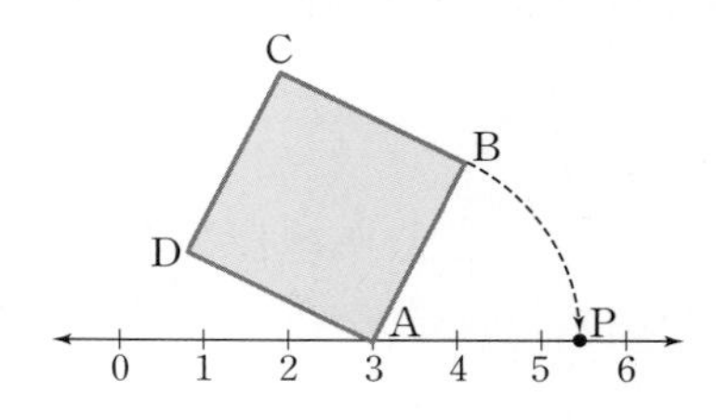

① $\sqrt{6}$　② $3+\sqrt{2}$　③ $3+\sqrt{3}$
④ $3+\sqrt{6}$　⑤ $3+\sqrt{12}$

44 다음 그림은 한 칸의 가로와 세로의 길이가 각각 1인 모눈종이 위에 수직선과 두 직각삼각형 ABC, DEF를 그린 것이다. $\overline{AC}=\overline{AP}$, $\overline{DF}=\overline{DQ}$일 때, 두 점 P, Q의 좌표를 각각 구하면?

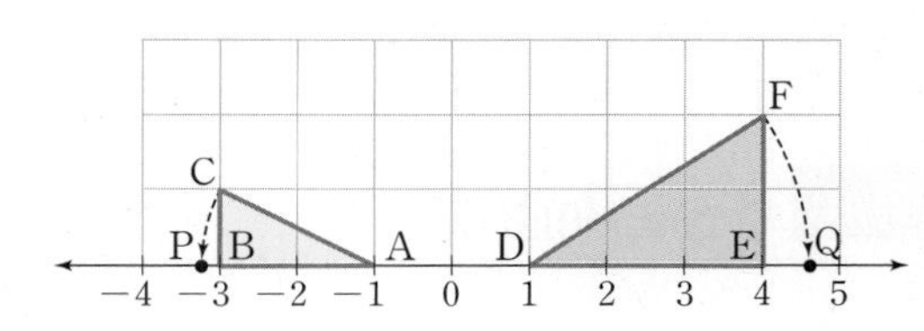

① $P(-1-\sqrt{5})$, $Q(-1+\sqrt{13})$
② $P(-1-\sqrt{5})$, $Q(1+\sqrt{10})$
③ $P(-1-\sqrt{5})$, $Q(1+\sqrt{13})$
④ $P(1-\sqrt{5})$, $Q(-1+\sqrt{13})$
⑤ $P(1-\sqrt{5})$, $Q(1+\sqrt{13})$

유형 12 실수와 수직선

Best

45 다음 중 옳지 않은 것을 모두 고르면? (정답 2개)

① 서로 다른 두 실수 사이에는 무수히 많은 실수가 있다.
② 서로 다른 두 정수 사이에는 무수히 많은 정수가 있다.
③ 서로 다른 두 무리수 사이에는 무수히 많은 유리수가 있다.
④ 수직선은 무리수에 대응하는 점으로 완전히 메울 수 있다.
⑤ 유리수는 수직선 위의 한 점에 반드시 대응한다.

46 다음 보기 중 옳은 것을 모두 고른 것은?

보기
ㄱ. 2에 가장 가까운 무리수는 $2+\sqrt{2}$이다.
ㄴ. 0과 1 사이에는 유리수가 없다.
ㄷ. $-\sqrt{2}$와 -1 사이에는 무수히 많은 무리수가 있다.
ㄹ. $\frac{1}{4}$과 $\frac{1}{2}$ 사이에는 무수히 많은 유리수가 있다.

① ㄱ, ㄴ　② ㄱ, ㄷ　③ ㄴ, ㄷ
④ ㄴ, ㄹ　⑤ ㄷ, ㄹ

유형 13 제곱근표

47 다음 제곱근표를 이용하여 $\sqrt{1.89}$의 값을 구하면?

수	6	7	8	9
1.6	1.288	1.292	1.296	1.300
1.7	1.327	1.330	1.334	1.338
1.8	1.364	1.367	1.371	1.375
1.9	1.400	1.404	1.407	1.411
2.0	1.435	1.439	1.442	1.446

① 1.296　② 1.338　③ 1.375
④ 1.407　⑤ 1.446

48 다음 제곱근표에서 $\sqrt{5.72}=a$, $\sqrt{b}=2.437$일 때, $1000a+100b$의 값은?

수	0	1	2	3	4
5.5	2.345	2.347	2.349	2.352	2.354
5.6	2.366	2.369	2.371	2.373	2.375
5.7	2.387	2.390	2.392	2.394	2.396
5.8	2.408	2.410	2.412	2.415	2.417
5.9	2.429	2.431	2.433	2.435	2.437

① 2943 ② 2965 ③ 2983
④ 2986 ⑤ 3027

유형 14 실수의 대소 관계

Best

49 다음 중 두 실수의 대소 관계가 옳지 않은 것은?

① $\sqrt{3}-1<1$
② $3>1+\sqrt{5}$
③ $3-\sqrt{13}<5-\sqrt{13}$
④ $\sqrt{3}+\sqrt{7}>1+\sqrt{7}$
⑤ $4-\sqrt{10}<\sqrt{20}-\sqrt{10}$

50 $A=2+\sqrt{3}$, $B=2+\sqrt{2}$, $C=3+\sqrt{3}$일 때, 세 수 A, B, C의 대소 관계가 옳은 것은?

① $A<B<C$ ② $A<C<B$
③ $B<A<C$ ④ $B<C<A$
⑤ $C<B<A$

유형 15 수직선에서 무리수에 대응하는 점 찾기

51 다음 수직선에서 $\sqrt{60}$에 대응하는 점이 있는 구간은?

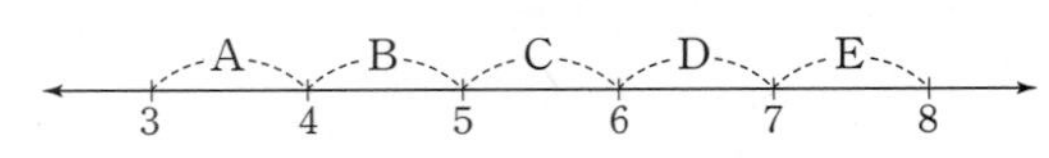

① 구간 A ② 구간 B ③ 구간 C
④ 구간 D ⑤ 구간 E

52 다음 수직선 위의 점 중에서 $\sqrt{7}-2$에 대응하는 점은?

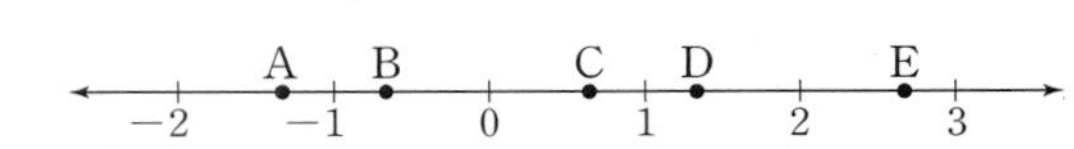

① 점 A ② 점 B ③ 점 C
④ 점 D ⑤ 점 E

유형 16 두 실수 사이의 수

53 다음 중 두 수 $\sqrt{3}$과 $\sqrt{10}$ 사이에 있는 수가 아닌 것은?

① $\sqrt{10}-3$ ② $\sqrt{3}+1$ ③ $\sqrt{7}$
④ 3 ⑤ $\frac{\sqrt{3}+\sqrt{10}}{2}$

54 두 수 $1-\sqrt{5}$와 $2+\sqrt{7}$ 사이에 있는 정수의 개수는?

① 4개 ② 5개 ③ 6개
④ 7개 ⑤ 8개

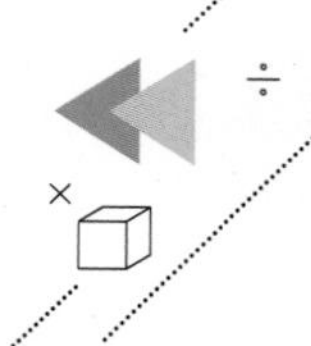

Best 쌍둥이

필수 기출의 Best 문제를 한 번 더!!

• 정답과 해설 5쪽

1 $\left(-\frac{4}{5}\right)^2$의 양의 제곱근을 a, $5.\dot{4}$의 음의 제곱근을 b라 할 때, ab의 값은?

① $-\frac{28}{15}$ ② $-\frac{17}{15}$ ③ $-\frac{11}{15}$
④ $-\frac{2}{7}$ ⑤ $-\frac{15}{28}$

2 다음 보기 중 옳지 않은 것을 모두 고른 것은?

보기
ㄱ. $\sqrt{169}$는 13이다.
ㄴ. 81의 제곱근은 ±9이다.
ㄷ. $\sqrt{36}$의 양의 제곱근은 $\sqrt{6}$이다.
ㄹ. 넓이가 12인 정사각형의 한 변의 길이는 6이다.
ㅁ. 제곱근 9는 ±3이다.

① ㄱ, ㄴ ② ㄱ, ㄷ ③ ㄴ, ㄹ
④ ㄷ, ㄹ ⑤ ㄹ, ㅁ

3 $A=(-\sqrt{20})^2\div\sqrt{2^2}-\sqrt{(-3)^2}\times\left(\sqrt{\frac{1}{3}}\right)^2$일 때, 제곱근 A를 구하시오.

4 $a>b$, $ab<0$일 때, $\sqrt{(-b)^2}-\sqrt{(2b)^2}+\sqrt{(-3a)^2}$을 간단히 하면?

① $-3a-b$ ② $-a+b$ ③ $-a+3b$
④ $3a-b$ ⑤ $3a+b$

5 $2<a<4$일 때, $\sqrt{(2-a)^2}-\sqrt{(4-a)^2}$을 간단히 하면?

① -6 ② 2 ③ 6
④ $-2a-6$ ⑤ $2a-6$

6 $\sqrt{28x}$가 자연수가 되도록 하는 100 이하의 자연수 x의 개수를 구하시오.

7 다음 중 $\sqrt{25-n}$이 자연수가 되도록 하는 자연수 n의 값이 아닌 것은?

① 9 ② 16 ③ 18
④ 21 ⑤ 24

8 다음 중 두 수의 대소 관계가 옳지 않은 것은?

① $-\sqrt{10}>-3$　② $4<\sqrt{17}$
③ $\sqrt{0.09}<0.9$　④ $\sqrt{33}<6$
⑤ $\frac{1}{\sqrt{14}}>\frac{1}{\sqrt{20}}$

9 $3<\sqrt{4n}\le5$를 만족시키는 자연수 n의 값 중 가장 큰 수를 x, 가장 작은 수를 y라 할 때, $x+y$의 값을 구하시오.

10 다음 보기 중 순환소수가 아닌 무한소수를 모두 고른 것은?

보기
ㄱ. $-\sqrt{4}$　ㄴ. $\sqrt{\frac{1}{50}}$　ㄷ. 0
ㄹ. $\pi-2$　ㅁ. $3-\sqrt{3}$　ㅂ. $\sqrt{144}$

① ㄴ, ㄹ　② ㄹ, ㅁ　③ ㅁ, ㅂ
④ ㄱ, ㄷ, ㅂ　⑤ ㄴ, ㄹ, ㅁ

11 다음 중 옳지 않은 것을 모두 고르면? (정답 2개)

① 유한소수는 모두 유리수이다.
② 무리수는 모두 순환소수이다.
③ 유리수 중에는 제곱근이 없는 것도 있다.
④ $\sqrt{3}$은 $\frac{(\text{정수})}{(0\text{이 아닌 정수})}$ 꼴로 나타낼 수 없다.
⑤ 양수의 제곱근은 모두 무리수이다.

12 다음 그림은 한 칸의 가로와 세로의 길이가 각각 1인 모눈종이 위에 수직선과 정사각형 ABCD를 그린 것이다. $\overline{BC}=\overline{BP}$일 때, 점 P에 대응하는 수는?

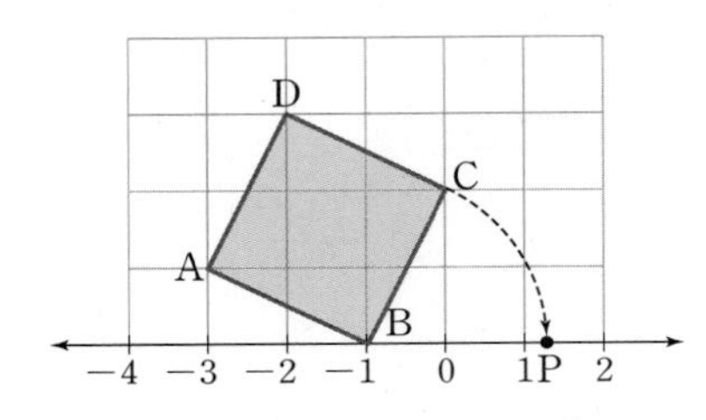

① $-1-\sqrt{5}$　② $-1+\sqrt{5}$　③ $\sqrt{5}$
④ $1-\sqrt{5}$　⑤ $1+\sqrt{5}$

13 다음 보기 중 옳은 것을 모두 고르시오.

보기
ㄱ. $\frac{1}{10}$과 $\frac{7}{10}$ 사이에는 5개의 유리수가 있다.
ㄴ. 서로 다른 두 유리수 사이에는 무수히 많은 무리수가 있다.
ㄷ. 모든 무리수는 수직선 위의 한 점에 대응한다.
ㄹ. 1에 가장 가까운 무리수는 $\sqrt{2}$이다.

14 다음 보기 중 두 실수의 대소 관계가 옳은 것을 모두 고른 것은?

보기
ㄱ. $\sqrt{10}+1<4$　ㄴ. $1+\sqrt{7}<2+\sqrt{7}$
ㄷ. $\sqrt{8}+\sqrt{5}>3+\sqrt{5}$　ㄹ. $-4-\sqrt{6}<-4-\sqrt{5}$
ㅁ. $5-\sqrt{\frac{1}{6}}>5-\sqrt{\frac{1}{7}}$

① ㄱ, ㄴ　② ㄴ, ㄹ　③ ㄷ, ㄹ
④ ㄹ, ㅁ　⑤ ㄱ, ㄹ, ㅁ

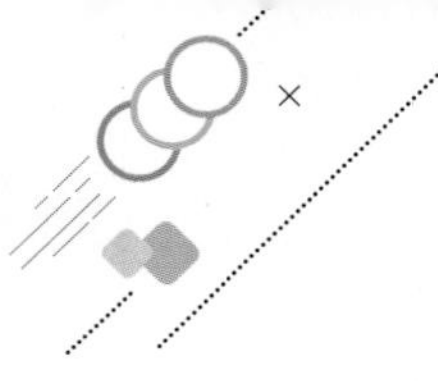

100점 완성

고난도 기출문제는 두 번씩 연습하여 마스터!!

• 정답과 해설 6쪽

1-① 1, $\sqrt{1+3}$, $\sqrt{1+3+5}$, $\sqrt{1+3+5+7}$, $\cdots$과 같이 수를 나열할 때, 근호를 사용하지 않고 $\sqrt{1+3+5+7+9+\cdots+19+21}$을 나타내시오.

Key 주어진 수들의 규칙성을 찾아본다.

② 1, $\sqrt{1+3}$, $\sqrt{1+3+5}$, $\sqrt{1+3+5+7}$, $\cdots$과 같이 수를 나열할 때, 근호를 사용하지 않고 $\sqrt{1+3+5+7+9+\cdots+47+49}$를 나타내면?

① 22　② 23　③ 24　④ 25　⑤ 26

2-① 다음 그림과 같이 한 변의 길이가 $\sqrt{560}$ cm인 정사각형 모양의 종이를 각 변의 중점을 꼭짓점으로 하는 정사각형 모양으로 접어 나갈 때, [3단계]에서 생기는 정사각형의 한 변의 길이를 구하시오.

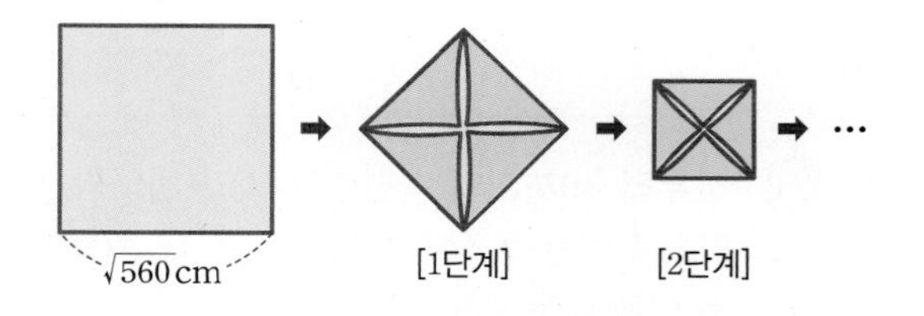

Key 넓이가 a인 정사각형의 한 변의 길이는 $\sqrt{a}$임을 이용한다.

② 다음 그림과 같이 한 변의 길이가 $\sqrt{80}$ cm인 정사각형 모양의 종이를 각 변의 중점을 꼭짓점으로 하는 정사각형 모양으로 접어 나갈 때, [4단계]에서 생기는 정사각형의 한 변의 길이를 구하시오.

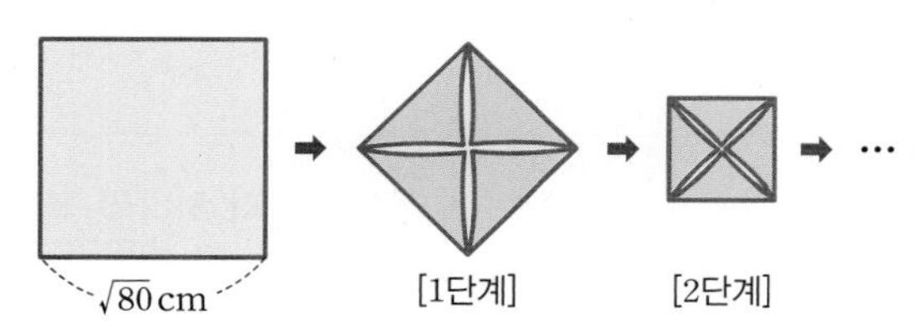

3-①

$\sqrt{50-a}-\sqrt{5+b}$가 가장 큰 정수가 되도록 하는 자연수 a, b에 대하여 $a+b$의 값은?

① 1　② 2　③ 3　④ 4　⑤ 5

Key $\sqrt{50-a}-\sqrt{5+b}$가 가장 큰 정수가 되려면
➡ $\sqrt{50-a}$는 가장 큰 정수, $\sqrt{5+b}$는 가장 작은 정수이어야 한다.

②

$\sqrt{200-x}-\sqrt{101+y}$가 가장 큰 정수가 되도록 하는 자연수 x, y에 대하여 $x+y$의 값을 구하시오.

4-①

자연수 x에 대하여 $\sqrt{x}$ 이하의 자연수의 개수를 $f(x)$개라 할 때, $f(1)+f(2)+f(3)+\cdots+f(10)$의 값을 구하시오.

Key $\sqrt{x}$ 이하의 자연수를 구할 때는 먼저 x와 가장 가까운 (자연수)^2 꼴인 수를 찾는다.

②

자연수 x에 대하여 $\sqrt{x}$보다 작은 자연수의 개수를 $N(x)$개라 할 때, $N(11)+N(12)+N(13)+\cdots+N(30)$의 값은?

① 78　② 79　③ 80　④ 81　⑤ 82

5-①

1부터 20까지의 자연수가 각각 하나씩 적힌 20장의 카드 중에서 두 장을 차례로 뽑을 때, 처음 나온 수를 a, 두 번째 나온 수를 b라 한다. 이때 $\sqrt{a}+\sqrt{b}$가 유리수가 될 확률을 구하시오. (단, 처음 뽑은 카드는 다시 넣은 후 두 번째 카드를 뽑는다.)

① $\frac{1}{25}$　② $\frac{9}{100}$　③ $\frac{4}{25}$　④ $\frac{19}{50}$　⑤ $\frac{44}{50}$

Key $\sqrt{a}+\sqrt{b}$가 유리수가 되려면 $\sqrt{a}$, $\sqrt{b}$ 모두 유리수가 되어야 한다.

②

11부터 40까지의 자연수가 각각 하나씩 적힌 30장의 카드 중에서 두 장을 차례로 뽑을 때, 처음 나온 수를 a, 두 번째 나온 수를 b라 한다. 이때 $\sqrt{a}+\sqrt{b}$가 무리수가 될 확률을 구하시오. (단, 처음 뽑은 카드는 다시 넣은 후 두 번째 카드를 뽑는다.)

서술형 완성

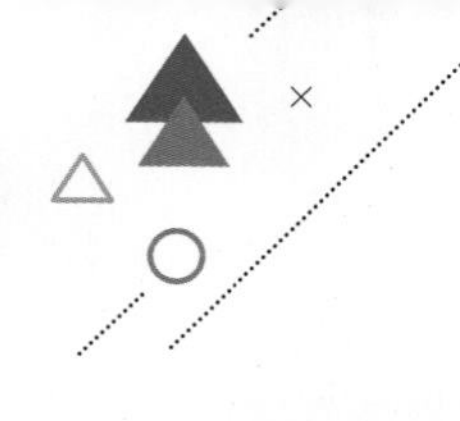

• 정답과 해설 7쪽

1 $\sqrt{(-64)^2}$의 양의 제곱근을 a, $\frac{25}{16}$의 음의 제곱근을 b라 할 때, 다음 물음에 답하시오.

(1) a의 값을 구하시오. [2점]

(2) b의 값을 구하시오. [2점]

(3) ab의 값을 구하시오. [2점]

2 다음 식을 계산하시오. [6점]

$$\sqrt{169}-(\sqrt{11})^2+\sqrt{\left(-\frac{3}{5}\right)^2}\div\sqrt{0.09}$$

3 $3<a<5$일 때, $\sqrt{(a-5)^2}-\sqrt{(a-3)^2}+(-\sqrt{2a})^2$을 간단히 하시오. [8점]

4 $\sqrt{90x}$가 자연수가 되도록 하는 100 이하의 자연수 x의 값을 모두 구하시오. [8점]

5 $2<\sqrt{3a}<5$를 만족시키는 자연수 a의 값 중 가장 큰 수를 M, 가장 작은 수를 m이라 할 때, $M-m$의 값을 구하시오. [8점]

6 60보다 작은 두 자리의 자연수 n에 대하여 $\sqrt{2n}$이 무리수가 되도록 하는 n의 개수를 구하시오. [8점]

7 다음 그림은 한 칸의 가로와 세로의 길이가 각각 1인 모눈종이 위에 수직선과 직각삼각형 ABC를 그린 것이다. $\overline{AC}=\overline{AP}=\overline{AQ}$일 때, 물음에 답하시오.

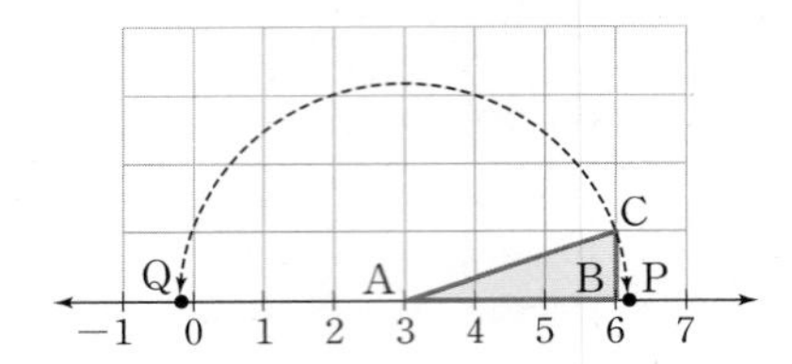

(1) $\overline{AC}$의 길이를 구하시오. [2점]

(2) 두 점 P, Q에 대응하는 수를 각각 구하시오. [4점]

8 다음 세 수 a, b, c의 대소 관계를 부등호를 사용하여 나타내시오. [8점]

$$a=2+\sqrt{3}, \quad b=\sqrt{5}+2, \quad c=3$$

서술형 UP UP!

9 일차함수 $y=ax+b$의 그래프가 오른쪽 그림과 같을 때, $\sqrt{9a^2}+\sqrt{(-5b)^2}+\sqrt{(a-b)^2}$을 간단히 하시오.

(단, a, b는 상수) [10점]

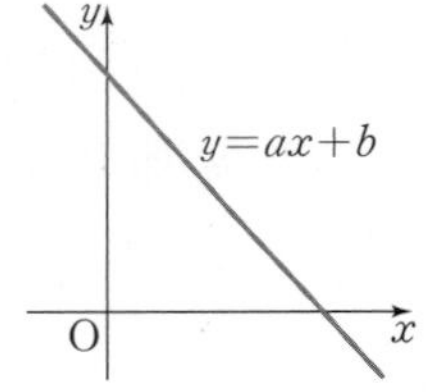

10 체험 학습을 다녀온 수연이는 오른쪽 그림과 같이 앨범에 3개의 사진을 빈틈없이 겹치지 않게 이어 붙여 직사각형 모양을 만들려고 한다. ㈎, ㈏의 사진은 정사각형 모양이고 넓이가 각각 $3n\,\text{cm}^2$, $(43-n)\,\text{cm}^2$이다. 두 사진의 각 변의 길이가 모두 자연수일 때, ㈐에 꼭 맞게 들어갈 사진의 넓이를 구하시오. (단, n은 자연수) [10점]

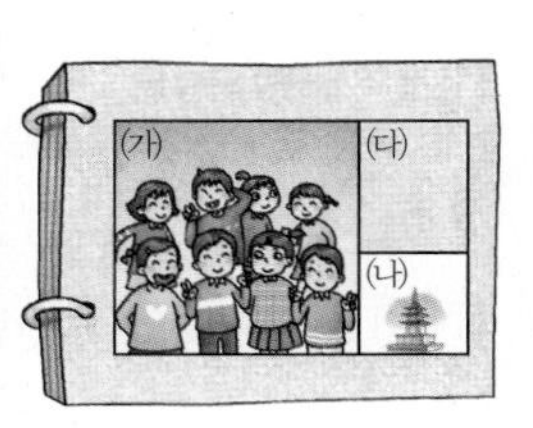

실전 테스트

• 정답과 해설 8쪽

객관식: 총 18문항 각 4점
서술형: 총 4문항 각 6점, 8점

1 다음 중 옳은 것을 모두 고르면? (정답 2개)

① $\sqrt{4}$의 제곱근 ⇨ ± 2
② 12의 제곱근 ⇨ $\pm\sqrt{12}$
③ 0.81의 제곱근 ⇨ ± 0.09
④ $\sqrt{\frac{16}{25}}$의 제곱근 ⇨ $\pm\frac{4}{5}$
⑤ 11^2의 제곱근 ⇨ ± 11

2 다음 중 근호를 사용하지 않고 나타낼 수 없는 수는?

① $\sqrt{0.\dot{1}}$ ② $-\sqrt{25}$ ③ $\sqrt{8.1}$
④ $\sqrt{0.49}$ ⑤ $\sqrt{\frac{9}{16}}$

3 다음 보기 중 옳은 것을 모두 고른 것은?

보기
ㄱ. 0의 제곱근은 0이다.
ㄴ. 제곱근 25는 ± 5이다.
ㄷ. $\sqrt{16}$의 양의 제곱근은 4이다.
ㄹ. $(-7)^2$의 제곱근은 ± 7이다.
ㅁ. 9의 음의 제곱근은 $-\sqrt{3}$이다.

① ㄱ, ㄴ ② ㄱ, ㄹ ③ ㄴ, ㄹ
④ ㄷ, ㄹ ⑤ ㄹ, ㅁ

4 가로의 길이가 5 cm, 세로의 길이가 4 cm인 직사각형과 넓이가 같은 정사각형의 한 변의 길이는?

① $\sqrt{2}$ cm ② $\sqrt{12}$ cm ③ $\sqrt{15}$ cm
④ $\sqrt{20}$ cm ⑤ $\sqrt{23}$ cm

5 다음 중 옳지 않은 것은?

① $\sqrt{0.25}=0.5$ ② $-\sqrt{(-10)^2}=-10$
③ $(-\sqrt{3})^2=3$ ④ $\left(\frac{\sqrt{6}}{3}\right)^2=2$
⑤ $-\sqrt{\frac{49}{64}}=-\frac{7}{8}$

6 다음 중 계산 결과가 가장 큰 것은?

① $\sqrt{\left(-\frac{4}{5}\right)^2}\times\sqrt{\left(\frac{3}{8}\right)^2}$
② $\sqrt{(-16)^2}+\sqrt{3^2}-\sqrt{(-5)^2}$
③ $(-\sqrt{4})^2-\sqrt{2^2}-\sqrt{(-4)^2}$
④ $\sqrt{169}-\sqrt{81}\times\sqrt{(-3)^2}$
⑤ $\sqrt{144}\div\sqrt{(-6)^2}\times\sqrt{(-2)^2}$

실전 테스트

7 $\sqrt{a^2}=a$일 때, $\sqrt{(-a)^2}-\sqrt{4a^2}$을 간단히 하면? (단, $a\neq 0$)

① $-3a$ ② $-a$ ③ 0
④ a ⑤ $3a$

8 자연수 n에 대하여 $10\leq n\leq 50$일 때, $\sqrt{72n}$이 정수가 되도록 하는 모든 n의 값의 합은?

① 26 ② 58 ③ 82
④ 100 ⑤ 172

9 $\sqrt{45-x}$가 정수가 되도록 하는 자연수 x의 개수는?

① 3개 ② 4개 ③ 5개
④ 6개 ⑤ 7개

10 다음 중 네 번째로 작은 수는?

① $\frac{1}{3}$ ② $\sqrt{3}$ ③ $\left(\frac{1}{3}\right)^2$
④ $\sqrt{\frac{1}{3}}$ ⑤ $(\sqrt{3})^2$

11 $3<\sqrt{x+2}<4$를 만족시키는 모든 자연수 x의 값의 합은?

① 50 ② 55 ③ 63
④ 70 ⑤ 84

12 자연수 x에 대하여 $\sqrt{x}$ 이하의 자연수의 개수를 $f(x)$개라 할 때, $f(60)-f(27)$의 값은?

① 2 ② 3 ③ 4
④ 5 ⑤ 6

13 다음 중 (가)에 해당하는 수를 모두 고르면? (정답 2개)

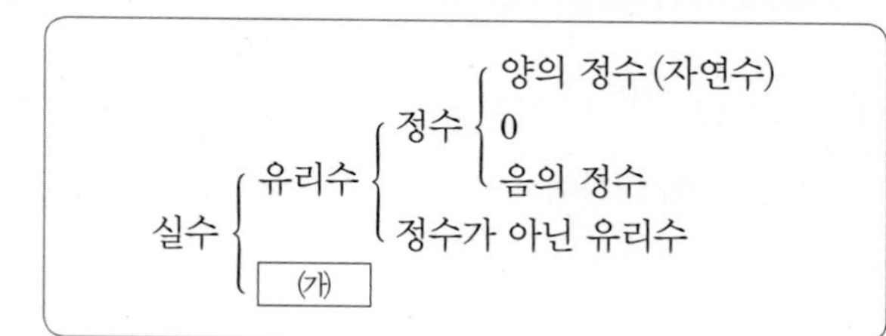

① $0.555\cdots$ ② $\sqrt{\frac{100}{49}}$ ③ $\sqrt{0.9}$

④ $-\frac{\sqrt{36}}{3}$ ⑤ $\sqrt{5}-5$

14 아래 그림은 수직선 위에 한 변의 길이가 1인 정사각형 ABCD를 그린 것이다. $\overline{CA}=\overline{CP}$, $\overline{BD}=\overline{BQ}$일 때, 다음 중 옳지 않은 것을 모두 고르면? (정답 2개)

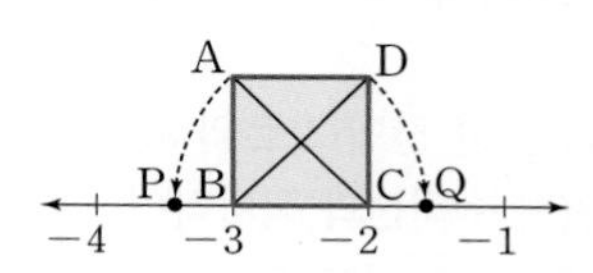

① $\overline{AC}=\sqrt{2}$ ② $P(-2+\sqrt{2})$

③ $Q(-3+\sqrt{2})$ ④ $\overline{PC}=\sqrt{2}$

⑤ $\overline{CQ}=\sqrt{2}+1$

15 다음 중 옳지 않은 것은?

① 유리수와 무리수를 통틀어 실수라 한다.

② 서로 다른 두 정수 사이에는 무수히 많은 실수가 있다.

③ 무리수와 유리수의 합은 항상 무리수이다.

④ 원주율 π는 수직선 위의 점에 대응시킬 수 없다.

⑤ $\sqrt{2}$와 $\sqrt{3}$ 사이에는 무수히 많은 유리수가 있다.

16 다음 제곱근표를 이용하여 $\sqrt{6.13}+\sqrt{6.42}$의 값을 구하면?

수	0	1	2	3	4
6.0	2.449	2.452	2.454	2.456	2.458
6.1	2.470	2.472	2.474	2.476	2.478
6.2	2.490	2.492	2.494	2.496	2.498
6.3	2.510	2.512	2.514	2.516	2.518
6.4	2.530	2.532	2.534	2.536	2.538

① 4.954 ② 4.97 ③ 4.99

④ 5.01 ⑤ 5.03

17 다음 중 □ 안에 들어갈 부등호의 방향이 나머지 넷과 다른 하나는?

① $5 \square \sqrt{3}+3$ ② $\sqrt{11}-2 \square -2+\sqrt{10}$

③ $2-\sqrt{3} \square \sqrt{5}-\sqrt{3}$ ④ $\sqrt{7}+3 \square \sqrt{7}+\sqrt{8}$

⑤ $3-\sqrt{\frac{1}{3}} \square 3-\sqrt{\frac{1}{2}}$

18 다음 수직선에서 $3+\sqrt{5}$에 대응하는 점이 있는 구간은?

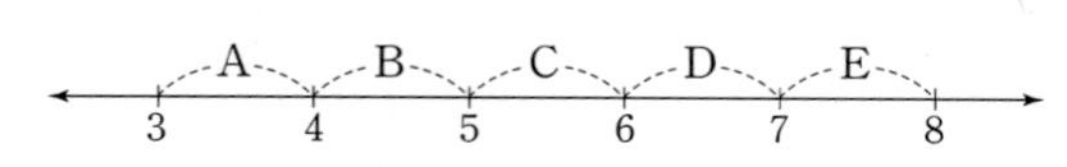

① 구간 A ② 구간 B ③ 구간 C

④ 구간 D ⑤ 구간 E

서술형

19 두 수 A, B가 다음과 같을 때, $A+3B$의 값을 구하시오. [8점]

$$A=-(-\sqrt{9})^2\times\sqrt{\left(\frac{1}{9}\right)^2}-\sqrt{4}\times\sqrt{(-3)^2}$$
$$B=\sqrt{0.64}\times(-\sqrt{10})^2+\sqrt{\left(-\frac{2}{3}\right)^2}\div\sqrt{2^2}$$

20 $-1<a<1$일 때, $\sqrt{(a-1)^2}+\sqrt{(a+1)^2}-\sqrt{(1-a)^2}$을 간단히 하시오. [6점]

21 $\sqrt{40a}$와 $\sqrt{\frac{48}{b}}$이 자연수가 되도록 하는 가장 작은 자연수 a, b에 대하여 $a-b$의 값을 구하시오. [6점]

22 다음 그림은 한 칸의 가로와 세로의 길이가 각각 1인 모눈종이 위에 수직선과 직사각형 ABCD를 그린 것이다. $\overline{AC}=\overline{AP}=\overline{AQ}$이고 점 P에 대응하는 수가 $10-\sqrt{5}$일 때, 점 Q에 대응하는 수를 구하시오. [8점]

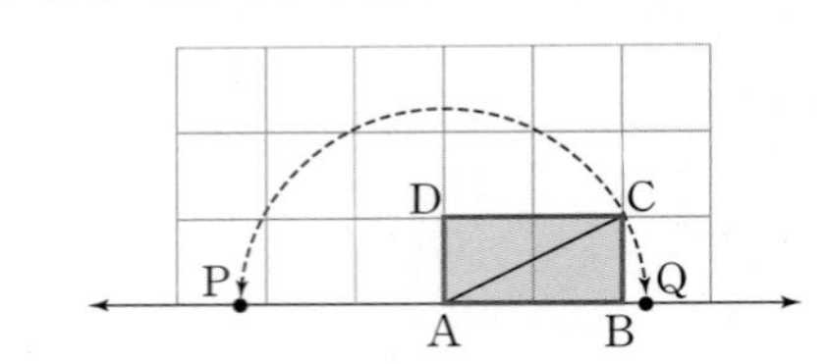

실수와 그 연산

2. 근호를 포함한 식의 계산

출제 유형

유형 1 제곱근의 곱셈과 나눗셈
유형 2 근호가 있는 식의 변형
유형 3 제곱근표에 없는 수의 제곱근의 값 구하기
유형 4 제곱근을 문자를 사용하여 나타내기
유형 5 분모의 유리화
유형 6 제곱근의 곱셈과 나눗셈의 혼합 계산
유형 7 제곱근의 곱셈과 나눗셈의 도형에서의 활용
유형 8 제곱근의 덧셈과 뺄셈
유형 9 분배법칙을 이용한 분모의 유리화
유형 10 근호를 포함한 복잡한 식의 계산
유형 11 제곱근의 계산 결과가 유리수가 될 조건
유형 12 무리수의 정수 부분과 소수 부분
유형 13 제곱근의 덧셈과 뺄셈의 도형에서의 활용
유형 14 제곱근의 덧셈과 뺄셈의 수직선에서의 활용
유형 15 실수의 대소 관계

유형 1 제곱근의 곱셈과 나눗셈

Best

1 다음 중 옳지 않은 것은?

① $\dfrac{\sqrt{6}}{\sqrt{3}}=\sqrt{2}$

② $\sqrt{2}\sqrt{3}\sqrt{5}=\sqrt{30}$

③ $2\sqrt{3}\times3\sqrt{7}=6\sqrt{21}$

④ $\sqrt{\dfrac{10}{3}}\times\sqrt{\dfrac{6}{5}}=2$

⑤ $\sqrt{\dfrac{10}{7}}\div\sqrt{\dfrac{5}{21}}=\sqrt{3}$

2 $8\sqrt{6}\div(-2\sqrt{3})\div\sqrt{\dfrac{2}{3}}=a\sqrt{3}$일 때, 유리수 a의 값은?

① -8　② -4　③ -2　④ 2　⑤ 4

3 $\sqrt{2}\times\sqrt{3}\times\sqrt{a}\times\sqrt{18}\times\sqrt{3a}=54$일 때, 자연수 a의 값은?

① 2　② 3　③ 4　④ 9　⑤ 12

유형 2 근호가 있는 식의 변형

4 다음 중 옳지 않은 것은?

① $\sqrt{28}=2\sqrt{7}$　② $\sqrt{32}=4\sqrt{3}$

③ $-\sqrt{50}=-5\sqrt{2}$　④ $\sqrt{72}=6\sqrt{2}$

⑤ $\sqrt{300}=10\sqrt{3}$

Best

5 $\sqrt{98}=a\sqrt{2}$, $5\sqrt{3}=\sqrt{b}$일 때, 유리수 a, b에 대하여 $b-a$의 값을 구하시오.

6 추운 겨울철에 야생 동물에게 먹이를 주기 위해 지면으로부터 h m의 높이에 떠 있는 헬리콥터에서 먹이를 떨어뜨렸을 때, 먹이가 지면에 닿을 때까지 걸리는 시간은 $\sqrt{\dfrac{h}{4.9}}$초라 한다. 지면으로부터 98 m의 높이에서 먹이를 떨어뜨렸을 때, 먹이가 지면에 닿을 때까지 걸리는 시간을 $a\sqrt{b}$초 꼴로 나타내면?

(단, a는 자연수, b는 가장 작은 자연수)

① $2\sqrt{2}$초　② $3\sqrt{2}$초　③ $2\sqrt{5}$초　④ $4\sqrt{2}$초　⑤ $4\sqrt{5}$초

7 $\sqrt{2}\times\sqrt{3}\times\sqrt{4}\times\sqrt{5}\times\sqrt{6}\times\sqrt{7}=a\sqrt{35}$일 때, 유리수 a의 값은?

① 4　② 8　③ 12　④ 16　⑤ 20

유형 3 제곱근표에 없는 수의 제곱근의 값 구하기

Best

8 $\sqrt{3.4}=1.844$, $\sqrt{34}=5.831$일 때, 다음 중 옳은 것은?

① $\sqrt{3400}=18.44$ ② $\sqrt{340}=58.31$
③ $\sqrt{0.34}=0.1844$ ④ $\sqrt{0.034}=0.5831$
⑤ $\sqrt{0.0034}=0.05831$

9 $\sqrt{7}=2.646$, $\sqrt{70}=8.367$일 때, $\frac{\sqrt{0.7}}{10}$의 값은?

① 0.08367 ② 0.2646 ③ 0.8367
④ 2.646 ⑤ 8.367

10 다음 중 아래 제곱근표를 이용하여 그 값을 구할 수 <u>없는</u> 것은?

수	0	1	2	3	4
7.8	2.793	2.795	2.796	2.798	2.800
7.9	2.811	2.812	2.814	2.816	2.818
8.0	2.828	2.830	2.832	2.834	2.835
8.1	2.846	2.848	2.850	2.851	2.853

① $\sqrt{0.0802}$ ② $\sqrt{0.793}$ ③ $\sqrt{780}$
④ $\sqrt{810}$ ⑤ $\sqrt{78100}$

11 $\sqrt{5.12}=2.263$일 때, $\sqrt{a}=22.63$을 만족시키는 유리수 a의 값은?

① 0.512 ② 51.2 ③ 512
④ 5120 ⑤ 51200

유형 4 제곱근을 문자를 사용하여 나타내기

Best

12 $\sqrt{3}=a$, $\sqrt{5}=b$라 할 때, $\sqrt{240}$을 a, b를 사용하여 나타내면?

① $2ab$ ② $4ab$ ③ $4ab^2$
④ a^2b ⑤ $2a^2b$

13 $\sqrt{2}=a$, $\sqrt{3}=b$라 할 때, 다음 중 옳은 것은?

① $\sqrt{\frac{8}{3}}=\frac{a^3}{b}$ ② $\sqrt{\frac{25}{6}}=5ab$
③ $\sqrt{12}=ab$ ④ $\sqrt{96}=a^4b$
⑤ $\sqrt{216}=a^2b^3$

14 $\sqrt{1.2}=a$, $\sqrt{12}=b$라 할 때, $\sqrt{120}+\sqrt{0.12}$를 a, b를 사용하여 나타내시오.

유형 5 분모의 유리화

Best

15 다음 중 분모를 유리화한 것으로 옳지 않은 것은?

① $\frac{1}{\sqrt{5}}=\frac{\sqrt{5}}{5}$ ② $\frac{7}{\sqrt{7}}=\sqrt{7}$

③ $\frac{20}{\sqrt{5}}=4\sqrt{5}$ ④ $\frac{\sqrt{5}}{2\sqrt{6}}=\frac{\sqrt{30}}{12}$

⑤ $\frac{3\sqrt{3}}{4\sqrt{2}}=\frac{3\sqrt{6}}{4}$

16 $\frac{3}{\sqrt{2}}=a\sqrt{2}$, $\frac{1}{2\sqrt{5}}=b\sqrt{5}$일 때, 유리수 a, b에 대하여 $a+b$의 값을 구하시오.

17 다음 보기 중 가장 작은 수와 가장 큰 수를 차례로 고른 것은?

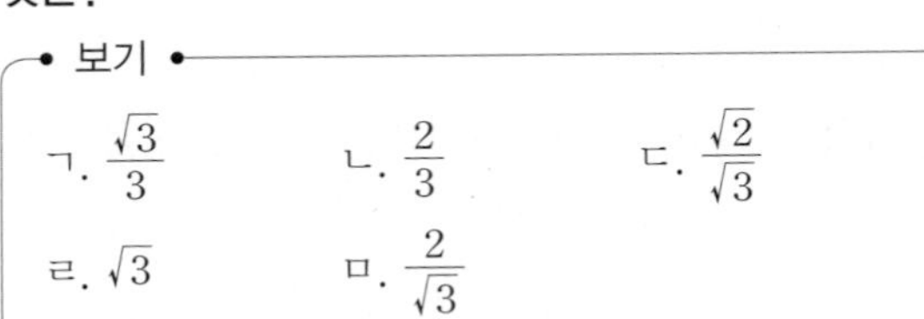
보기

ㄱ. $\frac{\sqrt{3}}{3}$ ㄴ. $\frac{2}{3}$ ㄷ. $\frac{\sqrt{2}}{\sqrt{3}}$

ㄹ. $\sqrt{3}$ ㅁ. $\frac{2}{\sqrt{3}}$

① ㄱ, ㄹ ② ㄱ, ㅁ ③ ㄴ, ㄷ

④ ㄴ, ㄹ ⑤ ㄷ, ㅁ

유형 6 제곱근의 곱셈과 나눗셈의 혼합 계산

Best

18 $\frac{\sqrt{3}}{\sqrt{50}}\times\frac{2\sqrt{2}}{\sqrt{10}}\div\sqrt{\frac{3}{5}}$을 계산하면?

① $\frac{\sqrt{2}}{10}$ ② $\frac{1}{5}$ ③ $\frac{\sqrt{6}}{10}$

④ $\frac{\sqrt{2}}{5}$ ⑤ $\sqrt{2}$

19 다음을 만족시키는 유리수 a, b에 대하여 ab의 값을 구하시오.

$$\sqrt{27}\times\frac{8}{\sqrt{48}}\div\frac{6}{\sqrt{5}}=a\sqrt{5}$$
$$3\sqrt{2}\div\sqrt{6}\times2\sqrt{2}=b\sqrt{6}$$

유형 7 제곱근의 곱셈과 나눗셈의 도형에서의 활용

Best

20 다음 그림의 삼각형과 직사각형의 넓이가 서로 같을 때, 직사각형의 가로의 길이 x의 값을 구하시오.

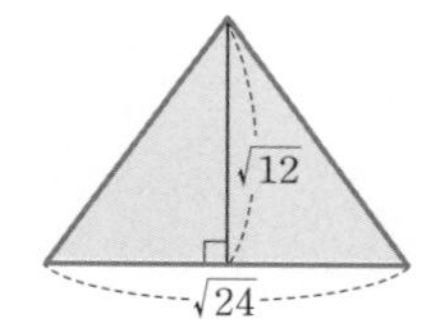

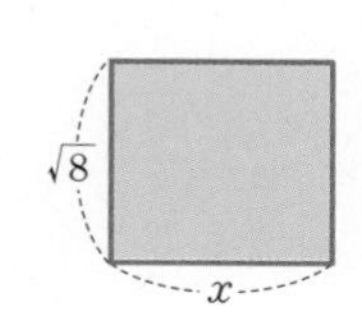

21 오른쪽 그림과 같이 부피가 $48\sqrt{5}\,\text{cm}^3$인 직육면체의 밑면의 가로, 세로의 길이가 각각 $\sqrt{20}\,\text{cm}$, $\sqrt{18}\,\text{cm}$일 때, 이 직육면체의 높이를 구하시오.

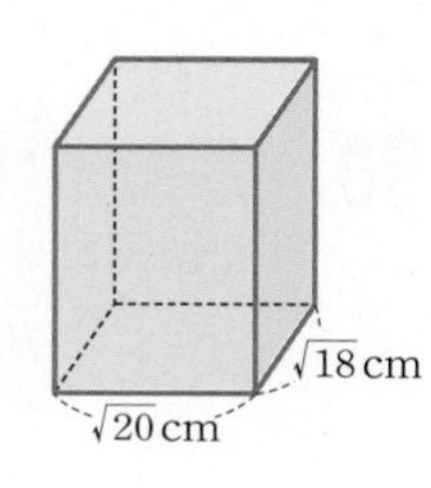

22 오른쪽 그림과 같이 한 변의 길이가 $4\sqrt{2}\,\text{cm}$인 정삼각형 ABC의 넓이는?

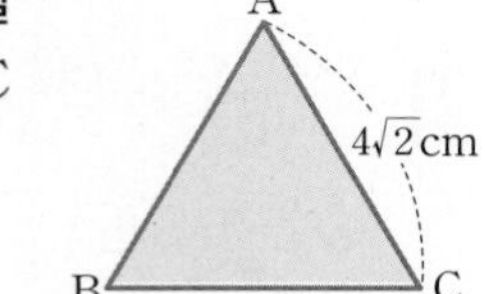

① $6\sqrt{2}\,\text{cm}^2$
② $6\sqrt{3}\,\text{cm}^2$
③ $8\sqrt{2}\,\text{cm}^2$
④ $8\sqrt{3}\,\text{cm}^2$
⑤ $12\sqrt{3}\,\text{cm}^2$

유형 8 제곱근의 덧셈과 뺄셈

23 다음 중 옳은 것을 모두 고르면? (정답 2개)

① $6\sqrt{2}-4\sqrt{2}=2\sqrt{2}$
② $\sqrt{3}+\sqrt{7}=\sqrt{10}$
③ $\sqrt{7}-\sqrt{2}=\sqrt{5}$
④ $3\sqrt{2}+7\sqrt{2}=10\sqrt{2}$
⑤ $4\sqrt{5}-2\sqrt{5}+6\sqrt{5}=4\sqrt{5}$

Best

24 다음 식을 계산하면?

$$\sqrt{32}-\sqrt{50}+\sqrt{72}$$

① $-3\sqrt{2}$ ② $-\sqrt{2}$ ③ $3\sqrt{2}$
④ $5\sqrt{2}$ ⑤ $7\sqrt{2}$

Best

25 $a>0$, $b>0$이고 $ab=16$일 때, $a\sqrt{\dfrac{b}{a}}+b\sqrt{\dfrac{a}{b}}$의 값은?

① 4 ② 8 ③ 12
④ 14 ⑤ 16

26 $\sqrt{27}+\frac{3}{\sqrt{3}}-\sqrt{12}$를 계산하면?

① $\sqrt{3}$ ② $2\sqrt{3}$ ③ $3\sqrt{3}$
④ $4\sqrt{3}$ ⑤ $5\sqrt{3}$

27 $\frac{10}{\sqrt{5}}-\frac{\sqrt{20}}{2}+\frac{3}{\sqrt{45}}=k\sqrt{5}$일 때, 유리수 k의 값은?

① $\frac{1}{5}$ ② $\frac{3}{5}$ ③ 1
④ $\frac{6}{5}$ ⑤ 2

Best

28 다음 식을 계산하면?

$$2\sqrt{3}(\sqrt{5}-\sqrt{2})+\sqrt{3}(\sqrt{80}-\sqrt{72})$$

① $2\sqrt{3}-4\sqrt{5}$ ② $3\sqrt{5}-6\sqrt{3}$
③ $6\sqrt{5}-8\sqrt{6}$ ④ $4\sqrt{15}-6\sqrt{3}$
⑤ $6\sqrt{15}-8\sqrt{6}$

29 $A=5\sqrt{7}-6\sqrt{5}$, $B=\sqrt{7}-4\sqrt{5}$일 때, $3A-2B$의 값은?

① $9\sqrt{7}-16\sqrt{5}$ ② $9\sqrt{7}-8\sqrt{5}$
③ $9\sqrt{7}+8\sqrt{5}$ ④ $13\sqrt{7}-10\sqrt{5}$
⑤ $13\sqrt{7}+10\sqrt{5}$

유형 9 분배법칙을 이용한 분모의 유리화

30 $\frac{4-3\sqrt{2}}{\sqrt{2}}=a+b\sqrt{2}$일 때, 유리수 a, b에 대하여 $a+b$의 값을 구하시오.

31 $\frac{3\sqrt{2}+\sqrt{3}}{\sqrt{3}}-\frac{\sqrt{48}-6\sqrt{2}}{\sqrt{2}}$를 계산하면?

① $-9-\sqrt{6}$ ② $-7-\sqrt{6}$ ③ -9
④ $7-\sqrt{6}$ ⑤ $9-\sqrt{6}$

유형 10 근호를 포함한 복잡한 식의 계산

Best

32 $\dfrac{3}{\sqrt{18}}-\dfrac{12}{\sqrt{24}}+\sqrt{3}\left(\dfrac{1}{\sqrt{6}}-\sqrt{6}\right)$을 계산하시오.

33 $\dfrac{5+\sqrt{15}}{5}+\sqrt{5}(\sqrt{20}-\sqrt{3})$을 계산하면 $a+b\sqrt{15}$일 때, 유리수 a, b에 대하여 $a+5b$의 값은?

① -3 ② -1 ③ 1
④ 7 ⑤ 10

유형 11 제곱근의 계산 결과가 유리수가 될 조건

34 $4a-2\sqrt{5}+a\sqrt{5}+1$을 계산한 결과가 유리수가 되도록 하는 유리수 a의 값은?

① $-\dfrac{1}{4}$ ② $\dfrac{1}{4}$ ③ $\dfrac{1}{2}$
④ 1 ⑤ 2

35 $\sqrt{5}(2\sqrt{5}-3)-a(1-\sqrt{5})$를 계산한 결과가 유리수가 되도록 하는 유리수 a의 값은?

① -2 ② -1 ③ 1
④ 2 ⑤ 3

유형 12 무리수의 정수 부분과 소수 부분

Best

36 $4-\sqrt{2}$의 정수 부분을 a, 소수 부분을 b라 할 때, $2a-b$의 값은?

① $8-\sqrt{2}$ ② $4-\sqrt{2}$ ③ $2+\sqrt{2}$
④ $6+\sqrt{2}$ ⑤ $10+\sqrt{2}$

37 $9+2\sqrt{3}$의 정수 부분을 a, 소수 부분을 b라 할 때, $\dfrac{a}{b+3}$의 값은?

① $-3+2\sqrt{3}$ ② $-3+\sqrt{3}$ ③ $\sqrt{3}$
④ $2\sqrt{3}$ ⑤ $3\sqrt{3}$

38 $\sqrt{5}$의 소수 부분을 a라 할 때, $\sqrt{45}$의 소수 부분을 a를 사용하여 나타내시오.

유형 13 제곱근의 덧셈과 뺄셈의 도형에서의 활용

39 다음 그림과 같은 사다리꼴 ABCD의 넓이는?

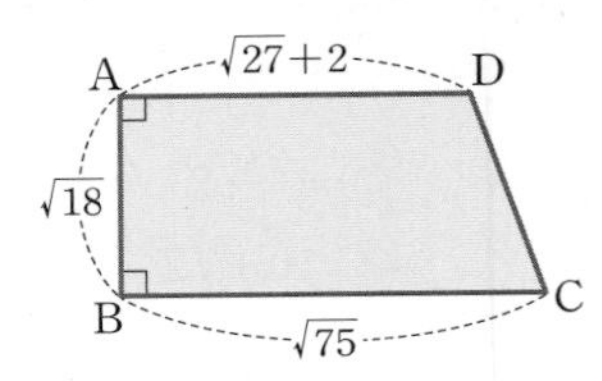

① $\sqrt{6}+3\sqrt{2}$ ② $3\sqrt{6}+\sqrt{2}$
③ $6\sqrt{6}+3\sqrt{2}$ ④ $9\sqrt{6}+\sqrt{2}$
⑤ $12\sqrt{6}+3\sqrt{2}$

40 오른쪽 그림과 같은 □ABCD에서 $\overline{AB}$와 $\overline{BC}$를 각각 한 변으로 하는 정사각형을 그렸더니 그 넓이가 각각 $12\,cm^2$, $48\,cm^2$이었다. 이때 □ABCD의 둘레의 길이를 구하시오.

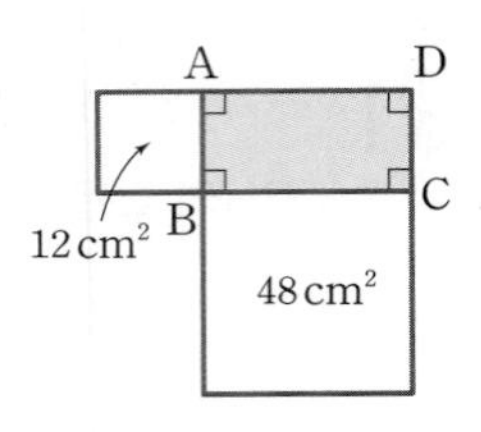

Best

41 다음 그림과 같이 넓이의 비가 1 : 4 : 9인 세 정사각형 A, B, C를 겹치지 않게 이어 붙인 도형의 넓이가 $70\,cm^2$일 때, 이 도형의 둘레의 길이는?

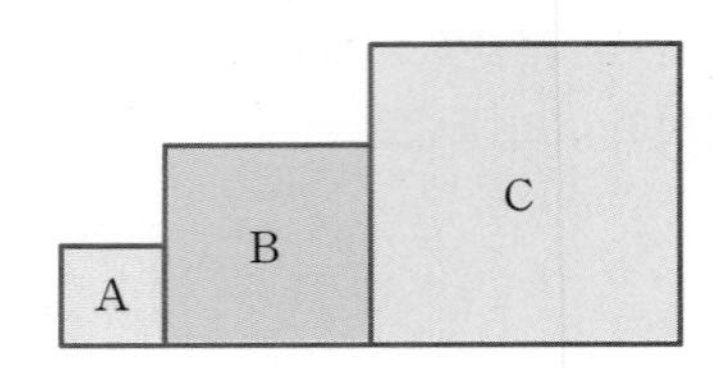

① $16\sqrt{3}\,cm$ ② $16\sqrt{5}\,cm$ ③ $18\sqrt{3}\,cm$
④ $18\sqrt{5}\,cm$ ⑤ $20\sqrt{5}\,cm$

유형 14 제곱근의 덧셈과 뺄셈의 수직선에서의 활용

Best

42 다음 그림은 한 칸의 가로와 세로의 길이가 각각 1인 모눈종이 위에 수직선과 정사각형 ABCD를 그린 것이다. $\overline{AB}=\overline{AP}$, $\overline{AD}=\overline{AQ}$일 때, 두 점 P, Q에 대응하는 수의 합을 구하시오.

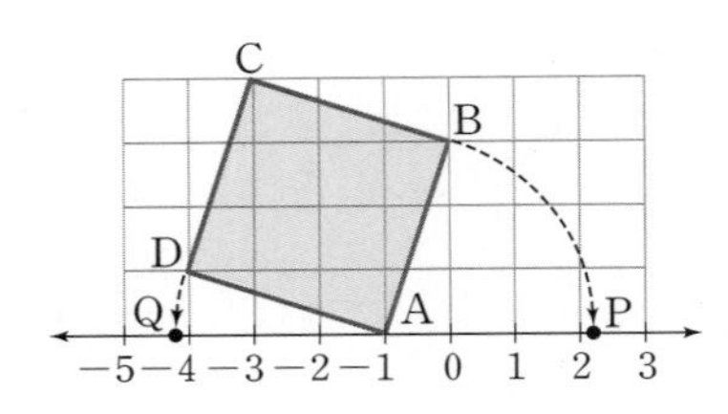

43 다음 그림은 수직선 위에 한 변의 길이가 1인 두 정사각형 ABCD와 EFGH를 그린 것이다. $\overline{AC}=\overline{AP}$, $\overline{FH}=\overline{FQ}$이고, 두 점 P, Q에 대응하는 수를 각각 a, b라 할 때, $2b-a$의 값을 구하시오.

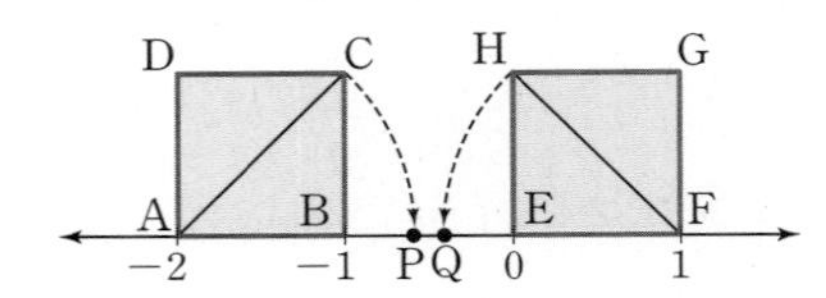

유형 15 실수의 대소 관계

Best

44 다음 중 두 실수의 대소 관계가 옳지 않은 것은?

① $2\sqrt{6}<5$
② $\sqrt{12}>4-\sqrt{3}$
③ $4\sqrt{2}-2>3\sqrt{3}-2$
④ $6\sqrt{6}-4\sqrt{5}<2\sqrt{5}+3\sqrt{6}$
⑤ $5\sqrt{3}+\sqrt{6}<3\sqrt{5}+\sqrt{6}$

45 다음 세 수 A, B, C의 대소 관계를 부등호를 사용하여 나타내시오.

$$A=4\sqrt{3}-1,\quad B=3\sqrt{5}-1,\quad C=2\sqrt{3}+3$$

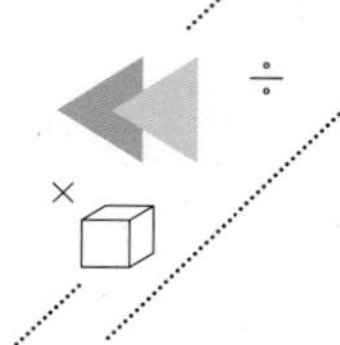

필수 기출의 Best 문제를 한 번 더!!

• 정답과 해설 14쪽

1 다음 보기 중 옳은 것을 모두 고른 것은?

보기

ㄱ. $(-\sqrt{2})\times(-\sqrt{3})=\sqrt{6}$

ㄴ. $\sqrt{35}\div(-\sqrt{5})=\sqrt{7}$

ㄷ. $2\sqrt{3}\times\sqrt{5}=2\sqrt{15}$

ㄹ. $\sqrt{\frac{1}{5}}\div\sqrt{\frac{5}{3}}=\frac{\sqrt{3}}{3}$

① ㄱ ② ㄴ ③ ㄱ, ㄷ
④ ㄱ, ㄹ ⑤ ㄷ, ㄹ

2 $\sqrt{50}=a\sqrt{2}$, $2\sqrt{7}=\sqrt{b}$일 때, 유리수 a, b에 대하여 $\sqrt{ab}$의 값은?

① $3\sqrt{5}$ ② $4\sqrt{3}$ ③ $2\sqrt{15}$
④ $4\sqrt{7}$ ⑤ $2\sqrt{35}$

3 $\sqrt{4.6}=2.145$, $\sqrt{46}=6.782$일 때, 다음 중 옳지 않은 것은?

① $\sqrt{0.0046}=0.06782$ ② $\sqrt{0.046}=0.2145$
③ $\sqrt{0.46}=0.6782$ ④ $\sqrt{460}=21.45$
⑤ $\sqrt{4600}=214.5$

4 $\sqrt{2}=a$, $\sqrt{5}=b$라 할 때, $\sqrt{1.6}=\square ab$이다. $\square$ 안에 들어갈 알맞은 수를 구하시오.

5 다음 중 분모를 유리화한 것으로 옳은 것은?

① $\frac{1}{\sqrt{6}}=\frac{\sqrt{3}}{3}$ ② $\frac{\sqrt{7}}{\sqrt{3}}=\frac{\sqrt{10}}{3}$
③ $\frac{5}{3\sqrt{5}}=\frac{\sqrt{5}}{15}$ ④ $\frac{30}{\sqrt{2}}=\frac{3\sqrt{2}}{2}$
⑤ $\frac{\sqrt{6}}{\sqrt{2}\sqrt{5}}=\frac{\sqrt{15}}{5}$

6 $\frac{3}{\sqrt{8}}\times\sqrt{\frac{10}{3}}\div\frac{\sqrt{5}}{4}$를 계산하시오.

7 다음 그림의 원기둥과 원뿔의 부피가 서로 같을 때, 원기둥의 높이는?

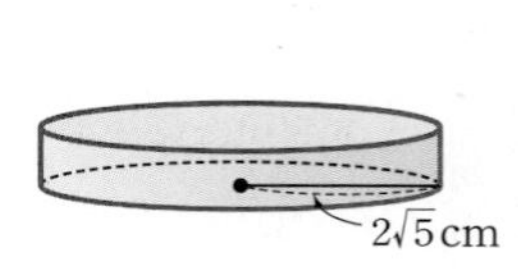

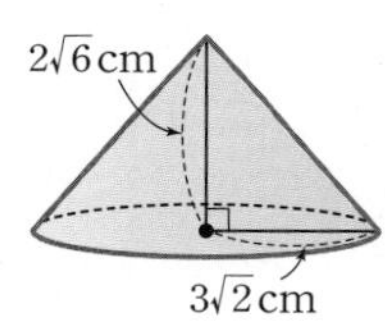

① $\frac{\sqrt{6}}{5}$ cm ② $\frac{3\sqrt{6}}{5}$ cm ③ $\sqrt{6}$ cm
④ $\frac{3\sqrt{6}}{2}$ cm ⑤ $\frac{5\sqrt{6}}{3}$ cm

8 $\sqrt{32}+\sqrt{24}-\sqrt{6}+\sqrt{18}=a\sqrt{2}+b\sqrt{6}$일 때, 유리수 a, b에 대하여 $a-b$의 값을 구하시오.

9 $a>0$, $b>0$이고 $ab=36$일 때, $a\sqrt{\frac{4b}{a}}+b\sqrt{\frac{25a}{b}}$의 값은?

① 18 ② 24 ③ 30
④ 36 ⑤ 42

10 $\sqrt{2}(3\sqrt{2}-\sqrt{3})-\sqrt{3}(2\sqrt{3}+\sqrt{2})$를 계산하면?

① -12 ② $-2\sqrt{6}$ ③ 0
④ $2\sqrt{6}$ ⑤ 12

11 $(9+\sqrt{108})\div\frac{\sqrt{6}}{2}-4\left(\frac{3}{\sqrt{2}}+\sqrt{6}\right)$을 계산하면?

① $-\sqrt{6}$ ② $\sqrt{2}-\sqrt{6}$
③ $3\sqrt{2}-2\sqrt{6}$ ④ $3\sqrt{2}+7\sqrt{6}$
⑤ $9\sqrt{6}$

12 $\sqrt{10}$의 소수 부분을 a, $2+\sqrt{30}$의 정수 부분을 b라 할 때, $a+b$의 값을 구하시오.

13 다음 그림과 같이 넓이가 각각 $18\,\text{cm}^2$, $32\,\text{cm}^2$, $50\,\text{cm}^2$인 세 정사각형 모양의 색종이를 겹치지 않게 이어 붙였을 때, $\overline{\text{AD}}$의 길이는?

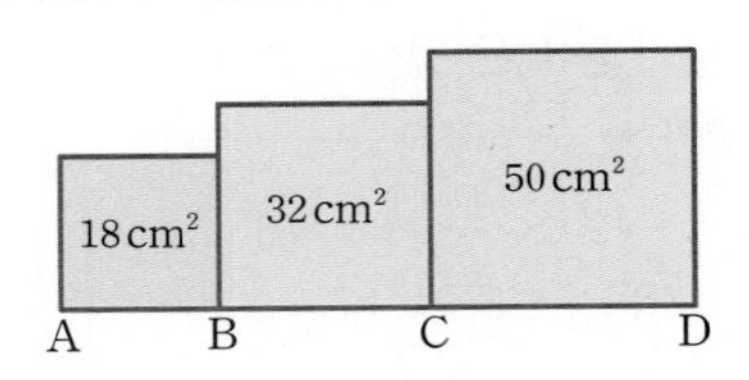

① $7\sqrt{2}\,\text{cm}$ ② $9\sqrt{2}\,\text{cm}$ ③ $12\sqrt{2}\,\text{cm}$
④ $14\sqrt{2}\,\text{cm}$ ⑤ $15\sqrt{2}\,\text{cm}$

14 다음 그림은 한 칸의 가로와 세로의 길이가 각각 1인 모눈종이 위에 수직선과 두 직각삼각형 ABC와 DEF를 그린 것이다. $\overline{\text{AB}}=\overline{\text{AP}}$, $\overline{\text{DF}}=\overline{\text{DQ}}$일 때, $\overline{\text{PQ}}$의 길이를 구하시오.

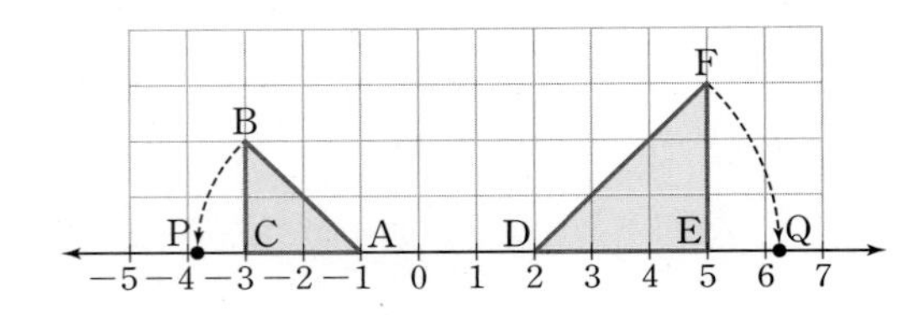

15 다음 중 두 실수의 대소 관계가 옳지 않은 것은?

① $4<2\sqrt{5}$
② $\sqrt{2}-\sqrt{5}>3\sqrt{5}-2\sqrt{2}$
③ $4\sqrt{3}>\sqrt{75}-2$
④ $\sqrt{5}-2<\sqrt{6}-2$
⑤ $3\sqrt{2}-1<\sqrt{2}+2$

100점 완성

• 정답과 해설 15쪽

고난도 기출문제는 두 번씩 연습하여 마스터!!

1-❶

다음 그림과 같이 한 변의 길이가 각각 $4\sqrt{2}\,\text{cm}$, $6\sqrt{2}\,\text{cm}$인 정사각형 모양의 색종이를 오린 후 겹치지 않게 이어 붙여 정사각형 모양의 큰 색종이를 새로 만들었다. 이때 새로 만들어진 색종이의 한 변의 길이를 구하시오.

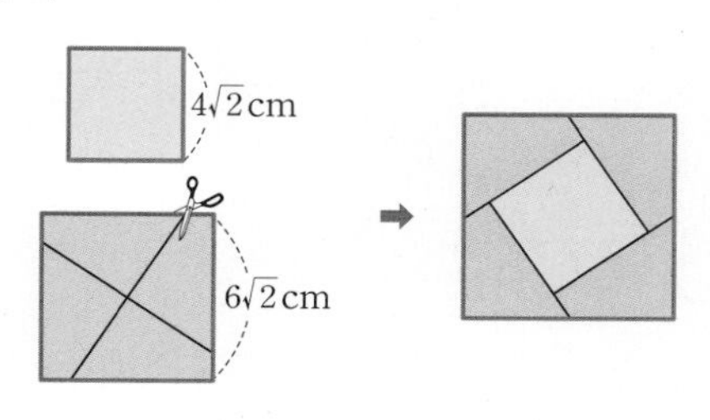

Key 새로 만들어진 색종이의 넓이는 오리기 전의 두 색종이의 넓이의 합과 같다.

❷

다음 그림과 같이 한 변의 길이가 각각 $20\sqrt{3}$, $30\sqrt{3}$인 정사각형 모양의 두 종류의 천을 오린 후 겹치지 않게 이어 붙여 정사각형 모양의 큰 천을 새로 만들었다. 이때 새로 만들어진 천의 한 변의 길이는?

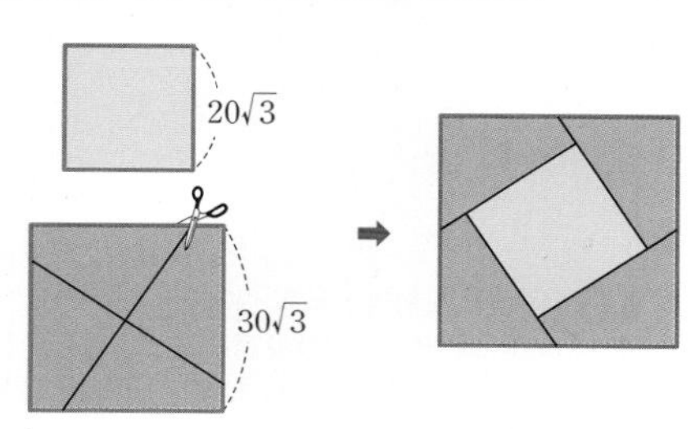

① $10\sqrt{39}$ ② $20\sqrt{13}$ ③ $30\sqrt{6}$
④ $40\sqrt{3}$ ⑤ $50\sqrt{3}$

2-❶

오른쪽 그림과 같이 밑면은 한 변의 길이가 $4\,\text{cm}$인 정사각형이고 옆면의 모서리의 길이가 모두 $5\,\text{cm}$인 정사각뿔의 부피는?

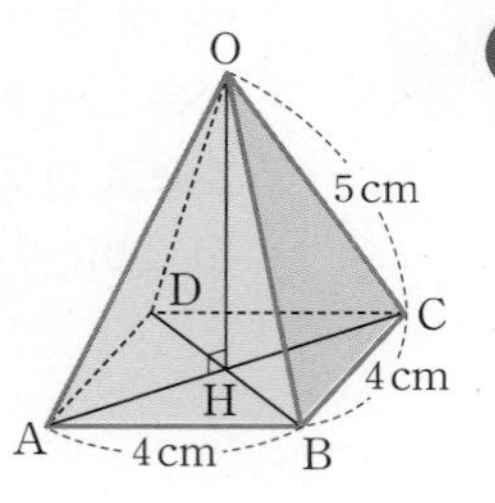

① $4\sqrt{13}\,\text{cm}^3$ ② $\dfrac{14\sqrt{14}}{3}\,\text{cm}^3$ ③ $5\sqrt{15}\,\text{cm}^3$
④ $\dfrac{16\sqrt{17}}{3}\,\text{cm}^3$ ⑤ $16\sqrt{17}\,\text{cm}^3$

Key 피타고라스 정리를 이용하여 $\overline{AC}$와 $\overline{OH}$의 길이를 각각 구해 본다.

❷

오른쪽 그림과 같이 밑면은 한 변의 길이가 $6\,\text{cm}$인 정사각형이고 옆면의 모서리의 길이가 모두 $3\sqrt{5}\,\text{cm}$인 정사각뿔의 부피는?

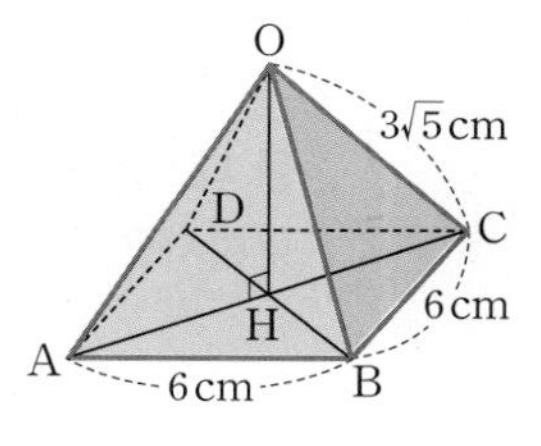

① $36\sqrt{3}\,\text{cm}^3$ ② $40\sqrt{5}\,\text{cm}^3$ ③ $60\sqrt{5}\,\text{cm}^3$
④ $108\sqrt{5}\,\text{cm}^3$ ⑤ $144\sqrt{3}\,\text{cm}^3$

3-① 다음 도형은 넓이가 각각 2, 3, 8, 12인 정사각형을 한 정사각형의 대각선의 교점에 다른 정사각형의 한 꼭짓점을 맞추고 겹치는 부분이 정사각형이 되도록 차례로 이어 붙여 만든 것이다. 이 도형의 둘레의 길이를 구하시오.

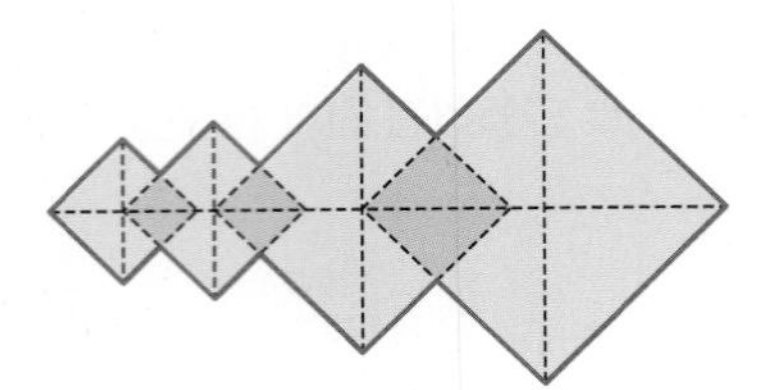

Key (주어진 도형의 둘레의 길이)
=(처음 네 정사각형의 둘레의 길이)
−(겹치는 부분인 세 정사각형의 둘레의 길이)

② 다음 도형은 넓이가 각각 3, 12, 20, 27인 정사각형을 한 정사각형의 대각선의 교점에 다른 정사각형의 한 꼭짓점을 맞추고 겹치는 부분이 정사각형이 되도록 차례로 이어 붙여 만든 것이다. 이 도형의 둘레의 길이를 구하시오.

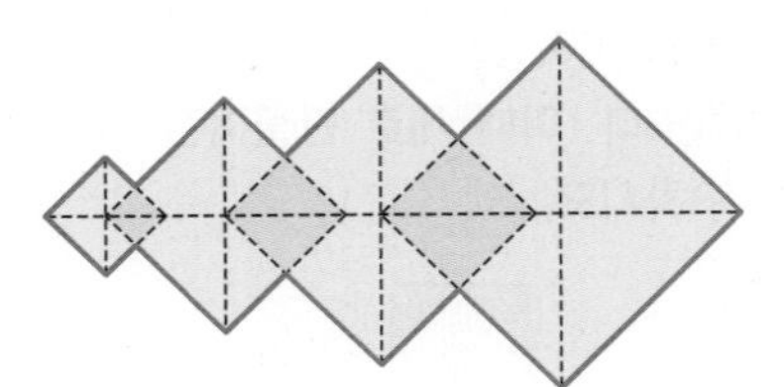

4-① 오른쪽 그림과 같이 7개의 조각을 모으면 한 변의 길이가 4인 정사각형이 되는 칠교판이 있다. 이것을 이용하여 다음 그림과 같은 백조 모양의 도형을 만들 때, 이 도형의 둘레의 길이를 구하시오.

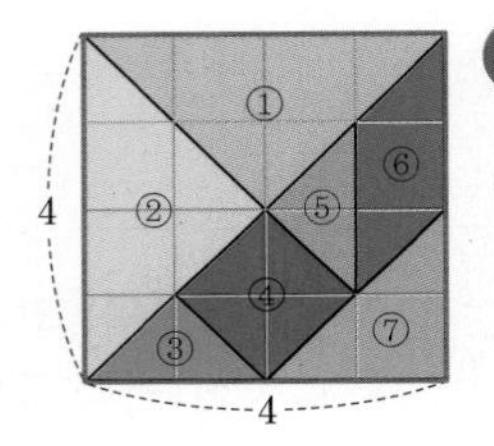

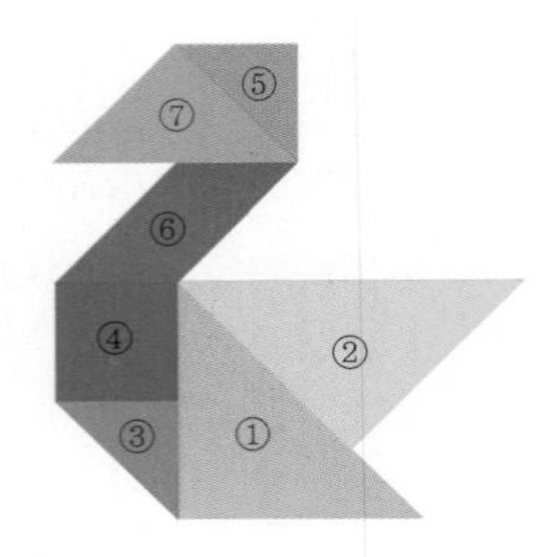

Key 칠교판의 7개의 조각의 변의 길이를 각각 구해 본다.

② 오른쪽 그림과 같이 7개의 조각을 모으면 한 변의 길이가 4인 정사각형이 되는 칠교판이 있다. 이 조각 중 5개를 이용하여 다음 그림과 같은 연꽃 모양의 도형을 만들 때, 이 도형의 둘레의 길이는?

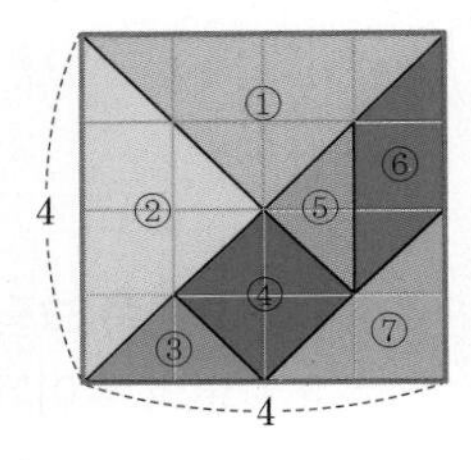

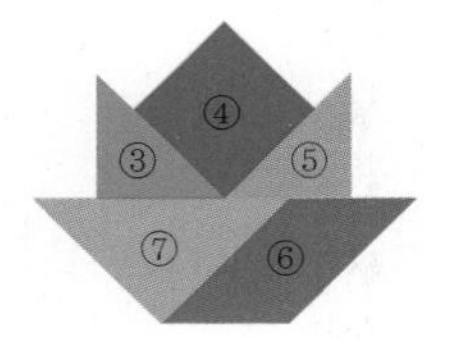

① $8+2\sqrt{2}$ ② $8+4\sqrt{2}$ ③ $8+6\sqrt{2}$
④ $10+4\sqrt{2}$ ⑤ $10+6\sqrt{2}$

서술형 완성

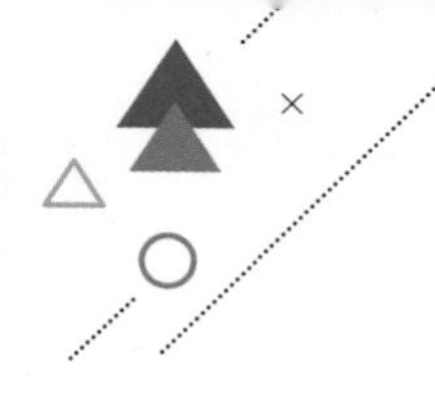

● 정답과 해설 16쪽

1 다음 제곱근표의 일부를 이용하여 제곱근의 값을 구하면 $\sqrt{0.0273}=a$, $\sqrt{b}=16.85$일 때, $100a+b$의 값을 구하시오. [8점]

수	0	1	2	3	4
2.5	1.581	1.584	1.587	1.591	1.594
2.6	1.612	1.616	1.619	1.622	1.625
2.7	1.643	1.646	1.649	1.652	1.655
2.8	1.673	1.676	1.679	1.682	1.685
2.9	1.703	1.706	1.709	1.712	1.715

2 $\frac{2\sqrt{2}}{\sqrt{3}}=a\sqrt{6}$, $\frac{3}{\sqrt{32}}=b\sqrt{2}$일 때, 유리수 a, b에 대하여 $\sqrt{ab}$의 값을 구하시오. [8점]

3 $\sqrt{192}-\sqrt{54}+\sqrt{108}+\sqrt{24}=a\sqrt{3}+b\sqrt{6}$일 때, 유리수 a, b에 대하여 $a-b$의 값을 구하시오. [6점]

4 다음 식을 계산하시오. [8점]

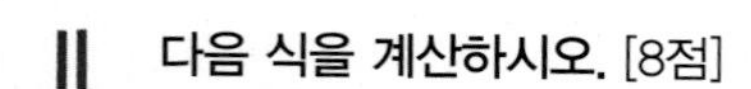

$$\sqrt{5}(\sqrt{2}-\sqrt{5})-\frac{\sqrt{80}-3\sqrt{2}}{\sqrt{72}}$$

5 $2\sqrt{5}-1$의 정수 부분을 a, 소수 부분을 b라 할 때, $a+\sqrt{5}b$의 값을 구하시오. [8점]

6 오른쪽 그림과 같은 직사각형 ABCD에서 $\overline{AB}$와 $\overline{AD}$를 각각 한 변으로 하는 정사각형을 그렸더니 그 넓이가 각각 27, 75가 되었다. 다음 물음에 답하시오.

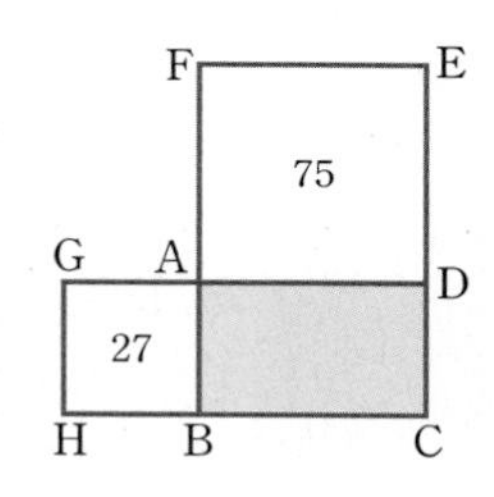

(1) $\overline{AB}$, $\overline{AD}$의 길이를 각각 구하시오. [2점]

(2) □ABCD의 넓이를 구하시오. [2점]

(3) □ABCD의 둘레의 길이를 구하시오. [2점]

7 다음 그림은 한 칸의 가로와 세로의 길이가 각각 1인 모눈종이 위에 수직선과 두 정사각형 ABCD와 EFGH를 그린 것이다. $\overline{AB}=\overline{AQ}$, $\overline{EH}=\overline{EP}$일 때, $\overline{PQ}$의 길이를 구하시오. [8점]

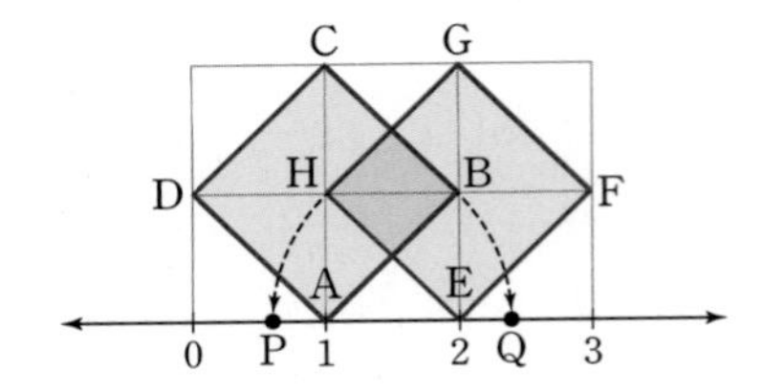

8 세 수 A, B, C가 다음과 같을 때, 물음에 답하시오.

$$A=\sqrt{5}+\sqrt{6},\quad B=2\sqrt{5},\quad C=3\sqrt{5}-\sqrt{7}$$

(1) A, B의 대소 관계를 부등호를 사용하여 나타내시오. [2점]

(2) B, C의 대소 관계를 부등호를 사용하여 나타내시오. [2점]

(3) A, B, C의 대소 관계를 부등호를 사용하여 나타내시오. [2점]

서술형 UP UP!

9 다음 그림의 도형과 넓이가 같은 정사각형의 한 변의 길이를 구하시오. [10점]

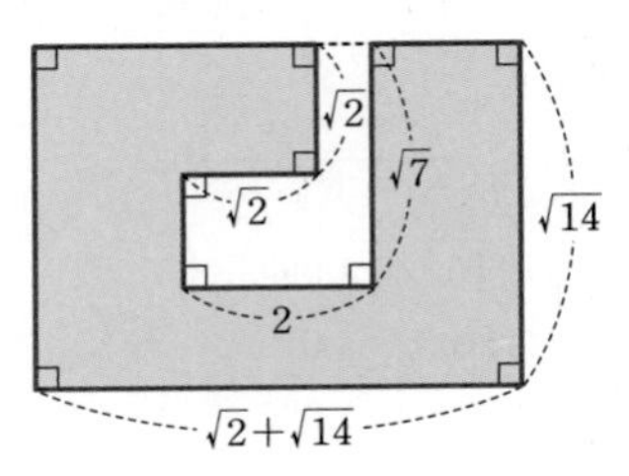

10 다음 그림과 같은 세 직각이등변삼각형 OAB, ACD, CEF의 넓이를 각각 P, Q, R라 하자. $P=2$이고 $Q=2P$, $R=2Q$일 때, 점 F의 좌표를 구하시오. (단, O는 원점) [10점]

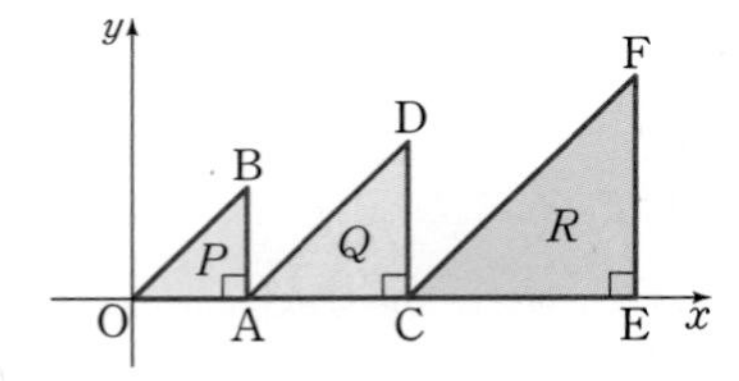

실전 테스트

• 정답과 해설 17쪽

• 객관식: 총 18문항 각 4점
• 서술형: 총 4문항 각 6점, 8점

1 $\left(-\frac{3}{\sqrt{2}}\right) \div \frac{2\sqrt{5}}{\sqrt{6}} \div \frac{\sqrt{3}}{\sqrt{10}}$을 계산하면?

① $-3\sqrt{2}$　② $-\frac{3\sqrt{2}}{2}$　③ $-\sqrt{2}$
④ $\frac{3\sqrt{2}}{2}$　⑤ $3\sqrt{2}$

2 다음 중 □ 안에 들어갈 수가 가장 큰 것은?

① $4\sqrt{2}=\sqrt{\square}$
② $-\sqrt{45}=\square\sqrt{5}$
③ $-\sqrt{2}\times\sqrt{54}=\square\sqrt{3}$
④ $5\sqrt{\frac{7}{5}}=\sqrt{\square}$
⑤ $\sqrt{2^2\times3^2\times5}=6\sqrt{\square}$

3 지진 해일은 지진 때문에 해저에 지각 변동이 생겨서 일어나는 해일이다. 수심 h m에서 발생한 지진 해일의 속력은 초속 $\sqrt{9.8\times h}$ m라 한다. 수심 100 m에서 발생한 지진 해일의 속력을 초속 $a\sqrt{b}$ m 꼴로 나타내면?
(단, a는 자연수, b는 가장 작은 자연수)

① 초속 $5\sqrt{7}$ m　② 초속 $7\sqrt{2}$ m
③ 초속 $7\sqrt{5}$ m　④ 초속 $14\sqrt{2}$ m
⑤ 초속 $14\sqrt{5}$ m

4 다음 제곱근표를 이용하여 $\sqrt{5.76}+\sqrt{0.0614}+\sqrt{550}$의 값을 구하면?

수	0	1	2	3	4	5	6
5.5	2.345	2.347	2.349	2.352	2.354	2.356	2.358
5.6	2.366	2.369	2.371	2.373	2.375	2.377	2.379
5.7	2.387	2.390	2.392	2.394	2.396	2.398	2.400
5.8	2.408	2.410	2.412	2.415	2.417	2.419	2.421
5.9	2.429	2.431	2.433	2.435	2.437	2.439	2.441
6.0	2.449	2.452	2.454	2.456	2.458	2.460	2.462
6.1	2.470	2.472	2.474	2.476	2.478	2.480	2.482
6.2	2.490	2.492	2.494	2.496	2.498	2.500	2.502

① 7.227　② 12.658　③ 25.7378
④ 26.0978　⑤ 31.6492

5 $\sqrt{3}=m$, $\sqrt{5}=n$이라 할 때, $\sqrt{45}$를 m, n을 사용하여 나타내면?

① $\sqrt{mn}$　② mn　③ mn^2
④ m^2n　⑤ m^2n^2

6 $\frac{\sqrt{7}}{3\sqrt{2}}=x\sqrt{14}$, $\frac{\sqrt{3}}{\sqrt{45}}=\frac{\sqrt{y}}{15}$일 때, 유리수 x, y에 대하여 xy의 값은?

① $\frac{5}{2}$　② $\frac{20}{3}$　③ $\frac{15}{2}$
④ 18　⑤ 24

7 오른쪽 사각형에서 가로 또는 세로에 있는 세 수의 곱이 각각 $3\sqrt{10}$이 되도록 ㉠에 들어갈 알맞은 수를 구하면?

$2\sqrt{5}$		$\sqrt{30}$
$\frac{2\sqrt{6}}{3}$	㉠	
	$\sqrt{6}$	

① $\frac{\sqrt{15}}{10}$　② $\frac{\sqrt{15}}{5}$
③ $\sqrt{2}$　④ $5\sqrt{2}$
⑤ 10

8 $-\frac{1}{\sqrt{15}} \times (-\sqrt{90}) \div \frac{5\sqrt{32}}{4\sqrt{5}} = k\sqrt{15}$일 때, 유리수 k의 값은?

① $\frac{1}{15}$　② $\frac{1}{5}$　③ 2
④ 3　⑤ 5

9 오른쪽 그림과 같이 모선의 길이가 $5\sqrt{3}$cm이고 높이가 $4\sqrt{3}$cm인 원뿔의 부피는?

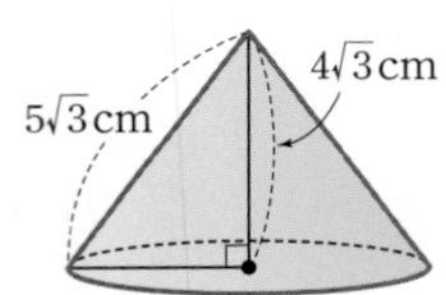

① $24\sqrt{3}\pi$ cm^3
② $36\sqrt{3}\pi$ cm^3
③ $42\sqrt{3}\pi$ cm^3
④ $56\sqrt{3}\pi$ cm^3
⑤ $64\sqrt{3}\pi$ cm^3

10 다음 중 옳지 않은 것은?

① $\sqrt{3}+5\sqrt{3}=6\sqrt{3}$
② $2\sqrt{6}-6\sqrt{6}=-4\sqrt{6}$
③ $-5\sqrt{7}+4\sqrt{7}+3\sqrt{7}=2\sqrt{7}$
④ $2\sqrt{2}-4\sqrt{5}+3\sqrt{2}=\sqrt{7}$
⑤ $3\sqrt{3}+4\sqrt{5}-2\sqrt{3}+2\sqrt{5}=\sqrt{3}+6\sqrt{5}$

11 $\sqrt{45}+\sqrt{a}-2\sqrt{125}=-5\sqrt{5}$일 때, 자연수 a의 값은?

① 10　② 20　③ 30
④ 40　⑤ 50

12 $\sqrt{50}-\sqrt{12}+\frac{5\sqrt{6}}{\sqrt{2}}-\frac{6}{\sqrt{2}}$을 계산하면?

① $-2\sqrt{2}+7\sqrt{3}$　② $-3\sqrt{2}+8\sqrt{3}$
③ $2\sqrt{2}+3\sqrt{3}$　④ $3\sqrt{2}+2\sqrt{3}$
⑤ $3\sqrt{2}+5\sqrt{3}$

13 $\frac{6\sqrt{2}+4\sqrt{3}}{\sqrt{3}}-\frac{5\sqrt{2}-3\sqrt{3}}{\sqrt{2}}=a+b\sqrt{6}$일 때, 유리수 a, b에 대하여 $a+b$의 값은?

① $\frac{1}{2}$ ② 1 ③ $\frac{3}{2}$
④ 2 ⑤ $\frac{5}{2}$

14 $\sqrt{27}-4\sqrt{3}\div\sqrt{6}+\frac{3-\sqrt{24}}{\sqrt{3}}$를 계산하면?

① $2\sqrt{2}-2\sqrt{3}$ ② $2\sqrt{2}+2\sqrt{3}$
③ $2\sqrt{3}+4\sqrt{2}$ ④ $4\sqrt{3}-4\sqrt{2}$
⑤ $4\sqrt{3}-2\sqrt{2}$

15 $\sqrt{5}(2\sqrt{5}-a)-\sqrt{20}(3-\sqrt{5})$를 계산한 결과가 유리수가 되도록 하는 유리수 a의 값은?

① -6 ② -3 ③ 0
④ 3 ⑤ 6

16 $\sqrt{5}(2\sqrt{5}+2)-\sqrt{60}\div\frac{\sqrt{3}}{2}$의 소수 부분은?

① $5-2\sqrt{5}$ ② $5+2\sqrt{5}$ ③ $5+3\sqrt{5}$
④ $10-2\sqrt{5}$ ⑤ $10+2\sqrt{5}$

17 다음 그림은 한 칸의 가로와 세로의 길이가 각각 1인 모눈종이 위에 수직선과 정사각형 ABCD를 그린 것이다. $\overline{AB}=\overline{AP}$, $\overline{AD}=\overline{AQ}$일 때, 두 점 P, Q에 대응하는 수의 합은?

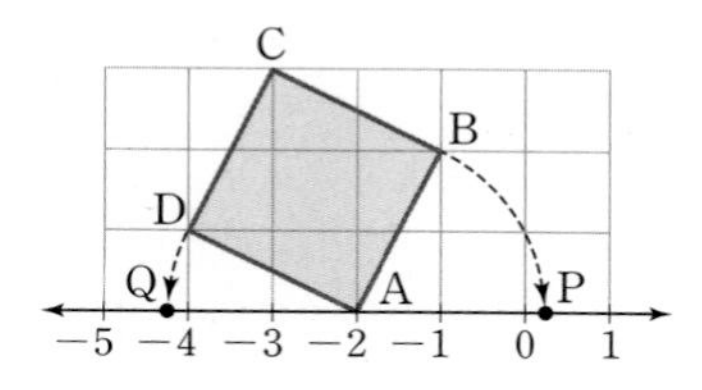

① -4 ② -2 ③ $-2+\sqrt{5}$
④ $2-\sqrt{5}$ ⑤ 4

18 다음 세 수 A, B, C의 대소 관계로 옳은 것은?

$$A=2\sqrt{2}-1,\quad B=4-2\sqrt{2},\quad C=4-\sqrt{10}$$

① $A<C<B$ ② $B<A<C$
③ $B<C<A$ ④ $C<A<B$
⑤ $C<B<A$

서술형

19 $\sqrt{6}=2.449$, $\sqrt{60}=7.746$일 때, $\sqrt{60000}$의 값을 구하시오. [6점]

20 $\sqrt{(3-\sqrt{7})^2}-\sqrt{(3\sqrt{7}-9)^2}$을 계산하시오. [6점]

21 $a>0$, $b>0$이고 $a+b=12$, $ab=7$일 때, $\sqrt{\frac{b}{a}}+\sqrt{\frac{a}{b}}$의 값을 구하시오. [8점]

22 $A=\sqrt{18}+\sqrt{2}$, $B=\sqrt{3}A-2\sqrt{2}$, $C=6\sqrt{3}-\frac{B}{\sqrt{2}}$일 때, C의 값을 구하시오. [8점]

식의 계산과 이차방정식

1. 다항식의 곱셈

출제 유형

유형 1 다항식의 곱셈
유형 2 곱셈 공식 ① - 합의 제곱, 차의 제곱
유형 3 곱셈 공식 ② - 합과 차의 곱
유형 4 곱셈 공식 ③ - 일차항의 계수가 1인 두 일차식의 곱
유형 5 곱셈 공식 ④ - 일차항의 계수가 1이 아닌 두 일차식의 곱
유형 6 곱셈 공식의 종합
유형 7 곱셈 공식을 이용하여 도형의 넓이 구하기
유형 8 곱셈 공식을 이용한 수의 계산
유형 9 곱셈 공식을 이용한 무리수의 계산
유형 10 곱셈 공식을 이용한 분모의 유리화
유형 11 곱셈 공식을 변형하여 식의 값 구하기

필수 기출

유형 1 다항식의 곱셈

1 $(3x-1)(4+y)$를 전개한 식이 $axy+bx+cy-4$일 때, 상수 a, b, c에 대하여 $a-b-c$의 값은?

① -8 ② -6 ③ -2
④ 4 ⑤ 6

2 $(2x^2-3x-1)(-x+5)$를 전개한 식에서 x^2의 계수를 a, x의 계수를 b라 할 때, $a+b$의 값은?

① -2 ② -1 ③ 0
④ 1 ⑤ 2

3 $(ax+4y-3)(5x-2y+1)$을 전개한 식에서 xy의 계수가 14일 때, 상수 a의 값을 구하시오.

유형 2 곱셈 공식 ① - 합의 제곱, 차의 제곱

4 $(2x+5y)^2$을 전개하면?

① $x^2-20xy-25y^2$ ② $x^2+10xy-25y^2$
③ $4x^2+10xy+25y^2$ ④ $4x^2+20xy+5y^2$
⑤ $4x^2+20xy+25y^2$

5 $\left(3x-\frac{1}{2}\right)^2=ax^2+bx+c$일 때, 상수 a, b, c에 대하여 abc의 값은?

① $-\frac{27}{4}$ ② $-\frac{9}{2}$ ③ $-\frac{27}{8}$
④ $\frac{27}{8}$ ⑤ $\frac{27}{4}$

Best

6 $(x+a)^2=x^2-8x+b$일 때, 상수 a, b에 대하여 $a+b$의 값을 구하시오.

7 다음 중 $(a-b)^2$과 전개식이 같은 것은?

① $-(a+b)^2$ ② $(-a+b)^2$
③ $(a+b)^2$ ④ $-(a-b)^2$
⑤ $(-a-b)^2$

유형 3 곱셈 공식 ② - 합과 차의 곱

8 다음 중 옳지 않은 것은?

① $\left(x-\frac{1}{3}\right)\left(x+\frac{1}{3}\right)=x^2-\frac{1}{9}$
② $(-2x+y)(-2x-y)=4x^2-y^2$
③ $(x-1)(1-x)=-x^2+2x-1$
④ $(2a-3b)(2a+3b)=4a^2-9b^2$
⑤ $(x-4y)(-x-4y)=x^2-16y^2$

9 다음 중 $(x-y)(x+y)$와 전개식이 같은 것을 모두 고르면? (정답 2개)

① $(y+x)(y-x)$ ② $(x+y)(-x-y)$
③ $(x-y)(-x+y)$ ④ $-(y-x)(y+x)$
⑤ $(-x+y)(-x-y)$

10 $a^2=18$, $b^2=4$일 때, $\left(\frac{1}{3}a+\frac{5}{2}b\right)\left(\frac{1}{3}a-\frac{5}{2}b\right)$의 값은?

① -27 ② -23 ③ -3
④ 23 ⑤ 27

Best

11 $(x-1)(x+1)(x^2+1)$을 전개하면?

① x^4 ② x^4-1 ③ x^4+1
④ $-x^4-1$ ⑤ $-x^4+1$

유형 4 곱셈 공식 ③ - 일차항의 계수가 1인 두 일차식의 곱

Best

12 $(x+a)(x+4)=x^2+bx+12$일 때, 상수 a, b에 대하여 $a+b$의 값을 구하시오.

13 $(x+A)(x+B)=x^2+Cx+6$일 때, 다음 중 C의 값이 될 수 없는 것은? (단, A, B, C는 정수)

① -7 ② -5 ③ 3
④ 5 ⑤ 7

유형 5 곱셈 공식 ④ - 일차항의 계수가 1이 아닌 두 일차식의 곱

14 $(3x-2)(2x+4)$를 전개하면?

① $12x^2-4x-8$ ② $12x^2-10x-6$
③ $6x^2-2x+8$ ④ $6x^2+16x-12$
⑤ $6x^2+8x-8$

15 $(x+6y)(3y-5x)$를 전개한 식에서 x^2의 계수를 a, xy의 계수를 b, y^2의 계수를 c라 할 때, $a-b+c$의 값을 구하시오.

Best

16 $(Ax-5)(3x-B)=12x^2-Cx-20$일 때, 상수 A, B, C에 대하여 $A+B+C$의 값은?

① -1 ② 1 ③ 3
④ 5 ⑤ 7

17 $(2x-5)(3x+a)$를 전개한 식에서 x의 계수와 상수항이 같을 때, 상수 a의 값은?

① $-\frac{15}{7}$ ② $-\frac{6}{5}$ ③ $\frac{2}{3}$
④ $\frac{6}{5}$ ⑤ $\frac{15}{7}$

18 $4x+a$에 $2x+5$를 곱해야 할 것을 잘못하여 $5x+2$를 곱했더니 $20x^2+3x-2$가 되었다. 이때 바르게 전개한 식을 구하시오. (단, a는 상수)

유형 6 곱셈 공식의 종합

Best

19 다음 중 옳지 <u>않은</u> 것은?

① $(3-x)(3+x)=9-x^2$
② $(2x-1)^2=4x^2-2x+1$
③ $\left(\frac{1}{2}x+4\right)^2=\frac{1}{4}x^2+4x+16$
④ $(x+3)(x+2)=x^2+5x+6$
⑤ $(4x-1)(3x+2)=12x^2+5x-2$

20 다음 중 □ 안의 수가 나머지 넷과 <u>다른</u> 하나는?

① $(a-\square b)^2=a^2-4ab+4b^2$
② $(x+4)(x+\square)=x^2+6x+8$
③ $(a+3)(a-5)=a^2-\square a-15$
④ $(x+\square y)(x-5y)=x^2-3xy-10y^2$
⑤ $\left(x+\frac{3}{2}y\right)\left(-x-\frac{1}{2}y\right)=-x^2+\square xy-\frac{3}{4}y^2$

21 $(3x-4y)^2+(2x+y)(2x-y)=Ax^2+Bxy+Cy^2$ 일 때, 상수 A, B, C에 대하여 $A+B-C$의 값을 구하시오.

22 $(x+a)^2-(x+5)(x-6)$을 전개한 식에서 x의 계수가 5일 때, 상수 a의 값은?

① -4　② -2　③ 2
④ 4　⑤ 6

유형 7 곱셈 공식을 이용하여 도형의 넓이 구하기

23 다음 그림으로 설명할 수 있는 곱셈 공식은?

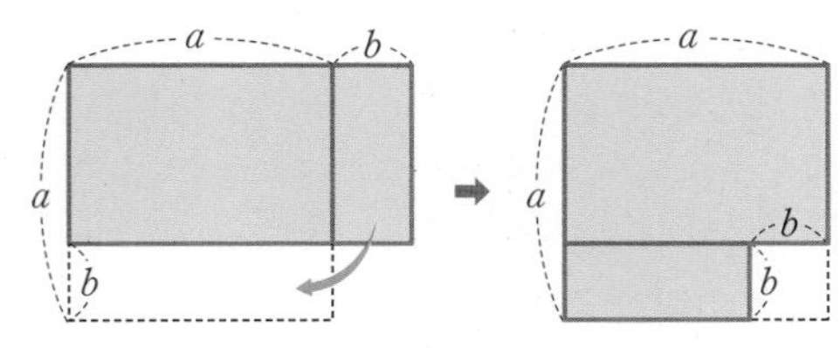

① $(a+b)^2=a^2+2ab+b^2$
② $(a-b)^2=a^2-2ab+b^2$
③ $(a+b)(a-b)=a^2-b^2$
④ $(x+a)(x+b)=x^2+(a+b)x+ab$
⑤ $(ax+b)(cx+d)=acx^2+(ad+bc)x+bd$

Best

24 다음 그림과 같이 가로의 길이가 $3x$, 세로의 길이가 $2x$인 직사각형에서 가로의 길이는 4만큼 늘이고 세로의 길이는 3만큼 줄였다. 이때 색칠한 직사각형의 넓이는?

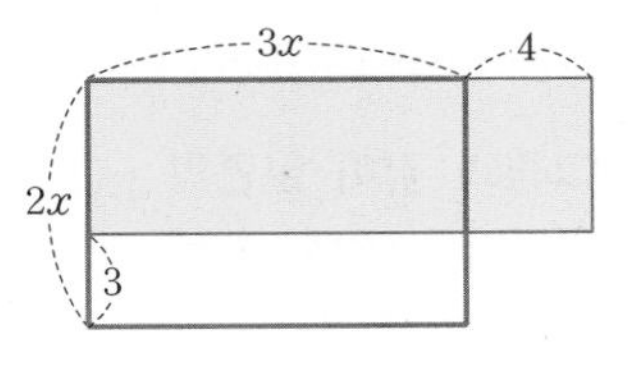

① $6x^2-17x-12$　② $6x^2-x-12$
③ $6x^2+x-12$　④ $6x^2+x+12$
⑤ $6x^2+17x+12$

25 오른쪽 그림과 같이 한 변의 길이가 a인 정사각형에서 가로의 길이를 b만큼 줄이고 세로의 길이를 b만큼 늘여서 만든 직사각형의 넓이는 처음 정사각형의 넓이에서 어떻게 변하는가?

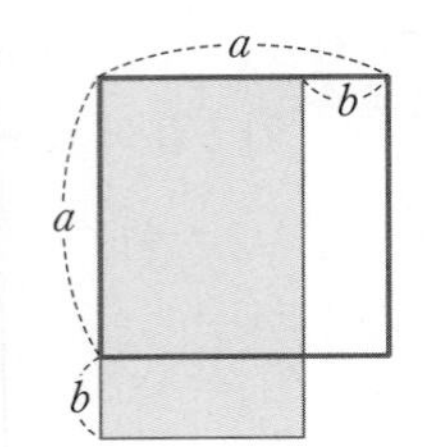

① b만큼 늘어난다.
② b만큼 줄어든다.
③ b^2만큼 늘어난다.
④ b^2만큼 줄어든다.
⑤ 변함이 없다.

26 다음 그림과 같이 가로의 길이가 a, 세로의 길이가 b인 직사각형 모양의 종이를 접어 2개의 정사각형을 만들었다. 이 두 정사각형을 오려 내고 남은 색칠한 직사각형의 넓이는?

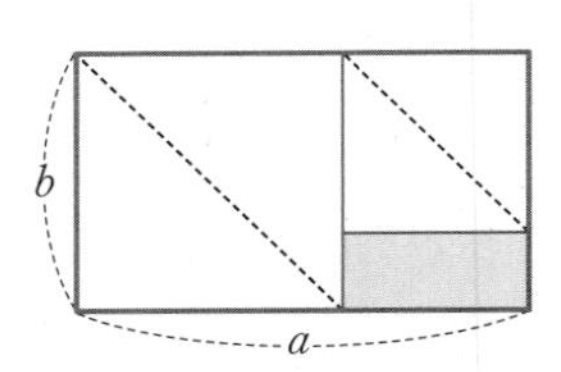

① $-a^2+ab$　② $-a^2+3ab-b^2$
③ $-a^2+3ab-2b^2$　④ $-2a^2+3ab-2b^2$
⑤ $-b^2+ab$

27 오른쪽 그림과 같이 밑면의 가로의 길이가 $a+3b$, 세로의 길이가 $a+b$, 높이가 $3a+b$인 직육면체 모양의 상자의 겉넓이를 구하시오.

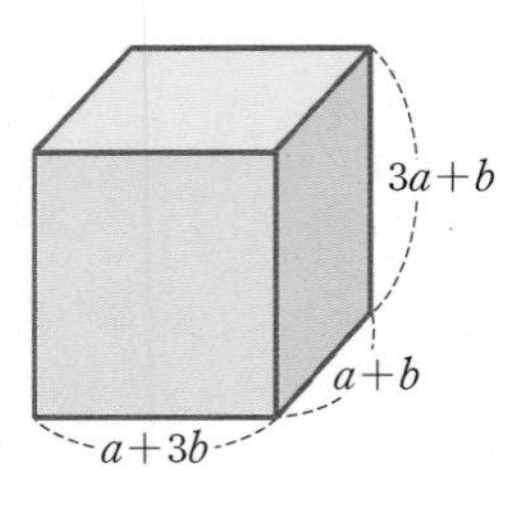

28 오른쪽 그림은 가로의 길이가 $5a+1$, 세로의 길이가 $3a$인 직사각형 모양의 땅에 폭이 2로 일정한 길을 만든 것이다. 길을 제외한 땅의 넓이는?

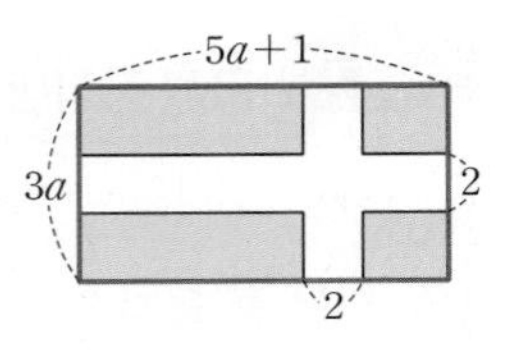

① $12a^2-19a-2$　② $12a^2-19a+2$
③ $15a^2-14a+2$　④ $15a^2-13a-2$
⑤ $15a^2-13a+2$

29 다음 그림과 같이 가로의 길이가 x, 세로의 길이가 $2y$로 합동인 직사각형 모양의 나무 판자 4개를 이용하여 두 종류의 액자를 만들었다. 두 액자에서 색칠한 부분의 넓이를 각각 A, B라 할 때, $A-B$를 구하면? (단, $x<y$)

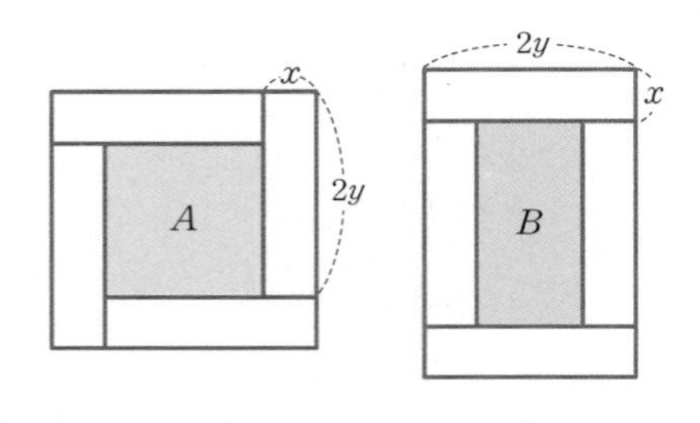

① x^2　② $4xy$　③ $8xy$
④ y^2　⑤ $8y^2$

유형 8 곱셈 공식을 이용한 수의 계산

Best

30 다음 중 10.3×9.7을 계산하는 데 이용되는 가장 편리한 곱셈 공식은?

① $(a+b)^2=a^2+2ab+b^2$ (단, $a>0$, $b>0$)
② $(a-b)^2=a^2-2ab+b^2$ (단, $a>0$, $b>0$)
③ $(a+b)(a-b)=a^2-b^2$
④ $(x+a)(x+b)=x^2+(a+b)x+ab$
⑤ $(ax+b)(cx+d)=acx^2+(ad+bc)x+bd$

31 곱셈 공식을 이용하여 $1024^2-1022\times1026$을 계산하시오.

Best

32 곱셈 공식을 이용하여 $\frac{2020\times2022+1}{2021}$을 계산하면?

① 2017 ② 2018 ③ 2019
④ 2020 ⑤ 2021

33 $(2+1)(2^2+1)(2^4+1)(2^8+1)$을 전개하면?

① 2^8-1 ② $2^{14}-1$ ③ $2^{14}+1$
④ $2^{16}-1$ ⑤ $2^{16}+1$

유형 9 곱셈 공식을 이용한 무리수의 계산

Best

34 다음 중 옳지 않은 것은?

① $(\sqrt{7}-\sqrt{5})^2=12-2\sqrt{35}$
② $(\sqrt{2}+2\sqrt{3})^2=14+4\sqrt{6}$
③ $(\sqrt{2}+\sqrt{5})(\sqrt{2}-\sqrt{5})=-3$
④ $(\sqrt{5}+2)(\sqrt{5}-4)=-2+2\sqrt{5}$
⑤ $(2\sqrt{3}-\sqrt{2})(3\sqrt{3}+\sqrt{2})=16-\sqrt{6}$

35 $(2\sqrt{3}-3\sqrt{2})^2=a+b\sqrt{6}$을 만족시키는 유리수 a, b에 대하여 $a+b$의 값을 구하시오.

36 $(4+4\sqrt{5})(a-5\sqrt{5})$를 계산한 결과가 유리수일 때, 유리수 a의 값은?

① -5 ② -3 ③ 1
④ 3 ⑤ 5

37 $(2+\sqrt{5})^{101}(2-\sqrt{5})^{101}$을 계산하면?

① -2 ② -1 ③ 0
④ 1 ⑤ 2

Best

38 다음 그림은 한 칸의 가로와 세로의 길이가 각각 1인 모눈종이 위에 수직선과 정사각형 ABCD를 그린 것이다. $\overline{AB}=\overline{AP}$, $\overline{AD}=\overline{AQ}$이고 두 점 P, Q에 대응하는 수를 각각 a, b라 할 때, ab의 값은?

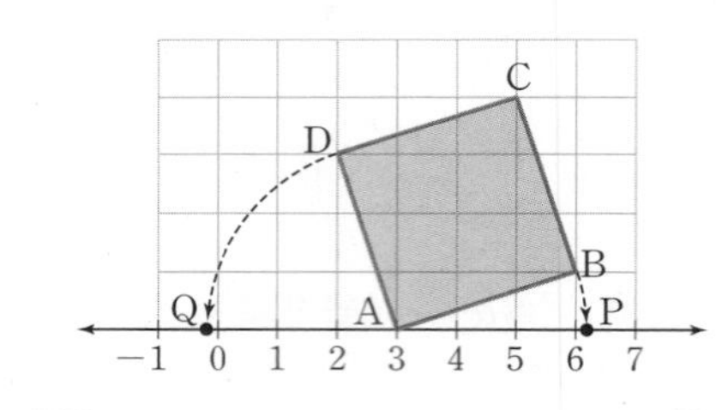

① $-\sqrt{10}$ ② -3 ③ $-\sqrt{5}$
④ -2 ⑤ -1

39 다음 그림과 같은 도형의 넓이를 구하시오.

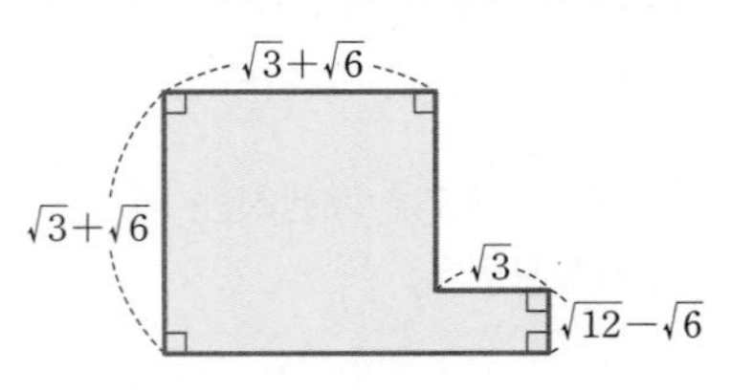

유형 10 곱셈 공식을 이용한 분모의 유리화

40 다음 중 분모를 유리화한 것으로 옳지 않은 것은?

① $\dfrac{3}{3-\sqrt{6}}=3+\sqrt{6}$

② $\dfrac{3}{\sqrt{5}+\sqrt{2}}=\sqrt{5}-\sqrt{2}$

③ $\dfrac{\sqrt{2}}{3+2\sqrt{2}}=3\sqrt{2}-2$

④ $\dfrac{3\sqrt{2}}{2\sqrt{6}+3\sqrt{3}}=-4\sqrt{3}+3\sqrt{6}$

⑤ $\dfrac{\sqrt{5}+1}{\sqrt{5}-1}=\dfrac{3+\sqrt{5}}{2}$

Best

41 $\dfrac{2}{\sqrt{2}+\sqrt{3}}-\dfrac{3}{\sqrt{2}-\sqrt{3}}$을 계산하시오.

42 $\frac{\sqrt{5}-\sqrt{2}}{\sqrt{5}+\sqrt{2}}-\frac{\sqrt{5}+\sqrt{2}}{\sqrt{5}-\sqrt{2}}=a+b\sqrt{10}$일 때, 유리수 a, b에 대하여 $a+b$의 값은?

① $-\frac{4}{3}$　② $-\frac{2}{3}$　③ $-\frac{1}{3}$
④ $\frac{2}{3}$　⑤ $\frac{4}{3}$

43 $\frac{3}{\sqrt{2}+1}+\frac{6}{\sqrt{6}}-\sqrt{2}(2+\sqrt{3})$을 계산하면?

① $\sqrt{2}-3$　② $\sqrt{2}+\sqrt{6}$
③ $\sqrt{3}-2\sqrt{6}$　④ $\sqrt{2}-\sqrt{3}+\sqrt{6}$
⑤ $\sqrt{2}+\sqrt{3}-2\sqrt{6}$

Best

44 $2+\sqrt{3}$의 정수 부분을 a, 소수 부분을 b라 할 때, $\frac{b}{a+b}$의 값은?

① $-5-3\sqrt{3}$　② $-5+3\sqrt{3}$
③ $2-3\sqrt{3}$　④ $5-3\sqrt{3}$
⑤ $5+3\sqrt{3}$

45 $\frac{1}{1+\sqrt{2}}+\frac{1}{\sqrt{2}+\sqrt{3}}+\frac{1}{\sqrt{3}+\sqrt{4}}+\frac{1}{\sqrt{4}+\sqrt{5}}+\frac{1}{\sqrt{5}+\sqrt{6}}$을 계산하면?

① $1-\sqrt{6}$　② $1-\sqrt{5}$
③ $2-\sqrt{5}$　④ $-1+\sqrt{5}$
⑤ $-1+\sqrt{6}$

46 오른쪽 그림과 같이 △ABC에서 $\overline{DE}/\!/\overline{BC}$이고, △ABC의 넓이는 △ADE의 넓이의 2배이다. $\overline{BD}=2$일 때, $\overline{AD}$의 길이는?

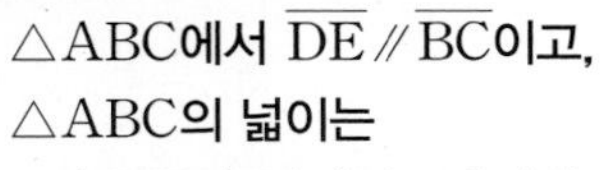

① $2+\sqrt{2}$　② $2+\sqrt{3}$　③ 4
④ $2(1+\sqrt{2})$　⑤ $2(1+\sqrt{3})$

유형 11 곱셈 공식을 변형하여 식의 값 구하기

Best

47 $x-y=2\sqrt{6}$, $xy=3$일 때, $(x+y)^2$의 값은?

① 24　② 27　③ 30
④ 33　⑤ 36

48 $x-y=-3$, $x^2+y^2=5$일 때, xy의 값은?

① -3 ② -2 ③ -1
④ 1 ⑤ 2

49 $a+b=3$, $ab=-2$일 때, $\frac{b}{a}+\frac{a}{b}$의 값은?

① $-\frac{13}{2}$ ② $-\frac{3}{2}$ ③ $-\frac{2}{3}$
④ $\frac{2}{13}$ ⑤ $\frac{13}{2}$

Best

50 $x=\frac{1}{2-\sqrt{3}}$, $y=\frac{1}{2+\sqrt{3}}$일 때, x^2+y^2의 값은?

① 10 ② 11 ③ 12
④ 13 ⑤ 14

51 $x+\frac{1}{x}=-5$일 때, $x^2+\frac{1}{x^2}$의 값은?

① 21 ② 23 ③ 25
④ 27 ⑤ 29

52 $x^2+6x-1=0$일 때, $x^2-5+\frac{1}{x^2}$의 값은?

① 22 ② 25 ③ 27
④ 30 ⑤ 33

53 $x=\frac{1}{\sqrt{5}-2}$일 때, x^2-4x+5의 값은?

① 2 ② 3 ③ 4
④ 5 ⑤ 6

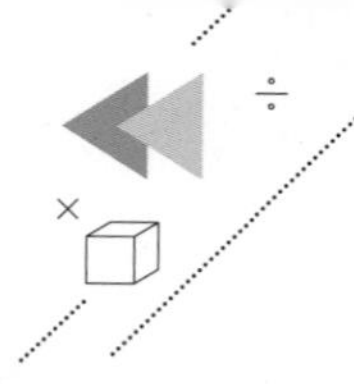

Best 쌍둥이

필수 기출의 Best 문제를 한 번 더!!

• 정답과 해설 22쪽

1 $(2x-A)^2$을 전개하면 $4x^2-12x+B$일 때, 상수 A, B에 대하여 $A+B$의 값은?

① 8 ② 9 ③ 10
④ 12 ⑤ 15

2 $(x-1)(x+1)(x^2+1)(x^4+1)=x^{\square}-1$일 때, $\square$ 안에 알맞은 수는?

① 2 ② 4 ③ 6
④ 8 ⑤ 10

3 $(x+5)(x+a)$를 전개한 식에서 x의 계수가 3일 때, 상수항은? (단, a는 상수)

① -10 ② -5 ③ -1
④ 5 ⑤ 10

4 $\left(ax+\frac{3}{2}\right)\left(x-\frac{5}{6}\right)=4x^2+bx+c$일 때, 상수 a, b, c에 대하여 $ac-6b$의 값을 구하시오.

5 다음 중 옳은 것은?

① $(2x+3)^2=4x^2+6x+9$
② $(-x+y)(x+y)=-x^2-y^2$
③ $\left(x+\frac{2}{3}\right)\left(x-\frac{11}{3}\right)=x^2-3x-\frac{22}{9}$
④ $(x+4)(3x-1)=3x^2+3x-1$
⑤ $\left(\frac{1}{2}x-3\right)(4x+5)=2x^2-\frac{19}{2}x+\frac{5}{2}$

6 오른쪽 그림과 같이 한 변의 길이가 $5a$인 정사각형에서 색칠한 부분의 넓이는?

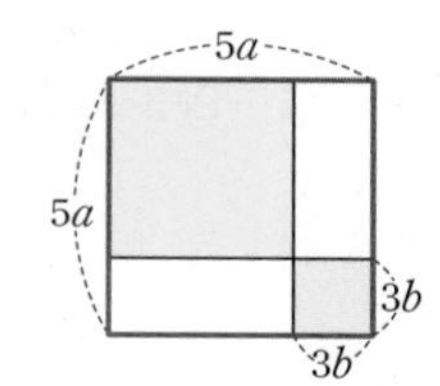

① $25a^2-15ab+9b^2$
② $25a^2-15ab+18b^2$
③ $25a^2-30ab$
④ $25a^2-30ab+9b^2$
⑤ $25a^2-30ab+18b^2$

7 다음 중 곱셈 공식 $(x+a)(x+b)=x^2+(a+b)x+ab$를 이용하여 계산하면 가장 편리한 것은?

① 97^2 ② 1003^2 ③ 196×204
④ 101×104 ⑤ 51×49

8 곱셈 공식을 이용하여 $\dfrac{779^2-778\times780-779}{778^2}$를 계산하면?

① $-\dfrac{1}{778}$　② $-\dfrac{1}{779}$　③ $\dfrac{1}{780}$
④ 780　⑤ 778

9 다음 중 옳은 것은?

① $(\sqrt{3}+3)(\sqrt{3}-4)=-7-\sqrt{3}$
② $(\sqrt{8}+\sqrt{5})^2=13+4\sqrt{5}$
③ $(2\sqrt{3}-5)^2=37-10\sqrt{3}$
④ $(\sqrt{5}+3)(\sqrt{5}-3)=-4$
⑤ $(2\sqrt{3}+\sqrt{2})(3\sqrt{3}-4\sqrt{2})=28-5\sqrt{6}$

10 다음 그림은 한 칸의 가로와 세로의 길이가 각각 1인 모눈종이 위에 수직선과 두 정사각형을 그린 것이다. $\overline{AD}=\overline{AP}$, $\overline{EF}=\overline{EQ}$이고 두 점 P, Q에 대응하는 수를 각각 a, b라 할 때, a^2b의 값을 구하시오.

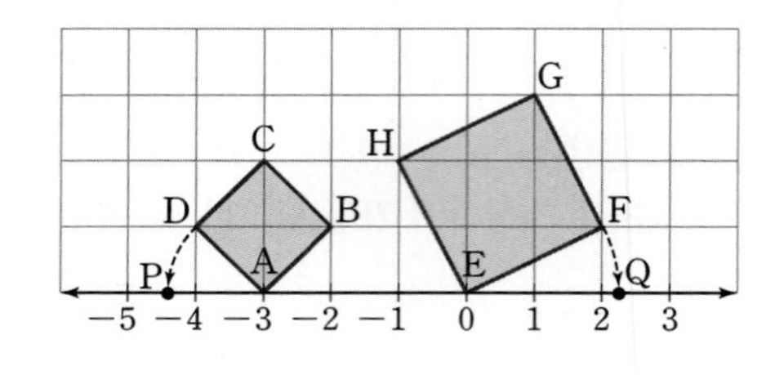

11 $\dfrac{6}{\sqrt{5}-\sqrt{3}}-\dfrac{3}{\sqrt{5}+\sqrt{3}}=a\sqrt{3}+b\sqrt{5}$일 때, 유리수 a, b에 대하여 $a+b$의 값은?

① -6　② -4　③ 2
④ 4　⑤ 6

12 $4-\sqrt{5}$의 정수 부분을 a, 소수 부분을 b라 할 때, $\dfrac{5a}{2b-a}$의 값을 구하시오.

13 $x+y=2\sqrt{10}$, $xy=-9$일 때, $x-y$의 값은? (단, $x>y$)

① $\sqrt{58}$　② 8　③ $2\sqrt{19}$
④ 9　⑤ $\sqrt{91}$

14 $x=\dfrac{2}{3-\sqrt{5}}$, $y=\dfrac{2}{3+\sqrt{5}}$일 때, $x^2-3xy+y^2$의 값은?

① 1　② 2　③ 3
④ 4　⑤ 5

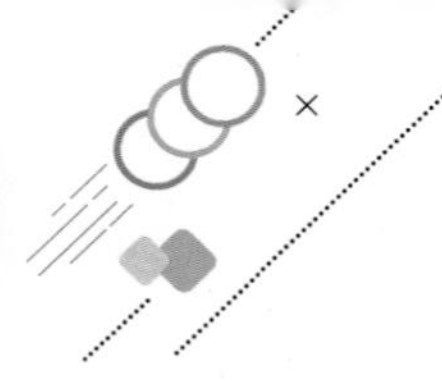

100점 완성

고난도 기출문제는 두 번씩 연습하여 마스터!!

• 정답과 해설 23쪽

1-❶ 효린이는 $(x+4)(x-2)$에서 -2를 A로 잘못 보아 x^2+3x+B로 전개하였고, 유진이는 $(5x-1)(x+3)$에서 5를 C로 잘못 보아 Cx^2-7x-3으로 전개하였다. 이때 상수 A, B, C에 대하여 $A+B+C$의 값을 구하시오.

Key 원래 수 대신 잘못 본 수를 대입하여 전개한 후 주어진 전개식과 비교한다.

❷ 유미는 $(x-5)(x+7)$에서 -5를 a로 잘못 보아 x^2+x+b로 전개하였고, 정우는 $(3x+4)(6-x)$에서 3을 c로 잘못 보아 $dx^2-22x+24$로 전개하였다. 이때 상수 a, b, c, d에 대하여 $a-b+c+d$의 값을 구하시오.

2-❶ $(x-3y+1)(x+3y-1)$을 전개하면?

① x^2-9y^2+6y-1　② x^2-9y^2+6y+1
③ x^2-6y^2+9y-1　④ x^2+6y^2+9y-1
⑤ x^2+6y^2+9y+1

Key ❶ 공통부분을 한 문자로 놓는다.
❷ 곱셈 공식을 이용하여 전개한다.
❸ ❷의 식에 원래의 식을 대입하여 정리한다.

❷ $(a-b+3)(a-b-1)$을 전개하시오.

3-❶ 가로의 길이가 $3x$, 세로의 길이가 $2y$인 직사각형 모양의 종이를 오른쪽 그림과 같이 $\overline{AB}$를 $\overline{BF}$에, $\overline{ED}$를 $\overline{EG}$에, $\overline{HC}$를 $\overline{HI}$에 완전히 겹쳐지도록 접었을 때, 직사각형 GFJI의 넓이를 구하시오.

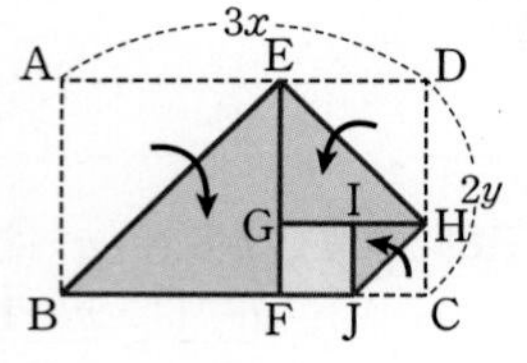

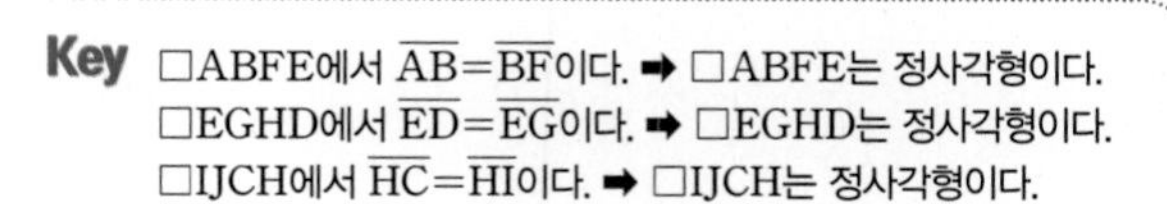
Key □ABFE에서 $\overline{AB}=\overline{BF}$이다. ➡ □ABFE는 정사각형이다.
□EGHD에서 $\overline{ED}=\overline{EG}$이다. ➡ □EGHD는 정사각형이다.
□IJCH에서 $\overline{HC}=\overline{HI}$이다. ➡ □IJCH는 정사각형이다.

❷ 가로의 길이가 $2x+3$, 세로의 길이가 $5x-2$인 직사각형 모양의 종이를 오른쪽 그림과 같이 $\overline{AE}$를 $\overline{EF}$에, $\overline{EB}$를 $\overline{EG}$에, $\overline{HC}$를 $\overline{HI}$에 완전히 겹쳐지도록 접었을 때, 직사각형 GIJF의 넓이를 구하시오.

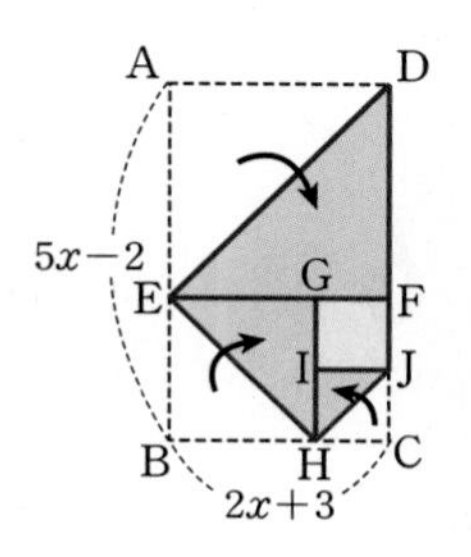

4-① 다음 등식을 만족시키는 두 자연수 a, b에 대하여 $a+b$의 값은? (단, $1 \le b \le 100$)

$$98 \times 102 \times (10^4+4) = 10^a - b$$

① 20　　② 21　　③ 22
④ 23　　⑤ 24

Key 98×102를 10의 거듭제곱을 이용한 식으로 나타내어 본다.

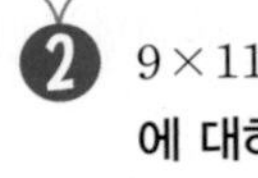

② $9 \times 11 \times 101 \times 10001 = 10^a - b$일 때, 두 자연수 a, b에 대하여 $a-b$의 값은? (단, $1 \le b \le 10$)

① 6　　② 7　　③ 8
④ 9　　⑤ 10

5-① 자연수 x에 대하여 $f(x) = \dfrac{1}{\sqrt{x+1}+\sqrt{x}}$일 때, $f(1)+f(2)+f(3)+\cdots+f(10)$의 값을 구하시오.

Key $f(x)$에 숫자를 각각 대입한 후 분모를 유리화하여 주어진 식의 값을 구한다.

② 자연수 x에 대하여 $f(x) = \sqrt{2x+1}+\sqrt{2x-1}$일 때, $\dfrac{1}{f(1)}+\dfrac{1}{f(2)}+\dfrac{1}{f(3)}+\cdots+\dfrac{1}{f(12)}$의 값을 구하시오.

6-① $(x-3)(y+3)=11$, $xy=8$일 때, $x+y$의 값을 구하시오. (단, $x>0$, $y>0$)

Key $(x+y)^2=(x-y)^2+4xy$임을 이용한다.

② $(x-2)(y-2)=-6$, $xy=-4$일 때, $\dfrac{x-1}{y}+\dfrac{y-1}{x}$의 값을 구하시오.

서술형 완성

● 정답과 해설 25쪽

1 다음 식을 전개하시오.

(1) $(-x+2y)^2$ [2점]

(2) $\left(-\frac{1}{2}x+6y\right)\left(\frac{1}{2}x+6y\right)$ [2점]

(3) $(x+5)(x-7)$ [2점]

(4) $(2x+3)(x-4)$ [2점]

2 $(3x-2y)^2+(x+3y)(-x+3y)=ax^2+bxy+cy^2$일 때, 상수 a, b, c에 대하여 $a-b+2c$의 값을 구하시오. [6점]

3 오른쪽 그림과 같이 한 변의 길이가 $3a$인 정사각형에서 가로의 길이를 $2b$만큼 줄이고, 세로의 길이를 $2b$만큼 늘였다. 이때 색칠한 직사각형의 넓이를 구하시오. [6점]

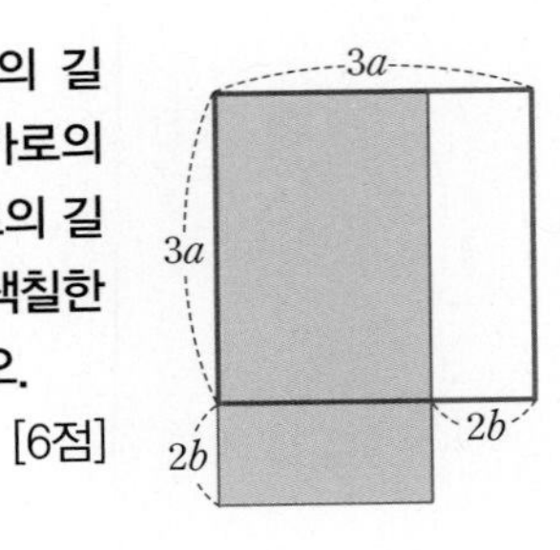

4 곱셈 공식을 이용하여 $\frac{1123}{1121^2-1120\times1122}$을 계산하시오. [6점]

5 다음 그림은 한 칸의 가로와 세로의 길이가 각각 1인 모눈종이 위에 수직선과 정사각형 ABCD를 그린 것이다. $\overline{AB}=\overline{AP}$, $\overline{AD}=\overline{AQ}$이고 두 점 P, Q에 대응하는 수를 각각 a, b라 할 때, $\frac{1}{a}-b$의 값을 구하시오. [8점]

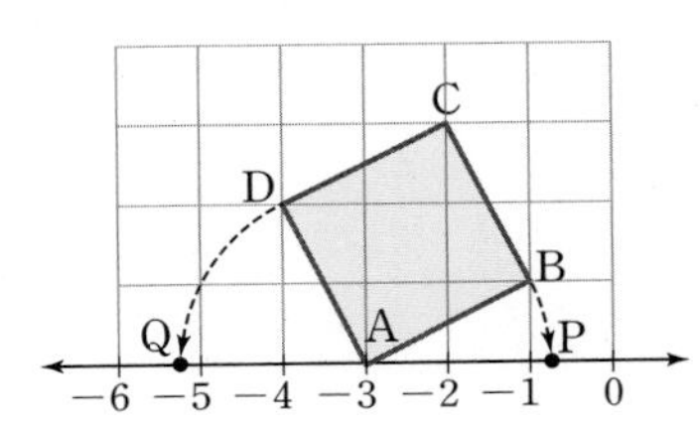

6 $a+b=4$, $a^2+b^2=10$**일 때,** $\frac{1}{a}+\frac{1}{b}$**의 값을 구하시오.** [6점]

7 $x=\frac{2}{4-\sqrt{6}}$, $y=\frac{2}{4+\sqrt{6}}$**일 때, 다음 물음에 답하시오.**

(1) x와 y의 분모를 각각 유리화하시오. [4점]

(2) (1)에서 구한 값과 곱셈 공식을 이용하여 x^2+y^2의 값을 구하시오. [4점]

8 $x=\frac{2}{\sqrt{3}+1}$**일 때,** $2x^2+4x-3$**의 값을 구하시오.** [8점]

서술형 UP UP!

9 $(8+4)(8^2+4^2)(8^4+4^4)(8^8+4^8)+2^{30}=2^x$**일 때, 자연수** x**의 값을 구하시오.** [10점]

10 $f(x)=\frac{1}{\sqrt{x+1}-\sqrt{x}}$**일 때,**
$f(1)-f(2)+f(3)-f(4)+f(5)$**의 값을 구하시오.** [10점]

실전 테스트

• 정답과 해설 26쪽

- 객관식: 총 18문항 각 4점
- 서술형: 총 4문항 각 6점, 8점

1 $(2x+3y-1)(3x-y)$를 전개한 식에서 xy의 계수를 a, y^2의 계수를 b라 할 때, $a+b$의 값은?

① 4 ② 7 ③ 10
④ 12 ⑤ 15

2 $(3x+a)^2=bx^2-12x+c$일 때, 상수 a, b, c에 대하여 $a+b+c$의 값은?

① 3 ② 11 ③ 13
④ 15 ⑤ 21

3 다음 보기 중 전개식이 같은 것끼리 짝 지은 것은?

보기
ㄱ. $(2a-b)^2$ ㄴ. $(2a+b)^2$
ㄷ. $(-2a-b)^2$ ㄹ. $-(2a-b)^2$
ㅁ. $-(-2a-b)^2$

① ㄱ, ㄴ ② ㄱ, ㄷ ③ ㄴ, ㄷ
④ ㄴ, ㄹ ⑤ ㄹ, ㅁ

4 $(a-1)(a+1)(a^2+1)(a^4+1)(a^8+1)=a^m+n$일 때, 상수 m, n에 대하여 mn의 값은?

① -16 ② -8 ③ -4
④ 8 ⑤ 16

5 $(x+a)(x+b)=x^2+cx-12$일 때, 다음 중 c의 값이 될 수 <u>없는</u> 것은? (단, a, b, c는 정수)

① -11 ② -4 ③ -1
④ 4 ⑤ 7

6 $(2x-1)(x+A)$를 전개한 식에서 상수항이 -2일 때, x의 계수는? (단, A는 상수)

① -3 ② -2 ③ 2
④ 3 ⑤ 4

7 다음 중 옳은 것은?

① $\left(-x-\frac{1}{2}\right)^2=x^2-\frac{1}{4}x-\frac{1}{4}$
② $(3x-2y)^2=9x^2-6xy+4y^2$
③ $(-x+11y)(-x-11y)=x^2-11y^2$
④ $(x+6)(x-3)=x^2+9x-18$
⑤ $(2x-5)(3x+1)=6x^2-13x-5$

8 $2(x+3)(x-3)+(7x-2)(x+5)$를 전개한 식에서 x의 계수와 상수항의 합은?

① -18　② -10　③ 5
④ 28　⑤ 33

9 오른쪽 그림은 가로의 길이가 $4x+5$, 세로의 길이가 $2x+3$인 직사각형의 모양의 화단에 폭이 2로 일정한 길을 만든 것이다. 길을 제외한 화단의 넓이가 ax^2+bx+c일 때, 상수 a, b, c에 대하여 $a+b+c$의 값은?

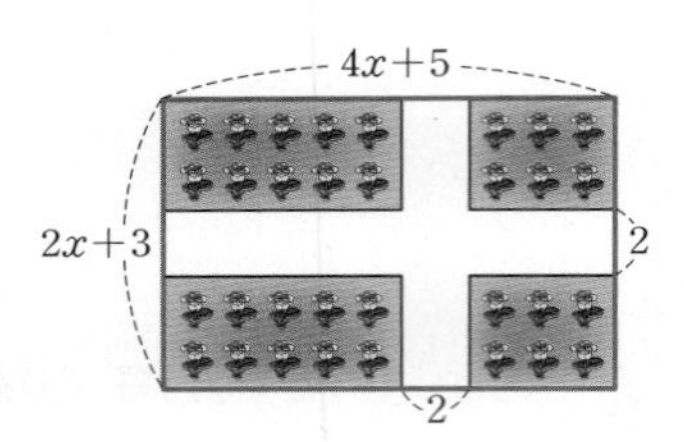

① 13　② 18　③ 21
④ 24　⑤ 28

10 다음 중 주어진 수를 계산하는 데 이용되는 가장 편리한 곱셈 공식으로 적절하지 않은 것은?

① 104^2 ⇨ $(a+b)^2=a^2+2ab+b^2$ (단, $a>0$, $b>0$)
② 96^2 ⇨ $(a-b)^2=a^2-2ab+b^2$ (단, $a>0$, $b>0$)
③ 52×48 ⇨ $(a+b)(a-b)=a^2-b^2$
④ 102×103 ⇨ $(x+a)(x+b)$
$=x^2+(a+b)x+ab$
⑤ 98×102 ⇨ $(ax+b)(cx+d)$
$=acx^2+(ad+bc)x+bd$

11 $(5+1)(5^2+1)(5^4+1)(5^8+1)=\frac{5^B-1}{A}$일 때, 자연수 A, B에 대하여 $\frac{B}{A}$의 값은?

① 2　② 4　③ 8
④ 12　⑤ 16

12 $(2\sqrt{2}-1)^2-(3-\sqrt{6})(3+\sqrt{6})$을 계산하면?

① $2-4\sqrt{2}$　② $2-3\sqrt{2}$　③ $2-2\sqrt{2}$
④ $6-4\sqrt{2}$　⑤ $6-2\sqrt{2}$

13 $x=\frac{\sqrt{3}-1}{\sqrt{3}+1}$일 때, $x+\frac{1}{x}$의 값은?

① -4　② $\frac{\sqrt{3}}{3}$　③ $2-\sqrt{3}$
④ $2+\sqrt{3}$　⑤ 4

14 $\frac{18}{4+\sqrt{7}}$의 정수 부분을 a, 소수 부분을 b라 할 때, $\frac{a-b}{b-a}$의 값은?

① -3　② -2　③ -1
④ 1　⑤ 2

15 $\frac{1}{\sqrt{96}+\sqrt{97}}+\frac{1}{\sqrt{97}+\sqrt{98}}+\frac{1}{\sqrt{98}+\sqrt{99}}+\frac{1}{\sqrt{99}+\sqrt{100}}$의 값은?

① $-4\sqrt{6}$　② $10-4\sqrt{6}$　③ $4\sqrt{6}-3\sqrt{11}$
④ $10+4\sqrt{6}$　⑤ $4\sqrt{6}+3\sqrt{11}$

16 $a-b=-8$, $ab=-4$일 때, $\frac{1}{a^2}+\frac{1}{b^2}$의 값은?

① $\frac{3}{2}$　② $\frac{5}{2}$　③ $\frac{7}{2}$
④ $\frac{9}{2}$　⑤ $\frac{11}{2}$

17 $x=\frac{2}{3+2\sqrt{2}}$, $y=\frac{2}{3-2\sqrt{2}}$일 때, $\frac{y}{x}+\frac{x}{y}$의 값은?

① 4　② 8　③ 12
④ 34　⑤ 144

18 $x^2-7x+1=0$일 때, $x^2+x+\frac{1}{x}+\frac{1}{x^2}$의 값은?

① 49　② 54　③ 59
④ 64　⑤ 68

서술형

19 곱셈 공식을 이용하여 $4999^2-4998\times5002+4999$를 계산하시오. [6점]

20 $(\sqrt{5}+2a)(2\sqrt{5}-3)$을 계산한 결과가 유리수일 때, 유리수 a의 값을 구하시오. [6점]

21 다음 그림은 한 칸의 가로와 세로의 길이가 각각 1인 모눈종이 위에 수직선과 두 정사각형을 그린 것이다. $\overline{AB}=\overline{AP}$, $\overline{AC}=\overline{AQ}$이고 두 점 P, Q에 대응하는 수를 각각 a, b라 할 때, $ab+a$의 값을 구하시오. [8점]

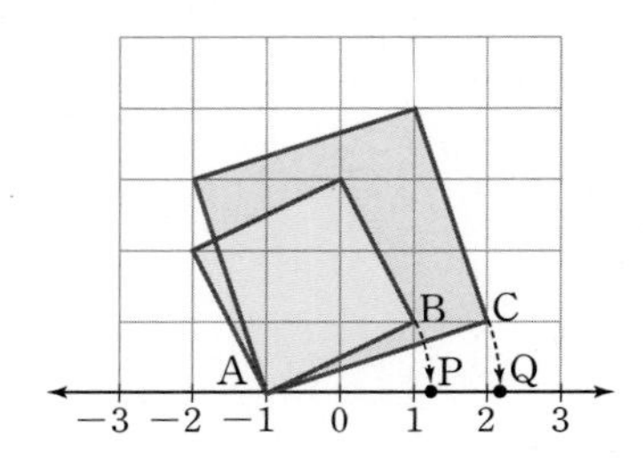

22 $x=\dfrac{1}{2\sqrt{6}-5}$일 때, $\sqrt{x^2+10x+5}$의 값을 구하시오. [8점]

식의 계산과 이차방정식

2. 인수분해

출제 유형

- 유형 1 인수와 인수분해
- 유형 2 공통인 인수를 이용한 인수분해
- 유형 3 인수분해 공식 ①: $a^2 \pm 2ab + b^2$
- 유형 4 완전제곱식이 될 조건
- 유형 5 근호 안의 식이 완전제곱식으로 인수분해되는 경우
- 유형 6 인수분해 공식 ②: $a^2 - b^2$
- 유형 7 인수분해 공식 ③: $x^2 + (a+b)x + ab$
- 유형 8 인수분해 공식 ④: $acx^2 + (ad+bc)x + bd$
- 유형 9 인수분해 공식 - 종합
- 유형 10 인수가 주어질 때, 미지수의 값 구하기
- 유형 11 계수 또는 상수항을 잘못 보고 인수분해한 경우
- 유형 12 인수분해의 활용 (1)
- 유형 13 인수분해 공식을 이용한 수의 계산
- 유형 14 공통부분이 있는 경우의 인수분해
- 유형 15 항이 4개 이상인 경우의 인수분해
- 유형 16 문자의 값이 주어질 때, 식의 값 구하기
- 유형 17 식의 조건이 주어질 때, 식의 값 구하기
- 유형 18 인수분해의 활용 (2)

유형 1 **인수와 인수분해**

1 다음 중 $x(x+1)(x-2)$의 인수가 아닌 것은?

① x ② x^2 ③ $x-2$
④ $x(x+1)$ ⑤ $x(x-2)$

2 다음 식에 대한 설명 중 옳지 않은 것은?

$$2ab^2-8b^2 \underset{㉡}{\overset{㉠}{\rightleftarrows}} 2b^2(a-4)$$

① ㉠의 과정을 인수분해한다고 한다.
② ㉡의 과정을 전개한다고 한다.
③ ㉡의 과정에서 분배법칙이 이용된다.
④ $2b^2$, $a-4$는 $2ab^2-8b^2$의 인수이다.
⑤ $2ab^2$, $-8b^2$은 $2ab^2-8b^2$의 인수이다.

유형 2 **공통인 인수를 이용한 인수분해**

Best

3 $3x^2y+12xy^2$을 인수분해하면?

① $3x(x+4y)$ ② $xy(3x+4y)$
③ $3xy(x+4y)$ ④ $3xy(x+12y)$
⑤ $3x^2y(x+4y)$

4 $x(3x-y)-2y(y-3x)$를 인수분해하면?

① $(-3x-y)(x+2y)$ ② $(3x-y)(x-2y)$
③ $(3x-y)(x+2y)$ ④ $(3x+y)(x-2y)$
⑤ $(3x+y)(x+2y)$

5 다음 중 ab^2+2a^2b-5ab의 인수가 아닌 것은?

① a ② b ③ $2a+b$
④ ab ⑤ $ab(2a+b-5)$

유형 3 **인수분해 공식 ①: $a^2\pm2ab+b^2$**

6 다음 중 완전제곱식으로 인수분해할 수 없는 것은?

① $x^2+10x+25$ ② $4a^2+4a+1$
③ $3x^2-12x+12$ ④ $\frac{1}{9}x^2+\frac{2}{3}xy+y^2$
⑤ $4a^2-6ab+9b^2$

7 $9x^2-12x+a$를 인수분해하였더니 완전제곱식 $(3x+b)^2$이 될 때, 상수 a, b에 대하여 $a+b$의 값은?

① -2 ② 1 ③ 2
④ 4 ⑤ 6

8 다음 식을 인수분해하시오.

$$2a^3b-4a^2b^2+2ab^3$$

유형 4 완전제곱식이 될 조건

Best

9 두 다항식 $4x^2-12x+a$와 $x^2+bx+25$가 모두 완전제곱식이 되도록 하는 양수 a, b에 대하여 $a+b$의 값은?

① 18 ② 19 ③ 20
④ 21 ⑤ 22

10 $9x^2+(5k+2)x+49$가 완전제곱식이 되도록 하는 양수 k의 값은?

① 2 ② 4 ③ 6
④ 8 ⑤ 10

11 $(x+4)(x-6)+k$가 완전제곱식이 되도록 하는 상수 k의 값을 구하시오.

유형 5 근호 안의 식이 완전제곱식으로 인수분해되는 경우

Best

12 $5<x<8$일 때, $\sqrt{x^2-10x+25}+\sqrt{x^2-16x+64}$를 간단히 하면?

① -3 ② 3 ③ 13
④ $2x-13$ ⑤ $2x+13$

13 $0<3a<1$일 때, $\sqrt{a^2+a+\frac{1}{4}}-\sqrt{a^2-\frac{2}{3}a+\frac{1}{9}}$을 간단히 하시오.

14 $x<y<0$일 때, $\sqrt{x^2+2xy+y^2}+\sqrt{x^2-2xy+y^2}$을 간단히 하면?

① $2x$ ② $2y$ ③ 0
④ $-2y$ ⑤ $-2x$

필수 기출

유형 6 인수분해 공식 ②: a^2-b^2

15 $9x^2-16y^2$을 인수분해하면?

① $(3x+4y)^2$ ② $(3x-4y)^2$
③ $(3x+4)(3x-4)$ ④ $9(x+4y)(x-4y)$
⑤ $(3x+4y)(3x-4y)$

16 다음 중 a^3-a의 인수가 아닌 것은?

① a ② $a-1$ ③ $a+1$
④ a^2+1 ⑤ a^2-1

17 $x^2(y-2)-25(y-2)=(x+a)(x+b)(y+c)$일 때, 상수 a, b, c에 대하여 $a+b+c$의 값은? (단, $a>0$)

① -3 ② -2 ③ 1
④ 2 ⑤ 3

유형 7 인수분해 공식 ③: $x^2+(a+b)x+ab$

18 다음 식을 인수분해하면?

$$x^2-7x+12$$

① $(x-2)(x+6)$ ② $(x-2)(x-6)$
③ $(x-3)(x+4)$ ④ $(x-3)(x-4)$
⑤ $(x+3)(x-4)$

19 x^2-3x+a가 $(x+3)(x+b)$로 인수분해될 때, 상수 a, b에 대하여 $a-b$의 값을 구하시오.

20 $(x-1)(x+3)-12$는 x의 계수가 1인 두 일차식의 곱으로 인수분해된다. 이때 이 두 일차식의 합은?

① $2x-4$ ② $2x-3$ ③ $2x-2$
④ $2x+1$ ⑤ $2x+2$

Best

21 $x^2+Ax-24$가 $(x+a)(x+b)$로 인수분해될 때, 다음 중 상수 A의 값이 될 수 없는 것은? (단, a, b는 정수이고, $a>b$)

① -23 ② -5 ③ 2
④ 4 ⑤ 10

유형 8 인수분해 공식 ④: $acx^2+(ad+bc)x+bd$

22 $2x^2+5x+3$이 $(x+a)(bx+3)$으로 인수분해될 때, 상수 a, b에 대하여 $a+b$의 값은?

① 1 ② 2 ③ 3
④ 4 ⑤ 5

23 다음 중 $18x^2-15xy+2y^2$의 인수인 것은?

① $2x-y$ ② $2x+y$ ③ $3x-y$
④ $3x-2y$ ⑤ $6x+y$

24 $4x^2-8x-45$는 x의 계수가 자연수인 두 일차식의 곱으로 인수분해된다. 이때 이 두 일차식의 합은?

① $4x-14$ ② $4x-4$ ③ $4x+4$
④ $5x-4$ ⑤ $5x+4$

Best

25 $6x^2+ax-12$가 $(2x+3)(3x+b)$로 인수분해될 때, 상수 a, b에 대하여 $a+b$의 값은?

① -3 ② -1 ③ 0
④ 1 ⑤ 3

26 $3x^2+kx+2$가 x의 계수가 정수인 두 일차식의 곱으로 인수분해되도록 하는 정수 k의 값 중 가장 큰 수와 가장 작은 수의 합은?

① -12 ② -2 ③ 0
④ 2 ⑤ 12

유형 9 인수분해 공식 - 종합

Best

27 다음 중 인수분해한 것이 옳은 것을 모두 고르면? (정답 2개)

① $ab^2-a^3b=ab(b-a)$
② $x^2-64y^2=(x+8y)(x-8y)$
③ $x^2-16xy+64y^2=(x+8y)^2$
④ $x^2-8x-9=(x+1)(x-9)$
⑤ $2x^2-3x+1=(x-1)(2x+1)$

28 다음 중 $x-2$를 인수로 갖는 것은?

① $2x^2-18$　② $6x^2-2x-4$
③ $x^2y-xy-6y$　④ $x^2+4x-12$
⑤ $3x^2+5x-2$

Best

29 다음 두 다항식의 공통인 인수는?

x^2-6x+5,　$5x^2-3x-2$

① $x-5$　② $x-1$　③ $x+1$
④ $x+5$　⑤ $5x+2$

30 다음 중 나머지 넷과 같은 일차 이상의 인수를 갖지 <u>않는</u> 것은?

① $2x^2+6x$　② x^2-9
③ x^2-x-12　④ $2x^2+7x+3$
⑤ $5x^2-13x-6$

유형 10 인수가 주어질 때, 미지수의 값 구하기

Best

31 $x+4$가 $3x^2+4x+a$의 인수일 때, 상수 a의 값을 구하시오.

32 $2x^2+ax+b$가 $2x-1$, $x+5$를 인수로 가질 때, 상수 a, b에 대하여 $a+b$의 값은?

① 4　② 6　③ 8
④ 12　⑤ 14

33 두 다항식 x^2-4x+a와 $2x^2+bx-9$의 공통인 인수가 $x-3$일 때, 상수 a, b에 대하여 $a+b$의 값은?

① -6　② -3　③ 0
④ 3　⑤ 6

유형 11 계수 또는 상수항을 잘못 보고 인수분해한 경우

34 x^2의 계수가 1인 어떤 이차식을 다솔이는 x의 계수를 잘못 보고 $(x-1)(x+6)$으로 인수분해하였고, 상현이는 상수항을 잘못 보고 $(x-2)(x-3)$으로 인수분해하였다. 처음 이차식을 바르게 인수분해하시오.

35 x에 대한 어떤 이차식을 승민이는 x의 계수만 잘못 보고 $(x-12)(2x+1)$로 인수분해하였고, 현주는 상수항만 잘못 보고 $(x+2)(2x-9)$로 인수분해하였다. 처음 이차식을 바르게 인수분해하시오.

유형 12 인수분해의 활용 (1)

Best

36 다음 그림의 모든 직사각형을 빈틈없이 겹치지 않게 이어 붙여 하나의 큰 직사각형을 만들 때, 새로 만든 직사각형의 둘레의 길이는?

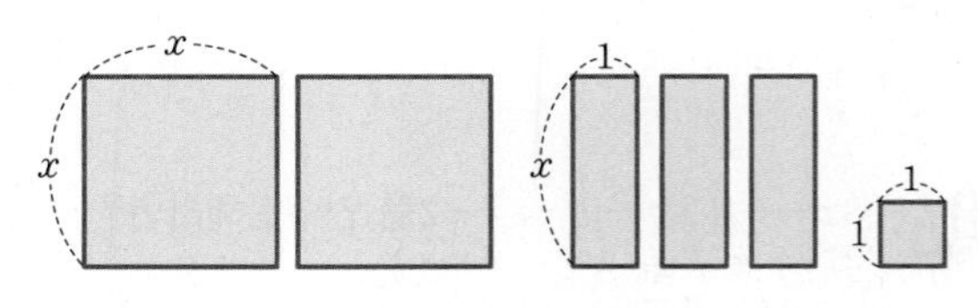

① $3x+1$ ② $3x+2$ ③ $6x+2$
④ $6x+4$ ⑤ $6x+6$

37 넓이가 $6a^2+19ab+10b^2$이고 가로의 길이가 $2a+5b$인 직사각형의 세로의 길이는?

① $2a-5b$ ② $2a-3b$ ③ $3a-2b$
④ $3a+2b$ ⑤ $3a+4b$

38 오른쪽 그림과 같이 윗변의 길이가 $x+3$, 아랫변의 길이가 $x+7$인 사다리꼴의 넓이가 $10x^2+48x-10$일 때, 이 사다리꼴의 높이는?

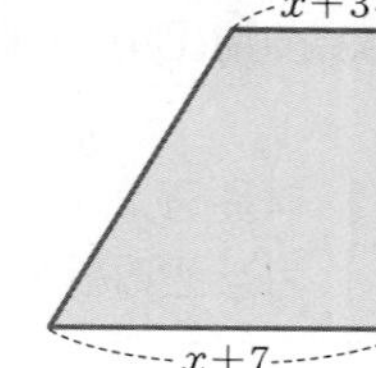

① $5x-1$ ② $5x+2$
③ $6x+2$ ④ $10x-2$
⑤ $10x+3$

39 오른쪽 그림과 같이 넓이가 각각 $(2x^2+13x+15)\,\text{m}^2$, $(x^2+x-20)\,\text{m}^2$인 거실과 발코니를 합쳐 하나의 직사각형 모양으로 거실을 확장하였다. 확장된 거실의 세로의 길이가 $(3x-1)\,\text{m}$일 때, 확장된 거실의 가로의 길이를 구하시오.

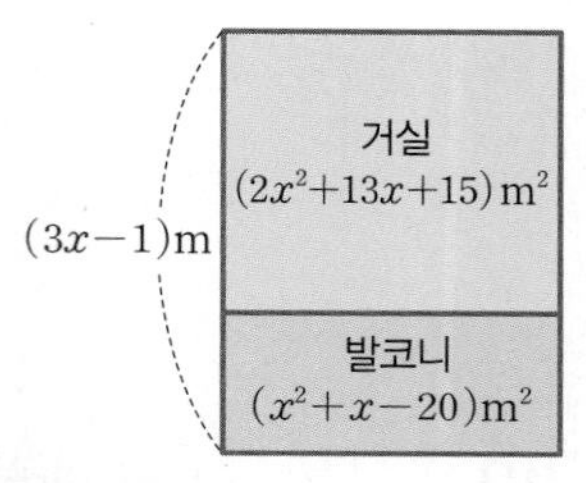

40 다음 그림과 같이 한 변의 길이가 각각 $x\,\text{cm}$, $y\,\text{cm}$인 두 정사각형이 있다. 두 정사각형의 둘레의 길이의 합이 $64\,\text{cm}$이고 넓이의 차가 $128\,\text{cm}^2$일 때, 두 정사각형의 한 변의 길이의 차를 구하시오. (단, $x>y$)

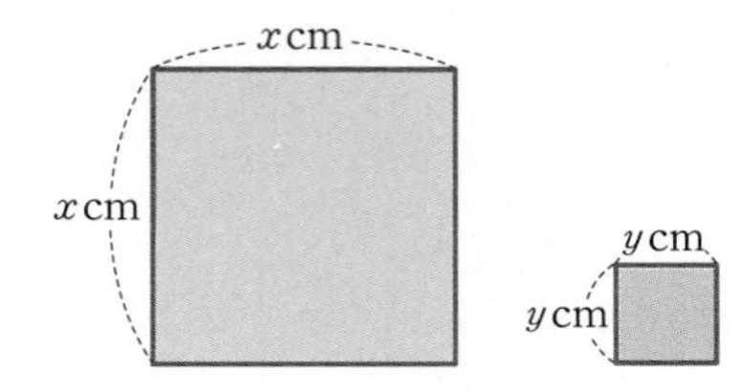

필수 기출

유형 13 인수분해 공식을 이용한 수의 계산

41 다음 중 $2.3\times5.5^2-2.3\times4.5^2$을 계산하는 데 이용되는 가장 편리한 인수분해 공식을 모두 고르면? (정답 2개)

① $ma+mb=m(a+b)$
② $a^2+2ab+b^2=(a+b)^2$
③ $a^2-b^2=(a+b)(a-b)$
④ $x^2+(a+b)x+ab=(x+a)(x+b)$
⑤ $acx^2+(ad+bc)x+bd=(ax+b)(cx+d)$

Best

42 인수분해 공식을 이용하여 $\dfrac{2020\times2021+2020}{2021^2-1}$을 계산하시오.

43 다음 중 계산 결과가 가장 작은 것은?

① 103^2-97^2
② $5\times46+5\times54$
③ 29^2+58+1
④ $2.5\times65^2-2.5\times35^2$
⑤ $\sqrt{101^2-202+1}$

Best

44 인수분해 공식을 이용하여 다음을 계산하시오.

$$1^2-2^2+3^2-4^2+5^2-6^2+7^2-8^2+9^2-10^2$$

유형 14 공통부분이 있는 경우의 인수분해

45 $(x+2y)^2-2(x+2y)-8$을 인수분해하면?

① $(x+2y-1)(x+2y+1)$
② $(x+2y-1)(x+2y-2)$
③ $(x+2y+1)(x+2y+4)$
④ $(x+2y-2)(x+2y+4)$
⑤ $(x+2y+2)(x+2y-4)$

46 $(3x-y)(3x-y-1)-2$를 인수분해하면?

① $(3x-y-4)(3x-y+1)$
② $(3x-y-1)(3x-y+2)$
③ $(3x-y+1)(3x-y-2)$
④ $(3x-y-2)(3x-y-1)$
⑤ $(3x-y+2)(3x-y+1)$

47 $(x+2)^2-3(x+2)(x-3)+2(x-3)^2$이 $a(x+b)$로 인수분해될 때, 상수 a, b에 대하여 $a+b$의 값은?

① -13　② -3　③ 3
④ 7　⑤ 13

유형 15 항이 4개 이상인 경우의 인수분해

Best

48 다음 보기 중 $x^2+2x-xy-2y$의 인수를 모두 고른 것은?

• 보기 •
ㄱ. $x-y$　ㄴ. $x+y$
ㄷ. $x-2$　ㄹ. $x+2$
ㅁ. $(x-2)(x+y)$　ㅂ. $(x+2)(x-y)$

① ㄱ, ㄷ　② ㄱ, ㄹ　③ ㄴ, ㄹ
④ ㄱ, ㄹ, ㅂ　⑤ ㄴ, ㄷ, ㅁ

49 $x^2-y^2+8y-16$을 인수분해하면?

① $(x-y+4)(x-y-4)$
② $(x-y-2)(x-y+8)$
③ $(x+y+4)(x+y-4)$
④ $(x+y+2)(x-y+8)$
⑤ $(x+y-4)(x-y+4)$

50 $2x^2+2xy-x+y-1$을 인수분해하면?

① $(2x-1)(x-y+1)$　② $(2x-1)(x+y+1)$
③ $(2x+1)(x-y-1)$　④ $(2x+1)(x-y+1)$
⑤ $(2x+1)(x+y-1)$

유형 16 문자의 값이 주어질 때, 식의 값 구하기

51 $x=\frac{1}{1-\sqrt{2}}$일 때, x^2-3x-4의 값을 구하시오.

Best

52 $x=\sqrt{5}+2$, $y=\sqrt{5}-2$일 때, x^2-y^2의 값을 구하시오.

53 $x=\frac{5}{\sqrt{6}+1}$일 때, $\frac{x^3-3x^2-x+3}{x^2-4x+3}$의 값은?

① 1　② $\sqrt{6}-1$　③ 2
④ $\sqrt{6}$　⑤ $\sqrt{6}+1$

유형 17 식의 조건이 주어질 때, 식의 값 구하기

54 $4x^2-25y^2=15$, $2x-5y=-3$일 때, $x+y$의 값은?

① -5　② $-\frac{11}{5}$　③ $-\frac{9}{5}$
④ 1　⑤ $\frac{11}{5}$

55 $x+y=\sqrt{5}$, $x-y=\sqrt{6}$일 때, $x^2-y^2-3x-3y$의 값은?

① $\sqrt{30}-6\sqrt{5}$　② $\sqrt{30}-3\sqrt{5}$
③ $\sqrt{30}-\sqrt{5}$　④ $\sqrt{30}+\sqrt{5}$
⑤ $\sqrt{30}+3\sqrt{5}$

Best

56 $x+y=-3$, $x^2-y^2+2y-1=-12$일 때, $x-y$의 값은?

① 1　② 2　③ 3
④ 4　⑤ 5

유형 18 인수분해의 활용 (2)

57 다음 그림과 같은 두 도형 A, B의 넓이가 서로 같을 때, 도형 B의 세로의 길이를 구하시오.

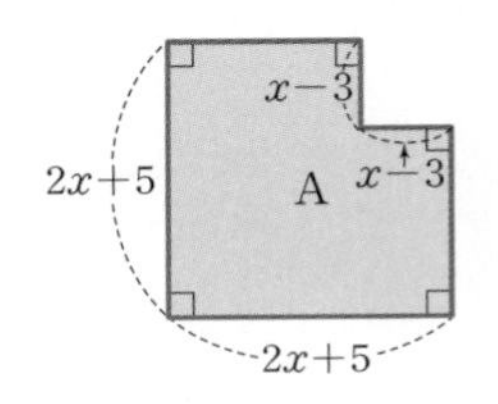

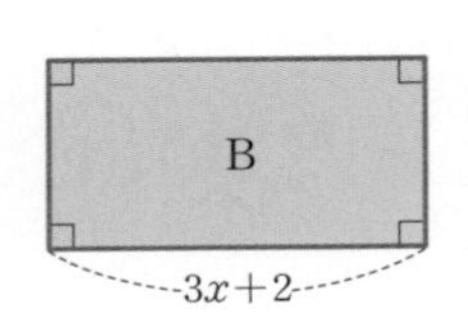

58 오른쪽 그림과 같은 입체도형에서 밑면의 안쪽 원의 반지름의 길이가 5.5 cm, 바깥쪽 원의 반지름의 길이가 14.5 cm 일 때, 입체도형의 부피를 인수분해 공식을 이용하여 구하시오.

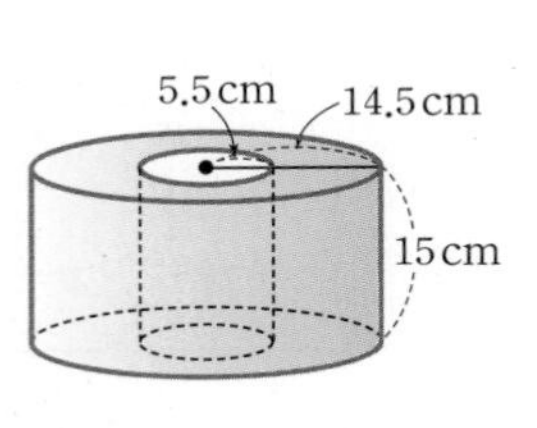

59 오른쪽 그림과 같이 원 모양의 호수 둘레에 너비가 $2a$ m인 길이 있다. 이 길의 한가운데를 지나는 원의 둘레의 길이가 32π m이고 길의 넓이가 64π m^2일 때, 상수 a의 값을 구하시오.

Best 쌍둥이

필수 기출의 Best 문제를 한 번 더!!

• 정답과 해설 31쪽

1 다음 중 인수분해한 것이 옳지 않은 것은?

① $5x+xy=x(y+5)$
② $ax+4ay=a(x+4y)$
③ $7y^2-2xy=x(7y-2x)$
④ $a^2b-ab=ab(a-1)$
⑤ $3xy^2-15y^2=3y^2(x-5)$

2 다음 식이 모두 완전제곱식으로 인수분해될 때, □ 안에 알맞은 양수 중 가장 작은 수는?

① $\square x^2+4x+1$　② $x^2-2x+\square$
③ $x^2-\square x+9$　④ $\frac{1}{4}x^2-3x+\square$
⑤ $x^2+\square xy+\frac{1}{16}y^2$

3 $-3<x<4$일 때, $\sqrt{x^2+6x+9}-\sqrt{x^2-8x+16}$을 간단히 하면?

① -7　② 1　③ 7
④ $-2x+1$　⑤ $2x-1$

4 x^2+Ax-8이 $(x+a)(x+b)$로 인수분해될 때, 다음 중 상수 A의 값이 될 수 없는 것은? (단, a, b는 정수)

① -7　② -2　③ 2
④ 6　⑤ 7

5 $3x^2+(3a-1)x+15$가 $(x-b)(3x+5)$로 인수분해될 때, 상수 a, b의 값을 각각 구하면?

① $a=-5$, $b=-3$　② $a=-5$, $b=3$
③ $a=-3$, $b=5$　④ $a=3$, $b=-5$
⑤ $a=5$, $b=-3$

6 다음 보기 중 인수분해한 것이 옳은 것을 모두 고르시오.

보기
ㄱ. $-2xy+4y=-2y(x+2)$
ㄴ. $x^2+x+\frac{1}{4}=\left(x+\frac{1}{2}\right)^2$
ㄷ. $36x^2-4=4(3x+2)(3x-2)$
ㄹ. $x^2-2x-15=(x-3)(x+5)$
ㅁ. $2x^2-9x+10=(x-2)(2x-5)$

7 다음 중 두 다항식 x^2-3x-4와 $3x^2-x-4$의 공통인 인수는?

① $x-4$　② $x-1$　③ $x+1$
④ $2x-3$　⑤ $3x-4$

8 $18x^2-ax+2$가 $3x-2$를 인수로 가질 때, 상수 a의 값은?

① -15 ② -9 ③ -6
④ 9 ⑤ 15

9 다음 그림의 모든 직사각형을 빈틈없이 겹치지 않게 이어 붙여 하나의 큰 직사각형을 만들 때, 새로 만든 직사각형의 둘레의 길이는?

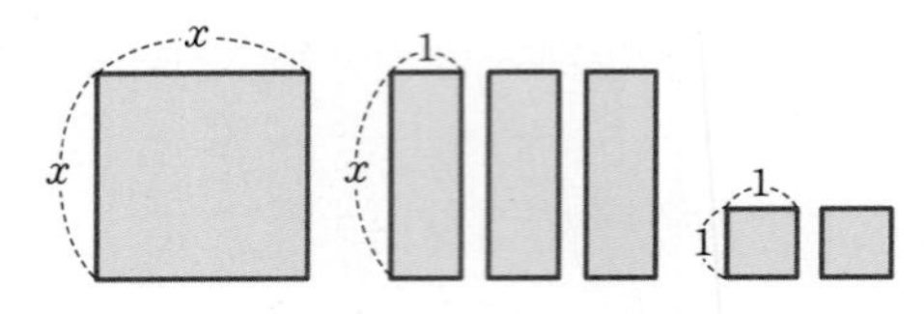

① $2x$ ② $2x+2$ ③ $2x+3$
④ $4x+4$ ⑤ $4x+6$

10 인수분해 공식을 이용하여 $\dfrac{996\times985+996\times15}{998^2-2^2}$를 계산하면?

① 1 ② 996 ③ 998
④ 1000 ⑤ 1001

11 인수분해 공식을 이용하여 다음을 계산하면?

$$7^2-3^2+12^2-8^2+52^2-48^2$$

① 260 ② 460 ③ 520
④ 690 ⑤ 1040

12 $x^2y^2-x^2-y^2+1$을 인수분해하시오.

13 $x=\dfrac{1}{3+2\sqrt{2}}$, $y=\dfrac{1}{3-2\sqrt{2}}$일 때, $x^2+2xy+y^2$의 값은?

① 6 ② 8 ③ $6\sqrt{2}$
④ 36 ⑤ 72

14 $a+b=4$, $a^2-b^2+4b-4=12$일 때, $a-b$의 값은?

① -4 ② -2 ③ 2
④ 4 ⑤ 6

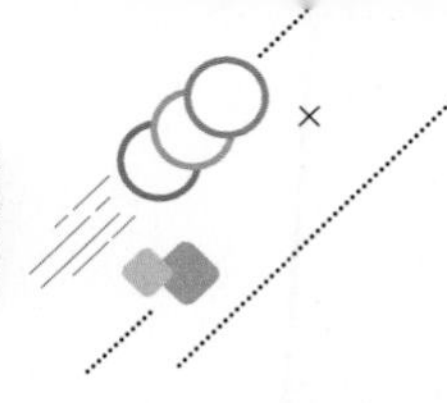

100점 완성

고난도 기출문제는 두 번씩 연습하여 마스터!!

• 정답과 해설 32쪽

1-❶ $1<a<3$이고 $\sqrt{x}=a-1$일 때, $\sqrt{x+6a+3}+\sqrt{x-4a+8}$의 값을 구하시오.

Key $\sqrt{x}$의 값이 주어지면 $\sqrt{x}$의 식의 양변을 제곱하여 x를 a에 대한 식으로 나타낸다.

❷ $-3<a<2$이고 $\sqrt{x}=a+3$일 때, $\sqrt{x-10a-5}+\sqrt{x+4a+16}$의 값은?

① -7 ② -3 ③ 2
④ 3 ⑤ 7

2-❶ 자연수 x에 대하여 x^2-8x-9가 소수가 될 때, 이 소수를 구하면?

① 11 ② 13 ③ 17
④ 19 ⑤ 23

Key 소수는 약수가 1과 자기 자신뿐인 수임을 이용한다.

❷ 자연수 x에 대하여 $x^2-10x-56$이 소수가 되도록 하는 x의 값과 그때의 소수를 차례로 구하시오.

3-❶ x^2-x-n이 x의 계수가 1이고 상수항이 정수인 두 일차식의 곱으로 인수분해될 때, 두 자리의 자연수 n의 개수를 구하시오.

Key $x^2+(a+b)x+ab$에서 $ab<0$이면 a와 b는 서로 다른 부호이다.

❷ x^2-6x-n이 x의 계수가 1이고 상수항이 정수인 두 일차식의 곱으로 인수분해될 때, 두 자리의 자연수 n의 개수는?

① 6개 ② 7개 ③ 8개
④ 9개 ⑤ 10개

4-❶ $2022\times2026-9+m$이 어떤 자연수의 제곱일 때, 가장 작은 자연수 m의 값을 구하시오.

Key x^2+ax+b가 완전제곱식이 될 조건 ➡ $b=\left(\frac{a}{2}\right)^2$

❷ $(103+5)(103-7)+m=n^2$일 때, 가장 작은 자연수 m의 값과 그때의 자연수 n의 값을 차례로 구하시오.

5-❶ 자연수 $2^{16}-1$은 10과 20 사이의 두 자연수로 각각 나누어떨어진다. 이때 이 두 자연수의 합은?

① 26 ② 28 ③ 30
④ 32 ⑤ 34

Key 두 자연수 a와 b로 각각 나누어떨어진다.
➡ a와 b를 인수로 가진다.

❷ 자연수 $3^{24}-1$은 20과 30 사이의 두 자연수로 각각 나누어떨어진다. 이때 이 두 자연수의 합은?

① 54 ② 55 ③ 58
④ 60 ⑤ 62

6-❶ $(x+1)(x+2)(x+3)(x+4)+1$이 $(x^2+ax+b)^2$으로 인수분해될 때, 상수 a, b에 대하여 $a-b$의 값은?

① -2 ② -1 ③ 0
④ 1 ⑤ 2

Key $(\quad)(\quad)(\quad)(\quad)+k$ 꼴의 인수분해
❶ 두 일차식의 상수항의 합 또는 곱이 같아지도록 두 개씩 묶어 전개한다.
❷ 공통부분을 A로 놓고 인수분해한다.

❷ $(x+2)(x+4)(x-3)(x-5)+40$이 $(x^2+ax+b)(x^2+cx+d)$로 인수분해될 때, 상수 a, b, c, d에 대하여 $a+b+c+d$의 값을 구하시오. (단, $b>d$)

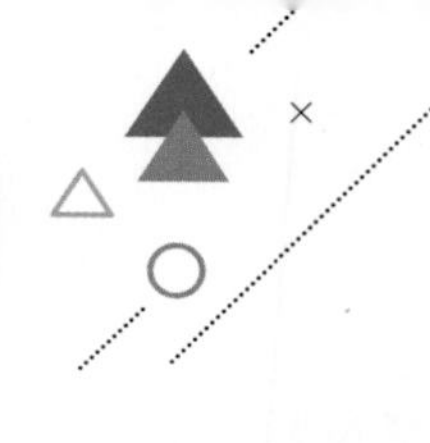

서술형 완성

• 정답과 해설 34쪽

1 다음 식을 인수분해하시오.

(1) $25x^2-20xy+4y^2$ [2점]

(2) $3ax^2-48ay^2$ [2점]

(3) $2x^2-7x-22$ [2점]

2 다음 두 다항식이 모두 완전제곱식이 되도록 하는 양수 A, B에 대하여 $3A+B$의 값을 구하시오. [6점]

$$4x^2+Axy+\frac{4}{9}y^2, \qquad (3x-5)(3x+7)+B$$

3 두 다항식 $x^2-13x+30$과 $4x^2-11x-3$의 공통인 인수가 $x+a$일 때, 상수 a의 값을 구하시오. [6점]

4 x에 대한 이차식 x^2+ax+b를 미수는 상수항을 잘못 보고 $(x+2)(x-5)$로 인수분해하였고, 현지는 x의 계수를 잘못 보고 $(x+4)(x-10)$으로 인수분해하였을 때, 다음 물음에 답하시오. (단, a, b는 상수)

(1) 처음 이차식의 x의 계수를 구하시오. [2점]

(2) 처음 이차식의 상수항을 구하시오. [2점]

(3) 처음 이차식을 바르게 인수분해하시오. [2점]

5 오른쪽 그림과 같이 윗변의 길이가 $a+2$, 아랫변의 길이가 $a+4$인 사다리꼴의 넓이가 $3a^2+7a-6$일 때, 이 사다리꼴의 높이를 구하시오. [6점]

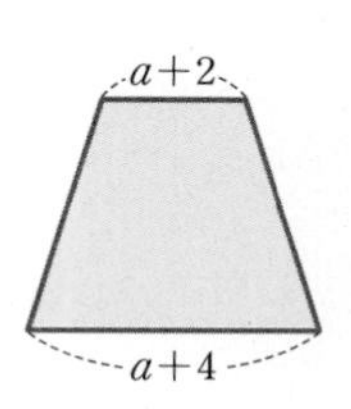

6 인수분해 공식을 이용하여 다음 두 수 A, B에 대하여 $\sqrt{A-B}$의 값을 구하시오. [8점]

$$A=7\times7.5^2-7\times2.5^2$$
$$B=\sqrt{48^2+4\times48+4}$$

7 $x=\dfrac{1}{4+\sqrt{15}}$, $y=\dfrac{1}{4-\sqrt{15}}$일 때, $x^3y-2x^2y^2+xy^3$의 값을 구하시오. [8점]

8 $a-b=2$, $a^2b-ab^2-a+b=8$일 때, a^2+b^2의 값을 구하시오. [8점]

서술형 UP UP!

9 $0<x<1$일 때, $\sqrt{\left(x+\dfrac{1}{x}\right)^2-4}-\sqrt{\left(x-\dfrac{1}{x}\right)^2+4}$를 간단히 하시오. [10점]

10 오른쪽 그림에서 세 원의 중심은 모두 $\overline{\mathrm{AB}}$ 위에 있고, 점 D는 $\overline{\mathrm{BC}}$의 중점이다. $\overline{\mathrm{AD}}$를 지름으로 하는 원의 둘레의 길이는 $13\pi\,\mathrm{cm}$이고, 색칠한 부분의 넓이는 $39\pi\,\mathrm{cm}^2$이다. $\overline{\mathrm{CD}}=a\,\mathrm{cm}$일 때, a의 값을 구하시오. [10점]

실전 테스트

• 정답과 해설 35쪽

- 객관식: 총 18문항 각 4점
- 서술형: 총 4문항 각 6점, 8점

1 다음 중 $2a^2b-10ab^2$의 인수가 아닌 것은?

① a ② b ③ $5b$
④ $2ab$ ⑤ $a-5b$

2 다음 중 완전제곱식으로 인수분해할 수 있는 것은?

① $x^2-10x+20$ ② $4x^2-20xy+25y^2$
③ $9x^2+4xy+\frac{1}{4}y^2$ ④ $16x^2-16x+1$
⑤ $25x^2+5x+1$

3 $(x-2)(x+8)+k$가 완전제곱식이 되도록 하는 상수 k의 값은?

① 16 ② 20 ③ 25
④ 32 ⑤ 36

4 $x^2+kx+18$이 $(x+a)(x+b)$로 인수분해될 때, 상수 k의 값 중 가장 큰 수와 가장 작은 수의 차는?
(단, a, b는 정수)

① 18 ② 22 ③ 28
④ 30 ⑤ 38

5 $6x^2-13x+5$는 x의 계수가 자연수인 두 일차식의 곱으로 인수분해된다. 이때 이 두 일차식의 합은?

① $5x-6$ ② $5x+4$ ③ $5x+6$
④ $7x-6$ ⑤ $7x+6$

6 $8x^2+Ax-18$이 $2(x+1)(4x+B)$로 인수분해될 때, 상수 A, B에 대하여 $B-A$의 값은?

① -19 ② -4 ③ -1
④ 1 ⑤ 13

7 다음 중 인수분해한 것이 옳은 것은?

① $3ax+6ay=3a(x+6y)$
② $x^2-49=(x-1)(x+49)$
③ $25x^2-10x+1=(5x+1)^2$
④ $x^2+x-6=(x+2)(x-3)$
⑤ $3x^2+2x-1=(x+1)(3x-1)$

8 다음 중 두 다항식 $5x^2-80$과 $2x^2-3x-20$의 공통인 인수는?

① $x-8$ ② $x-4$ ③ $x+4$
④ $2x+5$ ⑤ $2x+8$

9 두 다항식 $2x^2+ax-1$과 $3x^2+5x+b$의 공통인 인수가 $x+1$일 때, 상수 a, b에 대하여 $a+b$의 값은?

① 1 ② 2 ③ 3
④ 4 ⑤ 5

10 넓이가 $3x^2+17x+10$이고, 가로의 길이가 $x+5$인 직사각형의 둘레의 길이는?

$x+5$

① $4x+7$ ② $6x+4$
③ $8x+14$ ④ $10x+12$
⑤ $12x+8$

11 다음 중 $103^2-6\times103+9$를 계산하는 데 이용되는 가장 편리한 인수분해 공식은?

① $a^2+2ab+b^2=(a+b)^2$ (단, $a>0$, $b>0$)
② $a^2-2ab+b^2=(a-b)^2$ (단, $a>0$, $b>0$)
③ $a^2-b^2=(a+b)(a-b)$
④ $x^2+(a+b)x+ab=(x+a)(x+b)$
⑤ $acx^2+(ad+bc)x+bd=(ax+b)(cx+d)$

12 인수분해 공식을 이용하여
$\left(1-\frac{1}{2^2}\right)\left(1-\frac{1}{3^2}\right)\left(1-\frac{1}{4^2}\right)\times\cdots\times\left(1-\frac{1}{8^2}\right)\left(1-\frac{1}{9^2}\right)$
을 계산하면?

① $\frac{1}{9}$ ② $\frac{5}{9}$ ③ $\frac{8}{9}$
④ $\frac{10}{9}$ ⑤ $\frac{20}{9}$

13 다음 중 $3^{12}-1$의 약수가 아닌 것은?

① 16 ② 28 ③ 35
④ 60 ⑤ 73

14 $(x+2)^2+7(x+2)+12$를 인수분해하면?

① $(x+2)(x+6)$ ② $(x+3)(x+4)$
③ $(x+4)(x+8)$ ④ $(x+5)(x+6)$
⑤ $(x+7)(x+8)$

15 $9-x^2-4y^2+4xy$가 $(3+x+ay)(b+cx+2y)$로 인수분해될 때, 상수 a, b, c에 대하여 $a+b+c$의 값은?

① -6 ② -4 ③ -2
④ 0 ⑤ 2

16 $\sqrt{10}-1$의 소수 부분을 x라 할 때, $x^2-2x-15$의 값은?

① $10-8\sqrt{10}$ ② $12-8\sqrt{10}$
③ $10+2\sqrt{10}$ ④ $15+4\sqrt{10}$
⑤ $-2+4\sqrt{10}$

17 $x+y=\sqrt{3}$, $x-y=\sqrt{2}$일 때, $x^2-y^2+5x-5y$의 값은?

① $\sqrt{6}-5\sqrt{2}$ ② $\sqrt{6}-3\sqrt{3}$
③ $\sqrt{6}+3\sqrt{2}$ ④ $\sqrt{6}+3\sqrt{3}$
⑤ $\sqrt{6}+5\sqrt{2}$

18 오른쪽 그림에서 두 원의 중심은 모두 $\overline{AB}$ 위에 있고, $\overline{BC}=10\,cm$이다. 색칠한 부분의 둘레의 길이가 $28\pi\,cm$일 때, 색칠한 부분의 넓이는?

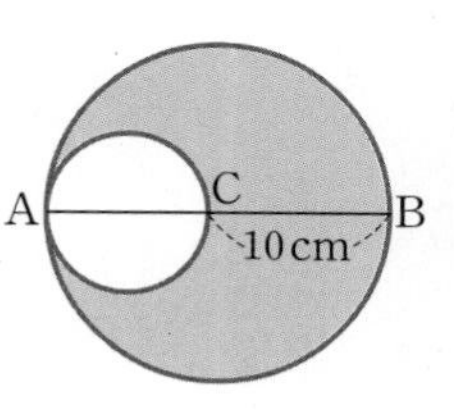

① $60\pi\,cm^2$ ② $65\pi\,cm^2$ ③ $70\pi\,cm^2$
④ $75\pi\,cm^2$ ⑤ $80\pi\,cm^2$

서술형

19 $2<x<5$일 때, $\sqrt{\frac{1}{4}x^2-x+1}-\sqrt{x^2-10x+25}$를 간단히 하시오. [6점]

20 다음 세 다항식이 x의 계수가 자연수인 일차식을 공통인 인수로 가질 때, 상수 a의 값을 구하시오. [8점]

$$3x^2-11x+10,\quad x^2-4,\quad 2x^2-x+a$$

21 다음 그림과 같은 두 직사각형 (가), (나)의 둘레의 길이는 서로 같다. (가)의 넓이가 $4x^2+12x+5$일 때, (나)의 한 변의 길이를 구하시오. [6점]

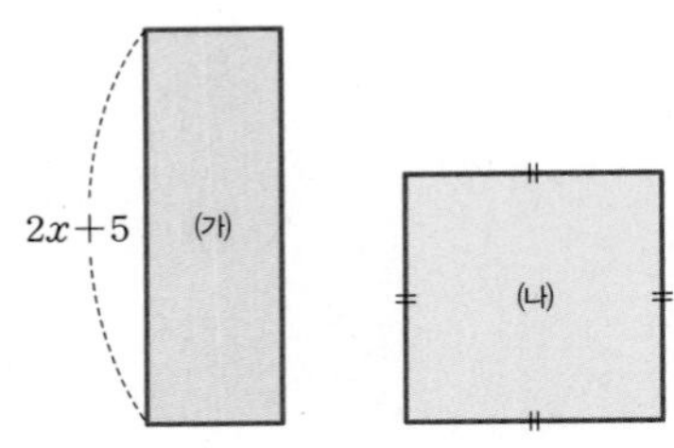

22 $x=5+2\sqrt{6}$, $y=5-2\sqrt{6}$일 때, $x^3y-xy^3-2x^2+2y^2$의 값을 구하시오. [8점]

식의 계산과 이차방정식

3. 이차방정식의 뜻과 그 풀이

출제 유형

필수 기출

유형 1 이차방정식의 뜻

Best

1 다음 중 x에 대한 이차방정식을 모두 고르면? (정답 2개)

① $3x=x+2$
② $x^2+2x=1+x^2$
③ $3x(x-1)=x^2-3$
④ $x^2-4x+1=3-x^2$
⑤ $(2x-1)(x-1)+4x=2x^2$

2 $3(x^2-2x)+7=ax^2+6$이 x에 대한 이차방정식일 때, 다음 중 상수 a의 값이 될 수 없는 것은?

① 1　② 2　③ 3
④ 4　⑤ 5

유형 2 이차방정식의 해

Best

3 다음 중 [ ] 안의 수가 주어진 이차방정식의 해인 것은?

① $x^2+2x=0$ [2]
② $x^2-4=0$ [4]
③ $x^2-4x+3=0$ [-1]
④ $x^2+5x-2=0$ [1]
⑤ $2x^2-3x+1=0$ $\left[\frac{1}{2}\right]$

4 x의 값이 -2, -1, 0, 1, 2일 때, 이차방정식 $x^2+x-6=0$을 푸시오.

5 자연수 x가 부등식 $5x-7\le x+9$의 해일 때, 이차방정식 $x^2+4x-5=0$의 해를 구하시오.

유형 3 이차방정식의 한 근이 주어질 때, 미지수의 값 구하기

Best

6 이차방정식 $2x^2-ax+8=0$의 한 근이 $x=-2$일 때, 상수 a의 값은?

① -8　② -6　③ -2
④ 2　⑤ 4

7 이차방정식 $2x^2+ax+3=0$의 한 근이 $x=3$이고 이차방정식 $x^2+2x+b=0$의 한 근이 $x=1$일 때, 상수 a, b에 대하여 $a-b$의 값을 구하시오.

유형 4 이차방정식의 한 근이 문자로 주어질 때, 식의 값 구하기

8 이차방정식 $x^2-4x+1=0$의 한 근이 $x=a$일 때, a^2-4a+3의 값은?

① -3 ② -2 ③ 0
④ 2 ⑤ 4

Best

9 이차방정식 $x^2-3x-8=0$의 한 근이 $x=m$이고, 이차방정식 $x^2-6x-5=0$의 한 근이 $x=n$일 때, $m^2-3m+2n^2-12n$의 값은?

① 18 ② 19 ③ 20
④ 21 ⑤ 22

10 이차방정식 $x^2+5x+1=0$의 한 근이 $x=a$일 때, $a+\frac{1}{a}$의 값은?

① -5 ② -1 ③ 1
④ 5 ⑤ 9

11 이차방정식 $x^2-x-3=0$의 한 근이 $x=a$일 때, $a^2+\frac{9}{a^2}$의 값은?

① 5 ② 6 ③ 7
④ 8 ⑤ 9

12 이차방정식 $x^2+3x-1=0$의 한 근이 $x=a$일 때, $a^2+a-\frac{1}{a}+\frac{1}{a^2}$의 값은?

① 7 ② 8 ③ 9
④ 10 ⑤ 11

유형 5 $AB=0$을 이용한 이차방정식의 풀이

13 이차방정식 $(x-2)(3x+5)=0$을 풀면?

① $x=2$ 또는 $x=-5$
② $x=2$ 또는 $x=-\frac{5}{3}$
③ $x=2$ 또는 $x=\frac{5}{3}$
④ $x=-2$ 또는 $x=\frac{5}{3}$
⑤ $x=-2$ 또는 $x=3$

14 다음 중 이차방정식의 해가 $x=\frac{1}{2}$ 또는 $x=-3$인 것은?

① $-\frac{1}{2}x(x+3)=0$
② $\left(\frac{1}{2}x-1\right)(x+3)=0$
③ $\left(\frac{1}{2}x+1\right)(x-3)=0$
④ $(2x+1)(x-3)=0$
⑤ $(2x-1)(x+3)=0$

유형 6 인수분해를 이용한 이차방정식의 풀이

Best

15 이차방정식 $3x^2+2x-1=0$을 풀면?

① $x=1$ 또는 $x=3$
② $x=\frac{1}{3}$ 또는 $x=1$
③ $x=-\frac{1}{3}$ 또는 $x=1$
④ $x=-1$ 또는 $x=\frac{1}{3}$
⑤ $x=-1$ 또는 $x=-\frac{1}{3}$

Best

16 이차방정식 $(x-2)(x+1)=4$의 두 근을 a, b라 할 때, $b-a$의 값은? (단, $a<b$)

① 3 ② 4 ③ 5
④ 6 ⑤ 7

17 이차방정식 $4x^2+16x=9$의 두 근 사이에 있는 모든 정수의 개수를 구하시오.

18 이차방정식 $x(x-1)=12$의 해가 $x=a$ 또는 $x=b$일 때, 이차방정식 $ax^2+bx-1=0$을 풀면? (단, $a<b$)

① $x=-3$ 또는 $x=4$
② $x=-1$ 또는 $x=-\frac{1}{3}$
③ $x=-1$ 또는 $x=2$
④ $x=\frac{1}{3}$ 또는 $x=1$
⑤ $x=1$ 또는 $x=2$

19 이차방정식 $x^2-3mx+2m+1=0$의 x의 계수와 상수항을 서로 바꾸어 풀었더니 한 근이 $x=-6$이었다. 다음 중 처음 이차방정식의 해가 될 수 있는 것은?
(단, m은 상수)

① $x=-3$ ② $x=-1$ ③ $x=2$
④ $x=5$ ⑤ $x=6$

유형 7 한 근이 주어질 때, 다른 한 근 구하기

Best

20 이차방정식 $x^2-ax-4a=0$의 한 근이 $x=4$일 때, 다른 한 근은? (단, a는 상수)

① $x=-5$ ② $x=-4$ ③ $x=-3$
④ $x=-2$ ⑤ $x=-1$

21 이차방정식 $x^2+3x-2a=0$의 한 근은 $x=-5$이고 다른 한 근은 이차방정식 $3x^2-2x+b=0$의 근일 때, b의 값은? (단, a, b는 상수)

① -16 ② -8 ③ -5
④ 5 ⑤ 8

22 이차방정식 $(k+1)x^2-(k^2-2)x-2k-4=0$의 한 근이 $x=2$일 때, 다른 한 근을 구하시오. (단, k는 상수)

유형 8 이차방정식의 중근

Best

23 다음 보기의 이차방정식 중 중근을 갖는 것을 모두 고른 것은?

보기

ㄱ. $x^2-9=0$
ㄴ. $x^2+x+\frac{1}{4}=0$
ㄷ. $(x-1)(x-2)=1-x$
ㄹ. $4x^2+4x-1=-2$

① ㄱ, ㄹ ② ㄴ, ㄷ ③ ㄴ, ㄹ
④ ㄱ, ㄴ, ㄷ ⑤ ㄴ, ㄷ, ㄹ

24 이차방정식 $x^2+ax=b$가 중근 $x=-5$를 가질 때, 상수 a, b에 대하여 $a+b$의 값을 구하시오.

유형 9 이차방정식이 중근을 가질 조건

Best

25 이차방정식 $x^2-6x+2m-1=0$이 중근을 가질 때, 상수 m의 값을 구하시오.

26 이차방정식 $x^2+2ax+9=0$이 중근을 가질 때, 모든 상수 a의 값의 곱은?

① -9 ② -4 ③ 0
④ 4 ⑤ 9

27 이차방정식 $(x-3)(x+11)+a=0$이 중근 $x=b$를 가질 때, $a+b$의 값은? (단, a는 상수)

① 12 ② 20 ③ 37
④ 45 ⑤ 53

28 이차방정식 $x^2-4x+k-1=0$이 중근을 가질 때, 이차방정식 $(k-9)x^2+5x-1=0$의 두 근의 합은?
(단, k는 상수)

① $\frac{1}{5}$ ② $\frac{1}{4}$ ③ $\frac{3}{5}$
④ 1 ⑤ $\frac{5}{4}$

유형 10 두 이차방정식의 공통인 근

Best

29 다음 두 이차방정식의 공통인 근은?

$$x^2+2x-15=0, \quad 2x^2-5x-3=0$$

① $x=-5$ ② $x=-\frac{1}{2}$ ③ $x=1$
④ $x=3$ ⑤ $x=5$

30 두 이차방정식 $2x^2+ax-3=0$, $ax^2-x-3b=0$의 공통인 근이 $x=-1$일 때, 상수 a, b의 값을 각각 구하면?

① $a=-2$, $b=\frac{1}{2}$ ② $a=-1$, $b=\frac{1}{3}$
③ $a=-1$, $b=0$ ④ $a=1$, $b=2$
⑤ $a=2$, $b=3$

유형 11 제곱근을 이용한 이차방정식의 풀이

Best

31 이차방정식 $3(x-1)^2=24$의 해는?

① $x=1\pm2\sqrt{2}$ ② $x=-1\pm2\sqrt{2}$
③ $x=1\pm2\sqrt{6}$ ④ $x=-1\pm2\sqrt{6}$
⑤ $x=1\pm3\sqrt{6}$

32 이차방정식 $(x-m)^2=n$의 해가 $x=-3\pm\sqrt{10}$일 때, 유리수 m, n에 대하여 $m+n$의 값은?

① 3 ② 5 ③ 7
④ 10 ⑤ 13

유형 12 완전제곱식을 이용한 이차방정식의 풀이

33 다음은 이차방정식 $x^2+6x-1=0$을 완전제곱식을 이용하여 푸는 과정이다. 이때 상수 a, b, c에 대하여 $a+b+c$의 값을 구하시오.

$x^2+6x-1=0$에서
$x^2+6x=1$
$x^2+6x+a=1+a$
$(x+b)^2=c$
$\therefore x=-b\pm\sqrt{c}$

Best

34 이차방정식 $3x^2-12x+4=0$을 $(x+p)^2=q$ 꼴로 나타낼 때, 상수 p, q에 대하여 $p+q$의 값을 구하시오.

35 이차방정식 $x^2-10x+k=0$을 완전제곱식을 이용하여 풀었더니 해가 $x=5\pm\sqrt{6}$이었다. 이때 상수 k의 값은?

① -19 ② -11 ③ -2
④ 11 ⑤ 19

유형 13 이차방정식의 근의 공식

Best

36 이차방정식 $2x^2+3x-1=0$의 근이 $x=\frac{a\pm\sqrt{b}}{4}$일 때, 유리수 a, b에 대하여 $a+b$의 값을 구하시오.

37 이차방정식 $ax^2-4x-2=0$의 근이 $x=\frac{2\pm\sqrt{b}}{3}$일 때, 유리수 a, b에 대하여 $a+b$의 값은?

① 11 ② 12 ③ 13
④ 14 ⑤ 15

38 이차방정식 $x^2-7x+12=0$의 두 근을 a, b라 할 때, 이차방정식 $3x^2-2ax+b=0$의 해는? (단, $a>b$)

① $x=\frac{-4\pm\sqrt{7}}{6}$ ② $x=\frac{4\pm\sqrt{7}}{6}$
③ $x=\frac{-4\pm\sqrt{7}}{3}$ ④ $x=\frac{4\pm\sqrt{5}}{3}$
⑤ $x=\frac{4\pm\sqrt{7}}{3}$

유형 14 여러 가지 이차방정식의 풀이

39 이차방정식 $0.3x^2-x+0.8=0$을 푸시오.

Best

40 이차방정식 $\frac{3}{8}x^2+0.5x-\frac{1}{4}=0$의 근이 $x=\frac{a\pm\sqrt{b}}{3}$일 때, 유리수 a, b에 대하여 $a+b$의 값은?

① 2 ② 4 ③ 6
④ 8 ⑤ 10

41 이차방정식 $\frac{x(x-7)}{3}-\frac{(2x+1)(x-3)}{4}=2$의 두 근을 a, b라 할 때, $a-b$의 값은? (단, $a>b$)

① $\frac{5}{2}$ ② 3 ③ $\frac{7}{2}$
④ 4 ⑤ $\frac{9}{2}$

42 이차방정식 $0.5(x+1)(x+3)=\frac{2x(x+2)}{3}$의 두 근 중 큰 근을 a라 할 때, $n<a<n+1$을 만족시키는 정수 n의 값은?

① 5 ② 6 ③ 7
④ 8 ⑤ 9

유형 15 공통부분이 있는 이차방정식의 풀이

43 이차방정식 $(2x+1)^2-2(2x+1)-35=0$의 두 근의 합을 구하시오.

44 $x>y$일 때, $(x-y)(x-y-5)-2=0$을 만족시키는 $x-y$의 값은?

① $\frac{5-\sqrt{17}}{2}$ ② $5-\sqrt{17}$ ③ $\frac{5+\sqrt{17}}{2}$
④ $\frac{5+\sqrt{33}}{2}$ ⑤ $5+\sqrt{33}$

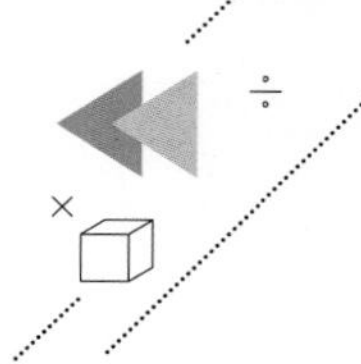

필수 기출의 Best 문제를 한 번 더!!

• 정답과 해설 40쪽

1 다음 보기 중 x에 대한 이차방정식이 아닌 것을 모두 고르시오.

보기

ㄱ. $4x^2=0$

ㄴ. $(x-2)^2=3$

ㄷ. $\frac{1}{4}x^2=1$

ㄹ. $3x^2+4x^2-3x=3x^2-2$

ㅁ. $x^2=(x+3)(x-1)$

ㅂ. $\frac{5}{x^2}+\frac{2}{x}=1$

2 다음 중 [ ] 안의 수가 주어진 이차방정식의 해가 아닌 것은?

① $x^2-16=0$ [8]

② $x^2-5x+6=0$ [3]

③ $3x^2-x-2=0$ [1]

④ $2x^2-5x+2=0$ $\left[\frac{1}{2}\right]$

⑤ $-x^2+5x+6=0$ [-1]

3 다음 이차방정식의 한 근이 $x=-3$일 때, 상수 a의 값은?

$$ax^2+x-15=0$$

① -3 ② -2 ③ 1 ④ 2 ⑤ 3

4 이차방정식 $x^2-3x-4=0$의 한 근이 $x=a$이고, 이차방정식 $2x^2+6x+3=0$의 한 근이 $x=b$일 때, $3a^2-9a+2b^2+6b$의 값은?

① 3 ② 5 ③ 7 ④ 9 ⑤ 11

5 이차방정식 $x^2-6x-27=0$의 두 근의 차를 구하시오.

6 이차방정식 $(2x-1)(x-2)=14$의 두 근을 a, b라 할 때, $2a+b$의 값은? (단, $a<b$)

① $-\frac{3}{2}$ ② -1 ③ 1 ④ $\frac{3}{2}$ ⑤ 4

7 이차방정식 $2x^2+ax-3=0$의 한 근이 $x=-1$이고 다른 한 근을 $x=b$라 할 때, $a+b$의 값을 구하시오. (단, a는 상수)

8 다음 이차방정식 중 중근을 갖지 않는 것은?

① $(2x+9)^2=0$ ② $7+x^2=4(x+3)$
③ $x^2=12(x-3)$ ④ $9x^2-6x+1=0$
⑤ $x^2+2x+1=0$

9 이차방정식 $x^2-6x+a=4x+5$가 중근을 가질 때, 상수 a의 값은?

① 1 ② 5 ③ 10
④ 25 ⑤ 30

10 다음 두 이차방정식의 공통인 근은?

$x^2+5x-14=0$, $(3x+1)(x-2)=0$

① $x=-7$ ② $x=-1$ ③ $x=-\frac{1}{3}$
④ $x=1$ ⑤ $x=2$

11 이차방정식 $2(x+3)^2=40$의 해를 구하시오.

12 이차방정식 $2x^2+4x=(x-1)^2+1$을 $(x+p)^2=q$ 꼴로 나타낼 때, 상수 p, q에 대하여 $p+q$의 값은?

① -6 ② $-\frac{7}{2}$ ③ 5
④ 14 ⑤ 21

13 이차방정식 $3x^2+9x+4=0$을 풀면?

① $x=\frac{-9\pm\sqrt{33}}{3}$ ② $x=\frac{-9\pm\sqrt{33}}{6}$
③ $x=\frac{9\pm\sqrt{33}}{3}$ ④ $x=\frac{-9\pm\sqrt{47}}{6}$
⑤ $x=9\pm\sqrt{47}$

14 이차방정식 $0.4x^2+\frac{1}{2}x-0.5=0$의 근이 $x=\frac{a\pm\sqrt{b}}{8}$일 때, 유리수 a, b에 대하여 $b-a$의 값은?

① 60 ② 65 ③ 100
④ 105 ⑤ 110

100점 완성

고난도 기출문제는 두 번씩 연습하여 마스터!!

• 정답과 해설 41쪽

1-① 이차방정식 $x^2+x-1=0$의 한 근이 $x=\alpha$일 때, $\frac{\alpha^2}{1-\alpha}+\frac{3\alpha}{1-\alpha^2}$의 값을 구하시오.

Key 이차방정식에 $x=\alpha$를 대입한 식을 변형하여 주어진 식의 값을 구한다.

② 이차방정식 $x^2-7x-1=0$의 한 근을 $x=\alpha$라 할 때, $\sqrt{\alpha(\alpha-7)}+\frac{\alpha^2-1}{\alpha}$의 값은?

① -7　② -1　③ 1　④ 7　⑤ 8

2-① 일차함수 $y=ax+18$의 그래프가 점 $(-2a,\ 3a-a^2)$을 지나고 제4사분면을 지나지 않을 때, 상수 a의 값은?

① -6　② -3　③ 1　④ 3　⑤ 6

Key $y=ax+b$의 그래프가 점 $(p,\ q)$를 지난다.
➡ $y=ax+b$에 $x=p$, $y=q$를 대입하면 등식이 성립한다.
➡ $q=ap+b$

② 일차함수 $y=ax+1$의 그래프가 점 $(a-2,\ -a^2+5a+5)$를 지나고 제3사분면을 지나지 않을 때, 상수 a의 값은?

① -2　② -1　③ $-\frac{1}{2}$　④ 2　⑤ 4

3-① 주사위 한 개를 두 번 던져서 첫 번째 나오는 눈의 수를 p, 두 번째 나오는 눈의 수를 q라 할 때, 이차방정식 $x^2+\frac{2}{3}px+q=0$이 중근을 가질 확률은?

① $\frac{1}{18}$　② $\frac{1}{12}$　③ $\frac{1}{9}$　④ $\frac{1}{6}$　⑤ $\frac{1}{4}$

Key 이차방정식 $x^2+ax+b=0$이 중근을 갖는다. ➡ $b=\left(\frac{a}{2}\right)^2$

② 서로 다른 두 개의 주사위를 동시에 던져서 나온 눈의 수를 각각 a, b라 할 때, 이차방정식 $x^2+2ax+b=0$이 중근을 가질 확률은?

① 0　② $\frac{1}{18}$　③ $\frac{1}{16}$　④ $\frac{1}{13}$　⑤ $\frac{1}{11}$

4-❶ 두 이차방정식 $x^2+ax+a-1=0$과 $x^2-(a+3)x+3a=0$이 공통인 근을 가질 때, 모든 상수 a의 값의 합은?

① -3　② $-\frac{5}{2}$　③ -2
④ $-\frac{3}{2}$　⑤ $-\frac{1}{2}$

Key 주어진 두 이차방정식을 인수분해한 후 공통인 근을 가질 경우를 각각 나누어 생각해 본다.

❷ 다음 두 이차방정식이 공통인 근을 가질 때, 모든 상수 a의 값의 합을 구하시오.

$x^2+(a-6)x-a+5=0,\ x^2-(a+2)x+2a=0$

5-❶ 이차방정식 $2x^2+x+a-3=0$의 해가 모두 유리수가 되도록 하는 모든 자연수 a의 값의 합은?

① 4　② 5　③ 6
④ 7　⑤ 8

Key 근의 공식을 이용하여 주어진 이차방정식의 해를 구한 후 근호 안의 수가 0 또는 (자연수)^2 꼴인 경우를 생각해 본다.

❷ 이차방정식 $x^2-6x-k=0$의 해가 모두 정수가 되도록 하는 20 이하의 자연수 k의 개수는?

① 0개　② 1개　③ 2개
④ 3개　⑤ 4개

6-❶ 방정식 $(x+y)^2+x+y-42=0$을 만족시키는 두 자연수 x, y의 순서쌍 (x, y)를 모두 구하시오.

Key 주어진 방정식에서 공통부분을 찾아 한 문자로 놓고 인수분해한다.

❷ 방정식 $2(2x+y)^2-30x-15y+7=0$을 만족시키는 두 자연수 x, y의 순서쌍 (x, y)의 개수를 구하시오.

서술형 완성

● 정답과 해설 42쪽

1 이차방정식 $2x^2-2x=(x-1)(x+2)$를 푸시오. [6점]

2 이차방정식 $x^2+3ax-4a+2=0$의 한 근이 $x=2$일 때, 다음 물음에 답하시오.

(1) 상수 a의 값을 구하시오. [4점]

(2) 다른 한 근을 구하시오. [4점]

3 이차방정식 $(x+7)(x-1)+2k=0$이 중근을 가질 때, 다음 물음에 답하시오.

(1) 상수 k의 값을 구하시오. [4점]

(2) 이차방정식의 근을 구하시오. [4점]

4 다음 두 이차방정식의 공통인 근을 구하시오. [6점]

$$x^2+14=9x, \quad x^2+3x-10=0$$

5 이차방정식 $2(x-p)^2=q$의 근이 $x=4\pm\sqrt{5}$일 때, 유리수 p, q에 대하여 $p+q$의 값을 구하시오. [8점]

6 이차방정식 $3x^2-15x+6=0$의 해를 완전제곱식을 이용하여 구하시오. [8점]

7 이차방정식 $5x^2-9x+3=0$의 근이 $x=\frac{a\pm\sqrt{b}}{10}$일 때, 유리수 a, b에 대하여 $b-a$의 값을 구하시오. [8점]

8 이차방정식 $0.2x(x-1)=\frac{(x+1)(x-3)}{3}$의 해를 구하시오. [8점]

서술형 UP UP!

9 $<x>$가 자연수 x의 약수의 개수를 나타낼 때, $<x>^2-<x>-6=0$을 만족시키는 10 이하의 자연수 x의 개수를 구하시오. [10점]

10 이차방정식 $(x-a)^2=4$의 한 근이 2일 때, 다른 근이 될 수 있는 것을 모두 구하시오. (단, a는 상수) [10점]

실전 테스트

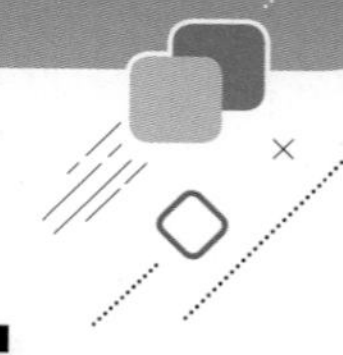

• 정답과 해설 43쪽

- 객관식: 총 18문항 각 4점
- 서술형: 총 4문항 각 6점, 8점

1 다음 보기 중 x에 대한 이차방정식은 모두 몇 개인가?

보기

ㄱ. x^2+1　　ㄴ. $x^2=x-2$
ㄷ. $x(x-3)=x^2$　　ㄹ. $x^2+1=(x-1)^2+x^2$
ㅁ. $x^2(1+x)=4+x^2$　　ㅂ. $4x^2=(1+2x)^2$

① 2개　② 3개　③ 4개
④ 5개　⑤ 6개

2 다음 이차방정식 중 $x=2$를 해로 갖는 것은?

① $x^2-x-2=0$　② $(x-1)^2-8=0$
③ $x^2+x-3=0$　④ $3x^2-5x+4=0$
⑤ $2x^2-8x-7=0$

3 이차방정식 $2x^2-3x-a=0$의 한 근이 $x=2$이고, 이차방정식 $5x^2+2x-b=0$의 한 근이 $x=-1$일 때, 상수 a, b에 대하여 $a+b$의 값은?

① 2　② 3　③ 4
④ 5　⑤ 6

4 이차방정식 $x^2-5x-2=0$의 한 근이 $x=a$일 때, 다음 중 식의 값이 가장 작은 것은?

① a^2-5a+1　② $2a^2-10a$
③ $3a^2-15a+5$　④ $a-\frac{2}{a}$
⑤ $a^2+\frac{4}{a^2}$

5 두 이차방정식 $(2x+9)(3x+4)=0$과 $(3x-1)(2x-7)=0$의 해를 모두 더하면?

① -3　② -2　③ -1
④ 1　⑤ 2

6 $a^2x^2=-(a-2)x^2-4x+3a$가 x에 대한 이차방정식이 되기 위한 상수 a의 조건은?

① $a\neq-3$
② $a\neq-2$ 그리고 $a\neq1$
③ $a\neq-4$ 그리고 $a\neq5$
④ $a\neq-7$ 그리고 $a\neq-6$
⑤ $a\neq-8$ 그리고 $a\neq9$

7 이차방정식 $x(x-2)+x-2=0$의 두 근 중 큰 근을 a, 작은 근을 b라 할 때, $a+2b$의 값은?

① -2　② -1　③ 0
④ 1　⑤ 3

8 이차방정식 $5x^2-10x=10+x(1-x)$의 두 근을 a, b라 할 때, $2ax^2+3bx-3=0$의 정수인 해는? (단, $a>b$)

① $x=1$ ② $x=2$ ③ $x=3$
④ $x=4$ ⑤ $x=5$

9 이차방정식 $(a-2)x^2-(a^2+a)x-5a+4=0$의 한 근이 $x=-1$일 때, 상수 a의 값은?

① -2 ② -1 ③ 0
④ 1 ⑤ 2

10 이차방정식 $ax^2+(2a-1)x+3=0$의 한 근이 $x=1$이고, 다른 한 근을 $x=b$라 할 때, ab의 값은? (단, a는 상수)

① $-\frac{9}{2}$ ② $-\frac{2}{3}$ ③ $\frac{3}{2}$
④ $\frac{9}{4}$ ⑤ 3

11 다음 이차방정식 중 중근을 갖는 것은?

① $x^2-7x+9=0$ ② $3x^2-11x=4$
③ $2x^2-2x-1=0$ ④ $4x^2-25x=-25$
⑤ $x^2-8x+16=0$

12 이차방정식 $x^2+2kx+2k+3=0$이 중근 $x=a$를 가질 때, $k+a$의 값은? (단, k는 양수)

① -6 ② -3 ③ -1
④ 0 ⑤ 3

13 이차방정식 $(x+5)(x-5)=5-x$의 두 근 중 작은 근이 이차방정식 $x^2-ax-10a=0$의 한 근일 때, 상수 a의 값은?

① -4 ② -2 ③ 3
④ 5 ⑤ 9

14 이차방정식 $(x+1)^2=3k$의 해가 모두 정수가 되도록 하는 가장 작은 자연수 k의 값은?

① 1 ② 2 ③ 3
④ 4 ⑤ 5

15 다음은 이차방정식 $2x^2+4x-4=0$을 완전제곱식을 이용하여 푸는 과정이다. (가)~(라)에 들어갈 수를 차례로 나열한 것은?

$2x^2+4x-4=0$에서
$x^2+2x-2=0$
x^2+2x+ (가) $=2+$ (가)
$(x+$ (나) $)^2=$ (다)
$\therefore x=$ (라)

① $1,\ 1,\ 3,\ -1\pm\sqrt{3}$ ② $1,\ 1,\ 5,\ -1\pm\sqrt{5}$
③ $1,\ 2,\ 3,\ -2\pm\sqrt{3}$ ④ $3,\ 2,\ 5,\ -2\pm\sqrt{5}$
⑤ $5,\ 2,\ 7,\ -2\pm\sqrt{7}$

16 이차방정식 $x^2-5x+1=0$을 풀면?

① $x=\frac{-5\pm\sqrt{21}}{2}$　② $x=\frac{5\pm\sqrt{21}}{2}$
③ $x=\frac{-5\pm\sqrt{29}}{2}$　④ $x=\frac{5\pm\sqrt{29}}{2}$
⑤ $x=5\pm\sqrt{29}$

17 이차방정식 $3x^2+x-5=0$의 두 근 사이에 있는 정수의 개수는?

① 1개　② 2개　③ 3개
④ 4개　⑤ 5개

18 이차방정식 $x^2+4ax+a=0$의 x의 계수와 상수항을 서로 바꾸어 풀었더니 한 근이 $x=4$이었다. 이때 처음 이차방정식의 해는? (단, a는 상수)

① $x=-8\pm4\sqrt{2}$　② $x=-4\pm3\sqrt{2}$
③ $x=4\pm2\sqrt{2}$　④ $x=4\pm3\sqrt{2}$
⑤ $x=8\pm4\sqrt{2}$

서술형

19 두 이차방정식 $x^2-8x+12=0$, $x^2+3x-10=0$의 공통인 근이 이차방정식 $3x^2-ax+3=0$의 한 근일 때, 상수 a의 값을 구하시오. [6점]

20 다음은 이차방정식의 근의 공식을 유도하는 과정이다. (가)~(바)에 알맞은 식을 각각 구하시오. [6점]

$ax^2+bx+c=0\,(a\neq0)$에서
$$x^2+\frac{b}{a}x+\boxed{(가)}=0$$
$$x^2+\frac{b}{a}x=\boxed{(나)}$$
$$x^2+\frac{b}{a}x+\boxed{(다)}=\boxed{(나)}+\boxed{(다)}$$
$$\left(x+\frac{b}{2a}\right)^2=\boxed{(라)}$$
$$x+\frac{b}{2a}=\pm\boxed{(마)}$$
$$\therefore x=\boxed{(바)}$$

21 이차방정식 $2x-\frac{x^2-1}{3}=0.5(x-1)$의 정수인 근이 이차방정식 $x^2-3x+k=0$의 한 근일 때, 상수 k의 값을 구하시오. [8점]

22 이차방정식 $(x-2)^2-(x-2)-12=0$의 해를 구하시오. [8점]

시험 '전 범위' 학습

I-1. 제곱근과 실수

1 다음 중 'x는 15의 제곱근이다.'를 식으로 바르게 나타낸 것은?

① $\sqrt{x}=15^2$　② $x=\sqrt{15}$　③ $x=15^2$
④ $x^2=\sqrt{15}$　⑤ $x^2=15$

2 $\sqrt{16}$의 양의 제곱근을 a, $\sqrt{81}$의 음의 제곱근을 b, $(-4)^2$의 음의 제곱근을 c라 할 때, $a+b+c$의 값은?

① -9　② -5　③ -1
④ 5　⑤ 9

3 두 수 A, B가 다음과 같을 때, $A+B$의 값은?

$$A=\sqrt{16}\times(-\sqrt{24})^2\div\sqrt{(-8)^2}$$
$$B=-(-\sqrt{5})^2\times(\sqrt{0.6})^2-\sqrt{1.44}$$

① -16.2　② -13.8　③ 7.8
④ 10.2　⑤ 16.2

4 $0<a<1$일 때, $\sqrt{\left(a+\frac{1}{a}\right)^2}+\sqrt{\left(a-\frac{1}{a}\right)^2}$을 간단히 하면?

① $-2a$　② $-\frac{a}{2}$　③ $2a$
④ $\frac{1}{2a}$　⑤ $\frac{2}{a}$

5 다음 중 $\sqrt{108x}$가 자연수가 되도록 하는 자연수 x의 값이 될 수 있는 것을 모두 고르면? (정답 2개)

① 3　② 6　③ 9
④ 12　⑤ 15

6 $4<\sqrt{3x}<5$를 만족시키는 자연수 x의 값 중에서 가장 큰 수는?

① 5　② 6　③ 7
④ 8　⑤ 9

7 다음 중 순환소수가 아닌 무한소수로만 이루어진 것은?

① 0, $\sqrt{0.5}$, $\sqrt{38}$

② $\sqrt{10}$, $\frac{\sqrt{7}+3}{2}$, $\sqrt{180}$

③ π, $\sqrt{\frac{1}{4}}$, $0.023010\cdots$

④ $\sqrt{\frac{1}{9}}$, 3.1415, $\frac{\pi}{10}$

⑤ $\sqrt{3}-1$, $\sqrt{\left(\frac{2}{5}\right)^2}$, $\frac{\sqrt{25}}{4}$

8 오른쪽 그림은 한 칸의 가로와 세로의 길이가 각각 1인 모눈종이 위에 수직선과 정사각형 ABCD를 그린 것이다. $\overline{AB}=\overline{AP}$, $\overline{AD}=\overline{AQ}$일 때, 두 점 P, Q에 대응하는 수를 각각 구하시오.

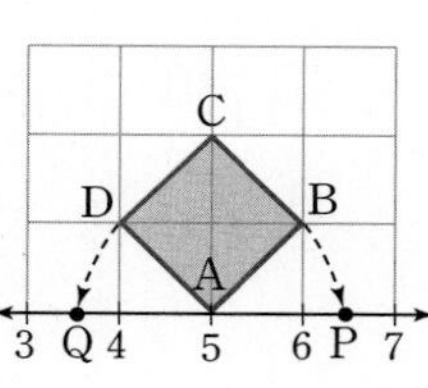

9 다음 중 옳은 것은?

① 모든 순환소수는 무리수이다.

② $a>0$일 때, $\sqrt{a}$는 무리수이다.

③ 무리수와 무리수의 합은 항상 무리수이다.

④ $\sqrt{2}$와 $\sqrt{7}$ 사이에는 무수히 많은 무리수가 있다.

⑤ 수직선은 유리수에 대응하는 점으로 완전히 메울 수 있다.

10 다음 중 두 실수의 대소 관계가 옳은 것은?

① $4-\sqrt{5}<4-\sqrt{6}$

② $1+\sqrt{13}>\sqrt{14}+1$

③ $3>1+\sqrt{3}$

④ $\sqrt{2}-1<\sqrt{2}-2$

⑤ $\sqrt{5}+\sqrt{6}>\sqrt{5}+\sqrt{7}$

I-2. 근호를 포함한 식의 계산

11 다음 중 옳은 것은?

① $(-\sqrt{3})\times(-2\sqrt{7})=-2\sqrt{21}$

② $\sqrt{\frac{6}{7}}\times\sqrt{\frac{14}{3}}=4$

③ $3\sqrt{2}\times2\sqrt{3}=5\sqrt{5}$

④ $\sqrt{35}\div\sqrt{10}=\frac{7}{2}$

⑤ $12\sqrt{30}\div(-2\sqrt{3})=-6\sqrt{10}$

12 $\sqrt{27}=a\sqrt{3}$, $3\sqrt{5}=\sqrt{b}$일 때, 유리수 a, b에 대하여 $b-a$의 값은?

① 41 ② 42 ③ 43
④ 44 ⑤ 45

13 다음 중 $\sqrt{3}=1.732$임을 이용하여 그 값을 구할 수 <u>없는</u> 것은?

① $\sqrt{0.03}$ ② $\sqrt{0.27}$ ③ $\sqrt{75}$
④ $\sqrt{300}$ ⑤ $\sqrt{480}$

14 다음 중 분모를 유리화한 것으로 옳지 <u>않은</u> 것은?

① $\dfrac{3}{\sqrt{5}}=\dfrac{3\sqrt{5}}{5}$ ② $\dfrac{6}{\sqrt{3}}=\dfrac{2\sqrt{3}}{3}$
③ $\dfrac{2}{3\sqrt{2}}=\dfrac{\sqrt{2}}{3}$ ④ $\dfrac{\sqrt{3}}{2\sqrt{5}}=\dfrac{\sqrt{15}}{10}$
⑤ $\sqrt{\dfrac{5}{12}}=\dfrac{\sqrt{15}}{6}$

15 다음 그림의 평행사변형과 삼각형의 넓이가 서로 같을 때, 평행사변형의 높이는?

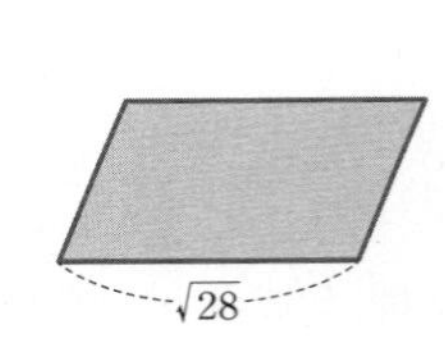

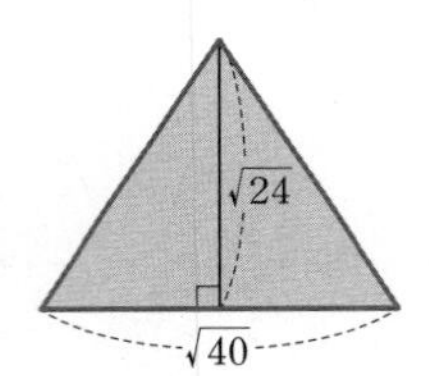

① $\dfrac{\sqrt{105}}{7}$ ② $\dfrac{2\sqrt{105}}{7}$ ③ $\dfrac{3\sqrt{105}}{7}$
④ $\dfrac{5\sqrt{105}}{7}$ ⑤ $\sqrt{105}$

16 $3\sqrt{2}-\sqrt{252}-3\sqrt{7}+\sqrt{50}=a\sqrt{2}+b\sqrt{7}$일 때, 유리수 a, b에 대하여 $4a-b$의 값은?

① -44 ② -28 ③ 17
④ 23 ⑤ 41

17 $a=\sqrt{5}$이고 $b=a+\dfrac{1}{a}$일 때, b는 a의 몇 배인가?

① $\dfrac{5}{6}$배 ② $\dfrac{6}{5}$배 ③ 3배
④ 5배 ⑤ 6배

18 $\dfrac{1}{\sqrt{2}}(\sqrt{3}+2\sqrt{2})-\left(\sqrt{2}-\dfrac{4}{\sqrt{3}}\right)\div\dfrac{2}{\sqrt{3}}$를 계산하면?

① 1 ② $1+\sqrt{6}$ ③ 4
④ $2\sqrt{6}$ ⑤ $3+\sqrt{6}$

19 $-6\sqrt{3}+(2+\sqrt{3})a-9$를 계산한 결과가 유리수가 되도록 하는 유리수 a의 값은?

① 2　② 4　③ 6
④ 8　⑤ 10

20 다음 그림과 같은 도형의 넓이를 구하시오.

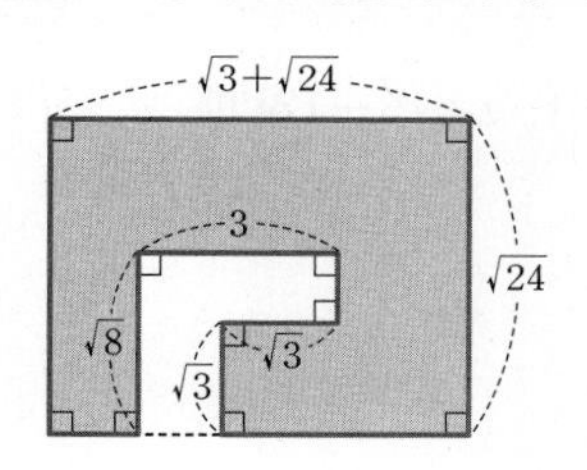

II-1. 다항식의 곱셈

21 $(3x-2y)(5x+ay-4)$를 전개한 식에서 xy의 계수가 -7일 때, 상수 a의 값은?

① -3　② -1　③ 1
④ 3　⑤ 5

22 $(3x-4y)^2=ax^2+bxy+cy^2$일 때, 상수 a, b, c에 대하여 $a+b-c$의 값은?

① -31　② -24　③ 1
④ 9　⑤ 16

23 $a^2=50$, $b^2=32$일 때, $\left(\frac{1}{5}a+\frac{3}{4}b\right)\left(\frac{1}{5}a-\frac{3}{4}b\right)$의 값은?

① -32　② -16　③ -5
④ 16　⑤ 32

24 $(4x+6)\left(ax-\frac{3}{2}\right)$을 전개한 식에서 x^2의 계수와 x의 계수가 같을 때, 상수 a의 값은?

① -3　② -1　③ 1
④ 3　⑤ 5

25 $(x-5)^2-(2x+3)(3x-4)$를 전개하면?

① $-6x^2+9x-37$　② $-5x^2-11x+37$
③ $x^2-10x+25$　④ $5x^2+11x-37$
⑤ $6x^2+x-12$

26 다음은 57^2과 38×42를 곱셈 공식을 이용하여 계산하는 과정이다. (가)~(다)에 들어갈 수의 합은?

$57^2=(60-\boxed{(가)})^2=60^2-\boxed{(나)}+3^2$
$38\times42=(40-2)(40+2)=40^2-\boxed{(다)}$

① 187　② 192　③ 367
④ 392　⑤ 607

27 $(\sqrt{5}-2)^2(\sqrt{5}+2)^2(1-\sqrt{3})^3(1+\sqrt{3})^3$을 계산하면?

① -18　② -8　③ 7
④ 13　⑤ 17

28 $\dfrac{2}{5\sqrt{2}-7}+\dfrac{3}{5\sqrt{2}+7}=a+b\sqrt{2}$일 때, 유리수 a, b에 대하여 $a+b$의 값을 구하시오.

29 $x=\sqrt{5}+1$, $y=\sqrt{5}-1$일 때, x^2+y^2의 값을 구하시오.

30 $x=2-\sqrt{3}$일 때, x^2-4x+3의 값은?

① -4　② -2　③ 1
④ 2　⑤ 4

Ⅱ-2. 인수분해

31 다음 중 $x^2y(x-3y)(2x+y)$의 인수가 아닌 것은?

① x^3 ② xy ③ x^2y
④ $xy-3y^2$ ⑤ $x^2(2x+y)$

32 다음 식이 모두 완전제곱식으로 인수분해될 때, $\square$ 안에 들어갈 수 중 그 절댓값이 가장 큰 것은?

① $\square x^2+6x+1$ ② $x^2-10x+\square$
③ $\square x^2+x+\frac{1}{4}$ ④ $16x^2+8x+\square$
⑤ $x^2+\square xy+\frac{1}{49}y^2$

33 $-1<5x<1$일 때,
$\sqrt{x^2-\frac{2}{5}x+\frac{1}{25}}-\sqrt{x^2+\frac{2}{5}x+\frac{1}{25}}$을 간단히 하면?

① $-\frac{2}{5}$ ② $-2x$ ③ $x+\frac{1}{5}$
④ $2x$ ⑤ $\frac{2}{5}$

34 $6x^2-11x-10$이 $(ax+b)(3x+c)$로 인수분해될 때, 상수 a, b, c에 대하여 $a+b+c$의 값은?

① -1 ② 0 ③ 2
④ 4 ⑤ 5

35 다음 중 $\square$ 안의 수가 나머지 넷과 다른 하나는?

① $4x^2-8x+4=\square(x-1)^2$
② $\square x^2-12x+9=(2x-3)^2$
③ $9x^2-\square y^2=(3x+2y)(3x-2y)$
④ $x^2-4x-5=(x+1)(x-\square)$
⑤ $3x^2+x-\square=(x-1)(3x+4)$

36 $x-4$가 x^2+ax+8의 인수일 때, 상수 a의 값은?

① -6 ② -4 ③ -2
④ 2 ⑤ 4

37 다음 그림의 모든 직사각형을 빈틈없이 겹치지 않게 이어 붙여 하나의 큰 직사각형을 만들 때, 새로 만든 직사각형의 둘레의 길이는?

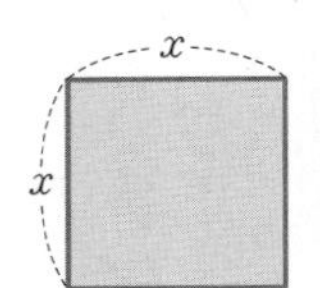

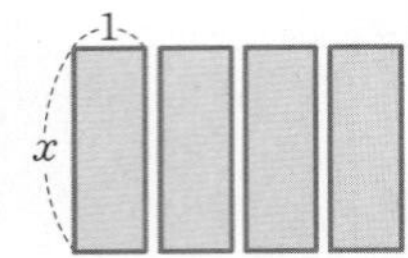

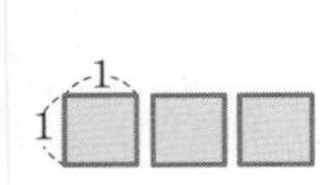

① $4x-8$ ② $4x-2$ ③ $4x+6$
④ $4x+8$ ⑤ $4x+10$

38 인수분해 공식을 이용하여 $\sqrt{52^2-48^2}$을 계산하면?

① 10 ② $10\sqrt{2}$ ③ $10\sqrt{3}$
④ 20 ⑤ $20\sqrt{2}$

39 $\sqrt{8}$의 소수 부분을 x라 할 때, $(x+4)^2-4(x+4)+4$의 값은?

① $2\sqrt{2}-2$ ② $2\sqrt{2}$ ③ $2\sqrt{2}+2$
④ 4 ⑤ 8

40 다음 그림과 같은 두 직사각형 (가), (나)의 둘레의 길이는 서로 같다. (가)의 넓이가 $x^2+10x+a$일 때, (나)의 한 변의 길이를 구하시오. (단, a는 상수)

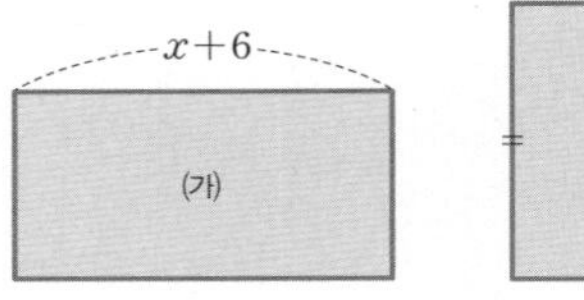

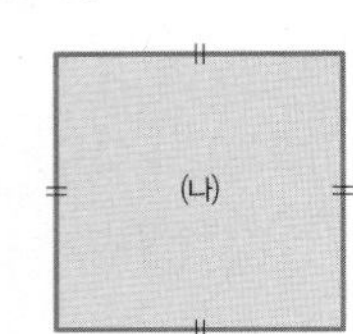

Ⅱ-3. 이차방정식의 뜻과 그 풀이

41 다음 보기 중 x에 대한 이차방정식을 모두 고른 것은?

보기
ㄱ. $2x+1=0$
ㄴ. $3x^2-4x+2$
ㄷ. $(x-2)(x+5)=x^2$
ㄹ. $\frac{3}{x^2}-2x+5=0$
ㅁ. $3x^2-x+2=2(x+1)^2$

① ㄹ ② ㅁ ③ ㄱ, ㄴ
④ ㄴ, ㄹ ⑤ ㄷ, ㅁ

42 이차방정식 $x^2-2x-1=0$의 한 근이 $x=a$일 때, $a-\frac{1}{a}$의 값을 구하시오.

43 이차방정식 $3x^2+4x-7=0$을 풀면?

① $x=-7$ 또는 $x=\frac{1}{3}$
② $x=-\frac{7}{3}$ 또는 $x=-1$
③ $x=-\frac{7}{3}$ 또는 $x=1$
④ $x=-1$ 또는 $x=\frac{7}{3}$
⑤ $x=1$ 또는 $x=\frac{7}{3}$

44 이차방정식 $x^2-ax+a+1=0$의 한 근이 $x=2$일 때, 상수 a의 값과 다른 한 근의 합을 구하시오.

45 이차방정식 $(x+1)(x-2)=-5(x+a)$가 중근을 가질 때, 상수 a의 값은?

① $\frac{2}{3}$ ② $\frac{6}{5}$ ③ $\frac{5}{4}$
④ $\frac{4}{3}$ ⑤ $\frac{3}{2}$

46 두 이차방정식 $x^2+ax-8=0$, $x^2+(b+1)x+a=0$의 공통인 근이 $x=2$일 때, 상수 a, b에 대하여 $2a+b$의 값은?

① -4 ② -2 ③ 0
④ 2 ⑤ 4

47 이차방정식 $2(3x-4)^2=56$을 풀면?

① $x=\frac{-4\pm2\sqrt{7}}{3}$ ② $x=\frac{4\pm2\sqrt{7}}{3}$
③ $x=-4\pm2\sqrt{7}$ ④ $x=4\pm2\sqrt{7}$
⑤ $x=12\pm6\sqrt{7}$

48 이차방정식 $3x^2-6x-9=0$을 $(x+a)^2=b$ 꼴로 나타낼 때, 상수 a, b에 대하여 $a-b$의 값을 구하시오.

49 이차방정식 $3x^2+ax-1=0$의 근이 $x=\frac{-3\pm\sqrt{b}}{6}$일 때, 유리수 a, b에 대하여 $a+b$의 값을 구하시오.

50 이차방정식 $\frac{(x+1)(x-1)}{2}-\frac{2(x-1)}{3}=\frac{x}{6}$의 두 근을 a, b라 할 때, $a-b$의 값을 구하시오. (단, $a>b$)

● 정답과 해설 49쪽

Ⅰ-1. 제곱근과 실수

1 다음 중 옳지 않은 것을 모두 고르면? (정답 2개)

① π의 제곱근은 2개이다.
② -9의 제곱근은 1개이다.
③ 양수의 제곱근은 양수이다.
④ $\sqrt{5}$는 5의 양의 제곱근이다.
⑤ $\sqrt{25}$의 제곱근은 $\pm\sqrt{5}$이다.

2 다음 중 근호를 사용하지 않고 제곱근을 나타낼 수 있는 수는 모두 몇 개인가?

$$6,\quad \frac{160}{25},\quad 1.\dot{7},\quad \sqrt{16},\quad 1000,\quad 0.5$$

① 1개 ② 2개 ③ 3개
④ 4개 ⑤ 5개

3 $xy>0$, $x+y<0$일 때, $\sqrt{16x^2}-\sqrt{(-y)^2}-\sqrt{(x+y)^2}$을 간단히 하면?

① $-5x-2y$ ② $-5x$ ③ $-3x$
④ $-3x+2y$ ⑤ $5x+2y$

4 $\sqrt{15-x}$가 정수가 되도록 하는 모든 자연수 x의 값의 합은?

① 43 ② 44 ③ 45
④ 46 ⑤ 47

5 $6\le\sqrt{2(x-1)}<7$을 만족시키는 자연수 x의 개수는?

① 1개 ② 3개 ③ 5개
④ 7개 ⑤ 9개

6 자연수 x에 대하여 $\sqrt{x}$보다 작은 자연수의 개수를 $f(x)$개라 할 때, $f(x)=5$를 만족시키는 자연수 x의 개수는?

① 8개 ② 9개 ③ 10개
④ 11개 ⑤ 12개

7 다음 수에 대한 설명으로 옳은 것은?

$\sqrt{5}$, $\sqrt{49}$, $\sqrt{7}+1$, $1.\dot{2}\dot{5}$, π, $\frac{2\sqrt{3}}{5}$

① 순환하지 않는 무한소수는 3개이다.
② 유리수는 $1.\dot{2}\dot{5}$뿐이다.
③ π는 유리수도 아니고 무리수도 아니다.
④ 모든 수는 실수이다.
⑤ 수직선 위에서 가장 오른쪽에 위치하는 수는 $\sqrt{7}+1$이다.

8 다음 그림은 한 칸의 가로와 세로의 길이가 각각 1인 모눈종이 위에 수직선과 두 정사각형 ABCD, BEFG를 그린 것이다. $\overline{AD}=\overline{AP}$, $\overline{EF}=\overline{EQ}$일 때, 두 점 P, Q에 대응하는 수는?

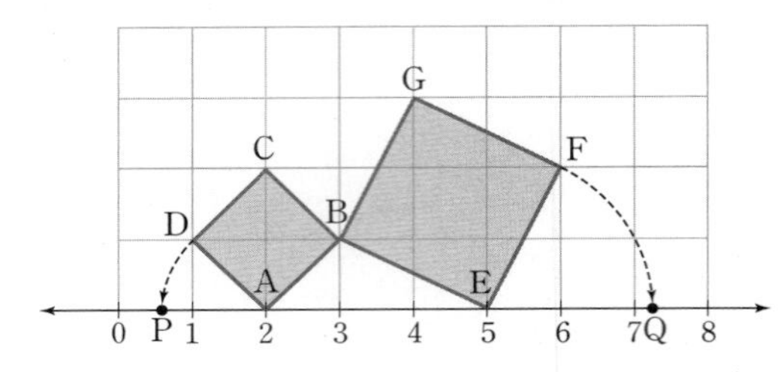

	점 P에 대응하는 수	점 Q에 대응하는 수
①	$2-\sqrt{2}$	$5-\sqrt{5}$
②	$2-\sqrt{2}$	$5+\sqrt{5}$
③	$2-\sqrt{2}$	$5+2\sqrt{5}$
④	$2-\sqrt{5}$	$5-\sqrt{5}$
⑤	$2-\sqrt{5}$	$5+\sqrt{5}$

9 다음 제곱근표를 이용하여 $\sqrt{5.83}$의 값을 구하면?

수	0	1	2	3
5.7	2.387	2.390	2.392	2.394
5.8	2.408	2.410	2.412	2.415
5.9	2.429	2.431	2.433	2.435
6.0	2.449	2.452	2.454	2.456

① 2.394 ② 2.408 ③ 2.415
④ 2.433 ⑤ 2.452

10 다음 세 수 A, B, C의 대소 관계로 옳은 것은?

$A=-\sqrt{\frac{1}{2}}$, $B=-\frac{3}{4}$, $C=1-\sqrt{5}$

① $A<C<B$ ② $B<A<C$
③ $B<C<A$ ④ $C<A<B$
⑤ $C<B<A$

I-2. 근호를 포함한 식의 계산

11 $\sqrt{15}\times\sqrt{80}=a\sqrt{3}$일 때, 자연수 a의 값은?

① 6 ② 10 ③ 20
④ 24 ⑤ 40

12 $\sqrt{2.3}=a$, $\sqrt{23}=b$라 할 때, 다음 보기 중 옳은 것을 모두 고른 것은?

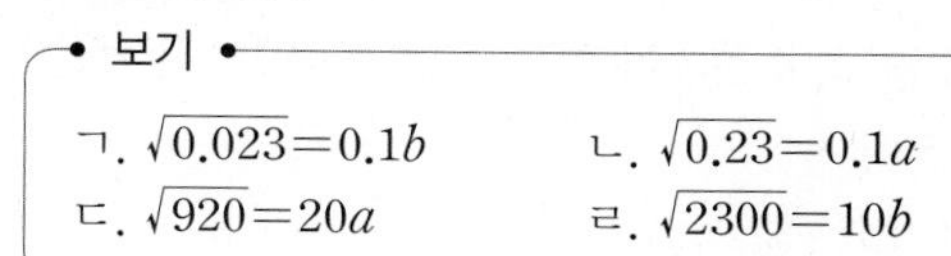
보기

ㄱ. $\sqrt{0.023}=0.1b$　　ㄴ. $\sqrt{0.23}=0.1a$

ㄷ. $\sqrt{920}=20a$　　ㄹ. $\sqrt{2300}=10b$

① ㄱ　② ㄷ　③ ㄹ
④ ㄱ, ㄴ　⑤ ㄷ, ㄹ

13 $\dfrac{\sqrt{11}}{2\sqrt{3}}=a\sqrt{33}$, $\dfrac{\sqrt{5}}{\sqrt{8}}=b\sqrt{10}$일 때, 유리수 a, b에 대하여 $3a+2b$의 값은?

① -2　② -1　③ 1
④ 2　⑤ 3

14 오른쪽 그림과 같은 정육면체에서 대각선의 길이가 $6\,\text{cm}$일 때, $\triangle$BFH의 넓이는?

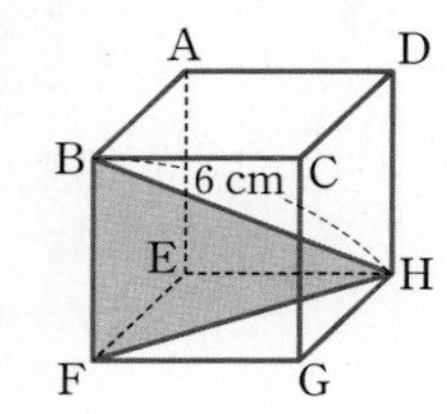

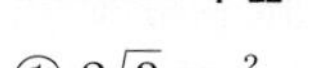
① $2\sqrt{3}\,\text{cm}^2$　② $3\sqrt{2}\,\text{cm}^2$
③ $2\sqrt{6}\,\text{cm}^2$　④ $6\sqrt{2}\,\text{cm}^2$
⑤ $6\sqrt{3}\,\text{cm}^2$

15 $a>0$, $b>0$이고 $ab=10$일 때, $a\sqrt{\dfrac{5b}{a}}+b\sqrt{\dfrac{a}{5b}}$의 값은?

① $6\sqrt{2}$　② $6\sqrt{5}$　③ $10\sqrt{2}$
④ $10\sqrt{5}$　⑤ $10+6\sqrt{5}$

16 $\dfrac{15}{\sqrt{5}}-\sqrt{3}(2\sqrt{15}-\sqrt{12})+2\sqrt{5}$를 계산하면?

① $6-3\sqrt{5}$　② $6-\sqrt{5}$
③ $\sqrt{3}+2\sqrt{5}$　④ $5\sqrt{5}$
⑤ $6\sqrt{3}+\sqrt{5}$

17 $A=\sqrt{27}-\sqrt{3}$, $B=\sqrt{3}A+3\sqrt{5}$, $C=2\sqrt{3}-\dfrac{B}{\sqrt{3}}$일 때, C의 값을 구하시오.

18 $1+2\sqrt{7}$의 소수 부분을 a, $4-\sqrt{7}$의 소수 부분을 b라 할 때, $a+2b$의 값은?

① $-5-\sqrt{7}$ ② $-5+2\sqrt{7}$ ③ 1
④ $1+2\sqrt{7}$ ⑤ $5+\sqrt{7}$

19 다음 그림과 같이 넓이가 각각 $32\,\text{cm}^2$, $18\,\text{cm}^2$, $8\,\text{cm}^2$인 세 정사각형을 겹치지 않게 이어 붙인 도형의 둘레의 길이를 구하시오.

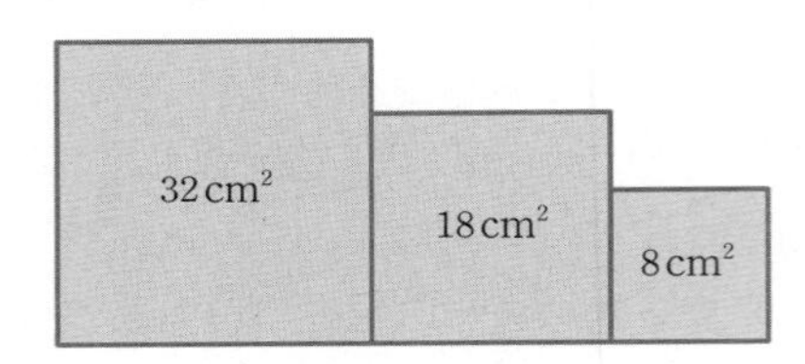

20 다음 중 □ 안의 부등호의 방향이 나머지 넷과 다른 하나는?

① $3\sqrt{7}$ □ 8 ② $5\sqrt{2}$ □ $3\sqrt{5}$
③ $3\sqrt{2}$ □ $\sqrt{10}+\sqrt{2}$ ④ $2+\sqrt{5}$ □ $\sqrt{7}+\sqrt{5}$
⑤ $2\sqrt{3}+2$ □ $3\sqrt{3}+1$

Ⅱ-1. 다항식의 곱셈

21 다음 보기 중 전개식이 같은 것끼리 짝 지은 것은?

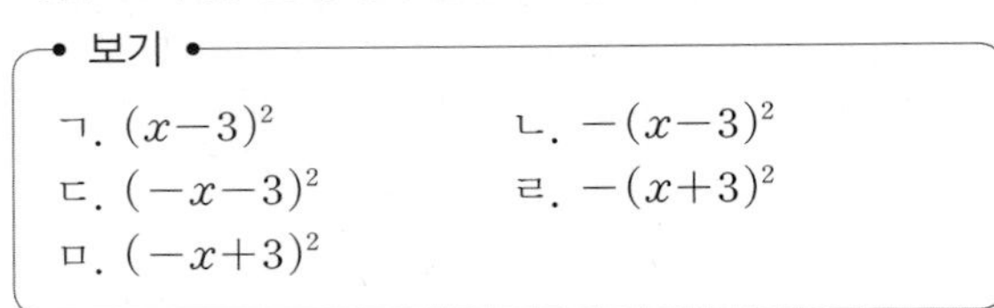
보기
ㄱ. $(x-3)^2$ ㄴ. $-(x-3)^2$
ㄷ. $(-x-3)^2$ ㄹ. $-(x+3)^2$
ㅁ. $(-x+3)^2$

① ㄱ, ㄹ ② ㄱ, ㅁ ③ ㄴ, ㄷ
④ ㄴ, ㅁ ⑤ ㄷ, ㄹ

22 $(2x-1)(3x+B)=6x^2+Ax-2$일 때, 상수 A, B에 대하여 $A-2B$의 값은?

① -5 ② -3 ③ 3
④ 4 ⑤ 5

23 다음 □ 안에 들어갈 수를 모두 더하면?

$(3x-2)^2=9x^2-\square x+4$
$(4x+5)(-4x+5)=-16x^2+\square$
$(x+4)(x-2)=x^2+\square x-8$

① 31 ② 33 ③ 35
④ 37 ⑤ 39

24 오른쪽 그림과 같이 한 변의 길이가 $7a$인 정사각형에서 색칠한 부분의 넓이를 구하시오.

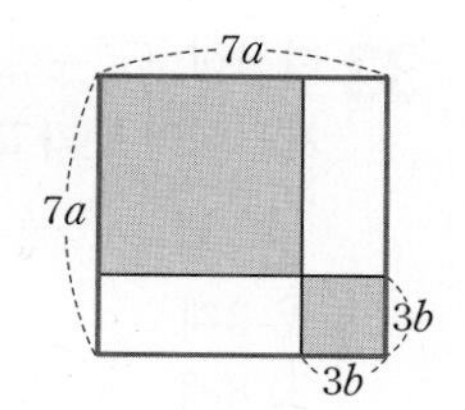

25 다음 중 곱셈 공식 $(a+b)(a-b)=a^2-b^2$을 이용하여 계산하면 가장 편리한 것은?

① 102^2　② 299^2　③ 304×307
④ 22×18　⑤ 101×104

26 다음 중 옳지 않은 것은?

① $(1+\sqrt{5})^2=6+2\sqrt{5}$
② $(2-3\sqrt{2})^2=22-12\sqrt{2}$
③ $(3+\sqrt{2})(3-\sqrt{2})=7$
④ $(\sqrt{2}-2)(\sqrt{2}+3)=-4+\sqrt{2}$
⑤ $(4\sqrt{2}+1)(2\sqrt{2}-3)=16-10\sqrt{2}$

27 다음 그림은 수직선 위에 한 변의 길이가 1인 두 정사각형을 그린 것이다. $\overline{PQ}=\overline{PA}$, $\overline{RS}=\overline{RB}$이고 두 점 A, B에 대응하는 수를 각각 a, b라 할 때, ab의 값은?

① $-3-2\sqrt{2}$　② $-3+2\sqrt{2}$　③ -1
④ 1　⑤ $3-2\sqrt{2}$

28 $\dfrac{2-\sqrt{2}}{2+\sqrt{2}}=a+b\sqrt{2}$일 때, 유리수 a, b에 대하여 a^2+b^2의 값은?

① 2　② 5　③ 8
④ 13　⑤ 17

29 $x=\dfrac{\sqrt{3}-\sqrt{2}}{\sqrt{3}+\sqrt{2}}$, $y=\dfrac{\sqrt{3}+\sqrt{2}}{\sqrt{3}-\sqrt{2}}$일 때, x^2+xy+y^2의 값은?

① 10　② 52　③ 99
④ 100　⑤ 102

일일 과제 2회

30 $(x-1+y)(x+1-y)$를 전개하시오.

Ⅱ-2. 인수분해

31 $a(b+4)-(b+4)$를 인수분해하면?

① $a(b+4)$ ② $(a-1)(b+1)$
③ $(a-1)(b+4)$ ④ $(a+1)(b+4)$
⑤ $4(a-1)(b+1)$

32 다음 중 완전제곱식으로 인수분해할 수 없는 것은?

① $a^2+8a+16$ ② $\frac{1}{4}x^2+x+1$
③ $1+2y+y^2$ ④ $9a^2+30ab+16b^2$
⑤ $2x^2-8xy+8y^2$

33 다항식 $4x^2-9ax+b$에 다항식 $ax+b$를 더하면 완전제곱식이 된다고 할 때, 순서쌍 (a, b)의 개수는?
(단, a, b는 100 이하의 자연수)

① 3개 ② 4개 ③ 5개
④ 6개 ⑤ 7개

34 $x^2+kx-12$가 $(x+a)(x+b)$로 인수분해될 때, 상수 k의 값 중 가장 큰 수와 가장 작은 수의 차는?
(단, a, b는 정수)

① 2 ② 5 ③ 8
④ 15 ⑤ 22

35 다음 두 다항식의 공통인 인수는?

$$x^2-x-6, \quad 3x^2+5x-2$$

① $x-3$ ② $x-2$ ③ $x+2$
④ $3x-1$ ⑤ $3x+1$

36 x에 대한 어떤 이차식을 기준이는 x의 계수만 잘못 보고 $3(x-1)(x+4)$로 인수분해하였고, 승우는 상수항만 잘못 보고 $(x-1)(3x+8)$로 인수분해하였다. 처음 이차식을 바르게 인수분해하시오.

37 인수분해 공식을 이용하여 $\dfrac{73\times17+73\times13}{37^2-36^2}$을 계산하면?

① 30 ② 37 ③ 43
④ 57 ⑤ 73

38 x^2-y^2+6x+9를 인수분해하면?

① $(x+y-3)^2$
② $(x+y+3)(x+y-3)$
③ $(x+y+3)(x-y-3)$
④ $(x+y+3)(x-y+3)$
⑤ $(x+y-3)(x-y+3)$

39 $x=3+\sqrt{2}$, $y=3-\sqrt{2}$일 때, x^3y-xy^3의 값은?

① $12\sqrt{2}$ ② $7+12\sqrt{2}$ ③ $27+18\sqrt{2}$
④ $42\sqrt{2}$ ⑤ $84\sqrt{2}$

40 다음 그림과 같이 한 변의 길이가 $(x+7)$ m인 정사각형 모양의 꽃밭에 한 변의 길이가 3 m인 정사각형 모양의 연못을 만들었다. 연못을 제외한 꽃밭의 넓이와 같은 넓이를 갖는 직사각형의 가로의 길이가 $(x+10)$ m일 때, 이 직사각형의 세로의 길이를 구하시오.

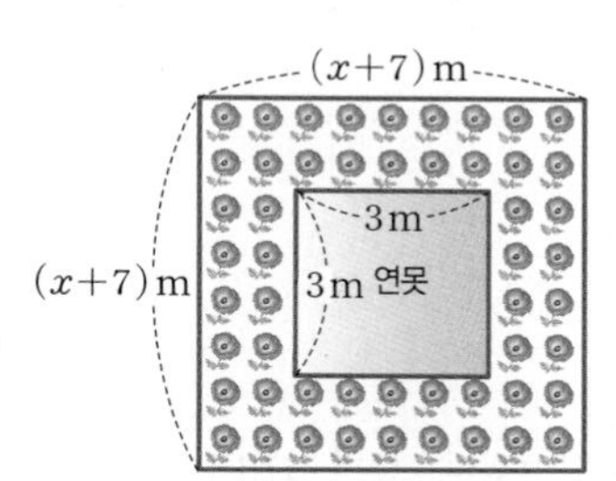

Ⅱ-3. 이차방정식의 뜻과 그 풀이

41 $2(x-3)^2=kx(x-2)+5$가 x에 대한 이차방정식일 때, 다음 중 상수 k의 값이 될 수 없는 것은?

① -6 ② -2 ③ 0
④ 2 ⑤ 6

42 다음 중 [ ] 안의 수가 주어진 이차방정식의 해인 것은?

① $(x-2)^2-9=0$ $[-2]$
② $(x+2)(x-1)=0$ $[-1]$
③ $2x^2+x-3=0$ $[-1]$
④ $3x(x-2)-4=0$ $[-2]$
⑤ $4x^2-4x+1=0$ $\left[\frac{1}{2}\right]$

43 이차방정식 $3(x+5)(2x-1)=0$의 두 근을 a, b라 할 때, $a-b$의 값은? (단, $a<b$)

① $-\frac{11}{2}$ ② $-\frac{9}{2}$ ③ $-\frac{7}{2}$
④ $-\frac{5}{2}$ ⑤ $-\frac{3}{2}$

44 이차방정식 $kx^2+4x+k+2=0$의 x^2의 계수와 상수항을 서로 바꾸어 풀었더니 한 근이 $x=3$이었다. 이때 처음 이차방정식의 두 근 중 큰 근은? (단, k는 상수)

① $x=\frac{1}{3}$ ② $x=\frac{2}{3}$ ③ $x=1$
④ $x=\frac{4}{3}$ ⑤ $x=\frac{5}{3}$

45 다음 이차방정식 중 중근을 갖는 것은?

① $x^2-16=0$
② $x^2+3x=0$
③ $x^2-11x+24=0$
④ $6x^2-13x+5=0$
⑤ $9x^2-12x+4=0$

46 다음 두 이차방정식의 공통인 근은?

$3x^2-10x+8=0$, $2(x-1)(2x-5)=-x$

① $x=-3$ ② $x=-\frac{4}{3}$ ③ $x=\frac{5}{4}$
④ $x=\frac{4}{3}$ ⑤ $x=2$

47 이차방정식 $(x-5)^2=k$의 해가 모두 자연수가 되도록 하는 모든 자연수 k의 값의 합은?

① 30 ② 35 ③ 40
④ 45 ⑤ 55

48 다음은 이차방정식 $3x^2+4x-3=0$을 완전제곱식을 이용하여 푸는 과정이다. □ 안에 들어갈 수로 옳지 않은 것은?

$3x^2+4x-3=0$의 양변을 3으로 나누면
$x^2+\frac{4}{3}x-$ ① $=0$
$x^2+\frac{4}{3}x=$ ① 의 양변에 ② 를 더하면
$x^2+\frac{4}{3}x+$ ② $=$ ① $+$ ②
$\left(x+\frac{2}{3}\right)^2=$ ③
$x+\frac{2}{3}=$ ④ $\therefore x=$ ⑤

① 1 ② $\frac{4}{9}$ ③ $\frac{13}{9}$
④ $\pm\frac{\sqrt{13}}{3}$ ⑤ $\frac{-4\pm\sqrt{13}}{9}$

49 이차방정식 $3x^2-6x-24=0$의 두 근을 a, b라 할 때, 이차방정식 $x^2-2ax+b=0$의 두 근의 차는? (단, $a>b$)

① $2\sqrt{2}$ ② 4 ③ $4\sqrt{2}$
④ 8 ⑤ $6\sqrt{2}$

50 $(x-y)^2-3(x-y)-18=0$이고 $xy=10$일 때, x^2+y^2의 값은? (단, $x<y$)

① 5 ② 8 ③ 13
④ 20 ⑤ 29

I-1. 제곱근과 실수

1 다음 중 그 값이 나머지 넷과 다른 하나는?

① 제곱근 9
② $\sqrt{81}$의 제곱근
③ 제곱하여 9가 되는 수
④ 9의 제곱근
⑤ $x^2=9$를 만족시키는 x의 값

2 다음 그림과 같이 밑변의 길이가 $7\,\text{m}$, 높이가 $6\,\text{m}$인 삼각형 모양의 꽃밭이 있다. 이 꽃밭과 넓이가 같은 정사각형 모양의 꽃밭을 만들려고 할 때, 정사각형 모양의 꽃밭의 한 변의 길이를 구하시오.

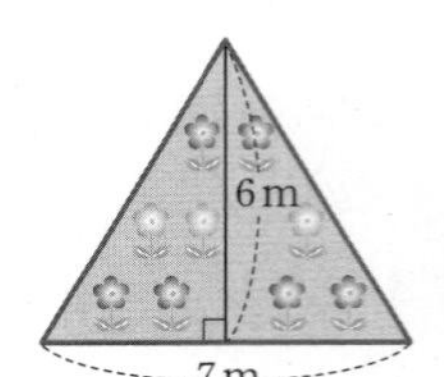

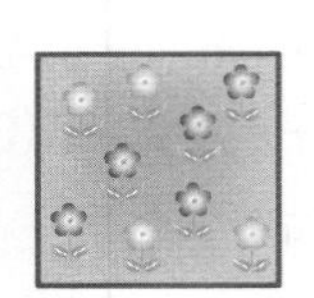

3 다음 중 가장 큰 수는?

① $-\sqrt{(-64)^2}$　② $-\sqrt{(-7)^2}$
③ $(-\sqrt{9})^2$　④ $\sqrt{(-3)^2}$
⑤ $\sqrt{36}$

4 다음 중 옳지 않은 것은?

① $\sqrt{16}+\sqrt{(-2)^2}=6$
② $(\sqrt{15})^2-\sqrt{11^2}=4$
③ $(\sqrt{7})^2+(-\sqrt{2})^2=9$
④ $(-\sqrt{5})^2\times\sqrt{\frac{9}{25}}=-3$
⑤ $-\sqrt{81}\div(-\sqrt{3})^2=-3$

5 $a<0$일 때, $-\sqrt{(-a)^2}-\sqrt{(2a)^2}+\sqrt{(-4a)^2}$을 간단히 하면?

① $-3a$　② $-a$　③ a
④ $2a$　⑤ $4a$

6 $-1<a<2$일 때, $\sqrt{(a-3)^2}-\sqrt{(a+2)^2}$을 간단히 하면?

① $-2a+1$　② $-a+3$　③ $-a-2$
④ 5　⑤ -5

7 진공 상태에서 물체를 낙하시킬 때, 물체의 처음 높이를 h m, 물체가 땅에 닿기 직전의 속력을 v m/s라 하면 $v=\sqrt{2\times9.8\times h}$인 관계가 성립한다고 한다. v가 자연수가 되도록 하는 두 자리의 자연수 h의 값 중 가장 작은 수는?

① 10 ② 12 ③ 14
④ 16 ⑤ 18

8 두 수 3과 6 사이에 있는 수 $\sqrt{n}$이 무리수가 되도록 하는 자연수 n의 개수는?

① 23개 ② 24개 ③ 25개
④ 26개 ⑤ 27개

9 다음 보기 중 옳은 것을 모두 고른 것은?

보기
ㄱ. $\sqrt{3}$과 $\sqrt{11}$ 사이에는 2개의 정수가 있다.
ㄴ. 양의 유리수 중에는 제곱근이 없는 것도 있다.
ㄷ. $-\sqrt{3}$과 $\sqrt{5}$ 사이에는 무수히 많은 유리수가 있다.
ㄹ. 자연수의 제곱근은 모두 무리수이다.
ㅁ. 0에 가장 가까운 유리수는 1이다.

① ㄱ, ㄷ ② ㄴ, ㄷ ③ ㄷ, ㄹ
④ ㄷ, ㅁ ⑤ ㄹ, ㅁ

10 다음 수직선 위의 세 점 A, B, C는 각각 $1+\sqrt{3}$, $-1+\sqrt{5}$, $2-\sqrt{2}$ 중 하나에 대응한다. 세 점 A, B, C에 대응하는 수를 각각 구하시오.

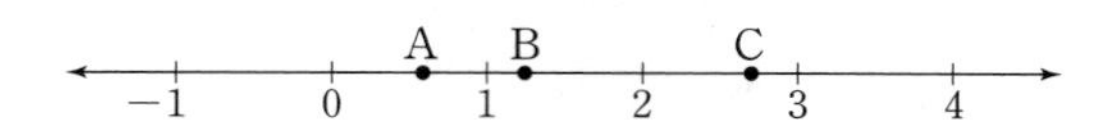

I-2. 근호를 포함한 식의 계산

11 $\sqrt{2}\times\sqrt{3}\times\sqrt{a}\times\sqrt{2a}=4\sqrt{3}$일 때, 자연수 a의 값은?

① 1 ② 2 ③ 3
④ 4 ⑤ 5

12 다음 중 아래 제곱근표를 이용하여 그 값을 구할 수 <u>없는</u> 것은?

수	0	1	2	3	4
5.5	2.345	2.347	2.349	2.352	2.354
5.6	2.366	2.369	2.371	2.373	2.375
5.7	2.387	2.390	2.392	2.394	2.396
5.8	2.408	2.410	2.412	2.415	2.417

① $\sqrt{0.055}$ ② $\sqrt{5.73}$ ③ $\sqrt{560}$
④ $\sqrt{58400}$ ⑤ $\sqrt{5610}$

13 $\sqrt{3}=a$, $\sqrt{5}=b$라 할 때, $\sqrt{1.35}=\square ab$이다. $\square$ 안에 들어갈 알맞은 수는?

① $\frac{1}{10}$ ② $\frac{1}{5}$ ③ $\frac{3}{10}$
④ $\frac{3}{5}$ ⑤ $\frac{9}{10}$

14 다음 중 계산 결과가 무리수인 것은?

① $4\sqrt{3}\times3\sqrt{2}\div\sqrt{6}$
② $2\sqrt{5}\div\frac{\sqrt{3}}{4}\div\frac{\sqrt{5}}{\sqrt{7}}$
③ $\frac{\sqrt{10}}{\sqrt{27}}\times\frac{\sqrt{3}}{\sqrt{40}}$
④ $\sqrt{2}\times\sqrt{24}\div\sqrt{3}$
⑤ $\frac{2}{\sqrt{6}}\times\sqrt{12}\div\sqrt{2}$

15 오른쪽 그림과 같은 직사각형 ABCD에서 $\overline{BC}$와 $\overline{CD}$를 각각 한 변으로 하는 정사각형을 그렸더니 그 넓이가 각각 8, 18이었다. 이때 직사각형 ABCD의 넓이는?

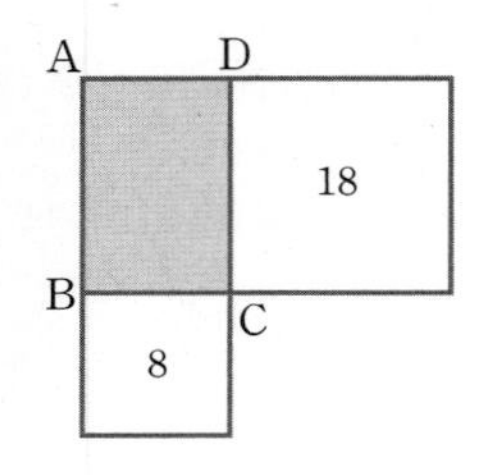

① $2\sqrt{2}$ ② $3\sqrt{2}$ ③ $6\sqrt{2}$
④ 12 ⑤ 14

16 $\sqrt{28}-4\sqrt{6}-5\sqrt{7}+\sqrt{54}=a\sqrt{6}+b\sqrt{7}$일 때, 유리수 a, b에 대하여 $a+b$의 값은?

① -4 ② -2 ③ 3
④ 2 ⑤ 4

17 $\frac{\sqrt{5}-\sqrt{3}}{\sqrt{5}}-\sqrt{3}\left(\frac{4}{\sqrt{3}}-\frac{6\sqrt{5}}{5}\right)$를 계산하시오.

18 두 수 A, B가 다음과 같을 때, $A+B$의 값을 구하시오.

$$A=\sqrt{18}+2\sqrt{50}+\sqrt{98}$$
$$B=\sqrt{\frac{3}{5}}\div\sqrt{\frac{3}{10}}+3\sqrt{2}-\sqrt{128}$$

19 오른쪽 그림은 수직선 위에 한 변의 길이가 1인 정사각형 ABCD를 그린 것이다. $\overline{AC}=\overline{AP}$, $\overline{BD}=\overline{BQ}$이고 두 점 P, Q에 대응하는 수를 각각 a, b라 할 때, $a+2b$의 값을 구하시오.

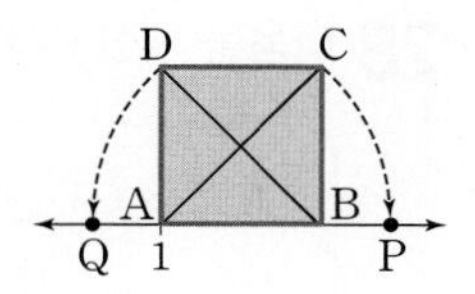

20 다음 중 두 실수의 대소 관계가 옳은 것은?

① $3\sqrt{2}-\sqrt{3}>2\sqrt{2}$
② $\sqrt{20}+\sqrt{3}>3\sqrt{5}$
③ $\sqrt{3}+1<2\sqrt{3}-1$
④ $\sqrt{24}<\sqrt{6}+1$
⑤ $\sqrt{3}+\sqrt{2}<4\sqrt{2}-\sqrt{3}$

Ⅱ-1. 다항식의 곱셈

21 $(x+a)^2=x^2-bx+\frac{9}{16}$일 때, 상수 a, b에 대하여 $a-b$의 값은? (단, $a>0$)

① $-\frac{3}{4}$　② $-\frac{1}{4}$　③ $\frac{3}{4}$
④ $\frac{5}{4}$　⑤ $\frac{9}{4}$

22 $(x+a)(x+b)=x^2+cx+28$일 때, 다음 중 c의 값이 될 수 없는 것은? (단, a, b, c는 정수)

① -29　② -11　③ -3
④ 16　⑤ 29

23 다음 등식을 만족시키는 상수 a, b, c, d에 대하여 $a+b+c+d$의 값을 구하시오.

$$(4x+a)(3x+4)=12x^2+25x+b$$
$$(cx-4y)(3x+y)=-6x^2+dxy-4y^2$$

24 다음 보기 중 전개식이 같은 것끼리 짝 지은 것은?

보기
ㄱ. $(3x+4y)^2$
ㄴ. $(3x+4y)(3x-4y)$
ㄷ. $(-3x+4y)(3x-4y)$
ㄹ. $(-3x-4y)(3x-4y)$
ㅁ. $(-3x-4y)^2$

① ㄱ, ㄴ　② ㄱ, ㄷ　③ ㄱ, ㅁ
④ ㄴ, ㄹ　⑤ ㄷ, ㅁ

25 다음 그림은 가로의 길이가 $4x+2$, 세로의 길이가 $8x-5$인 직사각형의 모양의 꽃밭에 폭이 x로 일정한 길을 만든 것이다. 길을 제외한 꽃밭의 넓이를 구하시오.

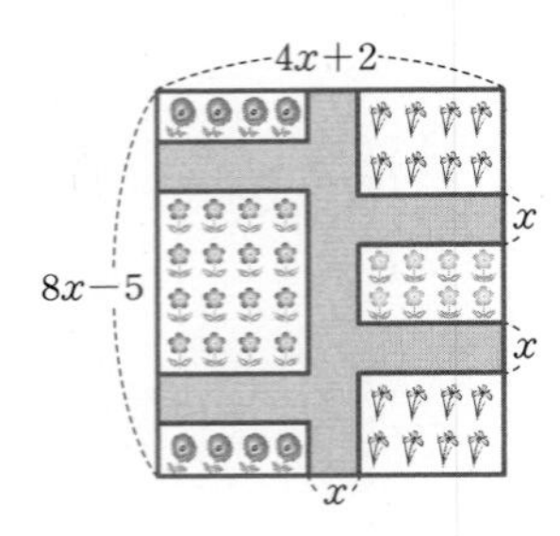

26 곱셈 공식을 이용하여 $\frac{98\times102+4}{100}$를 계산하면?

① 50　② 100　③ 150
④ 200　⑤ 250

27 $(\sqrt{3}-a)(2\sqrt{3}+4)$를 계산한 결과가 유리수일 때, 유리수 a의 값은?

① -2　② -1　③ 0
④ 1　⑤ 2

28 다음을 계산하시오.

$$(\sqrt{2^3}-\sqrt{32})\div\sqrt{(-2)^2}+2\sqrt{8}\times\frac{1}{\sqrt{2}+1}$$

29 $x-y=8$, $xy=-12$일 때, $\frac{y}{x}+\frac{x}{y}$의 값은?

① $-\frac{10}{3}$　② $-\frac{5}{3}$　③ $-\frac{1}{3}$
④ $\frac{5}{3}$　⑤ $\frac{10}{3}$

30 $x^2+2x-10=0$일 때, $(x-2)(x-4)(x+4)(x+6)$의 값을 구하시오.

Ⅱ-2. 인수분해

31 다음 중 $2ab^2-4a^2b+6ab$의 인수가 아닌 것은?

① a ② $2b$ ③ ab
④ $b-a+3$ ⑤ $b(b-2a+3)$

32 $(x+4)(x-10)+k$가 완전제곱식이 되도록 하는 상수 k의 값은?

① 43 ② 45 ③ 46
④ 49 ⑤ 51

33 $5<x<8$일 때, $\sqrt{4x^2-40x+100}+\sqrt{x^2-16x+64}$를 간단히 하면?

① $-3x+18$ ② $-x+2$ ③ $x-2$
④ $2x-10$ ⑤ $3x-18$

34 $x^2+2x-63$은 x의 계수가 1인 두 일차식의 곱으로 인수분해된다. 이때 이 두 일차식의 합은?

① $2x-2$ ② $2x-1$ ③ $2x+1$
④ $2x+2$ ⑤ $2x+3$

35 두 다항식 $2x^2+ax-2$와 $3x^2+7x+b$의 공통인 인수가 $x+2$일 때, 상수 a, b에 대하여 ab의 값은?

① -3 ② -1 ③ 0
④ 3 ⑤ 6

일일 과제 3회

36 넓이가 $2x^2+5xy-12y^2$이고 가로의 길이가 $x+4y$인 직사각형의 세로의 길이는?

① $2x-4y$　② $2x-3y$　③ $2x+3y$
④ $2x+4y$　⑤ $2x+8y$

37 인수분해 공식을 이용하여 다음을 계산하면?

$$1^2-3^2+5^2-7^2+9^2-11^2+13^2-15^2$$

① -152　② -140　③ -128
④ -64　⑤ -32

38 다음 중 $ab-a+b-1$의 인수를 모두 고르면? (정답 2개)

① ab　② $a-1$　③ $a+1$
④ $b-1$　⑤ $b+1$

39 $a+b=6$, $a^2-b^2+2a-2b=40$일 때, $a-b$의 값을 구하시오.

40 오른쪽 그림과 같은 입체도형에서 밑면의 안쪽 원의 반지름의 길이가 1.75 cm, 바깥쪽 원의 반지름의 길이가 8.25 cm이고 높이가 10 cm일 때, 입체도형의 부피를 인수분해 공식을 이용하여 구하시오.

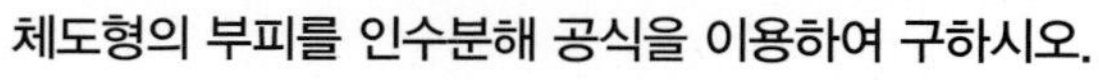

Ⅱ-3. 이차방정식의 뜻과 그 풀이

41 다음 중 x에 대한 이차방정식이 아닌 것은?

① $x-4=-x^2$
② $x^2+x=x^2+4$
③ $2x^2-2x=(x-4)^2$
④ $3x^2-2x=5x^2+3x$
⑤ $x(3x+1)=(x+3)(2x-1)$

42 이차방정식 $x^2+4x+k-2=0$의 한 근이 $x=-2+2\sqrt{2}$일 때, 정수 k의 값은?

① -2 ② -1 ③ 0
④ 1 ⑤ 2

43 이차방정식 $x^2-2x-15=0$의 두 근을 a, b라 할 때, 이차방정식 $ax^2+bx-2=0$을 풀면? (단, $a>b$)

① $x=-1$ 또는 $x=-\frac{2}{5}$
② $x=-\frac{2}{5}$ 또는 $x=1$
③ $x=-1$ 또는 $x=\frac{2}{5}$
④ $x=\frac{2}{5}$ 또는 $x=1$
⑤ $x=-2$ 또는 $x=1$

44 $(3x-2)^2=(n^2+8n)x^2-3$이 x에 대한 이차방정식이 되기 위한 상수 n의 조건은?

① $n\neq-10$ 그리고 $n\neq-1$
② $n\neq-9$ 그리고 $n\neq1$
③ $n\neq-1$ 그리고 $n\neq1$
④ $n\neq-1$ 그리고 $n\neq2$
⑤ $n\neq1$ 그리고 $n\neq2$

45 이차방정식 $x^2+ax-3=0$의 한 근은 $x=-3$이고, 다른 한 근은 이차방정식 $3x^2+bx-2=0$의 한 근일 때, 상수 a, b에 대하여 $a-b$의 값은?

① -3 ② -2 ③ 1
④ 2 ⑤ 3

46 이차방정식 $x^2-8x-5k+1=0$이 중근을 가질 때, 이차방정식 $(k+5)x^2+kx-k^2=0$을 풀면? (단, k는 상수)

① $x=-3$ 또는 $x=-\frac{3}{2}$
② $x=-3$ 또는 $x=\frac{3}{2}$
③ $x=-\frac{3}{2}$ 또는 $x=3$
④ $x=\frac{2}{3}$ 또는 $x=3$
⑤ $x=\frac{3}{2}$ 또는 $x=3$

47 이차방정식 $2(x+2)^2=a$의 해가 $x=b\pm\sqrt{7}$일 때, 유리수 a, b에 대하여 $a-b$의 값은?

① -16 ② -12 ③ 12
④ 16 ⑤ 26

48 이차방정식 $x^2-5x+3=0$의 두 근을 a, b라 할 때, $2a-5<n<2b-5$를 만족시키는 정수 n의 개수는? (단, $a<b$)

① 6개 ② 7개 ③ 8개
④ 9개 ⑤ 10개

49 이차방정식 $0.3(x+1)^2+\frac{1}{5}(x-3)=0$의 두 근을 a, b라 할 때, 이차방정식 $x^2+3ax+b=0$을 푸시오. (단, $a>b$)

50 $x>y$일 때, $(x-y)(x-y-6)-1=0$을 만족시키는 $x-y$의 값을 구하시오.

● 정답과 해설 56쪽

I-1. 제곱근과 실수

1 $(-7)^2$의 제곱근은?

① $\pm\sqrt{7}$ ② $\sqrt{7}$ ③ ±7
④ 7 ⑤ ±49

2 다음 중 옳은 것은?

① 제곱근 64는 ±8이다.
② 모든 실수의 제곱근은 2개이다.
③ $(\sqrt{9})^2$의 제곱근은 ±3이다.
④ 제곱근 $(-\sqrt{3})^2$은 3이다.
⑤ $\sqrt{(-5)^2}$의 음의 제곱근은 -5이다.

3 $a<0$일 때, 다음 중 옳은 것을 모두 고르면? (정답 2개)

① $-\sqrt{4a^2}=-2a$ ② $\sqrt{(-a)^2}=-a$
③ $\sqrt{(3a)^2}=3a$ ④ $-\sqrt{(-5a)^2}=5a$
⑤ $\sqrt{49a^2}=7a$

4 $a<0$, $b>0$일 때, $\sqrt{a^2}-\sqrt{25b^2}+\sqrt{(a-b)^2}$을 간단히 하시오.

5 $\sqrt{\dfrac{112}{x}}$가 자연수가 되도록 하는 모든 자연수 x의 값의 합을 구하시오.

6 오른쪽 그림과 같은 직사각형 모양의 밭을 두 개의 정사각형 A, B와 직사각형 C로 나누어 A에는 상추를, B에는 부추를 심으려고 한다. 두 정사각형 A, B의 넓이는 각각 $12n\,\mathrm{m}^2$, $(36-n)\,\mathrm{m}^2$이고 각 변의 길이가 모두 자연수일 때, 직사각형 C의 넓이를 구하시오. (단, n은 자연수)

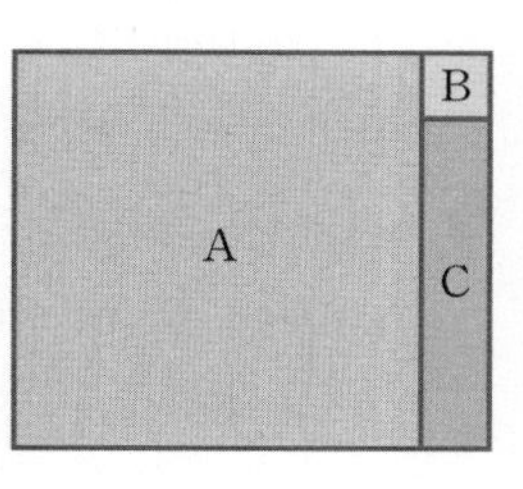

7 다음 중 두 수의 대소 관계가 옳은 것은?

① $\sqrt{11}>\sqrt{13}$　　② $5>\sqrt{26}$

③ $\frac{1}{6}>\sqrt{\frac{1}{6}}$　　④ $-3<-\sqrt{10}$

⑤ $\sqrt{0.2}>0.2$

8 오른쪽 그림과 같이 수직선 위에 넓이가 5인 정사각형 ABCD가 있다. $\overline{AB}=\overline{AP}$이고 점 P에 대응하는 수가 3일 때, 점 A에 대응하는 수를 구하시오.

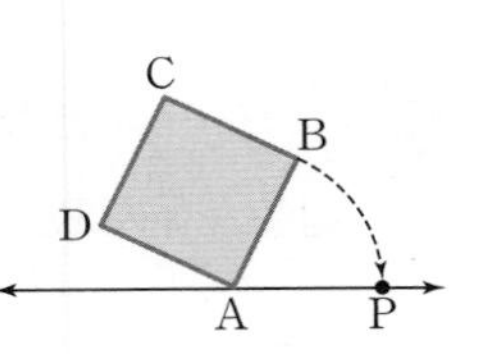

9 다음 중 옳지 않은 것은?

① $\sqrt{5}$는 무리수이다.

② 유리수 중에는 무한소수도 있다.

③ 1에 가장 가까운 무리수는 $\sqrt{2}$이다.

④ 실수에서 유리수가 아닌 수는 모두 무리수이다.

⑤ 무리수를 소수로 나타내면 순환소수가 아닌 무한소수가 된다.

10 다음 중 두 수 $\sqrt{5}$와 $\sqrt{17}$ 사이에 있는 수가 아닌 것은?

① $\sqrt{5}+1$　　② 3

③ $\sqrt{17}-0.1$　　④ $\frac{\sqrt{17}-\sqrt{5}}{2}$

⑤ $\frac{\sqrt{5}+\sqrt{17}}{2}$

I-2. 근호를 포함한 식의 계산

11 다음 보기 중 옳은 것을 모두 고르시오.

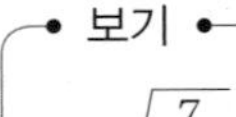

ㄱ. $\sqrt{\frac{7}{16}}=\frac{7}{4}$　　ㄴ. $\sqrt{\frac{3}{100}}=\frac{\sqrt{3}}{10}$

ㄷ. $\sqrt{\frac{20}{18}}=\frac{\sqrt{5}}{3}$　　ㄹ. $\sqrt{0.12}=\frac{\sqrt{3}}{5}$

12 $\sqrt{5}=2.236$, $\sqrt{50}=7.071$일 때, $\sqrt{0.05}$의 값은?

① 0.02236　　② 0.2236　　③ 22.36

④ 0.07071　　⑤ 0.7071

● 정답과 해설 56쪽

13 $\sqrt{24}=a\sqrt{6}$, $\frac{5}{\sqrt{2}}=b\sqrt{2}$일 때, 유리수 a, b에 대하여 ab의 값은?

① 2　② 3　③ 5　④ 7　⑤ 10

14 오른쪽 그림과 같은 직사각형 ABCD에서 대각선 BD의 길이가 $4\sqrt{2}$ cm이고 $\overline{AB}=2\sqrt{3}$ cm일 때, 직사각형 ABCD의 넓이를 구하시오.

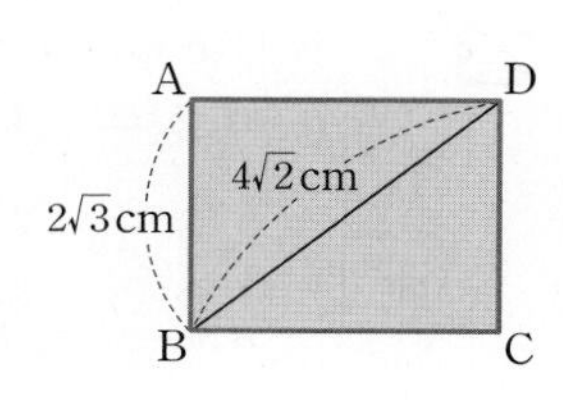

15 다음 중 옳지 않은 것은?

① $4\sqrt{2}+\sqrt{2}=5\sqrt{2}$
② $9\sqrt{14}\div3\sqrt{7}=3\sqrt{2}$
③ $\sqrt{\frac{13}{7}}\times\sqrt{\frac{7}{4}}\div\sqrt{\frac{13}{2}}=\frac{\sqrt{2}}{2}$
④ $(-3\sqrt{5})\times(-8\sqrt{2})=24\sqrt{10}$
⑤ $\sqrt{8}-\sqrt{5}+\sqrt{18}+\sqrt{80}=8\sqrt{10}$

16 $A=-2\sqrt{2}+3\sqrt{3}$, $B=\sqrt{2}+\sqrt{3}$일 때, $2A-B$의 값은?

① $5\sqrt{2}-5\sqrt{3}$　② $-5\sqrt{2}+5\sqrt{3}$
③ $-\sqrt{2}+4\sqrt{3}$　④ $-3\sqrt{2}+7\sqrt{3}$
⑤ $-3\sqrt{2}+2\sqrt{3}$

17 $\sqrt{18}-\frac{\sqrt{2}}{\sqrt{3}}+\sqrt{2}(1+3\sqrt{3})=a\sqrt{2}+b\sqrt{6}$일 때, 유리수 a, b에 대하여 $a+b$의 값은?

① $-\frac{5}{3}$　② $-\frac{2}{3}$　③ $\frac{5}{3}$
④ $\frac{14}{3}$　⑤ $\frac{20}{3}$

18 $3-\sqrt{2}$의 정수 부분을 a, 소수 부분을 b라 할 때, $a+2b$의 값은?

① $4-2\sqrt{2}$　② $5-2\sqrt{2}$　③ $6-2\sqrt{2}$
④ $1+2\sqrt{2}$　⑤ $2+2\sqrt{2}$

19 오른쪽 그림과 같은 사다리꼴 ABCD의 넓이는?

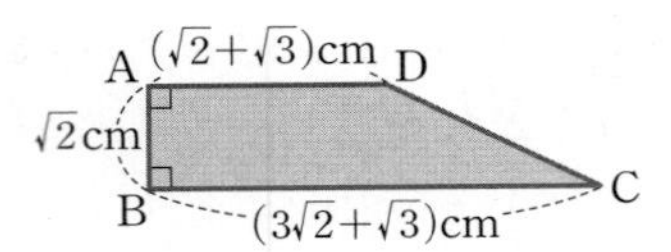

① $(3+\sqrt{6})\text{cm}^2$
② $(4+\sqrt{6})\text{cm}^2$
③ $(5+\sqrt{6})\text{cm}^2$
④ $(6+\sqrt{6})\text{cm}^2$
⑤ $(7+\sqrt{6})\text{cm}^2$

20 다음 중 세 번째로 큰 수를 구하시오.

$\sqrt{3}+\sqrt{7}$, 3, $-1-\sqrt{7}$, $1+\sqrt{7}$

Ⅱ-1. 다항식의 곱셈

21 $(x+ay-2)(2x-3y+b)$를 전개한 식에서 xy의 계수가 -5, 상수항이 4일 때, 상수 a, b에 대하여 $a-b$의 값은?

① -3 ② -2 ③ -1
④ 0 ⑤ 1

22 $(x+a)(x-5)$를 전개하면 $x^2+bx-45$일 때, 상수 a, b에 대하여 $a-2b$의 값은?

① -5 ② -3 ③ 1
④ 3 ⑤ 5

23 $(x-5)(6x+a)$를 전개한 식에서 x의 계수와 상수항이 같을 때, 상수 a의 값은?

① 4 ② 5 ③ 6
④ 7 ⑤ 8

24 다음 보기 중 옳은 것을 모두 고른 것은?

보기
ㄱ. $(x+2)^2=x^2+4$
ㄴ. $(x-1)(x+2)=x^2+x-2$
ㄷ. $(a+2b)(a-2b)=a^2-2b^2$
ㄹ. $(2a+3)(3a-1)=6a^2+7a-3$
ㅁ. $(-a-b)(a-b)=-a^2+b^2$

① ㄱ, ㄴ ② ㄴ, ㄷ ③ ㄱ, ㄷ, ㄹ
④ ㄴ, ㄹ, ㅁ ⑤ ㄷ, ㄹ, ㅁ

25 $(3x+2y)^2+(4x-y)(4x+y)=Ax^2+12xy+By^2$ 일 때, 상수 A, B에 대하여 $A+B$의 값은?

① 18 ② 20 ③ 25
④ 28 ⑤ 30

26 다음 그림과 같이 가로의 길이가 $7a+2$, 세로의 길이가 $3a+5$인 직사각형 모양의 종이를 접어 2개의 정사각형을 만들었다. 이 두 정사각형을 오려 내고 남은 색칠한 직사각형의 넓이를 구하시오.

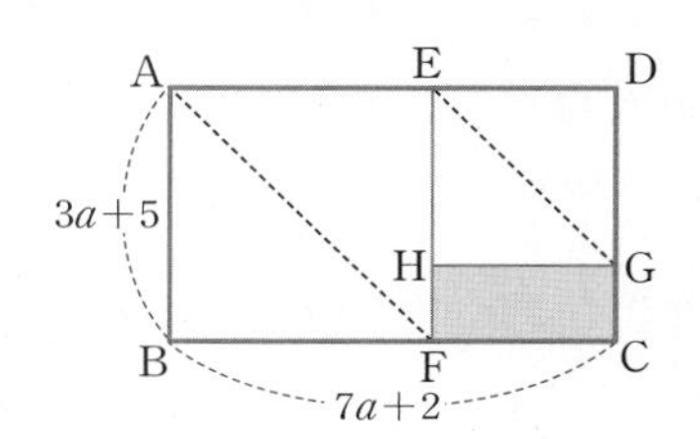

27 $15(2^4+1)(2^8+1)(2^{16}+1)=2^a-1$일 때, 자연수 a의 값은?

① 20 ② 24 ③ 28
④ 32 ⑤ 36

28 두 수 $3-a\sqrt{5}$, $b+\sqrt{5}$의 합과 곱이 모두 유리수가 되도록 하는 유리수 a, b에 대하여 $a-b$의 값은?

① -2 ② -1 ③ 0
④ 1 ⑤ 2

29 $x-y=2$, $x^2+y^2=12$일 때, $\frac{1}{y}-\frac{1}{x}$의 값은?

① $-\frac{1}{2}$ ② $\frac{1}{3}$ ③ $\frac{1}{2}$
④ $\frac{2}{3}$ ⑤ 1

30 $x^2-4x-1=0$일 때, $3x^2+x+\frac{3}{x^2}-\frac{1}{x}$의 값을 구하시오.

Ⅱ-2. 인수분해

31 다음 식에 대한 설명으로 옳지 않은 것은?

$$x^2+5x+6 \underset{㉡}{\overset{㉠}{\rightleftarrows}} (x+2)(x+3)$$

① ㉠의 과정을 인수분해한다고 한다.
② ㉡의 과정을 전개한다고 한다.
③ ㉡의 과정은 곱셈 공식을 이용하면 편리하다.
④ $x+3$은 x^2+5x+6의 인수이다.
⑤ $5x+6$은 x^2+5x+6의 인수이다.

32 두 다항식 $x^2-10x+\square$와 $9x^2+\square x+16$이 모두 완전제곱식으로 인수분해될 때, $\square$ 안에 알맞은 수를 차례로 구하면?

① 25, ±12 ② 25, 24 ③ 25, ±24
④ 40, 12 ⑤ 40, ±24

33 $25x^2-36y^2$이 $(ax+by)(ax-by)$로 인수분해될 때, 자연수 a, b에 대하여 $a+b$의 값은?

① 11 ② 12 ③ 13
④ 14 ⑤ 15

34 다음 중 $x^2(x+1)-9(x+1)$의 인수가 아닌 것은?

① $x-3$ ② $x+1$ ③ $x+3$
④ x^2-2x-3 ⑤ x^2+2x-3

35 $5x^2+kx+6$이 인수분해되도록 하는 정수 k의 값 중 가장 큰 수는?

① 11 ② 13 ③ 17
④ 28 ⑤ 31

36 다음 중 인수분해한 것이 옳지 않은 것은?

① $4a^2b-6a=2a(2ab-3)$
② $\frac{1}{9}x^2-16y^2=\left(\frac{1}{9}x+4y\right)\left(\frac{1}{9}x-4y\right)$
③ $x^2-14xy+49y^2=(x-7y)^2$
④ $2x^2-7x+3=(x-3)(2x-1)$
⑤ $3x^2+6xy-9y^2=3(x-y)(x+3y)$

37 다음 중 98^2-4를 계산하는 데 이용되는 가장 편리한 인수분해 공식은?

① $a^2+2ab+b^2=(a+b)^2$ (단, $a>0$, $b>0$)
② $a^2-2ab+b^2=(a-b)^2$ (단, $a>0$, $b>0$)
③ $a^2-b^2=(a+b)(a-b)$
④ $x^2+(a+b)x+ab=(x+a)(x+b)$
⑤ $acx^2+(ad+bc)x+bd=(ax+b)(cx+d)$

38 $2x^2+3xy+y^2-3x-y-2$가 $(2x+ay-b)(x-cy+d)$로 인수분해될 때, 상수 a, b, c, d에 대하여 $a+b+c+d$의 값은?

① -4 ② -3 ③ -2
④ -1 ⑤ 1

39 $x=\sqrt{6}-2$일 때, $\dfrac{x^3+2x^2-x-2}{x^2+x-2}$의 값은?

① $\sqrt{6}-3$ ② $\sqrt{6}-2$ ③ $\sqrt{6}-1$
④ $\sqrt{6}$ ⑤ $2\sqrt{6}$

40 $a+b=4$, $ab=2$일 때, $a^2(a-b)+b^2(b-a)$의 값은?

① 12 ② 15 ③ 16
④ 18 ⑤ 32

Ⅱ-3. 이차방정식의 뜻과 그 풀이

41 다음 이차방정식 중 $x=1$을 해로 갖는 것은?

① $x^2-3x=0$
② $(x-1)^2=1$
③ $x^2-5x-6=0$
④ $(x+1)(x-2)=0$
⑤ $2x^2+x-3=0$

42 이차방정식 $x^2-5x-8=0$의 한 근이 $x=a$일 때, $2a^2-10a-3$의 값은?

① 10 ② 11 ③ 12
④ 13 ⑤ 14

43 이차방정식 $(x-3)^2=-2x+14$의 두 근 중 큰 근은?

① $x=-5$ ② $x=-3$ ③ $x=-1$
④ $x=1$ ⑤ $x=5$

44 이차방정식 $(a-1)x^2-(a^2+1)x+2(a+1)=0$의 한 근이 $x=2$일 때, 다른 한 근을 구하시오.
(단, a는 상수)

45 이차방정식 $x^2-12ax+6b=0$이 중근을 가질 때, 순서쌍 (a, b)의 개수는? (단, a, b는 200 이하의 자연수)

① 2개 ② 3개 ③ 4개
④ 5개 ⑤ 6개

46 이차방정식 $x^2+10=7x$의 두 근 중 작은 근이 이차방정식 $x^2+ax-19-a=0$의 한 근일 때, 상수 a의 값은?

① 13 ② 14 ③ 15
④ 16 ⑤ 17

47 이차방정식 $(x+3)^2=k$의 두 근의 차가 8일 때, 상수 k의 값은?

① 4 ② 9 ③ 12
④ 16 ⑤ 20

48 이차방정식 $x^2-2x-a=0$을 완전제곱식을 이용하여 풀었더니 해가 $x=1\pm\sqrt{11}$이었다. 이때 상수 a의 값은?

① 9 ② 10 ③ 11
④ 12 ⑤ 13

49 이차방정식 $3x^2-2x+A=0$의 근이 $x=\dfrac{B\pm\sqrt{13}}{3}$일 때, 유리수 A, B에 대하여 $A+B$의 값은?

① -5 ② -3 ③ 1
④ 3 ⑤ 5

50 이차방정식 $x^2-8x+2(a-1)=0$의 해가 모두 정수가 되도록 하는 자연수 a의 개수는?

① 1개 ② 2개 ③ 3개
④ 4개 ⑤ 5개

실전 모의고사 1회

3학년 1학기 수학 중간고사

Ⅰ. 실수와 그 연산 ~ Ⅱ-3. 이차방정식의 뜻과 그 풀이

점수 / 100점

· 객관식: 20문항, 서술형: 5문항
· 다음 물음에 알맞은 답을 골라 답안지에 작성하시오.
· 서술형은 풀이 과정을 자세히 쓰시오.

1 $(-5)^2$의 양의 제곱근을 a, $\sqrt{\frac{1}{256}}$의 음의 제곱근을 b라 할 때, $a+4b$의 값은? [3점]

① -4 ② -1 ③ 1
④ 3 ⑤ 4

2 $\sqrt{121}-(-\sqrt{5})^2+\sqrt{(-2)^2}-(\sqrt{3})^2$을 계산하면? [3점]

① 3 ② 5 ③ 8
④ 11 ⑤ 21

3 $\sqrt{60x}$가 자연수가 되도록 하는 가장 작은 자연수 x의 값은? [4점]

① 3 ② 5 ③ 6
④ 15 ⑤ 30

4 다음 보기 중 무리수인 것을 모두 고른 것은? [4점]

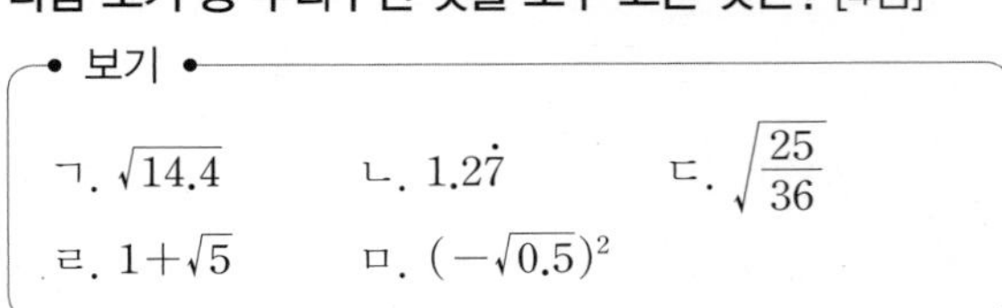
보기
ㄱ. $\sqrt{14.4}$ ㄴ. $1.2\dot{7}$ ㄷ. $\sqrt{\frac{25}{36}}$
ㄹ. $1+\sqrt{5}$ ㅁ. $(-\sqrt{0.5})^2$

① ㄱ, ㄴ ② ㄱ, ㄹ ③ ㄴ, ㄷ
④ ㄴ, ㄹ ⑤ ㄹ, ㅁ

5 다음 중 아래 제곱근표를 이용하여 그 값을 구한 것으로 옳지 않은 것은? [4점]

수	0	1	2	3	4	5	6
5.5	2.345	2.347	2.349	2.352	2.354	2.356	2.358
5.6	2.366	2.369	2.371	2.373	2.375	2.377	2.379
5.7	2.387	2.390	2.392	2.394	2.396	2.398	2.400
5.8	2.408	2.410	2.412	2.415	2.417	2.419	2.421
5.9	2.429	2.431	2.433	2.435	2.437	2.439	2.441
6.0	2.449	2.452	2.454	2.456	2.458	2.460	2.462
6.1	2.470	2.472	2.474	2.476	2.478	2.480	2.482
6.2	2.490	2.492	2.494	2.496	2.498	2.500	2.502

① $\sqrt{561}=23.69$ ② $\sqrt{6.12}=2.474$
③ $\sqrt{5810}=241.0$ ④ $\sqrt{59400}=243.7$
⑤ $\sqrt{0.0626}=0.2502$

6 $6\sqrt{2}-\sqrt{75}-\frac{6}{\sqrt{2}}+2\sqrt{27}=a\sqrt{2}+b\sqrt{3}$일 때, 유리수 a, b에 대하여 ab의 값은? [4점]

① -6 ② -3 ③ -2
④ 3 ⑤ 6

7 $\sqrt{7}+3$의 정수 부분을 a, 소수 부분을 b라 할 때, $a-b$의 값은? [4점]

① $3-\sqrt{7}$ ② $4-\sqrt{7}$ ③ $5-\sqrt{7}$
④ $6-\sqrt{7}$ ⑤ $7-\sqrt{7}$

8 다음 세 수 a, b, c의 대소 관계로 옳은 것은? [4점]

$$a=3+\sqrt{3}, \quad b=\sqrt{27}, \quad c=2+\sqrt{12}$$

① $a<b<c$ ② $a<c<b$
③ $b<a<c$ ④ $b<c<a$
⑤ $c<a<b$

9 다음 중 옳은 것은? [4점]

① $(2x+1)^2=4x^2+1$
② $(x-3)^2=x^2-6x-9$
③ $(3x+2)(2-3x)=-9x^2+4$
④ $(x-2)(x-5)=x^2+7x+10$
⑤ $(2x-1)(3x+2)=6x^2-x-2$

10 오른쪽 그림과 같이 한 변의 길이가 a인 정사각형에서 가로의 길이는 b만큼 늘이고, 세로의 길이는 $2b$만큼 줄였다. 이때 색칠한 직사각형의 넓이는? [4점]

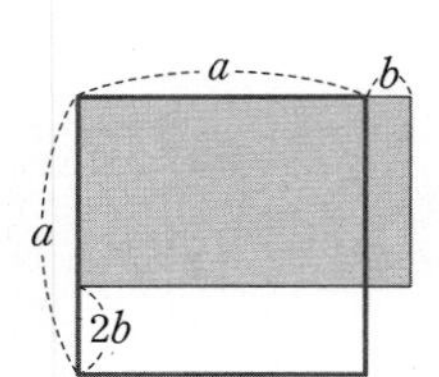

① $a^2+ab+2b^2$
② $a^2+ab-2b^2$
③ $a^2-3ab-2b^2$
④ $a^2+3ab+2b^2$
⑤ $a^2-ab-2b^2$

11 $(3+1)(3^2+1)(3^4+1)(3^8+1)(3^{16}+1)=\frac{1}{2}(3^n-1)$일 때, 자연수 n의 값은? [4점]

① 8 ② 16 ③ 24
④ 30 ⑤ 32

12 $x-y=-4$, $xy=-2$일 때, $(x+y)^2$의 값은? [4점]

① 6 ② 8 ③ 10
④ 12 ⑤ 14

13 $25x^2+(7k-9)xy+16y^2$이 완전제곱식이 되도록 하는 양수 k의 값은? [4점]

① 4 ② 7 ③ 9
④ 12 ⑤ 14

14 다음 중 두 다항식 $x^2+3x-18$과 $3x^2-2x-21$의 공통인 인수는? [3점]

① $x-6$　② $x-3$　③ $x+3$
④ $x+6$　⑤ $3x+7$

15 다음 중 $2\times0.75^2-2\times0.25^2$을 계산하는 데 이용되는 가장 편리한 인수분해 공식을 모두 고르면? (정답 2개) [3점]

① $ma+mb=m(a+b)$
② $a^2+2ab+b^2=(a+b)^2$
③ $a^2-b^2=(a+b)(a-b)$
④ $x^2+(a+b)x+ab=(x+a)(x+b)$
⑤ $acx^2+(ad+bc)x+bd=(ax+b)(cx+d)$

16 $a+b=\sqrt{7}$, $a^2-b^2+2b-1=36$일 때, $a-b$의 값은? [4점]

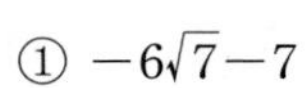

① $-6\sqrt{7}-7$　② $-6\sqrt{7}-5$
③ $6\sqrt{7}$　④ $6\sqrt{7}+5$
⑤ $6\sqrt{7}+7$

17 다음 중 [　] 안의 수가 주어진 이차방정식의 해인 것은? [3점]

① $x^2+x-6=0$　[−2]
② $x^2-4x+4=0$　[−1]
③ $x^2-6x+5=0$　[−1]
④ $x(x+4)=x+4$　[1]
⑤ $(x-1)(x-5)=-3$　[5]

18 이차방정식 $(x-2)(x+3)=-5(x-2)$의 양수인 근은? [4점]

① $x=2$　② $x=\frac{5}{2}$　③ $x=3$
④ $x=\frac{7}{2}$　⑤ $x=4$

19 이차방정식 $x^2+2kx+2k-1=0$이 중근을 가질 때, 이차방정식 $x^2+3x+2k=0$의 해는? (단, k는 상수) [4점]

① $x=-3$ 또는 $x=-1$
② $x=-2$ 또는 $x=-1$
③ $x=-1$ 또는 $x=1$
④ $x=-1$ 또는 $x=2$
⑤ $x=-1$ 또는 $x=3$

20 이차방정식 $x^2+8x+2k+3=0$의 근이 $x=-4\pm\sqrt{3}$일 때, 상수 k의 값은? [4점]

① 1 ② 3 ③ 5
④ 6 ⑤ 8

서술형

21 $a>b>c>0$일 때, $\sqrt{(b-a)^2}-\sqrt{(c-b)^2}+\sqrt{(a-c)^2}$을 간단히 하시오. [5점]

22 $\sqrt{3}=a$, $\sqrt{7}=b$라 할 때, $\sqrt{84}$를 a, b를 사용하여 나타내시오. [5점]

23 다음 그림은 한 칸의 가로와 세로의 길이가 각각 1인 모눈종이 위에 수직선과 두 정사각형을 그린 것이다. $\overline{AD}=\overline{AP}$, $\overline{EF}=\overline{EQ}$이고 두 점 P, Q에 대응하는 수를 각각 a, b라 할 때, $ab-3b$의 값을 구하시오. [5점]

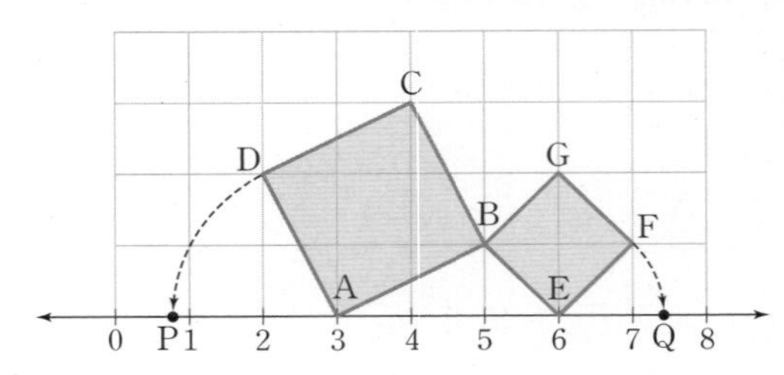

24 x에 대한 어떤 이차식을 건형이는 x의 계수만 잘못 보고 $(x-3)(x+5)$로 인수분해하였고, 수지는 상수항만 잘못 보고 $(x-6)(x+4)$로 인수분해하였다. 처음 이차식을 바르게 인수분해하시오. [5점]

25 이차방정식 $4x^2+ax-5=0$의 한 근이 $x=-2$이고 이차방정식 $x^2+3x+b=0$의 한 근이 $x=-3$일 때, 상수 a, b에 대하여 $a-b$의 값을 구하시오. [5점]

실전 모의고사 2회

3학년 1학기 수학 중간고사

Ⅰ. 실수와 그 연산 ~ Ⅱ-3. 이차방정식의 뜻과 그 풀이

점수 / 100점

· 객관식: 20문항, 서술형: 5문항
· 다음 물음에 알맞은 답을 골라 답안지에 작성하시오.
· 서술형은 풀이 과정을 자세히 쓰시오.

1 다음 중 옳지 않은 것을 모두 고르면? (정답 2개) [4점]

① 제곱근 16은 4이다.
② 음수의 제곱근은 없다.
③ $(-2)^2$의 제곱근은 2이다.
④ $\sqrt{(-7)^2}$의 양의 제곱근은 $\sqrt{7}$이다.
⑤ $\sqrt{0.\dot{4}}$의 제곱근은 $\pm\frac{2}{3}$이다.

2 다음 중 계산 결과가 가장 작은 것은? [4점]

① $-\sqrt{7^2}+(-\sqrt{6})^2$
② $\sqrt{35^2}-\sqrt{(-17)^2}$
③ $-\sqrt{4^2}\times\sqrt{\left(\frac{1}{2}\right)^2}$
④ $(-\sqrt{12})^2\div\sqrt{3^2}$
⑤ $\sqrt{(-5)^2}\times\sqrt{16}\div\sqrt{(-2)^2}$

3 $\sqrt{100-n}$이 자연수가 되도록 하는 자연수 n의 값 중 가장 큰 수를 A, 가장 작은 수를 B라 할 때, $A+B$의 값은? [4점]

① 82 ② 83 ③ 99
④ 100 ⑤ 118

4 다음 제곱근표를 이용하여 $\sqrt{2.14}+\sqrt{22.1}$의 값을 구하면? [3점]

수	0	1	2	3	4
2.0	1.414	1.418	1.421	1.425	1.428
2.1	1.449	1.453	1.456	1.459	1.463
2.2	1.483	1.487	1.490	1.493	1.497
⋮	⋮	⋮	⋮	⋮	⋮
20	4.472	4.483	4.494	4.506	4.517
21	4.583	4.593	4.604	4.615	4.626
22	4.690	4.701	4.712	4.722	4.733

① 1.463 ② 4.472 ③ 4.701
④ 6.164 ⑤ 7.203

5 $\frac{\sqrt{5}}{3}\div\frac{\sqrt{6}}{6\sqrt{2}}\times\frac{a\sqrt{3}}{2}=3\sqrt{5}$일 때, 유리수 a의 값은? [3점]

① 2 ② 3 ③ 4
④ 5 ⑤ 6

6 다음 중 옳은 것은? [3점]

① $\sqrt{2}+\sqrt{8}=\sqrt{10}$
② $6\sqrt{2}-3\sqrt{2}=3$
③ $3\sqrt{2}+2\sqrt{3}=5\sqrt{5}$
④ $2\sqrt{6}-7\sqrt{6}=-5\sqrt{6}$
⑤ $4\sqrt{5}-\sqrt{3}+\sqrt{5}=4\sqrt{5}$

7 두 수 A, B가 다음과 같을 때, $6A-B$의 값은? [4점]

$$A=(\sqrt{6}-\sqrt{18})\div\sqrt{2},\quad B=\frac{\sqrt{3}}{2}(4\sqrt{3}+12)$$

① -24 ② $-12\sqrt{3}$ ③ $-12\sqrt{3}+12$
④ $12\sqrt{3}-12$ ⑤ 24

8 다음 그림은 수직선 위에 한 변의 길이가 1인 두 정사각형 ABCD와 EFGH를 그린 것이다. $\overline{BD}=\overline{BP}$, $\overline{EG}=\overline{EQ}$일 때, $\overline{PQ}$의 길이는? [4점]

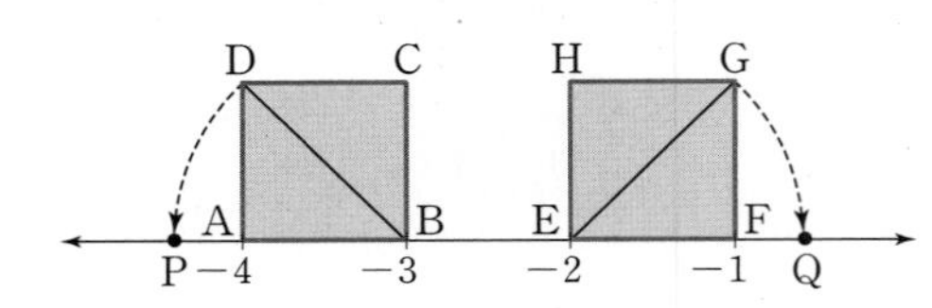

① $-1+2\sqrt{2}$ ② $2\sqrt{2}$ ③ $1+2\sqrt{2}$
④ $2+2\sqrt{2}$ ⑤ $2+3\sqrt{2}$

9 $(3x-5y)(Ax+3y)=-6x^2+Bxy-15y^2$일 때, 상수 A, B에 대하여 $A+B$의 값은? [4점]

① -6 ② -2 ③ 12
④ 17 ⑤ 20

10 $(2x-3)^2-(x+3)(x+4)$를 전개하면? [3점]

① $3x^2-19x-3$
② $3x^2-19x+21$
③ $3x^2-5x-3$
④ $5x^2-5x-3$
⑤ $5x^2-5x+21$

11 곱셈 공식을 이용하여 $\dfrac{2020^2-2018\times2022}{2020^2-2019\times2021}$를 계산하면? [3점]

① 1 ② 2 ③ 4
④ 6 ⑤ 8

12 $x=\dfrac{1}{2+\sqrt{3}}$일 때, x^2-4x+3의 값은? [4점]

① -4 ② -2 ③ 1
④ 2 ⑤ 4

13 $18x^2-ax+2$가 $(bx-1)(3x+c)$로 인수분해될 때, 상수 a, b, c에 대하여 $a-b+c$의 값은? [4점]

① -11 ② -7 ③ 7
④ 11 ⑤ 19

14 다음 중 인수분해를 바르게 한 것은? [4점]

① $x^2-5x+6=(x-1)(x-6)$
② $-x^2+49y^2=(x+7y)(x-7y)$
③ $x^2+3x-18=(x-6)(x+3)$
④ $6x^2+5x-4=(2x-1)(3x+4)$
⑤ $4x^2-8x+4=4(x-2)^2$

15 다음 그림의 모든 직사각형을 빈틈없이 겹치지 않게 이어 붙여 하나의 큰 직사각형을 만들려고 한다. 새로 만든 직사각형의 세로의 길이가 $x+1$일 때, 가로의 길이는? [4점]

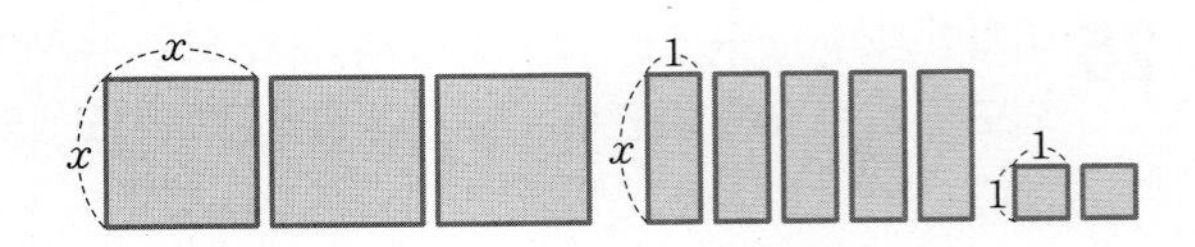

① $3x+1$ ② $3x+2$ ③ $3x+4$
④ $5x+1$ ⑤ $5x+2$

16 인수분해 공식을 이용하여
$$\left(1-\frac{1}{2^2}\right)\left(1-\frac{1}{3^2}\right)\left(1-\frac{1}{4^2}\right)\times\cdots\times\left(1-\frac{1}{49^2}\right)\left(1-\frac{1}{50^2}\right)$$
을 계산하면? [4점]

① $\frac{49}{100}$ ② $\frac{1}{2}$ ③ $\frac{51}{100}$
④ $\frac{49}{50}$ ⑤ $\frac{51}{50}$

17 $2x^2+8x-13=a(x-3)^2$이 x에 대한 이차방정식일 때, 상수 a의 값이 될 수 없는 것은? [4점]

① -3 ② -2 ③ -1
④ 2 ⑤ 3

18 이차방정식 $x^2+2ax-(4a-1)=0$의 한 근이 $x=3$일 때, 다른 한 근은? (단, a는 상수) [4점]

① $x=-5$ ② $x=-3$ ③ $x=1$
④ $x=5$ ⑤ $x=7$

19 이차방정식 $(x+3)(x+7)=20$을 $(x+p)^2=q$ 꼴로 나타낼 때, 상수 p, q에 대하여 $q-p$의 값은? [4점]

① 15 ② 19 ③ 21
④ 24 ⑤ 29

20 이차방정식 $\frac{x^2+1}{4}-\frac{x(x-4)}{5}-0.2x+1=0$의 두 근 중 큰 근은? [4점]

① $x=-6+\sqrt{11}$ ② $x=-3+\sqrt{11}$
③ $x=-6+\sqrt{41}$ ④ $x=3-\sqrt{7}$
⑤ $x=6-\sqrt{11}$

서술형

21 $\sqrt{82-x}-\sqrt{y+21}$이 가장 큰 자연수가 되도록 하는 자연수 x, y에 대하여 xy의 값을 구하시오. [5점]

22 $5\sqrt{2}-\sqrt{12}+2\sqrt{18}-4\sqrt{3}=a\sqrt{2}+b\sqrt{3}$일 때, 유리수 a, b에 대하여 $a+b$의 값을 구하시오. [5점]

23 $\frac{\sqrt{6}-\sqrt{3}}{\sqrt{6}+\sqrt{3}}+\frac{\sqrt{6}+\sqrt{3}}{\sqrt{6}-\sqrt{3}}$을 계산하시오. [5점]

24 다음 세 다항식이 x의 계수가 1인 일차식을 공통인 인수로 가질 때, 상수 a의 값을 구하시오. [5점]

$$3x^2y-9xy$$
$$(2x-3)(x+1)-12$$
$$x^2+ax-21$$

25 이차방정식 $4x^2+6x-2+a=0$의 해가 모두 유리수가 되도록 하는 모든 자연수 a의 값의 합을 구하시오. [5점]

3학년 1학기 수학 중간고사

Ⅰ. 실수와 그 연산 ~ Ⅱ-3. 이차방정식의 뜻과 그 풀이

점수

/ 100점

· 객관식: 20문항, 서술형: 5문항
· 다음 물음에 알맞은 답을 골라 답안지에 작성하시오.
· 서술형은 풀이 과정을 자세히 쓰시오.

1 $\sqrt{a^2}=-a$, $\sqrt{(-b)^2}=b$일 때, $\sqrt{25a^2}-\sqrt{(-4b)^2}$을 간단히 하면? (단, $a\neq0$, $b\neq0$) [4점]

① $-5a-4b$ ② $-5a+4b$
③ $5a-16b$ ④ $5a-4b$
⑤ $5a+4b$

2 자연수 x에 대하여 $\sqrt{x}$ 이하의 자연수의 개수를 $f(x)$개라 할 때, $f(37)+f(70)$의 값은? [4점]

① 12 ② 13 ③ 14
④ 15 ⑤ 16

3 다음 보기 중 옳은 것은 모두 몇 개인가? [4점]

보기
ㄱ. π는 실수이다.
ㄴ. 0은 유리수이다.
ㄷ. 무리수와 무리수의 곱은 항상 무리수이다.
ㄹ. 실수 중에서 무리수가 아닌 수는 유리수이다.
ㅁ. 근호를 사용하여 나타낸 수는 모두 무리수이다.
ㅂ. 0.1과 5 사이에는 5개의 무리수가 있다.

① 1개 ② 2개 ③ 3개
④ 4개 ⑤ 5개

4 다음 중 두 실수의 대소 관계가 옳지 않은 것은? [4점]

① $-\sqrt{8}>-3$
② $\sqrt{5}-2<2$
③ $\sqrt{3}+\sqrt{7}<\sqrt{7}+2$
④ $2-\sqrt{10}<5-\sqrt{10}$
⑤ $6-\sqrt{13}<\sqrt{28}-\sqrt{13}$

5 $\sqrt{8.57}=2.927$일 때, $\sqrt{a}=29.27$을 만족시키는 유리수 a의 값은? [3점]

① 0.857 ② 85.7 ③ 857
④ 8570 ⑤ 85700

6 $3\times\sqrt{5}\times\sqrt{a}=\sqrt{3}\times\sqrt{75}$일 때, 양의 유리수 a의 값은? [3점]

① 1 ② 3 ③ 5
④ 9 ⑤ 25

7 $\frac{6}{\sqrt{3}}(\sqrt{3}-\sqrt{2})-\frac{\sqrt{8}+2\sqrt{3}}{\sqrt{2}}$을 계산하면? [4점]

① $4-3\sqrt{2}$ ② $4+3\sqrt{2}$ ③ $4-3\sqrt{6}$
④ $4+3\sqrt{6}$ ⑤ $6-3\sqrt{6}$

8 다음 그림은 한 칸의 가로와 세로의 길이가 각각 1인 모눈종이 위에 수직선과 정사각형 ABCD를 그린 것이다. $\overline{AB}=\overline{AQ}$, $\overline{AD}=\overline{AP}$이고, 두 점 P, Q에 대응하는 수를 각각 m, n이라 할 때, $3m+2n$의 값은? [4점]

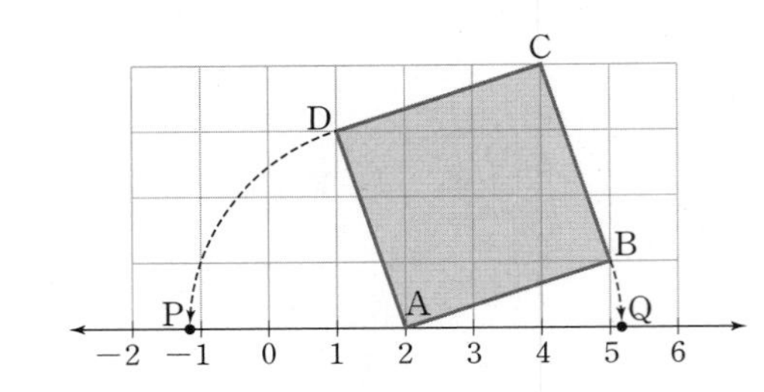

① $10-3\sqrt{10}$ ② $10-2\sqrt{10}$ ③ $10-\sqrt{10}$
④ $10+\sqrt{10}$ ⑤ $10+2\sqrt{10}$

9 $(2x-1)(2x+1)(4x^2+1)(16x^4+1)=4^a x^b+c$일 때, 상수 a, b, c에 대하여 $a+b+c$의 값은? [4점]

① 8 ② 9 ③ 10
④ 11 ⑤ 12

10 다음 중 □ 안의 수가 나머지 넷과 다른 하나는? [4점]

① $(x+2y)^2=x^2+\square xy+4y^2$
② $(2x-1)^2=\square x^2-4x+1$
③ $(-3x+2y)(-3x-2y)=9x^2-\square y^2$
④ $(x-6)(x+2)=x^2-\square x-12$
⑤ $(5x-2)(3x-2)=15x^2-\square x+4$

11 다음 그림과 같이 가로의 길이가 $5x+9y$, 세로의 길이가 $3x+4y$인 직사각형 모양의 벽면에 서로 합동인 직사각형 모양의 타일 12개를 빈틈없이 겹치지 않게 이어 붙이려고 한다. 타일을 붙이지 않은 부분의 넓이를 $ax^2+bxy+cy^2$이라 할 때, 상수 a, b, c에 대하여 $a+3b-c$의 값은?
(단, 색칠한 부분이 타일을 붙인 부분이다.) [4점]

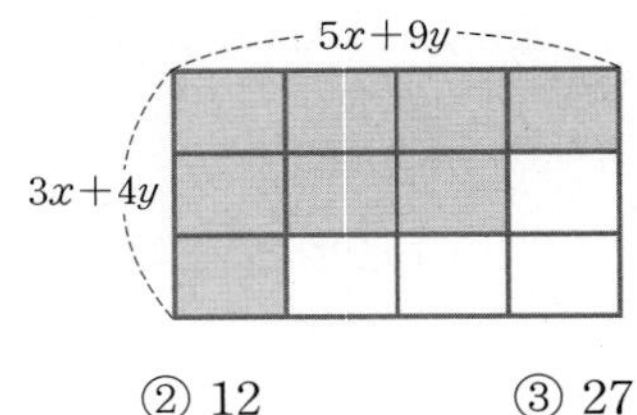

① 5 ② 12 ③ 27
④ 38 ⑤ 40

12 다음 중 81×79를 계산하는 데 이용되는 가장 편리한 곱셈 공식은? [3점]

① $(a+b)^2=a^2+2ab+b^2$ (단, $a>0$, $b>0$)
② $(a-b)^2=a^2-2ab+b^2$ (단, $a>0$, $b>0$)
③ $(a+b)(a-b)=a^2-b^2$
④ $(x+a)(x+b)=x^2+(a+b)x+ab$
⑤ $(ax+b)(cx+d)=acx^2+(ad+bc)x+bd$

13 $0<x<7$일 때, 다음 식을 간단히 하면? [4점]

$$\sqrt{x^2+14x+49}-\sqrt{x^2-14x+49}$$

① $2x-14$　② $2x-7$　③ $2x$
④ $2x+7$　⑤ $2x+14$

14 $x^2+Ax-32$가 $(x+a)(x+b)$로 인수분해될 때, 다음 중 상수 A의 값이 될 수 <u>없는</u> 것은?
(단, a, b는 정수이고, $a>b$) [4점]

① -14　② -4　③ 6
④ 14　⑤ 31

15 다음 보기 중 $x-3$을 인수로 갖는 것을 모두 고른 것은? [4점]

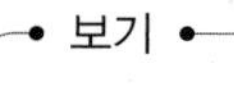

ㄱ. x^2-3x　ㄴ. x^3-16x
ㄷ. x^2+6x+9　ㄹ. $x^2+8x+15$
ㅁ. $2x^2-5x-3$

① ㄱ, ㄹ　② ㄱ, ㅁ　③ ㄴ, ㄹ
④ ㄴ, ㅁ　⑤ ㄷ, ㄹ

16 오른쪽 그림과 같이 윗변의 길이가 $x+3$, 아랫변의 길이가 $x+5$인 사다리꼴의 넓이가 $6x^2+16x-32$일 때, 이 사다리꼴의 높이는? [4점]

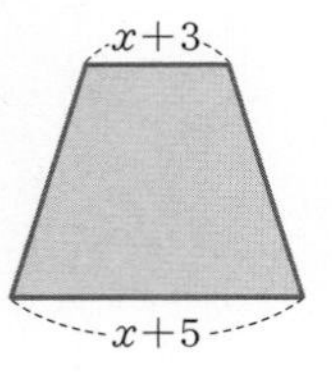

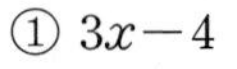

① $3x-4$　② $3x+4$
③ $3x+8$　④ $6x-4$
⑤ $6x-8$

17 다음 중 x에 대한 이차방정식은? [3점]

① x^2+9x-7
② $x^2+2x=x^2-4$
③ $(x-2)^2=3x^2+5x$
④ $2x^2+4x=x(x+1)^2-3$
⑤ $\frac{3}{x^2}+\frac{2}{x}+1=0$

18 이차방정식 $x^2-4x+7=6$의 한 근이 $x=a$일 때, $a^2+\frac{1}{a^2}$의 값은? [4점]

① 4　② 8　③ 10
④ 12　⑤ 14

19 이차방정식 $2x^2-6x-11=0$의 두 근 사이에 있는 정수의 개수는? [4점]

① 4개　② 5개　③ 6개
④ 7개　⑤ 8개

20 이차방정식 $(x-1)^2-5(x-1)-36=0$의 두 근을 a, b라 할 때, $3a+b$의 값은? (단, $a<b$) [3점]

① -3 ② -1 ③ 0
④ 1 ⑤ 3

서술형

21 $\sqrt{135x}$가 자연수가 되도록 하는 두 자리의 자연수 x의 값을 모두 구하시오. [5점]

22 다음 그림의 삼각형과 직사각형의 넓이가 서로 같을 때, 삼각형의 밑변의 길이 x의 값을 구하시오. [5점]

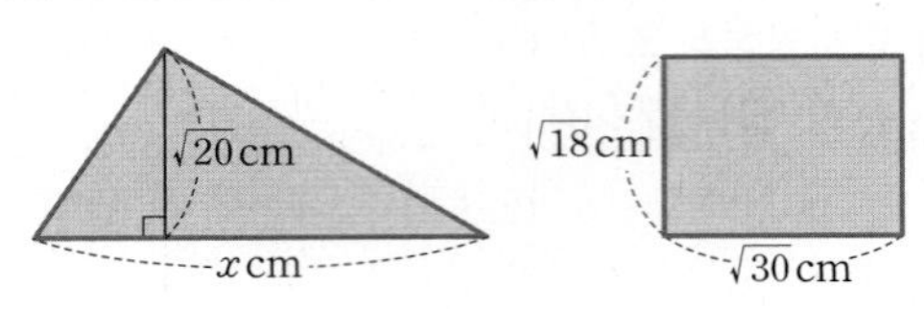

23 $\dfrac{1}{\sqrt{21}+\sqrt{20}}+\dfrac{1}{\sqrt{22}+\sqrt{21}}+\dfrac{1}{\sqrt{23}+\sqrt{22}}+\cdots+\dfrac{1}{\sqrt{100}+\sqrt{99}}$을 계산하시오. [5점]

24 $\sqrt{15}+3$의 정수 부분을 a, 소수 부분을 b라 할 때, $ab+a+b^2+b$의 값을 구하시오. [5점]

25 이차방정식 $0.2x^2+\frac{1}{2}x+0.1=0$을 푸시오. [5점]

15개정 교육과정

1학기 중간고사 대비

정답과 해설

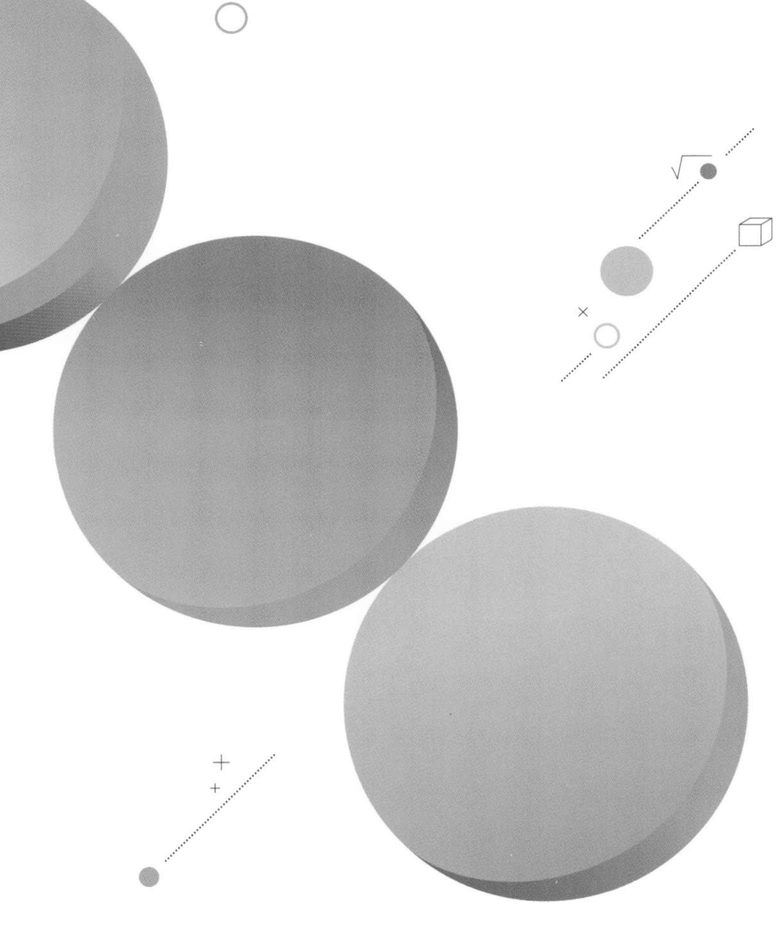

중등 3

책 속의 가접 별책 (특허 제 0557442호)

'정답과 해설'은 본책에서 쉽게 분리할 수 있도록 제작되었으므로
유통 과정에서 분리될 수 있으나 파본이 아닌 정상제품입니다.

ABOVE IMAGINATION

우리는 남다른 상상과 혁신으로
교육 문화의 새로운 전형을 만들어
모든 이의 행복한 경험과 성장에 기여한다

정답과 해설

중 3

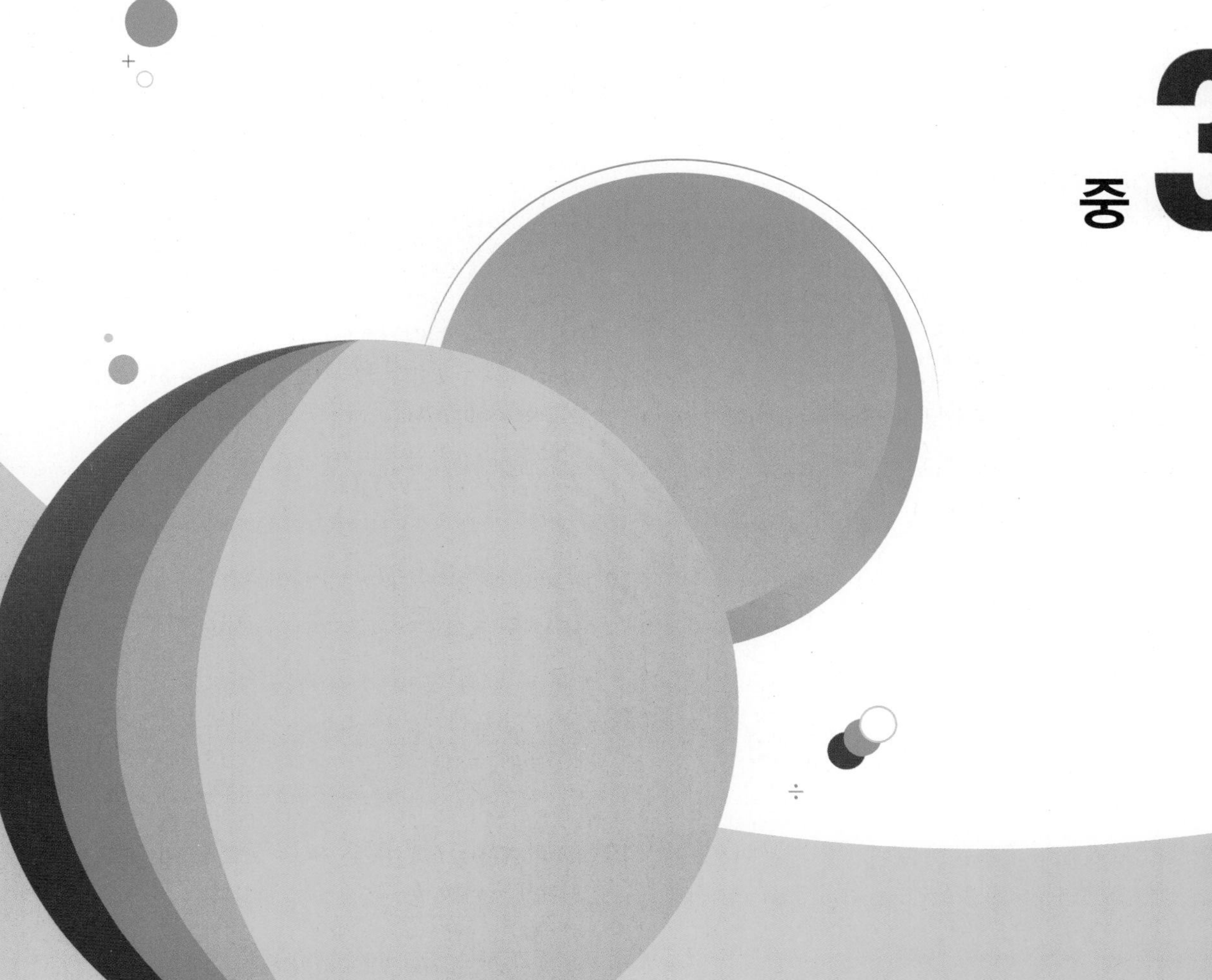

I. 실수와 그 연산

1 ★ 제곱근과 실수

필수 기출 18~26쪽

1 ②	2 ③	3 7	4 ⑤	5 ②
6 ②	7 $\sqrt{13}$ cm	8 ⑤	9 ④, ⑤	10 ④
11 ③	12 ④	13 ⑤	14 ④	15 ④
16 ⑤	17 ⑤	18 ④	19 ②	20 ④
21 ③	22 ③	23 ②	24 6	25 ④
26 ③	27 ③	28 ⑤	29 18	30 ③
31 ③	32 ⑤	33 ④	34 ⑤	35 ⑤
36 3개	37 ①	38 ④	39 ④	40 ②, ⑤
41 P: $-1+\sqrt{2}$, Q: $-1-\sqrt{2}$			42 ③	43 ④
44 ③	45 ②, ④	46 ⑤	47 ③	48 ④
49 ②	50 ③	51 ⑤	52 ③	53 ①
54 ③				

1 x는 3의 제곱근이다. 즉, x를 제곱하면 3이 된다.
⇨ $x^2=3$

2 ③ $\sqrt{100}=10$의 제곱근 ⇨ $\pm\sqrt{10}$

3 $\sqrt{256}=16$의 양의 제곱근은 4이므로 $a=4$
$(-3)^2=9$의 음의 제곱근은 -3이므로 $b=-3$
$\therefore a-b=4-(-3)=7$

4 ① $\sqrt{121}=11$ ② $-\sqrt{64}=-8$
③ $\sqrt{0.\dot{4}}=\sqrt{\frac{4}{9}}=\frac{2}{3}$ ④ $\sqrt{\frac{25}{81}}=\frac{5}{9}$
따라서 근호를 사용하지 않고 나타낼 수 없는 수는 ⑤이다.

5 ① 0의 제곱근은 0이다.
③ 양수의 제곱근은 2개, 0의 제곱근은 1개, 음수의 제곱근은 없다.
④ -25는 음수이므로 제곱근이 없다.
⑤ $\sqrt{\frac{1}{16}}=\frac{1}{4}$의 음의 제곱근은 $-\frac{1}{2}$이다.
따라서 옳은 것은 ②이다.

6 ①, ③, ④, ⑤ $\pm\sqrt{7}$ ② $\sqrt{7}$
따라서 그 값이 나머지 넷과 다른 하나는 ②이다.

7 (두 정사각형의 넓이의 합)$=2^2+3^2=13(\text{cm}^2)$
새로 만든 정사각형의 한 변의 길이를 $x$cm라 하면
$x^2=13$
이때 $x>0$이므로 $x=\sqrt{13}$
따라서 새로 만든 정사각형의 한 변의 길이는 $\sqrt{13}$cm이다.

8 ①, ②, ③, ④ 5 ⑤ -5
따라서 그 값이 나머지 넷과 다른 하나는 ⑤이다.

9 ① $\sqrt{6^2}=6$
② $-\sqrt{\left(-\frac{3}{8}\right)^2}=-\frac{3}{8}$
③ $\sqrt{(-9)^2}=9$
따라서 옳은 것은 ④, ⑤이다.

10 ① 3 ② $\frac{9}{4}$ ③ -6 ④ 7 ⑤ -8
따라서 가장 큰 수는 ④이다.

11 $\sqrt{25}-\sqrt{(-3)^2}+(\sqrt{2})^2-(-\sqrt{5})^2=5-3+2-5=-1$

12 ① $\sqrt{16}+\sqrt{(-1)^2}=4+1=5$
② $\sqrt{3^2}-\sqrt{(-7)^2}=3-7=-4$
③ $\sqrt{12^2}\div\sqrt{(-4)^2}=12\div4=3$
④ $\sqrt{36}+\sqrt{(-2)^2}\times(-\sqrt{3})^2=6+2\times3=12$
⑤ $\sqrt{\frac{9}{16}}-\sqrt{0.25}\div\sqrt{\left(-\frac{2}{3}\right)^2}=\frac{3}{4}-0.5\times\frac{3}{2}=0$
따라서 옳지 않은 것은 ④이다.

13 ⑤ $-a<0$이므로 $\sqrt{(-a)^2}=-(-a)=a$

14 $a<0$일 때, $-3a>0$, $5a<0$이므로
$$\begin{aligned}\sqrt{a^2}+\sqrt{(-3a)^2}-\sqrt{25a^2}&=\sqrt{a^2}+\sqrt{(-3a)^2}-\sqrt{(5a)^2}\\&=-a+(-3a)-(-5a)\\&=-a-3a+5a=a\end{aligned}$$

15 $a>0$, $b<0$일 때, $-4a<0$, $6b<0$이므로
$$\begin{aligned}\sqrt{(-4a)^2}-\sqrt{36b^2}-\sqrt{a^2}&=\sqrt{(-4a)^2}-\sqrt{(6b)^2}-\sqrt{a^2}\\&=-(-4a)-(-6b)-a\\&=4a+6b-a=3a+6b\end{aligned}$$

16 $ab<0$에서 a, b의 부호는 서로 다르고, $a-b<0$에서 $a<b$이므로 $a<0$, $b>0$
따라서 $-a>0$, $3b>0$, $7a<0$이므로
$$\begin{aligned}\sqrt{(-a)^2}-\sqrt{9b^2}+\sqrt{49a^2}&=\sqrt{(-a)^2}-\sqrt{(3b)^2}+\sqrt{(7a)^2}\\&=-a-3b-7a=-8a-3b\end{aligned}$$

17 $a>3$일 때, $3-a<0$, $a-3>0$이므로
$$\begin{aligned}\sqrt{(3-a)^2}+\sqrt{(a-3)^2}&=-(3-a)+(a-3)\\&=-3+a+a-3=2a-6\end{aligned}$$

18 $5<a<8$일 때, $5-a<0$, $8-a>0$이므로
$$\begin{aligned}\sqrt{(5-a)^2}-\sqrt{(8-a)^2}&=-(5-a)-(8-a)\\&=-5+a-8+a=2a-13\end{aligned}$$

19 $ab<0$에서 a, b의 부호는 서로 다르고, $a>0$이므로 $b<0$
따라서 $-a<0$, $b-a<0$, $2b<0$이므로
$\sqrt{(-a)^2}-\sqrt{(b-a)^2}+\sqrt{4b^2}$
$=\sqrt{(-a)^2}-\sqrt{(b-a)^2}+\sqrt{(2b)^2}$
$=-(-a)-\{-(b-a)\}+(-2b)$
$=a+b-a-2b=-b$

20 $b<c<a<0$일 때, $a-c>0$, $b-c<0$이므로
$\sqrt{(a-c)^2}-\sqrt{b^2}+\sqrt{(b-c)^2}$
$=(a-c)-(-b)-(b-c)$
$=a-c+b-b+c$
$=a$

21 $\sqrt{56x}=\sqrt{2^3\times7\times x}$가 자연수가 되려면
$x=2\times7\times$(자연수)^2 꼴이어야 한다.
따라서 가장 작은 자연수 x의 값은 $2\times7=14$

22 $\sqrt{216x}=\sqrt{2^3\times3^3\times x}$가 자연수가 되려면
$x=2\times3\times$(자연수)^2 꼴이어야 한다.
따라서 두 자리의 자연수 x는 $2\times3\times2^2$, $2\times3\times3^2$, $2\times3\times4^2$의 3개이다.

23 $\sqrt{720x}=\sqrt{2^4\times3^2\times5\times x}$가 자연수가 되려면
$x=5\times$(자연수)^2 꼴이어야 하므로
$x=5,\ 5\times2^2,\ 5\times3^2,\ 5\times4^2,\ 5\times5^2,\ 5\times6^2,\ 5\times7^2,\ \cdots$
$\therefore x=5,\ 20,\ 45,\ 80,\ 125,\ 180,\ 245,\ \cdots$
이때 $100<x<200$이므로 $x=125,\ 180$
따라서 구하는 합은 $125+180=305$

24 $\sqrt{\dfrac{24}{x}}=\sqrt{\dfrac{2^3\times3}{x}}$이 자연수가 되려면 x는 24의 약수이면서
$2\times3\times$(자연수)^2 꼴이어야 한다.
따라서 가장 작은 자연수 x의 값은 $2\times3=6$

25 (i) $\sqrt{\dfrac{108}{n}}=\sqrt{\dfrac{2^2\times3^3}{n}}$이 자연수가 되려면 n은 108의 약수이면서 $3\times$(자연수)^2 꼴이어야 한다.
$\therefore n=3,\ 3\times2^2,\ 3^3,\ 2^2\times3^3$
(ii) $\sqrt{300n}=\sqrt{2^2\times3\times5^2\times n}$이 자연수가 되려면
$n=3\times$(자연수)^2 꼴이어야 한다.
$\therefore n=3,\ 3\times2^2,\ 3\times3^2(=3^3),\ 3\times4^2,\ 3\times5^2,$
$3\times6^2(=2^2\times3^3),\ \cdots$
따라서 (i), (ii)를 모두 만족시키는 자연수 n은 3, 12, 27, 108의 4개이다.

26 $\sqrt{18+x}$가 자연수가 되려면 $18+x$가 18보다 큰 (자연수)^2 꼴인 수이어야 하므로
$18+x=25,\ 36,\ 49,\ \cdots$
$\therefore x=7,\ 18,\ 31,\ \cdots$
따라서 가장 작은 자연수 x의 값은 7이다.

27 $\sqrt{40+x}$가 자연수가 되려면 $40+x$가 40보다 큰 (자연수)^2 꼴인 수이어야 하므로
$40+x=49,\ 64,\ 81,\ 100,\ 121,\ 144,\ \cdots$
$\therefore x=9,\ 24,\ 41,\ 60,\ 81,\ 104,\ \cdots$
따라서 100 이하의 자연수 x는 9, 24, 41, 60, 81의 5개이다.

28 $\sqrt{24-x}$가 자연수가 되려면 $24-x$가 24보다 작은 (자연수)^2 꼴인 수이어야 하므로
$24-x=1,\ 4,\ 9,\ 16$ $\quad\therefore x=23,\ 20,\ 15,\ 8$
따라서 구하는 합은 $23+20+15+8=66$

29 $\sqrt{17-x}$가 정수가 되려면 $17-x$가 0 또는 17보다 작은 (자연수)^2 꼴인 수이어야 하므로
$17-x=0,\ 1,\ 4,\ 9,\ 16$ $\quad\therefore x=17,\ 16,\ 13,\ 8,\ 1$
따라서 x의 값 중 가장 큰 수 $a=17$, 가장 작은 수 $b=1$이므로 $a+b=17+1=18$

30 $\sqrt{50-2n}$이 자연수가 되려면 $50-2n$이 50보다 작은 (자연수)^2 꼴인 수이어야 하므로
$50-2n=1,\ 4,\ 9,\ 16,\ 25,\ 36,\ 49$
$\therefore n=\dfrac{49}{2},\ 23,\ \dfrac{41}{2},\ 17,\ \dfrac{25}{2},\ 7,\ \dfrac{1}{2}$
이때 n은 자연수이므로 $n=7,\ 17,\ 23$
따라서 자연수 n의 개수는 3개이다.

31 ① $15>13$이므로 $\sqrt{15}>\sqrt{13}$
② $5<7$이므로 $\sqrt{5}<\sqrt{7}$ $\quad\therefore -\sqrt{5}>-\sqrt{7}$
③ $\dfrac{2}{3}<\dfrac{3}{4}$이므로 $\sqrt{\dfrac{2}{3}}<\sqrt{\dfrac{3}{4}}$ $\quad\therefore -\sqrt{\dfrac{2}{3}}>-\sqrt{\dfrac{3}{4}}$
④ $6=\sqrt{36}$이고 $36>35$이므로 $\sqrt{36}>\sqrt{35}$
$\therefore 6>\sqrt{35}$
⑤ $0.1=\sqrt{0.01}$이고 $0.01<0.1$이므로 $\sqrt{0.01}<\sqrt{0.1}$
$\therefore 0.1<\sqrt{0.1}$
따라서 옳은 것은 ③이다.

32 음수끼리 대소를 비교하면
$2=\sqrt{4}$이고 $4<8$에서 $\sqrt{4}<\sqrt{8}$이므로
$-\sqrt{4}>-\sqrt{8}$ $\quad\therefore -2>-\sqrt{8}$ $\quad\cdots$ ㉠
양수끼리 대소를 비교하면
$\dfrac{1}{2}<5<10$이므로 $\sqrt{\dfrac{1}{2}}<\sqrt{5}<\sqrt{10}$ $\quad\cdots$ ㉡
㉠, ㉡에서 $\sqrt{10}>\sqrt{5}>\sqrt{\dfrac{1}{2}}>0>-2>-\sqrt{8}$
따라서 세 번째로 큰 수는 ⑤이다.

33 $0<a<1$이므로
① $0<a<1$ ② $0<a^2<1$ ③ $0<\sqrt{a}<1$
④ $\dfrac{1}{a}>1$ ⑤ $\sqrt{\dfrac{1}{a}}>1$
이때 $\dfrac{1}{a}<\left(\dfrac{1}{a}\right)^2$에서 $\sqrt{\dfrac{1}{a}}<\dfrac{1}{a}$이므로 $\dfrac{1}{a}$의 값이 가장 크다.

다른 풀이

$a=\dfrac{1}{4}$이라 하면
① $a=\dfrac{1}{4}$ ② $a^2=\left(\dfrac{1}{4}\right)^2=\dfrac{1}{16}$ ③ $\sqrt{a}=\sqrt{\dfrac{1}{4}}=\dfrac{1}{2}$
④ $\dfrac{1}{a}=4$ ⑤ $\sqrt{\dfrac{1}{a}}=\sqrt{4}=2$
따라서 그 값이 가장 큰 것은 ④이다.

34 $5<\sqrt{2x}<6$에서 $5=\sqrt{25}$, $6=\sqrt{36}$이므로
$\sqrt{25}<\sqrt{2x}<\sqrt{36}$, $25<2x<36$ $\therefore \frac{25}{2}<x<18$
따라서 자연수 x는 13, 14, 15, 16, 17의 5개이다.

35 $3\le\sqrt{2x+1}<4$에서 $3=\sqrt{9}$, $4=\sqrt{16}$이므로
$\sqrt{9}\le\sqrt{2x+1}<\sqrt{16}$, $9\le 2x+1<16$
$8\le 2x<15$ $\therefore 4\le x<\frac{15}{2}$
따라서 자연수 x의 값은 4, 5, 6, 7이다.

36 $\sqrt{\frac{9}{121}}=\frac{3}{11}$ ⇨ 유리수
$0.\dot{7}=\frac{7}{9}$ ⇨ 유리수
$\sqrt{(-4)^2}=4$ ⇨ 유리수
따라서 무리수는 $-\sqrt{0.1}$, π, $\frac{\sqrt{3}}{2}$의 3개이다.

37 ②, ③ 무한소수 중 순환소수는 유리수이고, 순환소수가 아닌 무한소수는 무리수이다.
④ $\sqrt{4}=2$와 같이 근호 안의 수가 (유리수)^2 꼴인 수는 유리수이다.
⑤ 유리수인 동시에 무리수인 수는 없다.
따라서 옳은 것은 ①이다.

38 ④ $\sqrt{5}$는 근호를 사용하지 않고 나타낼 수 없다.

39 $\sqrt{3x}$가 유리수가 되려면 $x=3\times$(자연수)^2 꼴이어야 하므로 30 이하인 자연수 중에서 $3\times$(자연수)^2 꼴인 x는 3, 3×2^2, 3×3^2의 3개이다.
따라서 조건을 모두 만족시키는 x의 개수는
$30-3=27$(개)

40 (가)에 해당하는 수는 무리수이다.
③ $\sqrt{\frac{16}{81}}=\frac{4}{9}$ ⇨ 유리수
④ $\sqrt{0.\dot{1}}=\sqrt{\frac{1}{9}}=\frac{1}{3}$ ⇨ 유리수
⑤ $\sqrt{225}=15$의 양의 제곱근은 $\sqrt{15}$ ⇨ 무리수
따라서 (가)에 해당하는 수는 ②, ⑤이다.

41 $\overline{AP}=\overline{AC}=\sqrt{1^2+1^2}=\sqrt{2}$이므로
점 P에 대응하는 수는 $-1+\sqrt{2}$이고,
$\overline{AQ}=\overline{AC}=\sqrt{1^2+1^2}=\sqrt{2}$이므로
점 Q에 대응하는 수는 $-1-\sqrt{2}$이다.

42 한 변의 길이가 1인 정사각형의 대각선의 길이는
$\sqrt{1^2+1^2}=\sqrt{2}$이므로
① 점 A에 대응하는 수는 $-2+\sqrt{2}$
② 점 B에 대응하는 수는 $1-\sqrt{2}$
③ 점 C에 대응하는 수는 $2-\sqrt{2}$
④ 점 D에 대응하는 수는 $3-\sqrt{2}$
⑤ 점 E에 대응하는 수는 $2+\sqrt{2}$
따라서 $2-\sqrt{2}$에 대응하는 점은 ③이다.

43 정사각형 ABCD의 넓이가 6이므로 한 변의 길이는 $\sqrt{6}$
$\overline{AP}=\overline{AB}=\sqrt{6}$이므로 점 P에 대응하는 수는 $3+\sqrt{6}$이다.

44 $\overline{AP}=\overline{AC}=\sqrt{2^2+1^2}=\sqrt{5}$이므로
점 P의 좌표는 $P(-1-\sqrt{5})$이고,
$\overline{DQ}=\overline{DF}=\sqrt{3^2+2^2}=\sqrt{13}$이므로
점 Q의 좌표는 $Q(1+\sqrt{13})$이다.

45 ② 두 정수 0과 1 사이에는 정수가 하나도 없다.
④ 수직선은 유리수와 무리수, 즉 실수에 대응하는 점으로 완전히 메울 수 있다.
따라서 옳지 않은 것은 ②, ④이다.

46 ㄱ. 2에 가장 가까운 무리수는 정할 수 없다.
ㄴ. 0과 1 사이에는 무수히 많은 유리수가 있다.
따라서 옳은 것은 ㄷ, ㄹ이다.

47 $\sqrt{1.89}=1.375$

48 $\sqrt{5.72}=2.392$이므로 $a=2.392$
$\sqrt{5.94}=2.437$이므로 $b=5.94$
$\therefore 1000a+100b=2392+594=2986$

49 ① $(\sqrt{3}-1)-1=\sqrt{3}-2=\sqrt{3}-\sqrt{4}<0$
$\therefore \sqrt{3}-1<1$
② $3-(1+\sqrt{5})=2-\sqrt{5}=\sqrt{4}-\sqrt{5}<0$
$\therefore 3<1+\sqrt{5}$
③ $3<5$이므로 양변에서 $\sqrt{13}$을 빼면 $3-\sqrt{13}<5-\sqrt{13}$
④ $\sqrt{3}>1$이므로 양변에 $\sqrt{7}$을 더하면 $\sqrt{3}+\sqrt{7}>1+\sqrt{7}$
⑤ $4=\sqrt{16}$이고 $\sqrt{16}<\sqrt{20}$에서 $4<\sqrt{20}$이므로
양변에서 $\sqrt{10}$을 빼면 $4-\sqrt{10}<\sqrt{20}-\sqrt{10}$
따라서 옳지 않은 것은 ②이다.

50 $\sqrt{3}>\sqrt{2}$이므로 양변에 2를 더하면
$2+\sqrt{3}>2+\sqrt{2}$ $\therefore A>B$
$2<3$이므로 양변에 $\sqrt{3}$을 더하면
$2+\sqrt{3}<3+\sqrt{3}$ $\therefore A<C$
$\therefore B<A<C$

51 $\sqrt{49}<\sqrt{60}<\sqrt{64}$에서 $7<\sqrt{60}<8$
따라서 $\sqrt{60}$에 대응하는 점이 있는 구간은 E이다.

52 $\sqrt{4}<\sqrt{7}<\sqrt{9}$에서 $2<\sqrt{7}<3$ $\therefore 0<\sqrt{7}-2<1$
따라서 $\sqrt{7}-2$에 대응하는 점은 C이다.

53 $\sqrt{1}<\sqrt{3}<\sqrt{4}$에서 $1<\sqrt{3}<2$
$\sqrt{9}<\sqrt{10}<\sqrt{16}$에서 $3<\sqrt{10}<4$
① $0<\sqrt{10}-3<1$이므로 $\sqrt{10}-3<\sqrt{3}$
② $2<\sqrt{3}+1<3$이므로 $\sqrt{3}<\sqrt{3}+1<\sqrt{10}$
③ $3<7<10$이므로 $\sqrt{3}<\sqrt{7}<\sqrt{10}$
④ $3=\sqrt{9}$이고 $\sqrt{3}<\sqrt{9}<\sqrt{10}$이므로 $\sqrt{3}<3<\sqrt{10}$
⑤ $\frac{\sqrt{3}+\sqrt{10}}{2}$은 $\sqrt{3}$과 $\sqrt{10}$의 평균이므로
$\sqrt{3}<\frac{\sqrt{3}+\sqrt{10}}{2}<\sqrt{10}$
따라서 $\sqrt{3}$과 $\sqrt{10}$ 사이에 있는 수가 아닌 것은 ①이다.

54 $\sqrt{4}<\sqrt{5}<\sqrt{9}$에서 $2<\sqrt{5}<3$이므로 $-3<-\sqrt{5}<-2$
$\therefore -2<1-\sqrt{5}<-1$
$\sqrt{4}<\sqrt{7}<\sqrt{9}$에서 $2<\sqrt{7}<3$이므로 $4<2+\sqrt{7}<5$
따라서 $1-\sqrt{5}$와 $2+\sqrt{7}$ 사이에 있는 정수는 $-1, 0, 1, 2, 3, 4$의 6개이다.

Best 쌍둥이

27~28쪽

1 ①	2 ⑤	3 3	4 ⑤	5 ⑤
6 3개	7 ③	8 ①	9 9	10 ⑤
11 ②, ⑤	12 ②	13 ㄴ, ㄷ	14 ②	

1 $\left(-\frac{4}{5}\right)^2=\frac{16}{25}$의 양의 제곱근은 $\frac{4}{5}$이므로 $a=\frac{4}{5}$
$5.\dot{4}=\frac{54-5}{9}=\frac{49}{9}$의 음의 제곱근은 $-\frac{7}{3}$이므로 $b=-\frac{7}{3}$
$\therefore ab=\frac{4}{5}\times\left(-\frac{7}{3}\right)=-\frac{28}{15}$

2 ㄹ. 넓이가 12인 정사각형의 한 변의 길이는 $\sqrt{12}$이다.
ㅁ. 제곱근 9는 $\sqrt{9}=3$이다.
따라서 옳지 않은 것은 ㄹ, ㅁ이다.

3 $A=(-\sqrt{20})^2\div\sqrt{2^2}-\sqrt{(-3)^2}\times\left(\sqrt{\frac{1}{3}}\right)^2$
$=20\div2-3\times\frac{1}{3}$
$=10-1=9$
따라서 제곱근 A는 $\sqrt{9}=3$

4 $ab<0$에서 a, b의 부호는 서로 다르고, $a>b$이므로
$a>0$, $b<0$
따라서 $-b>0$, $2b<0$, $-3a<0$이므로
$\sqrt{(-b)^2}-\sqrt{(2b)^2}+\sqrt{(-3a)^2}$
$=-b-(-2b)-(-3a)$
$=-b+2b+3a$
$=3a+b$

5 $2<a<4$일 때, $2-a<0$, $4-a>0$이므로
$\sqrt{(2-a)^2}-\sqrt{(4-a)^2}=-(2-a)-(4-a)$
$=-2+a-4+a$
$=2a-6$

6 $\sqrt{28x}=\sqrt{2^2\times7\times x}$가 자연수가 되려면
$x=7\times$(자연수)^2 꼴이어야 한다.
따라서 100 이하의 자연수 x는 7, 7×2^2, 7×3^2의 3개이다.

7 $\sqrt{25-n}$이 자연수가 되려면 $25-n$이 25보다 작은 (자연수)^2 꼴인 수이어야 하므로
$25-n=1, 4, 9, 16$
$\therefore n=24, 21, 16, 9$
따라서 자연수 n의 값이 아닌 것은 ③이다.

8 ① $3=\sqrt{9}$이고 $10>9$이므로
$\sqrt{10}>\sqrt{9}$ $\quad\therefore -\sqrt{10}<-3$
② $4=\sqrt{16}$이고 $16<17$이므로
$\sqrt{16}<\sqrt{17}$ $\quad\therefore 4<\sqrt{17}$
③ $\sqrt{0.09}=0.3$이고 $0.3<0.9$이므로 $\sqrt{0.09}<0.9$
④ $6=\sqrt{36}$이고 $33<36$이므로
$\sqrt{33}<\sqrt{36}$ $\quad\therefore \sqrt{33}<6$
⑤ $14<20$이므로 $\sqrt{14}<\sqrt{20}$ $\quad\therefore \frac{1}{\sqrt{14}}>\frac{1}{\sqrt{20}}$
따라서 옳지 않은 것은 ①이다.

9 $3<\sqrt{4n}\le5$에서 $3=\sqrt{9}$, $5=\sqrt{25}$이므로
$\sqrt{9}<\sqrt{4n}\le\sqrt{25}$, $9<4n\le25$ $\quad\therefore \frac{9}{4}<n\le\frac{25}{4}$
따라서 $x=6$, $y=3$이므로
$x+y=6+3=9$

10 ㄱ. $-\sqrt{4}=-2$ ⇨ 유리수
ㅂ. $\sqrt{144}=12$ ⇨ 유리수
따라서 순환소수가 아닌 무한소수, 즉 무리수는 ㄴ, ㄹ, ㅁ이다.

11 ② 무리수는 순환소수가 아닌 무한소수이다.
③ 음수의 제곱근은 없다.
④ $\sqrt{3}$은 무리수이므로 $\frac{(\text{정수})}{(0\text{이 아닌 정수})}$ 꼴로 나타낼 수 없다.
⑤ $\sqrt{4}=2$와 같이 (유리수)^2 꼴인 수의 제곱근은 유리수이다.
따라서 옳지 않은 것은 ②, ⑤이다.

12 $\overline{BP}=\overline{BC}=\sqrt{1^2+2^2}=\sqrt{5}$이므로
점 P에 대응하는 수는 $-1+\sqrt{5}$이다.

13 ㄱ. $\frac{1}{10}$과 $\frac{7}{10}$ 사이에는 무수히 많은 유리수가 있다.
ㄹ. 1에 가장 가까운 무리수는 정할 수 없다.
따라서 옳은 것은 ㄴ, ㄷ이다.

14 ㄱ. $(\sqrt{10}+1)-4=\sqrt{10}-3=\sqrt{10}-\sqrt{9}>0$
$\therefore \sqrt{10}+1>4$
ㄴ. $1<2$이므로 양변에 $\sqrt{7}$을 더하면 $1+\sqrt{7}<2+\sqrt{7}$
ㄷ. $3=\sqrt{9}$이고 $\sqrt{8}<\sqrt{9}$에서 $\sqrt{8}<3$이므로
양변에 $\sqrt{5}$를 더하면 $\sqrt{8}+\sqrt{5}<3+\sqrt{5}$
ㄹ. $\sqrt{6}>\sqrt{5}$에서 $-\sqrt{6}<-\sqrt{5}$이므로
양변에서 4를 빼면 $-4-\sqrt{6}<-4-\sqrt{5}$
ㅁ. $\sqrt{\frac{1}{6}}>\sqrt{\frac{1}{7}}$에서 $-\sqrt{\frac{1}{6}}<-\sqrt{\frac{1}{7}}$이므로
양변에 5를 더하면 $5-\sqrt{\frac{1}{6}}<5-\sqrt{\frac{1}{7}}$
따라서 옳은 것은 ㄴ, ㄹ이다.

100점 완성

29~30쪽

1-1 11	1-2 ④	2-1 $\sqrt{70}$ cm	2-2 $\sqrt{5}$ cm
3-1 ⑤	3-2 24	4-1 19	4-2 ②
5-1 ①	5-2 $\frac{99}{100}$		

1-1 주어진 수들의 규칙성을 찾아보면

$\sqrt{1}=\sqrt{1^2}=1$

$\sqrt{1+3}=\sqrt{4}=\sqrt{2^2}=2$

$\sqrt{1+3+5}=\sqrt{9}=\sqrt{3^2}=3$

$\sqrt{1+3+5+7}=\sqrt{16}=\sqrt{4^2}=4$

⋮

$\sqrt{1+3+5+7+9+\cdots+19+21}=\sqrt{11^2}=11$

1-2 주어진 수들의 규칙성을 찾아보면

$\sqrt{1}=\sqrt{1^2}=1$

$\sqrt{1+3}=\sqrt{4}=\sqrt{2^2}=2$

$\sqrt{1+3+5}=\sqrt{9}=\sqrt{3^2}=3$

$\sqrt{1+3+5+7}=\sqrt{16}=\sqrt{4^2}=4$

⋮

$\sqrt{1+3+5+7+9+\cdots+47+49}=\sqrt{25^2}=25$

2-1 정사각형을 한 번 접으면 그 넓이는 전 단계 정사각형의 넓이의 $\frac{1}{2}$이 된다.

처음 정사각형의 넓이는 $(\sqrt{560})^2=560(\text{cm}^2)$이므로

[1단계]에서 생기는 정사각형의 넓이는

$560\times\frac{1}{2}=280(\text{cm}^2)$

[2단계]에서 생기는 정사각형의 넓이는

$280\times\frac{1}{2}=140(\text{cm}^2)$

[3단계]에서 생기는 정사각형의 넓이는

$140\times\frac{1}{2}=70(\text{cm}^2)$

[3단계]에서 생기는 정사각형의 한 변의 길이를 $x$cm라 하면

$x^2=70$

이때 $x>0$이므로 $x=\sqrt{70}$

따라서 [3단계]에서 생기는 정사각형의 한 변의 길이는 $\sqrt{70}$ cm이다.

2-2 정사각형을 한 번 접으면 그 넓이는 전 단계 정사각형의 넓이의 $\frac{1}{2}$이 된다.

처음 정사각형의 넓이는 $(\sqrt{80})^2=80(\text{cm}^2)$이므로

[1단계]에서 생기는 정사각형의 넓이는

$80\times\frac{1}{2}=40(\text{cm}^2)$

[2단계]에서 생기는 정사각형의 넓이는

$40\times\frac{1}{2}=20(\text{cm}^2)$

[3단계]에서 생기는 정사각형의 넓이는

$20\times\frac{1}{2}=10(\text{cm}^2)$

[4단계]에서 생기는 정사각형의 넓이는

$10\times\frac{1}{2}=5(\text{cm}^2)$

[4단계]에서 생기는 정사각형의 한 변의 길이를 $x$cm라 하면

$x^2=5$

이때 $x>0$이므로 $x=\sqrt{5}$

따라서 [4단계]에서 생기는 정사각형의 한 변의 길이는 $\sqrt{5}$ cm이다.

3-1 $\sqrt{50-a}-\sqrt{5+b}$가 가장 큰 정수가 되려면 $\sqrt{50-a}$는 가장 큰 정수, $\sqrt{5+b}$는 가장 작은 정수이어야 한다.

$\sqrt{50-a}$가 가장 큰 정수가 되려면 $50-a$가 50보다 작은 (자연수)^2 꼴인 수 중 가장 큰 수이어야 하므로

$50-a=49$

$\therefore a=1$

$\sqrt{5+b}$가 가장 작은 정수가 되려면 $5+b$가 5보다 큰 (자연수)^2 꼴인 수 중 가장 작은 수이어야 하므로

$5+b=9$

$\therefore b=4$

$\therefore a+b=1+4=5$

3-2 $\sqrt{200-x}-\sqrt{101+y}$가 가장 큰 정수가 되려면 $\sqrt{200-x}$는 가장 큰 정수, $\sqrt{101+y}$는 가장 작은 정수이어야 한다.

$\sqrt{200-x}$가 가장 큰 정수가 되려면 $200-x$가 200보다 작은 (자연수)^2 꼴인 수 중 가장 큰 수이어야 하므로

$200-x=196$

$\therefore x=4$

$\sqrt{101+y}$가 가장 작은 정수가 되려면 $101+y$가 101보다 큰 (자연수)^2 꼴인 수 중 가장 작은 수이어야 하므로

$101+y=121$

$\therefore y=20$

$\therefore x+y=4+20=24$

4-1 $\sqrt{1}=1$, $\sqrt{4}=2$, $\sqrt{9}=3$, $\sqrt{16}=4$이므로

$f(1)=f(2)=f(3)=1$

$f(4)=f(5)=f(6)=f(7)=f(8)=2$

$f(9)=f(10)=3$

$\therefore f(1)+f(2)+f(3)+\cdots+f(10)$

$=1\times3+2\times5+3\times2$

$=19$

4-2 $\sqrt{9}=3$, $\sqrt{16}=4$, $\sqrt{25}=5$, $\sqrt{36}=6$이므로

$N(11)=N(12)=N(13)=\cdots=N(16)=3$

$N(17)=N(18)=N(19)=\cdots=N(25)=4$

$N(26)=N(27)=N(28)=N(29)=N(30)=5$

$\therefore N(11)+N(12)+N(13)+\cdots+N(30)$

$=3\times6+4\times9+5\times5$

$=79$

5-1 $\sqrt{a}+\sqrt{b}$가 유리수가 되려면 $\sqrt{a}$, $\sqrt{b}$ 모두 유리수가 되어야 한다. 즉, a, b는 모두 (자연수)^2 꼴이어야 하므로 a, b가 되는 경우의 수는 1, 4, 9, 16의 4가지이다.
따라서 $\sqrt{a}+\sqrt{b}$가 유리수가 될 확률은
$\frac{4}{20}\times\frac{4}{20}=\frac{1}{25}$

5-2 $\sqrt{a}+\sqrt{b}$가 유리수가 되려면 $\sqrt{a}$, $\sqrt{b}$ 모두 유리수가 되어야 한다. 즉, a, b는 모두 (자연수)^2 꼴이어야 하므로 a, b가 되는 경우의 수는 16, 25, 36의 3가지이다.
따라서 $\sqrt{a}+\sqrt{b}$가 무리수가 될 확률은
$1-(\sqrt{a}+\sqrt{b}$가 유리수가 될 확률$)=1-\frac{3}{30}\times\frac{3}{30}$
$=1-\frac{1}{100}$
$=\frac{99}{100}$

서술형 완성 31~32쪽

1 (1) 8 (2) $-\frac{5}{4}$ (3) -10 **2** 4 **3** 8
4 10, 40, 90 **5** 6 **6** 47개
7 (1) $\sqrt{10}$ (2) P: $3+\sqrt{10}$, Q: $3-\sqrt{10}$ **8** $c<a<b$
9 $-4a+6b$ **10** $20\,\text{cm}^2$

1 (1) $\sqrt{(-64)^2}=64$의 양의 제곱근은 8이므로 $a=8$
(2) $\frac{25}{16}$의 음의 제곱근은 $-\frac{5}{4}$이므로 $b=-\frac{5}{4}$
(3) $ab=8\times\left(-\frac{5}{4}\right)=-10$

2 $\sqrt{169}-(\sqrt{11})^2+\sqrt{\left(-\frac{3}{5}\right)^2}\div\sqrt{0.09}$
$=\sqrt{13^2}-(\sqrt{11})^2+\sqrt{\left(-\frac{3}{5}\right)^2}\div\sqrt{0.3^2}$
$=13-11+\frac{3}{5}\div\frac{3}{10}$ …… ①
$=13-11+\frac{3}{5}\times\frac{10}{3}$
$=13-11+2$
$=4$ …… ②

단계	채점 기준	배점
①	주어진 식을 근호를 사용하지 않고 나타내기	4점
②	답 구하기	2점

3 $3<a<5$일 때, $a-5<0$, $a-3>0$, $2a>0$이므로 …… ①
$\sqrt{(a-5)^2}-\sqrt{(a-3)^2}+(-\sqrt{2a})^2$
$=-(a-5)-(a-3)+2a$ …… ②
$=-a+5-a+3+2a$
$=8$ …… ③

단계	채점 기준	배점
①	$a-5$, $a-3$, $2a$의 부호 구하기	3점
②	주어진 식을 근호를 사용하지 않고 나타내기	3점
③	식을 간단히 하기	2점

4 90을 소인수분해하면 $90=2\times3^2\times5$ …… ①
$\sqrt{90x}=\sqrt{2\times3^2\times5\times x}$가 자연수가 되려면
$x=2\times5\times$(자연수)^2, 즉 $x=10\times$(자연수)^2 꼴이어야 한다. …… ②
따라서 100 이하의 자연수 x의 값은
10, $10\times2^2=40$, $10\times3^2=90$ …… ③

단계	채점 기준	배점
①	90을 소인수분해하기	2점
②	$\sqrt{90x}$가 자연수가 되도록 하는 조건 구하기	3점
③	100 이하의 자연수 x의 값 구하기	3점

5 $\sqrt{4}<\sqrt{3a}<\sqrt{25}$에서 $4<3a<25$
$\therefore \frac{4}{3}<a<\frac{25}{3}$ …… ①
$\frac{4}{3}=1.\times\times\times$, $\frac{25}{3}=8.\times\times\times$이므로
$M=8$, $m=2$ …… ②
$\therefore M-m=8-2=6$ …… ③

단계	채점 기준	배점
①	a의 값의 범위 구하기	3점
②	M, m의 값 구하기	3점
③	$M-m$의 값 구하기	2점

6 60보다 작은 두 자리의 자연수는 10, 11, 12, …, 59의 50개이다. …… ①
$\sqrt{2n}$이 유리수가 되려면 $n=2\times$(자연수)^2 꼴이어야 하므로 60보다 작은 두 자리의 자연수 중에서 $2\times$(자연수)^2 꼴인 n은 2×3^2, 2×4^2, 2×5^2의 3개이다. …… ②
따라서 $\sqrt{2n}$이 무리수가 되도록 하는 n의 개수는
$50-3=47$(개) …… ③

단계	채점 기준	배점
①	60보다 작은 두 자리의 자연수의 개수 구하기	3점
②	60보다 작은 수 중에서 $2\times$(자연수)^2 꼴인 자연수의 개수 구하기	3점
③	$\sqrt{2n}$이 무리수가 되도록 하는 n의 개수 구하기	2점

7 (1) $\overline{AC}=\sqrt{3^2+1^2}=\sqrt{10}$
(2) $\overline{AP}=\overline{AC}=\sqrt{10}$이므로 점 P에 대응하는 수는 $3+\sqrt{10}$,
$\overline{AQ}=\overline{AC}=\sqrt{10}$이므로 점 Q에 대응하는 수는 $3-\sqrt{10}$

8 $a=2+\sqrt{3}$, $b=\sqrt{5}+2$에서 $\sqrt{3}<\sqrt{5}$이므로
양변에 2를 더하면
$2+\sqrt{3}<\sqrt{5}+2$
$\therefore a<b$ …… ①
$a-c=(2+\sqrt{3})-3$
$=-1+\sqrt{3}>0$
$\therefore a>c$ …… ②
$\therefore c<a<b$ …… ③

단계	채점 기준	배점
①	a, b의 대소 관계 구하기	3점
②	a, c의 대소 관계 구하기	3점
③	a, b, c의 대소 관계를 부등호를 사용하여 나타내기	2점

9 주어진 일차함수의 그래프가 오른쪽 아래로 향하므로 $a<0$, y절편이 x축보다 위쪽에 있으므로 $b>0$이다. …… ①
$a<0$, $b>0$일 때, $3a<0$, $-5b<0$, $a-b<0$이므로 …… ②
$\sqrt{9a^2}+\sqrt{(-5b)^2}+\sqrt{(a-b)^2}$
$=\sqrt{(3a)^2}+\sqrt{(-5b)^2}+\sqrt{(a-b)^2}$
$=-3a-(-5b)-(a-b)$ …… ③
$=-3a+5b-a+b$
$=-4a+6b$ …… ④

단계	채점 기준	배점
①	a, b의 부호 구하기	3점
②	$3a$, $-5b$, $a-b$의 부호 구하기	2점
③	주어진 식을 근호를 사용하지 않고 나타내기	3점
④	식을 간단히 하기	2점

10 (가), (나)의 사진의 한 변의 길이는 각각 $\sqrt{3n}$ cm, $\sqrt{43-n}$ cm이고 모두 자연수이다.
(i) $\sqrt{3n}$이 자연수가 되려면 $n=3\times$(자연수)^2 꼴이어야 하므로
$n=3$, $3\times2^2(=12)$, $3\times3^2(=27)$, $3\times4^2(=48)$, ⋯
(ii) $\sqrt{43-n}$이 자연수가 되려면 $43-n$이 43보다 작은 (자연수)^2 꼴인 수이어야 하므로
$43-n=1, 4, 9, 16, 25, 36$
$\therefore n=42, 39, 34, 27, 18, 7$
즉, (i), (ii)를 모두 만족시키는 자연수 n의 값은 27이므로 …… ①
(가)의 한 변의 길이는
$\sqrt{3n}=\sqrt{3\times27}=\sqrt{81}=9$(cm)
(나)의 한 변의 길이는
$\sqrt{43-n}=\sqrt{43-27}=\sqrt{16}=4$(cm) …… ②
따라서 (다)의 가로의 길이는 4 cm, 세로의 길이는 $9-4=5$(cm)이므로 (다)에 들어갈 사진의 넓이는
$4\times5=20(\text{cm}^2)$ …… ③

단계	채점 기준	배점
①	n의 값 구하기	5점
②	(가), (나)의 한 변의 길이 구하기	3점
③	(다)에 들어갈 사진의 넓이 구하기	2점

실전 테스트

33~36쪽

1 ②, ⑤	2 ③	3 ②	4 ④	5 ④
6 ②	7 ②	8 ④	9 ⑤	10 ②
11 ③	12 ①	13 ③, ⑤	14 ②, ⑤	15 ④
16 ④	17 ③	18 ③	19 18	20 $a+1$
21 7	22 $10+\sqrt{5}$			

1 ① $\sqrt{4}=2$의 제곱근 ⇨ $\pm\sqrt{2}$
③ 0.81의 제곱근 ⇨ ±0.9
④ $\sqrt{\frac{16}{25}}=\frac{4}{5}$의 제곱근 ⇨ $\pm\sqrt{\frac{4}{5}}$
따라서 옳은 것은 ②, ⑤이다.

2 ① $\sqrt{0.\dot{1}}=\sqrt{\frac{1}{9}}=\frac{1}{3}$
② $-\sqrt{25}=-5$
④ $\sqrt{0.49}=0.7$
⑤ $\sqrt{\frac{9}{16}}=\frac{3}{4}$
따라서 근호를 사용하지 않고 나타낼 수 없는 수는 ③이다.

3 ㄴ. 제곱근 25는 $\sqrt{25}=5$이다.
ㄷ. $\sqrt{16}=4$의 양의 제곱근은 2이다.
ㅁ. 9의 음의 제곱근은 -3이다.
따라서 옳은 것은 ㄱ, ㄹ이다.

4 (직사각형의 넓이)$=5\times4=20(\text{cm}^2)$
정사각형의 한 변의 길이를 x cm라 하면 $x^2=20$
이때 $x>0$이므로 $x=\sqrt{20}$
따라서 정사각형의 한 변의 길이는 $\sqrt{20}$ cm이다.

5 ① $\sqrt{0.25}=\sqrt{0.5^2}=0.5$
④ $\left(\frac{\sqrt{6}}{3}\right)^2=\frac{6}{9}=\frac{2}{3}$
⑤ $-\sqrt{\frac{49}{64}}=-\sqrt{\left(\frac{7}{8}\right)^2}=-\frac{7}{8}$
따라서 옳지 않은 것은 ④이다.

6 ① $\sqrt{\left(-\frac{4}{5}\right)^2}\times\sqrt{\left(\frac{3}{8}\right)^2}=\frac{4}{5}\times\frac{3}{8}=\frac{3}{10}$
② $\sqrt{(-16)^2}+\sqrt{3^2}-\sqrt{(-5)^2}=16+3-5=14$
③ $(-\sqrt{4})^2-\sqrt{2^2}-\sqrt{(-4)^2}=4-2-4=-2$
④ $\sqrt{169}-\sqrt{81}\times\sqrt{(-3)^2}=13-9\times3=-14$
⑤ $\sqrt{144}\div\sqrt{(-6)^2}\times\sqrt{(-2)^2}=12\div6\times2=4$
따라서 계산 결과가 가장 큰 것은 ②이다.

7 $\sqrt{a^2}=a$이므로 $a>0$
즉, $-a<0$, $2a>0$이므로
$\sqrt{(-a)^2}-\sqrt{4a^2}=\sqrt{(-a)^2}-\sqrt{(2a)^2}$
$=-(-a)-2a$
$=a-2a=-a$

8 $\sqrt{72n}=\sqrt{2^3\times3^2\times n}$이 정수가 되려면 $n=2\times$(자연수)^2 꼴이어야 하므로
$n=2,\ 2\times2^2,\ 2\times3^2,\ 2\times4^2,\ 2\times5^2,\ 2\times6^2,\ \cdots$
$\therefore n=2,\ 8,\ 18,\ 32,\ 50,\ 72,\ \cdots$
이때 $10\le n\le50$이므로 $n=18,\ 32,\ 50$
따라서 구하는 합은 $18+32+50=100$

9 $\sqrt{45-x}$가 정수가 되려면 $45-x$가 0 또는 45보다 작은 (자연수)^2 꼴인 수이어야 하므로
$45-x=0,\ 1,\ 4,\ 9,\ 16,\ 25,\ 36$
따라서 자연수 x는 45, 44, 41, 36, 29, 20, 9의 7개이다.

10 $\frac{1}{3}=\sqrt{\frac{1}{9}}$, $\left(\frac{1}{3}\right)^2=\frac{1}{9}=\sqrt{\frac{1}{81}}$이므로 $\left(\frac{1}{3}\right)^2<\frac{1}{3}<\sqrt{\frac{1}{3}}$
$(\sqrt{3})^2=3$이므로 $\sqrt{3}<(\sqrt{3})^2$
따라서 작은 것부터 차례로 나열하면
$\left(\frac{1}{3}\right)^2<\frac{1}{3}<\sqrt{\frac{1}{3}}<\sqrt{3}<(\sqrt{3})^2$이므로 네 번째에 오는 수는 $\sqrt{3}$이다.

11 $3<\sqrt{x+2}<4$에서 $3=\sqrt{9}$, $4=\sqrt{16}$이므로
$\sqrt{9}<\sqrt{x+2}<\sqrt{16}$, $9<x+2<16$
$\therefore 7<x<14$
따라서 자연수 x의 값은 8, 9, 10, 11, 12, 13이므로 구하는 합은
$8+9+10+11+12+13=63$

12 $\sqrt{49}=7$, $\sqrt{64}=8$이므로 $7<\sqrt{60}<8$
$\therefore f(60)=$($\sqrt{60}$ 이하의 자연수의 개수)$=7$
$\sqrt{25}=5$, $\sqrt{36}=6$이므로 $5<\sqrt{27}<6$
$\therefore f(27)=$($\sqrt{27}$ 이하의 자연수의 개수)$=5$
$\therefore f(60)-f(27)=7-5=2$

13 (가)에 해당하는 수는 무리수이다.
① $0.555\cdots=0.\dot{5}=\frac{5}{9}$ ⇨ 유리수
② $\sqrt{\frac{100}{49}}=\frac{10}{7}$ ⇨ 유리수
④ $-\frac{\sqrt{36}}{3}=-\frac{6}{3}=-2$ ⇨ 유리수
따라서 (가)에 해당하는 수는 ③, ⑤이다.

14 ①, ④ $\overline{PC}=\overline{AC}=\sqrt{1^2+1^2}=\sqrt{2}$
② $\overline{CP}=\sqrt{2}$이므로 $P(-2-\sqrt{2})$
③ $\overline{BQ}=\overline{BD}=\sqrt{1^2+1^2}=\sqrt{2}$이므로 $Q(-3+\sqrt{2})$
⑤ $\overline{CQ}=\overline{BQ}-\overline{BC}=\sqrt{2}-1$
따라서 옳지 않은 것은 ②, ⑤이다.

15 ④ 원주율 π는 실수이므로 수직선 위의 점에 대응시킬 수 있다.

16 $\sqrt{6.13}=2.476$, $\sqrt{6.42}=2.534$이므로
$\sqrt{6.13}+\sqrt{6.42}=2.476+2.534=5.01$

17 ① $5-(\sqrt{3}+3)=2-\sqrt{3}=\sqrt{4}-\sqrt{3}>0$
$\therefore 5\ \boxed{>}\ \sqrt{3}+3$
② $\sqrt{11}>\sqrt{10}$이므로 양변에서 2를 빼면
$\sqrt{11}-2\ \boxed{>}\ -2+\sqrt{10}$
③ $2=\sqrt{4}$이고 $\sqrt{4}<\sqrt{5}$에서 $2<\sqrt{5}$이므로
양변에서 $\sqrt{3}$을 빼면 $2-\sqrt{3}\ \boxed{<}\ \sqrt{5}-\sqrt{3}$
④ $3=\sqrt{9}$이고 $\sqrt{9}>\sqrt{8}$에서 $3>\sqrt{8}$이므로
양변에 $\sqrt{7}$을 더하면 $\sqrt{7}+3\ \boxed{>}\ \sqrt{7}+\sqrt{8}$
⑤ $\sqrt{\frac{1}{3}}<\sqrt{\frac{1}{2}}$에서 $-\sqrt{\frac{1}{3}}>-\sqrt{\frac{1}{2}}$이므로
양변에 3을 더하면 $3-\sqrt{\frac{1}{3}}\ \boxed{>}\ 3-\sqrt{\frac{1}{2}}$
따라서 부등호의 방향이 나머지 넷과 다른 하나는 ③이다.

18 $\sqrt{4}<\sqrt{5}<\sqrt{9}$에서 $2<\sqrt{5}<3$
$\therefore 5<3+\sqrt{5}<6$
따라서 $3+\sqrt{5}$에 대응하는 점이 있는 구간은 C이다.

19 $A=-(-\sqrt{9})^2\times\sqrt{\left(\frac{1}{9}\right)^2}-\sqrt{2^2}\times\sqrt{(-3)^2}$
$=-9\times\frac{1}{9}-2\times3$
$=-1-6$
$=-7$ …… ①
$B=\sqrt{0.8^2}\times(-\sqrt{10})^2+\sqrt{\left(-\frac{2}{3}\right)^2}\div\sqrt{2^2}$
$=0.8\times10+\frac{2}{3}\div2$
$=8+\frac{2}{3}\times\frac{1}{2}$
$=8+\frac{1}{3}$
$=\frac{25}{3}$ …… ②
$\therefore A+3B=-7+3\times\frac{25}{3}$
$=-7+25$
$=18$ …… ③

단계	채점 기준	배점
①	A의 값 구하기	3점
②	B의 값 구하기	3점
③	$A+3B$의 값 구하기	2점

20 $-1<a<1$일 때, $a-1<0$, $a+1>0$, $1-a>0$이므로 …… ①
$\sqrt{(a-1)^2}+\sqrt{(a+1)^2}-\sqrt{(1-a)^2}$
$=-(a-1)+(a+1)-(1-a)$ …… ②
$=-a+1+a+1-1+a$
$=a+1$ …… ③

단계	채점 기준	배점
①	$a-1$, $a+1$, $1-a$의 부호 구하기	2점
②	주어진 식을 근호를 사용하지 않고 나타내기	2점
③	식을 간단히 하기	2점

21 $\sqrt{40a}=\sqrt{2^3\times5\times a}$가 자연수가 되려면
$a=2\times5\times$(자연수)^2 꼴이어야 하므로 가장 작은 자연수 a의 값은 $2\times5=10$이다. …… ①

$\sqrt{\frac{48}{b}}=\sqrt{\frac{2^4\times3}{b}}$이 자연수가 되려면 b는 48의 약수이면서 $3\times$(자연수)^2 꼴이어야 하므로 가장 작은 자연수 b의 값은 3이다. …… ②

$\therefore a-b=10-3=7$ …… ③

단계	채점 기준	배점
①	a의 값 구하기	2점
②	b의 값 구하기	2점
③	$a-b$의 값 구하기	2점

22 $\overline{AC}=\sqrt{2^2+1^2}=\sqrt{5}$ …… ①

$\overline{AP}=\overline{AC}=\sqrt{5}$이고 점 P에 대응하는 수가 $10-\sqrt{5}$이므로 점 A에 대응하는 수는 10이다. …… ②

$\overline{AQ}=\overline{AC}=\sqrt{5}$이므로 점 Q에 대응하는 수는 $10+\sqrt{5}$이다. …… ③

단계	채점 기준	배점
①	$\overline{AC}$의 길이 구하기	2점
②	점 A에 대응하는 수 구하기	3점
③	점 Q에 대응하는 수 구하기	3점

2 ★ 근호를 포함한 식의 계산

필수 기출

38~44쪽

1 ⑤	2 ②	3 ②	4 ②	5 68
6 ③	7 ③	8 ⑤	9 ①	10 ②
11 ③	12 ②	13 ①	14 $10a+\frac{b}{10}$	
15 ⑤	16 $\frac{8}{5}$	17 ①	18 ④	19 2
20 3	21 $4\sqrt{2}$ cm		22 ④	23 ①, ④
24 ④	25 ②	26 ②	27 ④	28 ⑤
29 ④	30 -1	31 ④	32 $-2\sqrt{2}-\sqrt{6}$	
33 ④	34 ⑤	35 ⑤	36 ③	37 ④
38 $3a$	39 ⑤	40 $12\sqrt{3}$ cm		41 ④
42 -2	43 $4-3\sqrt{2}$		44 ⑤	
45 $B<A<C$				

1 ① $\frac{\sqrt{6}}{\sqrt{3}}=\sqrt{\frac{6}{3}}=\sqrt{2}$

② $\sqrt{2}\sqrt{3}\sqrt{5}=\sqrt{2\times3\times5}=\sqrt{30}$

③ $2\sqrt{3}\times3\sqrt{7}=2\times3\times\sqrt{3\times7}=6\sqrt{21}$

④ $\sqrt{\frac{10}{3}}\times\sqrt{\frac{6}{5}}=\sqrt{\frac{10}{3}\times\frac{6}{5}}=\sqrt{4}=2$

⑤ $\sqrt{\frac{10}{7}}\div\sqrt{\frac{5}{21}}=\sqrt{\frac{10}{7}}\div\frac{\sqrt{5}}{\sqrt{21}}=\sqrt{\frac{10}{7}}\times\frac{\sqrt{21}}{\sqrt{5}}$
$=\sqrt{\frac{10}{7}\times\frac{21}{5}}=\sqrt{6}$

따라서 옳지 않은 것은 ⑤이다.

2 $8\sqrt{6}\div(-2\sqrt{3})\div\sqrt{\frac{2}{3}}=8\sqrt{6}\div(-2\sqrt{3})\div\frac{\sqrt{2}}{\sqrt{3}}$
$=8\sqrt{6}\times\left(-\frac{1}{2\sqrt{3}}\right)\times\frac{\sqrt{3}}{\sqrt{2}}$
$=8\times\left(-\frac{1}{2}\right)\times\sqrt{6\times\frac{1}{3}\times\frac{3}{2}}$
$=-4\sqrt{3}$

$\therefore a=-4$

3 $\sqrt{2}\times\sqrt{3}\times\sqrt{a}\times\sqrt{18}\times\sqrt{3a}=\sqrt{2\times3\times a\times18\times3a}$
$=\sqrt{(18a)^2}=18a\ (\because a>0)$

따라서 $18a=54$이므로 $a=3$

4 ① $\sqrt{28}=\sqrt{2^2\times7}=2\sqrt{7}$

② $\sqrt{32}=\sqrt{4^2\times2}=4\sqrt{2}$

③ $-\sqrt{50}=-\sqrt{5^2\times2}=-5\sqrt{2}$

④ $\sqrt{72}=\sqrt{6^2\times2}=6\sqrt{2}$

⑤ $\sqrt{300}=\sqrt{10^2\times3}=10\sqrt{3}$

따라서 옳지 않은 것은 ②이다.

5 $\sqrt{98}=\sqrt{7^2\times2}=7\sqrt{2}$ $\quad\therefore a=7$

$5\sqrt{3}=\sqrt{5^2\times3}=\sqrt{75}$ $\quad\therefore b=75$

$\therefore b-a=75-7=68$

6 $\sqrt{\frac{h}{4.9}}$에 $h=98$을 대입하면

$\sqrt{\frac{98}{4.9}}=\sqrt{\frac{980}{49}}=\sqrt{20}=\sqrt{2^2\times5}=2\sqrt{5}$

따라서 먹이가 지면에 닿을 때까지 걸리는 시간을 $a\sqrt{b}$초 꼴로 나타내면 $2\sqrt{5}$초이다.

7 $\sqrt{2}\times\sqrt{3}\times\sqrt{4}\times\sqrt{5}\times\sqrt{6}\times\sqrt{7}$

$=\sqrt{2\times3\times2^2\times5\times2\times3\times7}=\sqrt{2^4\times3^2\times5\times7}$

$=\sqrt{(2^2\times3)^2\times5\times7}=12\sqrt{35}$

$\therefore a=12$

8 ① $\sqrt{3400}=\sqrt{100\times34}=\sqrt{10^2\times34}=10\sqrt{34}$
$=10\times5.831=58.31$

② $\sqrt{340}=\sqrt{100\times3.4}=\sqrt{10^2\times3.4}=10\sqrt{3.4}$
$=10\times1.844=18.44$

③ $\sqrt{0.34}=\sqrt{\frac{34}{100}}=\sqrt{\frac{34}{10^2}}=\frac{\sqrt{34}}{10}=\frac{5.831}{10}=0.5831$

④ $\sqrt{0.034}=\sqrt{\frac{3.4}{100}}=\sqrt{\frac{3.4}{10^2}}=\frac{\sqrt{3.4}}{10}=\frac{1.844}{10}=0.1844$

⑤ $\sqrt{0.0034}=\sqrt{\frac{34}{10000}}=\sqrt{\frac{34}{100^2}}=\frac{\sqrt{34}}{100}$
$=\frac{5.831}{100}=0.05831$

따라서 옳은 것은 ⑤이다.

9 $\frac{\sqrt{0.7}}{10}=\frac{1}{10}\sqrt{\frac{70}{100}}=\frac{1}{10}\sqrt{\frac{70}{10^2}}=\frac{1}{10}\times\frac{\sqrt{70}}{10}$
$=\frac{\sqrt{70}}{100}=\frac{8.367}{100}=0.08367$

10 ① $\sqrt{0.0802}=\sqrt{\frac{8.02}{100}}=\sqrt{\frac{8.02}{10^2}}=\frac{\sqrt{8.02}}{10}$
$=\frac{2.832}{10}=0.2832$

② $\sqrt{0.793}=\sqrt{\frac{79.3}{100}}=\sqrt{\frac{79.3}{10^2}}=\frac{\sqrt{79.3}}{10}$

⇨ 주어진 제곱근표에서 $\sqrt{79.3}$의 값은 구할 수 없다.

③ $\sqrt{780}=\sqrt{100\times7.8}=\sqrt{10^2\times7.8}=10\sqrt{7.8}$
$=10\times2.793=27.93$

④ $\sqrt{810}=\sqrt{100\times8.1}=\sqrt{10^2\times8.1}=10\sqrt{8.1}$
$=10\times2.846=28.46$

⑤ $\sqrt{78100}=\sqrt{10000\times7.81}=\sqrt{100^2\times7.81}=100\sqrt{7.81}$
$=100\times2.795=279.5$

따라서 그 값을 구할 수 없는 것은 ②이다.

11 $22.63=10\times2.263=10\sqrt{5.12}$
$=\sqrt{10^2\times5.12}=\sqrt{100\times5.12}=\sqrt{512}$

$\therefore a=512$

12 $\sqrt{240}=\sqrt{2^4\times3\times5}=2^2\times\sqrt{3}\times\sqrt{5}=4ab$

13 ① $\sqrt{\frac{8}{3}}=\frac{\sqrt{2^3}}{\sqrt{3}}=\frac{(\sqrt{2})^3}{\sqrt{3}}=\frac{a^3}{b}$

② $\sqrt{\frac{25}{6}}=\frac{\sqrt{25}}{\sqrt{6}}=\frac{5}{\sqrt{2}\times\sqrt{3}}=\frac{5}{ab}$

③ $\sqrt{12}=\sqrt{2^2\times3}=(\sqrt{2})^2\times\sqrt{3}=a^2b$

④ $\sqrt{96}=\sqrt{2^5\times3}=(\sqrt{2})^5\times\sqrt{3}=a^5b$

⑤ $\sqrt{216}=\sqrt{2^3\times3^3}=(\sqrt{2})^3\times(\sqrt{3})^3=a^3b^3$

따라서 옳은 것은 ①이다.

14 $\sqrt{120}+\sqrt{0.12}=\sqrt{100\times1.2}+\sqrt{\frac{12}{100}}$
$=\sqrt{10^2\times1.2}+\sqrt{\frac{12}{10^2}}$
$=10\sqrt{1.2}+\frac{\sqrt{12}}{10}$
$=10a+\frac{b}{10}$

15 ① $\frac{1}{\sqrt{5}}=\frac{1\times\sqrt{5}}{\sqrt{5}\times\sqrt{5}}=\frac{\sqrt{5}}{5}$

② $\frac{7}{\sqrt{7}}=\frac{7\times\sqrt{7}}{\sqrt{7}\times\sqrt{7}}=\frac{7\sqrt{7}}{7}=\sqrt{7}$

③ $\frac{20}{\sqrt{5}}=\frac{20\times\sqrt{5}}{\sqrt{5}\times\sqrt{5}}=\frac{20\sqrt{5}}{5}=4\sqrt{5}$

④ $\frac{\sqrt{5}}{2\sqrt{6}}=\frac{\sqrt{5}\times\sqrt{6}}{2\sqrt{6}\times\sqrt{6}}=\frac{\sqrt{30}}{12}$

⑤ $\frac{3\sqrt{3}}{4\sqrt{2}}=\frac{3\sqrt{3}\times\sqrt{2}}{4\sqrt{2}\times\sqrt{2}}=\frac{3\sqrt{6}}{8}$

따라서 옳지 않은 것은 ⑤이다.

16 $\frac{3}{\sqrt{2}}=\frac{3\times\sqrt{2}}{\sqrt{2}\times\sqrt{2}}=\frac{3\sqrt{2}}{2}$ $\therefore a=\frac{3}{2}$

$\frac{1}{2\sqrt{5}}=\frac{1\times\sqrt{5}}{2\sqrt{5}\times\sqrt{5}}=\frac{\sqrt{5}}{10}$ $\therefore b=\frac{1}{10}$

$\therefore a+b=\frac{3}{2}+\frac{1}{10}=\frac{16}{10}=\frac{8}{5}$

17 ㄴ. $\frac{2}{3}=\frac{\sqrt{4}}{3}$

ㄷ. $\frac{\sqrt{2}}{\sqrt{3}}=\frac{\sqrt{2}\times\sqrt{3}}{\sqrt{3}\times\sqrt{3}}=\frac{\sqrt{6}}{3}$

ㄹ. $\sqrt{3}=\frac{3\sqrt{3}}{3}=\frac{\sqrt{27}}{3}$

ㅁ. $\frac{2}{\sqrt{3}}=\frac{2\times\sqrt{3}}{\sqrt{3}\times\sqrt{3}}=\frac{2\sqrt{3}}{3}=\frac{\sqrt{12}}{3}$

$\therefore \frac{\sqrt{3}}{3}<\frac{2}{3}<\frac{\sqrt{2}}{\sqrt{3}}<\frac{2}{\sqrt{3}}<\sqrt{3}$

따라서 가장 작은 수와 가장 큰 수를 차례로 고르면 ㄱ, ㄹ이다.

18 $\frac{\sqrt{3}}{\sqrt{50}}\times\frac{2\sqrt{2}}{\sqrt{10}}\div\sqrt{\frac{3}{5}}=\frac{\sqrt{3}}{5\sqrt{2}}\times\frac{2\sqrt{2}}{\sqrt{10}}\times\frac{\sqrt{5}}{\sqrt{3}}=\frac{2}{5\sqrt{2}}$
$=\frac{2\times\sqrt{2}}{5\sqrt{2}\times\sqrt{2}}=\frac{\sqrt{2}}{5}$

19 $\sqrt{27}\times\frac{8}{\sqrt{48}}\div\frac{6}{\sqrt{5}}=3\sqrt{3}\times\frac{8}{4\sqrt{3}}\times\frac{\sqrt{5}}{6}=\sqrt{5}\qquad\therefore a=1$

$3\sqrt{2}\div\sqrt{6}\times2\sqrt{2}=3\sqrt{2}\times\frac{1}{\sqrt{6}}\times2\sqrt{2}=\frac{6\sqrt{2}}{\sqrt{3}}=\frac{6\sqrt{2}\times\sqrt{3}}{\sqrt{3}\times\sqrt{3}}=2\sqrt{6}$

$\therefore b=2$

$\therefore ab=1\times2=2$

20 (삼각형의 넓이)$=\frac{1}{2}\times\sqrt{24}\times\sqrt{12}=\frac{1}{2}\times2\sqrt{6}\times2\sqrt{3}=6\sqrt{2}$

(직사각형의 넓이)$=x\times\sqrt{8}=2\sqrt{2}x$

따라서 $6\sqrt{2}=2\sqrt{2}x$이므로 $x=\frac{6\sqrt{2}}{2\sqrt{2}}=3$

21 직육면체의 높이를 $h$cm라 하면 직육면체의 부피는

$\sqrt{20}\times\sqrt{18}\times h=48\sqrt{5}$

$2\sqrt{5}\times3\sqrt{2}\times h=48\sqrt{5}$, $6\sqrt{10}h=48\sqrt{5}$

$\therefore h=\frac{48\sqrt{5}}{6\sqrt{10}}=\frac{8}{\sqrt{2}}=\frac{8\times\sqrt{2}}{\sqrt{2}\times\sqrt{2}}=4\sqrt{2}$

따라서 직육면체의 높이는 $4\sqrt{2}$cm이다.

22 오른쪽 그림과 같이 점 A에서 $\overline{BC}$에 내린 수선의 발을 H라 하면

$\overline{CH}=\frac{1}{2}\overline{BC}=\frac{1}{2}\times4\sqrt{2}=2\sqrt{2}$(cm)

$\triangle AHC$에서

$\overline{AH}=\sqrt{(4\sqrt{2})^2-(2\sqrt{2})^2}=2\sqrt{6}$(cm)

$\therefore \triangle ABC=\frac{1}{2}\times4\sqrt{2}\times2\sqrt{6}=8\sqrt{3}(\text{cm}^2)$

참고 한 변의 길이가 a인 정삼각형의 높이를 h, 넓이를 S라 하면

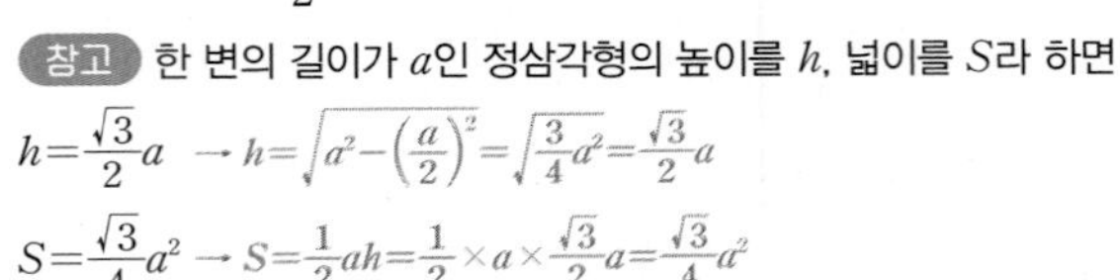

$h=\frac{\sqrt{3}}{2}a\ \rightarrow h=\sqrt{a^2-\left(\frac{a}{2}\right)^2}=\sqrt{\frac{3}{4}a^2}=\frac{\sqrt{3}}{2}a$

$S=\frac{\sqrt{3}}{4}a^2\ \rightarrow S=\frac{1}{2}ah=\frac{1}{2}\times a\times\frac{\sqrt{3}}{2}a=\frac{\sqrt{3}}{4}a^2$

23 ① $6\sqrt{2}-4\sqrt{2}=(6-4)\sqrt{2}=2\sqrt{2}$

② $\sqrt{3}+\sqrt{7}\neq\sqrt{10}$

③ $\sqrt{7}-\sqrt{2}\neq\sqrt{5}$

④ $3\sqrt{2}+7\sqrt{2}=(3+7)\sqrt{2}=10\sqrt{2}$

⑤ $4\sqrt{5}-2\sqrt{5}+6\sqrt{5}=(4-2+6)\sqrt{5}=8\sqrt{5}$

따라서 옳은 것은 ①, ④이다.

24 $\sqrt{32}-\sqrt{50}+\sqrt{72}=4\sqrt{2}-5\sqrt{2}+6\sqrt{2}=5\sqrt{2}$

25 $a\sqrt{\frac{b}{a}}+b\sqrt{\frac{a}{b}}=\sqrt{a^2\times\frac{b}{a}}+\sqrt{b^2\times\frac{a}{b}}=\sqrt{ab}+\sqrt{ab}=2\sqrt{ab}$

$=2\sqrt{16}=2\times4=8$

26 $\sqrt{27}+\frac{3}{\sqrt{3}}-\sqrt{12}=3\sqrt{3}+\frac{3\times\sqrt{3}}{\sqrt{3}\times\sqrt{3}}-2\sqrt{3}$

$=3\sqrt{3}+\frac{3\sqrt{3}}{3}-2\sqrt{3}$

$=3\sqrt{3}+\sqrt{3}-2\sqrt{3}$

$=2\sqrt{3}$

27 $\frac{10}{\sqrt{5}}-\frac{\sqrt{20}}{2}+\frac{3}{\sqrt{45}}=\frac{10\times\sqrt{5}}{\sqrt{5}\times\sqrt{5}}-\frac{2\sqrt{5}}{2}+\frac{3}{3\sqrt{5}}$

$=2\sqrt{5}-\sqrt{5}+\frac{3\times\sqrt{5}}{3\sqrt{5}\times\sqrt{5}}$

$=2\sqrt{5}-\sqrt{5}+\frac{\sqrt{5}}{5}=\frac{6\sqrt{5}}{5}$

$\therefore k=\frac{6}{5}$

28 $2\sqrt{3}(\sqrt{5}-\sqrt{2})+\sqrt{3}(\sqrt{80}-\sqrt{72})$

$=2\sqrt{15}-2\sqrt{6}+\sqrt{3}(4\sqrt{5}-6\sqrt{2})$

$=2\sqrt{15}-2\sqrt{6}+4\sqrt{15}-6\sqrt{6}$

$=6\sqrt{15}-8\sqrt{6}$

29 $3A-2B=3(5\sqrt{7}-6\sqrt{5})-2(\sqrt{7}-4\sqrt{5})$

$=15\sqrt{7}-18\sqrt{5}-2\sqrt{7}+8\sqrt{5}$

$=13\sqrt{7}-10\sqrt{5}$

30 $\frac{4-3\sqrt{2}}{\sqrt{2}}=\frac{(4-3\sqrt{2})\times\sqrt{2}}{\sqrt{2}\times\sqrt{2}}=\frac{4\sqrt{2}-6}{2}=-3+2\sqrt{2}$

따라서 $a=-3$, $b=2$이므로

$a+b=-3+2=-1$

31 $\frac{3\sqrt{2}+\sqrt{3}}{\sqrt{3}}-\frac{\sqrt{48}-6\sqrt{2}}{\sqrt{2}}$

$=\frac{(3\sqrt{2}+\sqrt{3})\times\sqrt{3}}{\sqrt{3}\times\sqrt{3}}-\frac{(4\sqrt{3}-6\sqrt{2})\times\sqrt{2}}{\sqrt{2}\times\sqrt{2}}$

$=\frac{3\sqrt{6}+3}{3}-\frac{4\sqrt{6}-12}{2}$

$=\sqrt{6}+1-2\sqrt{6}+6=7-\sqrt{6}$

32 $\frac{3}{\sqrt{18}}-\frac{12}{\sqrt{24}}+\sqrt{3}\left(\frac{1}{\sqrt{6}}-\sqrt{6}\right)$

$=\frac{3}{3\sqrt{2}}-\frac{12}{2\sqrt{6}}+\frac{1}{\sqrt{2}}-\sqrt{18}$

$=\frac{3\times\sqrt{2}}{3\sqrt{2}\times\sqrt{2}}-\frac{12\times\sqrt{6}}{2\sqrt{6}\times\sqrt{6}}+\frac{1\times\sqrt{2}}{\sqrt{2}\times\sqrt{2}}-3\sqrt{2}$

$=\frac{\sqrt{2}}{2}-\sqrt{6}+\frac{\sqrt{2}}{2}-3\sqrt{2}=-2\sqrt{2}-\sqrt{6}$

33 $\frac{5+\sqrt{15}}{5}+\sqrt{5}(\sqrt{20}-\sqrt{3})=1+\frac{\sqrt{15}}{5}+\sqrt{5}(2\sqrt{5}-\sqrt{3})$

$=1+\frac{\sqrt{15}}{5}+10-\sqrt{15}$

$=11-\frac{4\sqrt{15}}{5}$

따라서 $a=11$, $b=-\frac{4}{5}$이므로

$a+5b=11+5\times\left(-\frac{4}{5}\right)=7$

34 $4a-2\sqrt{5}+a\sqrt{5}+1=4a+1+(-2+a)\sqrt{5}$

이 식이 유리수가 되려면 $-2+a=0$이어야 하므로

$a=2$

35 $\sqrt{5}(2\sqrt{5}-3)-a(1-\sqrt{5})=10-3\sqrt{5}-a+a\sqrt{5}$

$=10-a+(-3+a)\sqrt{5}$

이 식이 유리수가 되려면 $-3+a=0$이어야 하므로

$a=3$

36 $1<\sqrt{2}<2$에서 $-2<-\sqrt{2}<-1$
$\therefore 2<4-\sqrt{2}<3$
따라서 $a=2$, $b=(4-\sqrt{2})-2=2-\sqrt{2}$이므로
$2a-b=2\times2-(2-\sqrt{2})=2+\sqrt{2}$

37 $2\sqrt{3}=\sqrt{12}$에서 $3<\sqrt{12}<4$ $\quad\therefore 12<9+\sqrt{12}<13$
따라서 $a=12$, $b=(9+2\sqrt{3})-12=-3+2\sqrt{3}$이므로
$\frac{a}{b+3}=\frac{12}{(-3+2\sqrt{3})+3}=\frac{12}{2\sqrt{3}}=\frac{6}{\sqrt{3}}=\frac{6\times\sqrt{3}}{\sqrt{3}\times\sqrt{3}}=2\sqrt{3}$

38 $2<\sqrt{5}<3$이므로 $a=\sqrt{5}-2$
$\therefore \sqrt{5}=a+2$
이때 $6<\sqrt{45}<7$이므로 $\sqrt{45}$의 소수 부분은
$\sqrt{45}-6=3\sqrt{5}-6$
$=3(a+2)-6$
$=3a+6-6=3a$

39 $\square\text{ABCD}=\frac{1}{2}\times\{(\sqrt{27}+2)+\sqrt{75}\}\times\sqrt{18}$
$=\frac{1}{2}\times(3\sqrt{3}+2+5\sqrt{3})\times3\sqrt{2}$
$=\frac{1}{2}\times(8\sqrt{3}+2)\times3\sqrt{2}$
$=12\sqrt{6}+3\sqrt{2}$

40 $\overline{\text{AB}}=\sqrt{12}=2\sqrt{3}(\text{cm})$, $\overline{\text{BC}}=\sqrt{48}=4\sqrt{3}(\text{cm})$
$\therefore$ ($\square$ABCD의 둘레의 길이)$=2(\overline{\text{AB}}+\overline{\text{BC}})$
$=2(2\sqrt{3}+4\sqrt{3})$
$=2\times6\sqrt{3}$
$=12\sqrt{3}(\text{cm})$

41 세 정사각형 A, B, C의 넓이는 각각
$\frac{1}{1+4+9}\times70=5(\text{cm}^2)$
$\frac{4}{1+4+9}\times70=20(\text{cm}^2)$
$\frac{9}{1+4+9}\times70=45(\text{cm}^2)$
따라서 세 정사각형 A, B, C의 한 변의 길이는 각각
$\sqrt{5}\text{cm}$, $\sqrt{20}=2\sqrt{5}(\text{cm})$, $\sqrt{45}=3\sqrt{5}(\text{cm})$이므로
(도형의 둘레의 길이)$=2(\sqrt{5}+2\sqrt{5}+3\sqrt{5})+2\times3\sqrt{5}$
$=12\sqrt{5}+6\sqrt{5}$
$=18\sqrt{5}(\text{cm})$

42 $\overline{\text{AP}}=\overline{\text{AB}}=\sqrt{1^2+3^2}=\sqrt{10}$이므로 점 P에 대응하는 수는
$-1+\sqrt{10}$
$\overline{\text{AQ}}=\overline{\text{AD}}=\sqrt{3^2+1^2}=\sqrt{10}$이므로 점 Q에 대응하는 수는
$-1-\sqrt{10}$
따라서 구하는 합은
$(-1+\sqrt{10})+(-1-\sqrt{10})=-2$

43 $\overline{\text{AP}}=\overline{\text{AC}}=\sqrt{1^2+1^2}=\sqrt{2}$이므로 점 P에 대응하는 수는
$-2+\sqrt{2}$ $\quad\therefore a=-2+\sqrt{2}$
$\overline{\text{FQ}}=\overline{\text{FH}}=\sqrt{1^2+1^2}=\sqrt{2}$이므로 점 Q에 대응하는 수는
$1-\sqrt{2}$ $\quad\therefore b=1-\sqrt{2}$
$\therefore 2b-a=2(1-\sqrt{2})-(-2+\sqrt{2})$
$=2-2\sqrt{2}+2-\sqrt{2}$
$=4-3\sqrt{2}$

44 ① $2\sqrt{6}=\sqrt{24}$, $5=\sqrt{25}$이고 $\sqrt{24}<\sqrt{25}$이므로 $2\sqrt{6}<5$
② $\sqrt{12}-(4-\sqrt{3})=2\sqrt{3}-4+\sqrt{3}=3\sqrt{3}-4$
$=\sqrt{27}-\sqrt{16}>0$
$\therefore \sqrt{12}>4-\sqrt{3}$
③ $(4\sqrt{2}-2)-(3\sqrt{3}-2)=4\sqrt{2}-2-3\sqrt{3}+2$
$=4\sqrt{2}-3\sqrt{3}=\sqrt{32}-\sqrt{27}>0$
$\therefore 4\sqrt{2}-2>3\sqrt{3}-2$
④ $(6\sqrt{6}-4\sqrt{5})-(2\sqrt{5}+3\sqrt{6})$
$=6\sqrt{6}-4\sqrt{5}-2\sqrt{5}-3\sqrt{6}$
$=3\sqrt{6}-6\sqrt{5}=\sqrt{54}-\sqrt{180}<0$
$\therefore 6\sqrt{6}-4\sqrt{5}<2\sqrt{5}+3\sqrt{6}$
⑤ $(5\sqrt{3}+\sqrt{6})-(3\sqrt{5}+\sqrt{6})=5\sqrt{3}+\sqrt{6}-3\sqrt{5}-\sqrt{6}$
$=5\sqrt{3}-3\sqrt{5}=\sqrt{75}-\sqrt{45}>0$
$\therefore 5\sqrt{3}+\sqrt{6}>3\sqrt{5}+\sqrt{6}$
따라서 옳지 않은 것은 ⑤이다.

45 $A-B=(4\sqrt{3}-1)-(3\sqrt{5}-1)$
$=4\sqrt{3}-1-3\sqrt{5}+1$
$=4\sqrt{3}-3\sqrt{5}=\sqrt{48}-\sqrt{45}>0$
$\therefore A>B$
$A-C=(4\sqrt{3}-1)-(2\sqrt{3}+3)$
$=4\sqrt{3}-1-2\sqrt{3}-3$
$=2\sqrt{3}-4=\sqrt{12}-\sqrt{16}<0$
$\therefore A<C$
$\therefore B<A<C$

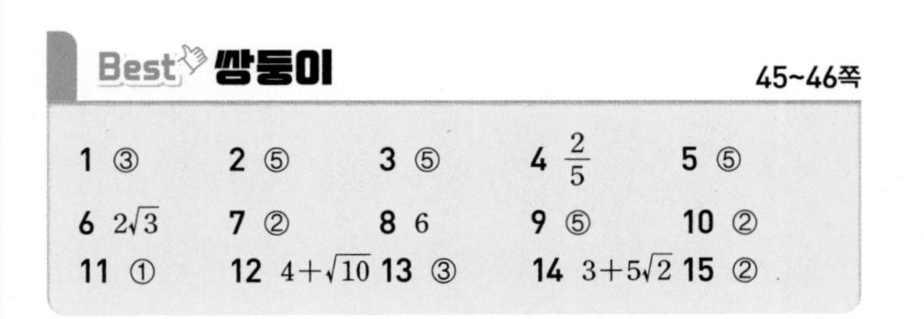

Best 쌍둥이
45~46쪽
1 ③
2 ⑤
3 ⑤
4 2/5
5 ⑤
6 2√3
7 ②
8 6
9 ⑤
10 ②
11 ①
12 4+√10
13 ③
14 3+5√2
15 ②

1 ㄱ. $(-\sqrt{2})\times(-\sqrt{3})=(-1)\times(-1)\times\sqrt{2\times3}=\sqrt{6}$

ㄴ. $\sqrt{35}\div(-\sqrt{5})=-\frac{\sqrt{35}}{\sqrt{5}}=-\sqrt{\frac{35}{5}}=-\sqrt{7}$

ㄷ. $2\sqrt{3}\times\sqrt{5}=2\sqrt{3\times5}=2\sqrt{15}$

ㄹ. $\sqrt{\frac{1}{5}}\div\sqrt{\frac{5}{3}}=\sqrt{\frac{1}{5}}\div\frac{\sqrt{5}}{\sqrt{3}}=\sqrt{\frac{1}{5}}\times\frac{\sqrt{3}}{\sqrt{5}}$

$=\sqrt{\frac{1}{5}\times\frac{3}{5}}=\sqrt{\frac{3}{25}}=\sqrt{\frac{3}{5^2}}=\frac{\sqrt{3}}{5}$

따라서 옳은 것은 ㄱ, ㄷ이다.

2 $\sqrt{50}=\sqrt{5^2\times2}=5\sqrt{2}$ $\quad\therefore a=5$

$2\sqrt{7}=\sqrt{2^2\times7}=\sqrt{28}$ $\quad\therefore b=28$

$\therefore \sqrt{ab}=\sqrt{5\times28}=\sqrt{2^2\times35}=2\sqrt{35}$

3 ① $\sqrt{0.0046}=\sqrt{\frac{46}{10000}}=\sqrt{\frac{46}{100^2}}=\frac{\sqrt{46}}{100}$

$=\frac{6.782}{100}=0.06782$

② $\sqrt{0.046}=\sqrt{\frac{4.6}{100}}=\sqrt{\frac{4.6}{10^2}}=\frac{\sqrt{4.6}}{10}=\frac{2.145}{10}=0.2145$

③ $\sqrt{0.46}=\sqrt{\frac{46}{100}}=\sqrt{\frac{46}{10^2}}=\frac{\sqrt{46}}{10}=\frac{6.782}{10}=0.6782$

④ $\sqrt{460}=\sqrt{100\times4.6}=\sqrt{10^2\times4.6}=10\sqrt{4.6}$

$=10\times2.145=21.45$

⑤ $\sqrt{4600}=\sqrt{100\times46}=\sqrt{10^2\times46}=10\sqrt{46}$

$=10\times6.782=67.82$

따라서 옳지 않은 것은 ⑤이다.

4 $\sqrt{1.6}=\sqrt{\frac{160}{100}}=\frac{\sqrt{160}}{10}=\frac{\sqrt{2^5\times5}}{10}=\frac{2^2\times\sqrt{2}\times\sqrt{5}}{10}=\frac{2}{5}ab$

따라서 □ 안에 들어갈 알맞은 수는 $\frac{2}{5}$이다.

5 ① $\frac{1}{\sqrt{6}}=\frac{1\times\sqrt{6}}{\sqrt{6}\times\sqrt{6}}=\frac{\sqrt{6}}{6}$ ② $\frac{\sqrt{7}}{\sqrt{3}}=\frac{\sqrt{7}\times\sqrt{3}}{\sqrt{3}\times\sqrt{3}}=\frac{\sqrt{21}}{3}$

③ $\frac{5}{3\sqrt{5}}=\frac{5\times\sqrt{5}}{3\sqrt{5}\times\sqrt{5}}=\frac{\sqrt{5}}{3}$ ④ $\frac{30}{\sqrt{2}}=\frac{30\times\sqrt{2}}{\sqrt{2}\times\sqrt{2}}=15\sqrt{2}$

⑤ $\frac{\sqrt{6}}{\sqrt{2}\sqrt{5}}=\frac{\sqrt{3}}{\sqrt{5}}=\frac{\sqrt{3}\times\sqrt{5}}{\sqrt{5}\times\sqrt{5}}=\frac{\sqrt{15}}{5}$

따라서 옳은 것은 ⑤이다.

6 $\frac{3}{\sqrt{8}}\times\sqrt{\frac{10}{3}}\div\frac{\sqrt{5}}{4}=\frac{3}{2\sqrt{2}}\times\frac{\sqrt{10}}{\sqrt{3}}\times\frac{4}{\sqrt{5}}=\frac{6}{\sqrt{3}}$

$=\frac{6\times\sqrt{3}}{\sqrt{3}\times\sqrt{3}}=2\sqrt{3}$

7 (원뿔의 부피)$=\frac{1}{3}\times\pi\times(3\sqrt{2})^2\times2\sqrt{6}$

$=\frac{1}{3}\pi\times18\times2\sqrt{6}=12\sqrt{6}\pi(\text{cm}^3)$

원기둥의 높이를 $x$cm라 하면

(원기둥의 부피)$=\pi\times(2\sqrt{5})^2\times x=20\pi x(\text{cm}^3)$

이때 $12\sqrt{6}\pi=20\pi x$이므로 $x=\frac{12\sqrt{6}}{20}=\frac{3\sqrt{6}}{5}$

따라서 원기둥의 높이는 $\frac{3\sqrt{6}}{5}$cm이다.

8 $\sqrt{32}+\sqrt{24}-\sqrt{6}+\sqrt{18}=4\sqrt{2}+2\sqrt{6}-\sqrt{6}+3\sqrt{2}$

$=7\sqrt{2}+\sqrt{6}$

따라서 $a=7$, $b=1$이므로

$a-b=7-1=6$

9 $a\sqrt{\frac{4b}{a}}+b\sqrt{\frac{25a}{b}}=\sqrt{a^2\times\frac{4b}{a}}+\sqrt{b^2\times\frac{25a}{b}}$

$=\sqrt{4ab}+\sqrt{25ab}=2\sqrt{ab}+5\sqrt{ab}$

$=7\sqrt{ab}=7\sqrt{36}$

$=7\times6=42$

10 $\sqrt{2}(3\sqrt{2}-\sqrt{3})-\sqrt{3}(2\sqrt{3}+\sqrt{2})=6-\sqrt{6}-6-\sqrt{6}=-2\sqrt{6}$

11 $(9+\sqrt{108})\div\frac{\sqrt{6}}{2}-4\left(\frac{3}{\sqrt{2}}+\sqrt{6}\right)$

$=(9+6\sqrt{3})\times\frac{2}{\sqrt{6}}-\frac{12}{\sqrt{2}}-4\sqrt{6}$

$=\frac{18}{\sqrt{6}}+\frac{12}{\sqrt{2}}-\frac{12}{\sqrt{2}}-4\sqrt{6}$

$=\frac{18\times\sqrt{6}}{\sqrt{6}\times\sqrt{6}}-4\sqrt{6}$

$=3\sqrt{6}-4\sqrt{6}=-\sqrt{6}$

12 $3<\sqrt{10}<4$이므로 $a=\sqrt{10}-3$

$5<\sqrt{30}<6$에서 $7<2+\sqrt{30}<8$이므로 $b=7$

$\therefore a+b=(\sqrt{10}-3)+7=4+\sqrt{10}$

13 $\overline{AB}=\sqrt{18}=3\sqrt{2}(\text{cm})$, $\overline{BC}=\sqrt{32}=4\sqrt{2}(\text{cm})$,

$\overline{CD}=\sqrt{50}=5\sqrt{2}(\text{cm})$

$\therefore \overline{AD}=\overline{AB}+\overline{BC}+\overline{CD}$

$=3\sqrt{2}+4\sqrt{2}+5\sqrt{2}=12\sqrt{2}(\text{cm})$

14 $\overline{AP}=\overline{AB}=\sqrt{2^2+2^2}=\sqrt{8}=2\sqrt{2}$이므로 점 P에 대응하는 수는 $-1-2\sqrt{2}$

$\overline{DQ}=\overline{DF}=\sqrt{3^2+3^2}=\sqrt{18}=3\sqrt{2}$이므로 점 Q에 대응하는 수는 $2+3\sqrt{2}$

$\therefore \overline{PQ}=(2+3\sqrt{2})-(-1-2\sqrt{2})$

$=2+3\sqrt{2}+1+2\sqrt{2}=3+5\sqrt{2}$

15 ① $4=\sqrt{16}$, $2\sqrt{5}=\sqrt{20}$이고 $\sqrt{16}<\sqrt{20}$이므로

$4<2\sqrt{5}$

② $(\sqrt{2}-\sqrt{5})-(3\sqrt{5}-2\sqrt{2})=\sqrt{2}-\sqrt{5}-3\sqrt{5}+2\sqrt{2}$

$=3\sqrt{2}-4\sqrt{5}$

$=\sqrt{18}-\sqrt{80}<0$

$\therefore \sqrt{2}-\sqrt{5}<3\sqrt{5}-2\sqrt{2}$

③ $4\sqrt{3}-(\sqrt{75}-2)=4\sqrt{3}-5\sqrt{3}+2$

$=-\sqrt{3}+2$

$=-\sqrt{3}+\sqrt{4}>0$

$\therefore 4\sqrt{3}>\sqrt{75}-2$

④ $(\sqrt{5}-2)-(\sqrt{6}-2)=\sqrt{5}-2-\sqrt{6}+2$

$=\sqrt{5}-\sqrt{6}<0$

$\therefore \sqrt{5}-2<\sqrt{6}-2$

⑤ $(3\sqrt{2}-1)-(\sqrt{2}+2)=3\sqrt{2}-1-\sqrt{2}-2$
$=2\sqrt{2}-3$
$=\sqrt{8}-\sqrt{9}<0$

$\therefore\ 3\sqrt{2}-1<\sqrt{2}+2$

따라서 옳지 않은 것은 ②이다.

100점 완성

47~48쪽

1-1	$2\sqrt{26}$cm	1-2	①
2-1	④	2-2	①
3-1	$6\sqrt{2}+10\sqrt{3}$	3-2	$18\sqrt{3}+4\sqrt{5}$
4-1	$16+6\sqrt{2}$	4-2	②

1-1 새로 만들어진 큰 색종이의 넓이는 작은 두 색종이의 넓이의 합과 같으므로

$(4\sqrt{2})^2+(6\sqrt{2})^2=32+72=104(\text{cm}^2)$

따라서 새로 만들어진 큰 색종이의 한 변의 길이는

$\sqrt{104}=\sqrt{2^2\times26}=2\sqrt{26}(\text{cm})$

1-2 새로 만들어진 큰 천의 넓이는 작은 두 종류의 천의 넓이의 합과 같으므로

$(20\sqrt{3})^2+(30\sqrt{3})^2=1200+2700=3900$

따라서 새로 만들어진 큰 천의 한 변의 길이는

$\sqrt{3900}=\sqrt{10^2\times39}=10\sqrt{39}$

2-1 △ABC는 직각이등변삼각형이므로

$\overline{AC}=\sqrt{4^2+4^2}=4\sqrt{2}(\text{cm})$

△OAC는 이등변삼각형이므로

$\overline{CH}=\frac{1}{2}\overline{AC}=\frac{1}{2}\times4\sqrt{2}=2\sqrt{2}(\text{cm})$

△OHC에서 $\overline{OH}=\sqrt{5^2-(2\sqrt{2})^2}=\sqrt{17}(\text{cm})$

$\therefore$ (정사각뿔의 부피)$=\frac{1}{3}\times4\times4\times\sqrt{17}=\frac{16\sqrt{17}}{3}(\text{cm}^3)$

2-2 △ABC는 직각이등변삼각형이므로

$\overline{AC}=\sqrt{6^2+6^2}=6\sqrt{2}(\text{cm})$

△OAC는 이등변삼각형이므로

$\overline{CH}=\frac{1}{2}\overline{AC}=\frac{1}{2}\times6\sqrt{2}=3\sqrt{2}(\text{cm})$

△OHC에서 $\overline{OH}=\sqrt{(3\sqrt{5})^2-(3\sqrt{2})^2}=3\sqrt{3}(\text{cm})$

$\therefore$ (정사각뿔의 부피)$=\frac{1}{3}\times6\times6\times3\sqrt{3}=36\sqrt{3}(\text{cm}^3)$

3-1 오른쪽 그림과 같이 넓이가 각각 2, 3, 8, 12인 정사각형의 한 변의 길이는 차례로 $\sqrt{2}$, $\sqrt{3}$, $\sqrt{8}(=2\sqrt{2})$, $\sqrt{12}(=2\sqrt{3})$이고, 겹치는 부분인 정사각형의 한 변의 길이는 차례로

$\frac{1}{2}\times\sqrt{2}=\frac{\sqrt{2}}{2}$, $\frac{1}{2}\times\sqrt{3}=\frac{\sqrt{3}}{2}$, $\frac{1}{2}\times2\sqrt{2}=\sqrt{2}$

$\therefore$ (주어진 도형의 둘레의 길이)

$=$(처음 네 정사각형의 둘레의 길이)

$-$(겹치는 부분인 세 정사각형의 둘레의 길이)

$=4\times(\sqrt{2}+\sqrt{3}+2\sqrt{2}+2\sqrt{3})-4\times\left(\frac{\sqrt{2}}{2}+\frac{\sqrt{3}}{2}+\sqrt{2}\right)$

$=4\times(3\sqrt{2}+3\sqrt{3})-4\times\left(\frac{3\sqrt{2}}{2}+\frac{\sqrt{3}}{2}\right)$

$=12\sqrt{2}+12\sqrt{3}-6\sqrt{2}-2\sqrt{3}=6\sqrt{2}+10\sqrt{3}$

3-2 오른쪽 그림과 같이 넓이가 각각 3, 12, 20, 27인 정사각형의 한 변의 길이는 차례로 $\sqrt{3}$, $\sqrt{12}(=2\sqrt{3})$, $\sqrt{20}(=2\sqrt{5})$, $\sqrt{27}(=3\sqrt{3})$이고, 겹치는 부분인 정사각형의 한 변의 길이는 차례로

$\frac{1}{2}\times\sqrt{3}=\frac{\sqrt{3}}{2}$, $\frac{1}{2}\times2\sqrt{3}=\sqrt{3}$, $\frac{1}{2}\times2\sqrt{5}=\sqrt{5}$

$\therefore$ (주어진 도형의 둘레의 길이)

$=$(처음 네 정사각형의 둘레의 길이)

$-$(겹치는 부분인 세 정사각형의 둘레의 길이)

$=4\times(\sqrt{3}+2\sqrt{3}+2\sqrt{5}+3\sqrt{3})-4\times\left(\frac{\sqrt{3}}{2}+\sqrt{3}+\sqrt{5}\right)$

$=4\times(6\sqrt{3}+2\sqrt{5})-4\times\left(\frac{3\sqrt{3}}{2}+\sqrt{5}\right)$

$=24\sqrt{3}+8\sqrt{5}-6\sqrt{3}-4\sqrt{5}=18\sqrt{3}+4\sqrt{5}$

4-1

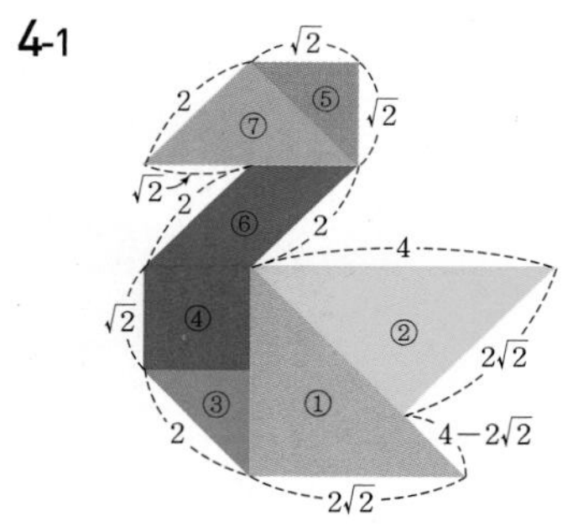

(백조 모양의 도형의 둘레의 길이)

$=2+\sqrt{2}+2+\sqrt{2}+2+2\sqrt{2}+(4-2\sqrt{2})+2\sqrt{2}+4+2$
$\quad+\sqrt{2}+\sqrt{2}$

$=16+6\sqrt{2}$

4-2

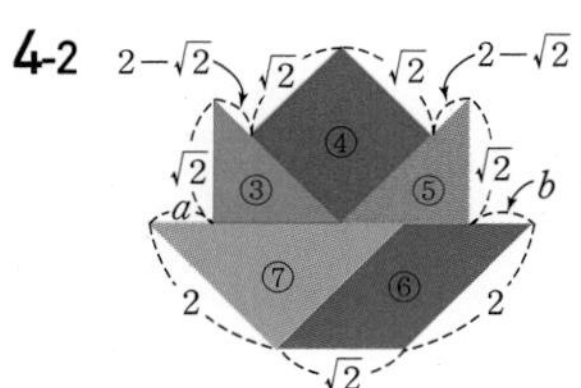

(연꽃 모양의 도형의 둘레의 길이)

$=\sqrt{2}+(2-\sqrt{2})+\sqrt{2}+a+2+\sqrt{2}+2+b+\sqrt{2}$
$\quad+(2-\sqrt{2})+\sqrt{2}$

$=8+3\sqrt{2}+a+b$

$=8+3\sqrt{2}+\{(2\sqrt{2}+\sqrt{2})-(\sqrt{2}+\sqrt{2})\}$

$=8+3\sqrt{2}+\sqrt{2}=8+4\sqrt{2}$

서술형 완성 49~50쪽

1 300.52　2 $\frac{1}{2}$　3 15　4 $-\frac{9}{2}+\frac{2\sqrt{10}}{3}$
5 $13-4\sqrt{5}$
6 (1) $\overline{AB}=3\sqrt{3}$, $\overline{AD}=5\sqrt{3}$ (2) 45 (3) $16\sqrt{3}$
7 $-1+2\sqrt{2}$
8 (1) $A>B$ (2) $B>C$ (3) $C<B<A$
9 4　10 $F(6+2\sqrt{2},\ 4)$

1 $\sqrt{0.0273}=\sqrt{\frac{2.73}{100}}=\sqrt{\frac{2.73}{10^2}}=\frac{\sqrt{2.73}}{10}=\frac{1.652}{10}=0.1652$
$\therefore a=0.1652$ …… ①
$\sqrt{2.84}=1.685$이므로
$16.85=10\times1.685=10\sqrt{2.84}=\sqrt{10^2\times2.84}$
$=\sqrt{100\times2.84}=\sqrt{284}$
$\therefore b=284$ …… ②
$\therefore 100a+b=100\times0.1652+284$
$=16.52+284=300.52$ …… ③

단계	채점 기준	배점
①	a의 값 구하기	3점
②	b의 값 구하기	3점
③	$100a+b$의 값 구하기	2점

2 $\frac{2\sqrt{2}}{\sqrt{3}}=\frac{2\sqrt{2}\times\sqrt{3}}{\sqrt{3}\times\sqrt{3}}=\frac{2\sqrt{6}}{3}$　$\therefore a=\frac{2}{3}$ …… ①
$\frac{3}{\sqrt{32}}=\frac{3}{4\sqrt{2}}=\frac{3\times\sqrt{2}}{4\sqrt{2}\times\sqrt{2}}=\frac{3\sqrt{2}}{8}$　$\therefore b=\frac{3}{8}$ …… ②
$\therefore \sqrt{ab}=\sqrt{\frac{2}{3}\times\frac{3}{8}}=\sqrt{\frac{1}{4}}=\frac{1}{2}$ …… ③

단계	채점 기준	배점
①	a의 값 구하기	3점
②	b의 값 구하기	3점
③	$\sqrt{ab}$의 값 구하기	2점

3 $\sqrt{192}-\sqrt{54}+\sqrt{108}+\sqrt{24}=8\sqrt{3}-3\sqrt{6}+6\sqrt{3}+2\sqrt{6}$
$=14\sqrt{3}-\sqrt{6}$ …… ①
따라서 $a=14$, $b=-1$이므로
$a-b=14-(-1)=15$ …… ②

단계	채점 기준	배점
①	주어진 식 간단히 하기	3점
②	$a-b$의 값 구하기	3점

4 $\sqrt{5}(\sqrt{2}-\sqrt{5})-\frac{\sqrt{80}-3\sqrt{2}}{\sqrt{72}}$
$=\sqrt{10}-5-\frac{4\sqrt{5}-3\sqrt{2}}{6\sqrt{2}}$ …… ①
$=\sqrt{10}-5-\frac{(4\sqrt{5}-3\sqrt{2})\times\sqrt{2}}{6\sqrt{2}\times\sqrt{2}}$
$=\sqrt{10}-5-\frac{4\sqrt{10}-6}{12}$ …… ②
$=\sqrt{10}-5-\frac{\sqrt{10}}{3}+\frac{1}{2}=-\frac{9}{2}+\frac{2\sqrt{10}}{3}$ …… ③

단계	채점 기준	배점
①	$\sqrt{a^2b}=a\sqrt{b}$ 꼴로 나타내기	2점
②	분모를 유리화하기	3점
③	답 구하기	3점

5 $2\sqrt{5}=\sqrt{20}$에서 $4<\sqrt{20}<5$이므로
$3<2\sqrt{5}-1<4$　$\therefore a=3$ …… ①
$b=(2\sqrt{5}-1)-3=2\sqrt{5}-4$ …… ②
$\therefore a+\sqrt{5}b=3+\sqrt{5}(2\sqrt{5}-4)$
$=3+10-4\sqrt{5}=13-4\sqrt{5}$ …… ③

단계	채점 기준	배점
①	a의 값 구하기	3점
②	b의 값 구하기	3점
③	$a+\sqrt{5}b$의 값 구하기	2점

6 (1) $\overline{AB}=\sqrt{27}=3\sqrt{3}$, $\overline{AD}=\sqrt{75}=5\sqrt{3}$
(2) (□ABCD의 넓이)$=5\sqrt{3}\times3\sqrt{3}=45$
(3) (□ABCD의 둘레의 길이)$=2(\overline{AB}+\overline{AD})$
$=2(3\sqrt{3}+5\sqrt{3})$
$=2\times8\sqrt{3}=16\sqrt{3}$

7 $\overline{EP}=\overline{EH}=\sqrt{1^2+1^2}=\sqrt{2}$이므로 점 P에 대응하는 수는
$2-\sqrt{2}$ …… ①
$\overline{AQ}=\overline{AB}=\sqrt{1^2+1^2}=\sqrt{2}$이므로 점 Q에 대응하는 수는
$1+\sqrt{2}$ …… ②
$\therefore \overline{PQ}=(1+\sqrt{2})-(2-\sqrt{2})$
$=1+\sqrt{2}-2+\sqrt{2}=-1+2\sqrt{2}$ …… ③

단계	채점 기준	배점
①	점 P에 대응하는 수 구하기	3점
②	점 Q에 대응하는 수 구하기	3점
③	$\overline{PQ}$의 길이 구하기	2점

8 (1) $A-B=(\sqrt{5}+\sqrt{6})-2\sqrt{5}=-\sqrt{5}+\sqrt{6}>0$
$\therefore A>B$
(2) $B-C=2\sqrt{5}-(3\sqrt{5}-\sqrt{7})=-\sqrt{5}+\sqrt{7}>0$
$\therefore B>C$
(3) $A>B$이고 $B>C$이므로 $A>B>C$
$\therefore C<B<A$

9

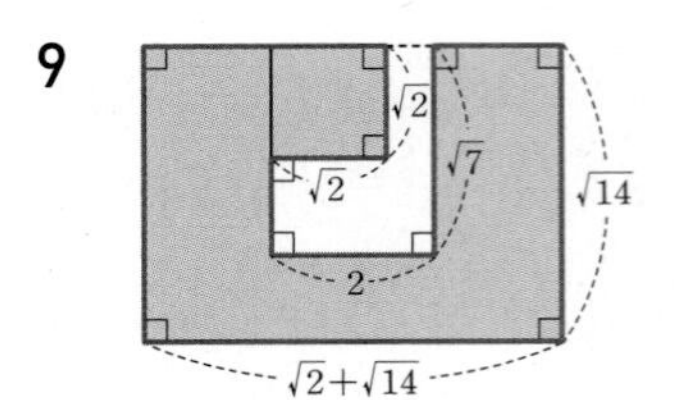

(주어진 도형의 넓이)
$=(\sqrt{2}+\sqrt{14})\times\sqrt{14}-2\times\sqrt{7}+\sqrt{2}\times\sqrt{2}$
$=2\sqrt{7}+14-2\sqrt{7}+2=16$ …… ①
구하는 정사각형의 한 변의 길이를 x라 하면 $x^2=16$
이때 $x>0$이므로 $x=4$
따라서 구하는 정사각형의 한 변의 길이는 4이다. …… ②

단계	채점 기준	배점
①	주어진 도형의 넓이 구하기	5점
②	답 구하기	5점

10 $P=2$이므로

$\frac{1}{2}\times\overline{OA}^2=2$, $\overline{OA}^2=4$

$\therefore \overline{OA}=2$ ($\because \overline{OA}>0$) …… ①

$Q=2P=2\times2=4$이므로

$\frac{1}{2}\times\overline{AC}^2=4$, $\overline{AC}^2=8$

$\therefore \overline{AC}=2\sqrt{2}$ ($\because \overline{AC}>0$) …… ②

$R=2Q=2\times4=8$이므로

$\frac{1}{2}\times\overline{CE}^2=8$, $\overline{CE}^2=16$

$\therefore \overline{CE}=4$ ($\because \overline{CE}>0$) …… ③

따라서 $\overline{OE}=2+2\sqrt{2}+4=6+2\sqrt{2}$, $\overline{FE}=\overline{CE}=4$이므로

$F(6+2\sqrt{2},\ 4)$ …… ④

단계	채점 기준	배점
①	$\overline{OA}$의 길이 구하기	2.5점
②	$\overline{AC}$의 길이 구하기	2.5점
③	$\overline{CE}$의 길이 구하기	2.5점
④	답 구하기	2.5점

실전 테스트

51~54쪽

1 ②	2 ④	3 ⑤	4 ④	5 ④
6 ①	7 ⑤	8 ②	9 ②	10 ④
11 ②	12 ③	13 ⑤	14 ④	15 ①
16 ①	17 ①	18 ⑤	19 244.9	
20 $-6+2\sqrt{7}$	21 $\frac{12\sqrt{7}}{7}$	22 $2+2\sqrt{3}$		

1 $\left(-\frac{3}{\sqrt{2}}\right)\div\frac{2\sqrt{5}}{\sqrt{6}}\div\frac{\sqrt{3}}{\sqrt{10}}=\left(-\frac{3}{\sqrt{2}}\right)\times\frac{\sqrt{6}}{2\sqrt{5}}\times\frac{\sqrt{10}}{\sqrt{3}}$

$=-\frac{3}{2}\sqrt{\frac{1}{2}\times\frac{6}{5}\times\frac{10}{3}}$

$=-\frac{3\sqrt{2}}{2}$

2 ① $4\sqrt{2}=\sqrt{4^2\times2}=\sqrt{32}$ $\therefore \square=32$

② $-\sqrt{45}=-\sqrt{3^2\times5}=-3\sqrt{5}$ $\therefore \square=-3$

③ $-\sqrt{2}\times\sqrt{54}=-\sqrt{2\times54}=-\sqrt{108}=-\sqrt{6^2\times3}=-6\sqrt{3}$

$\therefore \square=-6$

④ $5\sqrt{\frac{7}{5}}=\sqrt{5^2\times\frac{7}{5}}=\sqrt{35}$ $\therefore \square=35$

⑤ $\sqrt{2^2\times3^2\times5}=\sqrt{(2\times3)^2\times5}=6\sqrt{5}$ $\therefore \square=5$

따라서 □ 안에 들어갈 수가 가장 큰 것은 ④이다.

3 $\sqrt{9.8\times h}$에 $h=100$을 대입하면

$\sqrt{9.8\times100}=\sqrt{980}=\sqrt{14^2\times5}=14\sqrt{5}$

따라서 수심 100 m에서 발생한 지진 해일의 속력은 초속 $14\sqrt{5}$ m이다.

4 $\sqrt{5.76}+\sqrt{0.0614}+\sqrt{550}=2.400+\sqrt{\frac{6.14}{100}}+\sqrt{100\times5.50}$

$=2.400+\sqrt{\frac{6.14}{10^2}}+\sqrt{10^2\times5.50}$

$=2.400+\frac{\sqrt{6.14}}{10}+10\sqrt{5.50}$

$=2.400+\frac{2.478}{10}+10\times2.345$

$=2.400+0.2478+23.45$

$=26.0978$

5 $\sqrt{45}=\sqrt{3^2\times5}=(\sqrt{3})^2\times\sqrt{5}=m^2n$

6 $\frac{\sqrt{7}}{3\sqrt{2}}=\frac{\sqrt{7}\times\sqrt{2}}{3\sqrt{2}\times\sqrt{2}}=\frac{\sqrt{14}}{6}$ $\therefore x=\frac{1}{6}$

$\frac{\sqrt{3}}{\sqrt{45}}=\frac{\sqrt{3}}{3\sqrt{5}}=\frac{\sqrt{3}\times\sqrt{5}}{3\sqrt{5}\times\sqrt{5}}=\frac{\sqrt{15}}{15}$ $\therefore y=15$

$\therefore xy=\frac{1}{6}\times15=\frac{5}{2}$

7

$2\sqrt{5}$	A	$\sqrt{30}$
$\frac{2\sqrt{6}}{3}$	㉠	
	$\sqrt{6}$	

위의 사각형에서 가로로 가장 윗줄에 있는 세 수의 곱은

$2\sqrt{5}\times A\times\sqrt{30}=3\sqrt{10}$이므로

$A=3\sqrt{10}\div2\sqrt{5}\div\sqrt{30}=3\sqrt{10}\times\frac{1}{2\sqrt{5}}\times\frac{1}{\sqrt{30}}$

$=\frac{3}{2\sqrt{15}}=\frac{3\times\sqrt{15}}{2\sqrt{15}\times\sqrt{15}}=\frac{3\sqrt{15}}{30}=\frac{\sqrt{15}}{10}$

또 세로로 가운뎃줄에 있는 세 수의 곱도

$\frac{\sqrt{15}}{10}\times㉠\times\sqrt{6}=3\sqrt{10}$이므로

$㉠=3\sqrt{10}\div\frac{\sqrt{15}}{10}\div\sqrt{6}=3\sqrt{10}\times\frac{10}{\sqrt{15}}\times\frac{1}{\sqrt{6}}=10$

8 $-\frac{1}{\sqrt{15}}\times(-\sqrt{90})\div\frac{5\sqrt{32}}{4\sqrt{5}}=-\frac{1}{\sqrt{15}}\times(-3\sqrt{10})\times\frac{4\sqrt{5}}{20\sqrt{2}}$

$=\frac{3}{\sqrt{15}}=\frac{3\times\sqrt{15}}{\sqrt{15}\times\sqrt{15}}=\frac{\sqrt{15}}{5}$

$\therefore k=\frac{1}{5}$

9 밑면의 반지름의 길이를 x cm라 하면

$x=\sqrt{(5\sqrt{3})^2-(4\sqrt{3})^2}=3\sqrt{3}$

$\therefore$ (원뿔의 부피)$=\frac{1}{3}\times\pi\times(3\sqrt{3})^2\times4\sqrt{3}$

$=36\sqrt{3}\pi\,(\text{cm}^3)$

10 ④ $2\sqrt{2}-4\sqrt{5}+3\sqrt{2}=(2+3)\sqrt{2}-4\sqrt{5}=5\sqrt{2}-4\sqrt{5}$

⑤ $3\sqrt{3}+4\sqrt{5}-2\sqrt{3}+2\sqrt{5}=(3-2)\sqrt{3}+(4+2)\sqrt{5}$
$=\sqrt{3}+6\sqrt{5}$

따라서 옳지 않은 것은 ④이다.

11 $\sqrt{45}+\sqrt{a}-2\sqrt{125}=-5\sqrt{5}$에서
$3\sqrt{5}+\sqrt{a}-10\sqrt{5}=-5\sqrt{5}$이므로
$\sqrt{a}=2\sqrt{5}$, $\sqrt{a}=\sqrt{20}$ $\quad\therefore a=20$

12 $\sqrt{50}-\sqrt{12}+\dfrac{5\sqrt{6}}{\sqrt{2}}-\dfrac{6}{\sqrt{2}}=5\sqrt{2}-2\sqrt{3}+5\sqrt{3}-\dfrac{6\times\sqrt{2}}{\sqrt{2}\times\sqrt{2}}$
$=5\sqrt{2}-2\sqrt{3}+5\sqrt{3}-3\sqrt{2}$
$=2\sqrt{2}+3\sqrt{3}$

13 $\dfrac{6\sqrt{2}+4\sqrt{3}}{\sqrt{3}}-\dfrac{5\sqrt{2}-3\sqrt{3}}{\sqrt{2}}$
$=\dfrac{(6\sqrt{2}+4\sqrt{3})\times\sqrt{3}}{\sqrt{3}\times\sqrt{3}}-\dfrac{(5\sqrt{2}-3\sqrt{3})\times\sqrt{2}}{\sqrt{2}\times\sqrt{2}}$
$=\dfrac{6\sqrt{6}+12}{3}-\dfrac{10-3\sqrt{6}}{2}$
$=2\sqrt{6}+4-5+\dfrac{3\sqrt{6}}{2}=-1+\dfrac{7\sqrt{6}}{2}$
따라서 $a=-1$, $b=\dfrac{7}{2}$이므로
$a+b=-1+\dfrac{7}{2}=\dfrac{5}{2}$

14 $\sqrt{27}-4\sqrt{3}\div\sqrt{6}+\dfrac{3-\sqrt{24}}{\sqrt{3}}=3\sqrt{3}-\dfrac{4\sqrt{3}}{\sqrt{6}}+\dfrac{(3-2\sqrt{6})\times\sqrt{3}}{\sqrt{3}\times\sqrt{3}}$
$=3\sqrt{3}-\dfrac{4\sqrt{3}\times\sqrt{6}}{\sqrt{6}\times\sqrt{6}}+\dfrac{3\sqrt{3}-6\sqrt{2}}{3}$
$=3\sqrt{3}-\dfrac{12\sqrt{2}}{6}+\dfrac{3\sqrt{3}-6\sqrt{2}}{3}$
$=3\sqrt{3}-2\sqrt{2}+\sqrt{3}-2\sqrt{2}$
$=4\sqrt{3}-4\sqrt{2}$

15 $\sqrt{5}(2\sqrt{5}-a)-\sqrt{20}(3-\sqrt{5})=10-a\sqrt{5}-6\sqrt{5}+10$
$=20+(-a-6)\sqrt{5}$
이 식이 유리수가 되려면 $-a-6=0$이어야 하므로
$a=-6$

16 $\sqrt{5}(2\sqrt{5}+2)-\sqrt{60}\div\dfrac{\sqrt{3}}{2}=10+2\sqrt{5}-2\sqrt{15}\times\dfrac{2}{\sqrt{3}}$
$=10+2\sqrt{5}-4\sqrt{5}$
$=10-2\sqrt{5}$
$2\sqrt{5}=\sqrt{20}$에서 $4<2\sqrt{5}<5$이므로
$-5<-2\sqrt{5}<-4$, $5<10-2\sqrt{5}<6$
따라서 소수 부분은 $(10-2\sqrt{5})-5=5-2\sqrt{5}$

17 $\overline{AP}=\overline{AB}=\sqrt{1^2+2^2}=\sqrt{5}$이므로 점 P에 대응하는 수는 $-2+\sqrt{5}$
$\overline{AQ}=\overline{AD}=\sqrt{2^2+1^2}=\sqrt{5}$이므로 점 Q에 대응하는 수는 $-2-\sqrt{5}$
따라서 구하는 합은 $(-2+\sqrt{5})+(-2-\sqrt{5})=-4$

18 $A-B=(2\sqrt{2}-1)-(4-2\sqrt{2})=2\sqrt{2}-1-4+2\sqrt{2}$
$=4\sqrt{2}-5=\sqrt{32}-\sqrt{25}>0$
$\therefore A>B$
$B-C=(4-2\sqrt{2})-(4-\sqrt{10})=4-2\sqrt{2}-4+\sqrt{10}$
$=-2\sqrt{2}+\sqrt{10}=-\sqrt{8}+\sqrt{10}>0$
$\therefore B>C$
$\therefore C<B<A$

19 $\sqrt{60000}=\sqrt{10000\times6}$
$=\sqrt{100^2\times6}=100\sqrt{6}$ …… ①
$=100\times2.449=244.9$ …… ②

단계	채점 기준	배점
①	$\sqrt{a^2b}=a\sqrt{b}$ 꼴로 나타내기	3점
②	$\sqrt{60000}$의 값 구하기	3점

20 $3-\sqrt{7}=\sqrt{9}-\sqrt{7}>0$
$3\sqrt{7}-9=\sqrt{63}-\sqrt{81}<0$ …… ①
$\therefore \sqrt{(3-\sqrt{7})^2}-\sqrt{(3\sqrt{7}-9)^2}$
$=3-\sqrt{7}-\{-(3\sqrt{7}-9)\}$ …… ②
$=3-\sqrt{7}+3\sqrt{7}-9$
$=-6+2\sqrt{7}$ …… ③

단계	채점 기준	배점
①	$3-\sqrt{7}$, $3\sqrt{7}-9$의 부호 정하기	2점
②	주어진 식 간단히 하기	2점
③	답 구하기	2점

21 $\sqrt{\dfrac{b}{a}}+\sqrt{\dfrac{a}{b}}=\dfrac{\sqrt{b}}{\sqrt{a}}+\dfrac{\sqrt{a}}{\sqrt{b}}=\dfrac{\sqrt{b}\times\sqrt{a}}{\sqrt{a}\times\sqrt{a}}+\dfrac{\sqrt{a}\times\sqrt{b}}{\sqrt{b}\times\sqrt{b}}$
$=\dfrac{\sqrt{ab}}{a}+\dfrac{\sqrt{ab}}{b}$ …… ①
$=\dfrac{b\sqrt{ab}+a\sqrt{ab}}{ab}=\dfrac{(a+b)\sqrt{ab}}{ab}$ …… ②
$=\dfrac{12\sqrt{7}}{7}$ …… ③

단계	채점 기준	배점
①	분모를 유리화하기	3점
②	식 간단히 하기	3점
③	답 구하기	2점

22 $A=\sqrt{18}+\sqrt{2}=3\sqrt{2}+\sqrt{2}=4\sqrt{2}$ …… ①
$B=\sqrt{3}A-2\sqrt{2}$
$=\sqrt{3}\times4\sqrt{2}-2\sqrt{2}=4\sqrt{6}-2\sqrt{2}$ …… ②
$C=6\sqrt{3}-\dfrac{B}{\sqrt{2}}=6\sqrt{3}-\dfrac{4\sqrt{6}-2\sqrt{2}}{\sqrt{2}}$
$=6\sqrt{3}-\dfrac{(4\sqrt{6}-2\sqrt{2})\times\sqrt{2}}{\sqrt{2}\times\sqrt{2}}=6\sqrt{3}-\dfrac{8\sqrt{3}-4}{2}$
$=6\sqrt{3}-4\sqrt{3}+2=2+2\sqrt{3}$ …… ③

단계	채점 기준	배점
①	A의 값 구하기	2점
②	B의 값 구하기	3점
③	C의 값 구하기	3점

Ⅱ. 식의 계산과 이차방정식

1 ★ 다항식의 곱셈

필수 기출 56~64쪽

1 ①	2 ②	3 3	4 ⑤	5 ①
6 12	7 ②	8 ⑤	9 ④, ⑤	10 ②
11 ②	12 10	13 ③	14 ⑤	15 40
16 ①	17 ⑤	18 $8x^2+18x-5$		19 ②
20 ⑤	21 -26	22 ③	23 ③	24 ②
25 ④	26 ③	27 $14a^2+36ab+14b^2$		28 ⑤
29 ①	30 ③	31 4	32 ⑤	33 ④
34 ④	35 18	36 ⑤	37 ②	38 ⑤
39 $15+3\sqrt{2}$		40 ③	41 $\sqrt{2}+5\sqrt{3}$	
42 ①	43 ①	44 ②	45 ⑤	46 ④
47 ⑤	48 ②	49 ①	50 ⑤	51 ②
52 ⑤	53 ⑤			

1 $(3x-1)(4+y)=12x+3xy-4-y$
$=3xy+12x-y-4$
따라서 $a=3$, $b=12$, $c=-1$이므로
$a-b-c=3-12-(-1)=-8$

2 x^2항이 나오는 부분만 전개하면
$2x^2\times5+(-3x)\times(-x)=13x^2$ $\therefore a=13$
x항이 나오는 부분만 전개하면
$-3x\times5+(-1)\times(-x)=-14x$ $\therefore b=-14$
$\therefore a+b=13+(-14)=-1$

3 xy항이 나오는 부분만 전개하면
$ax\times(-2y)+4y\times5x=-2axy+20xy$
$=(-2a+20)xy$
이때 xy의 계수가 14이므로
$-2a+20=14$, $-2a=-6$ $\therefore a=3$

4 $(2x+5y)^2=4x^2+20xy+25y^2$

5 $\left(3x-\frac{1}{2}\right)^2=9x^2-3x+\frac{1}{4}$
따라서 $a=9$, $b=-3$, $c=\frac{1}{4}$이므로
$abc=9\times(-3)\times\frac{1}{4}=-\frac{27}{4}$

6 $(x+a)^2=x^2+2ax+a^2=x^2-8x+b$이므로
$2a=-8$, $a^2=b$
따라서 $a=-4$, $b=16$이므로
$a+b=-4+16=12$

7 $(a-b)^2=a^2-2ab+b^2$
① $-(a+b)^2=-(a^2+2ab+b^2)=-a^2-2ab-b^2$
② $(-a+b)^2=a^2-2ab+b^2$
③ $(a+b)^2=a^2+2ab+b^2$
④ $-(a-b)^2=-(a^2-2ab+b^2)=-a^2+2ab-b^2$
⑤ $(-a-b)^2=a^2+2ab+b^2$
따라서 $(a-b)^2$과 전개식이 같은 것은 ②이다.

8 ⑤ $(x-4y)(-x-4y)=-x^2+16y^2$

9 $(x-y)(x+y)=x^2-y^2$
① $(y+x)(y-x)=-x^2+y^2$
② $(x+y)(-x-y)=-x^2-2xy-y^2$
③ $(x-y)(-x+y)=-x^2+2xy-y^2$
④ $-(y-x)(y+x)=-(y^2-x^2)=x^2-y^2$
⑤ $(-x+y)(-x-y)=x^2-y^2$
따라서 $(x-y)(x+y)$와 전개식이 같은 것은 ④, ⑤이다.

10 $\left(\frac{1}{3}a+\frac{5}{2}b\right)\left(\frac{1}{3}a-\frac{5}{2}b\right)=\left(\frac{1}{3}a\right)^2-\left(\frac{5}{2}b\right)^2$
$=\frac{1}{9}a^2-\frac{25}{4}b^2$
$=\frac{1}{9}\times18-\frac{25}{4}\times4$
$=2-25=-23$

11 $(x-1)(x+1)(x^2+1)=(x^2-1)(x^2+1)=x^4-1$

12 $(x+a)(x+4)=x^2+(a+4)x+4a$
$=x^2+bx+12$
이므로 $a+4=b$, $4a=12$
따라서 $a=3$, $b=7$이므로
$a+b=3+7=10$

13 $(x+A)(x+B)=x^2+(A+B)x+AB=x^2+Cx+6$
이므로 $A+B=C$, $AB=6$
이때 $AB=6$을 만족시키는 정수 A, B의 순서쌍 (A, B)는 $(-6, -1)$, $(-3, -2)$, $(-2, -3)$, $(-1, -6)$, $(1, 6)$, $(2, 3)$, $(3, 2)$, $(6, 1)$
$\therefore C=-7, -5, 5, 7$

14 $(3x-2)(2x+4)=6x^2+(12-4)x-8$
$=6x^2+8x-8$

15 $(x+6y)(3y-5x)=(x+6y)(-5x+3y)$
$=-5x^2+(3-30)xy+18y^2$
$=-5x^2-27xy+18y^2$
따라서 $a=-5$, $b=-27$, $c=18$이므로
$a-b+c=-5-(-27)+18=40$

16 $(Ax-5)(3x-B)=3Ax^2+(-AB-15)x+5B$
$=12x^2-Cx-20$
이므로 $3A=12$, $-AB-15=-C$, $5B=-20$
따라서 $A=4$, $B=-4$, $C=4\times(-4)+15=-1$이므로
$A+B+C=4+(-4)+(-1)=-1$

17 $(2x-5)(3x+a)=6x^2+(2a-15)x-5a$
이때 x의 계수와 상수항이 같으므로
$2a-15=-5a$, $7a=15$ $\quad\therefore a=\frac{15}{7}$

18 $(4x+a)(5x+2)=20x^2+(8+5a)x+2a$
$=20x^2+3x-2$
이므로 $8+5a=3$, $2a=-2$ $\quad\therefore a=-1$
따라서 바르게 전개한 식은
$(4x-1)(2x+5)=8x^2+18x-5$

19 ② $(2x-1)^2=4x^2-4x+1$

20 ①, ②, ③, ④ 2 ⑤ -2
따라서 □ 안의 수가 나머지 넷과 다른 하나는 ⑤이다.

21 $(3x-4y)^2+(2x+y)(2x-y)$
$=9x^2-24xy+16y^2+4x^2-y^2$
$=13x^2-24xy+15y^2$
따라서 $A=13$, $B=-24$, $C=15$이므로
$A+B-C=13+(-24)-15=-26$

22 $(x+a)^2-(x+5)(x-6)$
$=x^2+2ax+a^2-(x^2-x-30)$
$=x^2+2ax+a^2-x^2+x+30$
$=(2a+1)x+a^2+30$
이때 x의 계수가 5이므로 $2a+1=5$ $\quad\therefore a=2$

23 ③ $(a+b)(a-b)=a^2-b^2$

24 색칠한 직사각형의 가로의 길이는 $3x+4$, 세로의 길이는 $2x-3$이므로 색칠한 직사각형의 넓이는
$(3x+4)(2x-3)=6x^2-x-12$

25 (새로 만든 직사각형의 넓이)$=(a-b)(a+b)=a^2-b^2$
이므로 처음 정사각형의 넓이 a^2에서 b^2만큼 줄어든다.

26 색칠한 직사각형의 가로의 길이는 $a-b$
색칠한 직사각형의 세로의 길이는 $b-(a-b)=-a+2b$
따라서 색칠한 직사각형의 넓이는
$(a-b)(-a+2b)=-a^2+3ab-2b^2$

27 (직육면체의 겉넓이)
$=2\{(a+3b)(a+b)+(a+3b)(3a+b)+(a+b)(3a+b)\}$
$=2\{(a^2+4ab+3b^2)+(3a^2+10ab+3b^2)+(3a^2+4ab+b^2)\}$
$=2(7a^2+18ab+7b^2)$
$=14a^2+36ab+14b^2$

28 오른쪽 그림에서 길을 제외한 땅의 넓이는

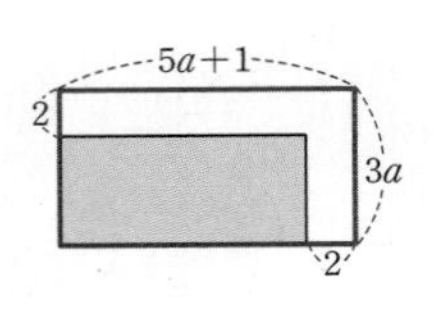

$(5a+1-2)(3a-2)$
$=(5a-1)(3a-2)$
$=15a^2-13a+2$

29 $A=(x+2y)^2-4\times x\times 2y$
$=x^2+4xy+4y^2-8xy$
$=x^2-4xy+4y^2$
$B=2y(2x+2y)-4\times 2y\times x$
$=4xy+4y^2-8xy$
$=4y^2-4xy$
$\therefore A-B=(x^2-4xy+4y^2)-(4y^2-4xy)$
$=x^2-4xy+4y^2-4y^2+4xy=x^2$

다른 풀이
$A=(2y-x)^2=4y^2-4xy+x^2$
$B=(2y-2x)\times 2y=4y^2-4xy$
$\therefore A-B=(4y^2-4xy+x^2)-(4y^2-4xy)$
$=4y^2-4xy+x^2-4y^2+4xy=x^2$

30 ③ $10.3\times 9.7=(10+0.3)(10-0.3)=10^2-0.3^2$
⇨ $(a+b)(a-b)=a^2-b^2$

31 $1024^2-1022\times 1026=1024^2-(1024-2)(1024+2)$
$=1024^2-(1024^2-2^2)$
$=4$

32 $\frac{2020\times 2022+1}{2021}=\frac{(2021-1)(2021+1)+1}{2021}$
$=\frac{(2021^2-1^2)+1}{2021}=\frac{2021^2}{2021}=2021$

33 $(2+1)(2^2+1)(2^4+1)(2^8+1)$
$=(2-1)(2+1)(2^2+1)(2^4+1)(2^8+1)$
$=(2^2-1)(2^2+1)(2^4+1)(2^8+1)$
$=(2^4-1)(2^4+1)(2^8+1)$
$=(2^8-1)(2^8+1)=2^{16}-1$

34 ① $(\sqrt{7}-\sqrt{5})^2=(\sqrt{7})^2-2\times\sqrt{7}\times\sqrt{5}+(\sqrt{5})^2$
$=7-2\sqrt{35}+5=12-2\sqrt{35}$
② $(\sqrt{2}+2\sqrt{3})^2=(\sqrt{2})^2+2\times\sqrt{2}\times 2\sqrt{3}+(2\sqrt{3})^2$
$=2+4\sqrt{6}+12=14+4\sqrt{6}$
③ $(\sqrt{2}+\sqrt{5})(\sqrt{2}-\sqrt{5})=(\sqrt{2})^2-(\sqrt{5})^2$
$=2-5=-3$
④ $(\sqrt{5}+2)(\sqrt{5}-4)$
$=(\sqrt{5})^2+\{2+(-4)\}\sqrt{5}+2\times(-4)$
$=5-2\sqrt{5}-8=-3-2\sqrt{5}$
⑤ $(2\sqrt{3}-\sqrt{2})(3\sqrt{3}+\sqrt{2})$
$=2\sqrt{3}\times 3\sqrt{3}+2\sqrt{3}\times\sqrt{2}-\sqrt{2}\times 3\sqrt{3}-(\sqrt{2})^2$
$=18+2\sqrt{6}-3\sqrt{6}-2=16-\sqrt{6}$
따라서 옳지 않은 것은 ④이다.

35 $(2\sqrt{3}-3\sqrt{2})^2=(2\sqrt{3})^2-2\times2\sqrt{3}\times3\sqrt{2}+(3\sqrt{2})^2$
$=12-12\sqrt{6}+18=30-12\sqrt{6}$
따라서 $a=30$, $b=-12$이므로 $a+b=30+(-12)=18$

36 $(4+4\sqrt{5})(a-5\sqrt{5})=4a+(-20+4a)\sqrt{5}-100$
$=4a-100+(-20+4a)\sqrt{5}$
이 식이 유리수가 되려면 $-20+4a=0$이어야 하므로
$4a=20 \quad \therefore a=5$

37 $(2+\sqrt{5})^{101}(2-\sqrt{5})^{101}=\{(2+\sqrt{5})(2-\sqrt{5})\}^{101}$
$=\{2^2-(\sqrt{5})^2\}^{101}=(-1)^{101}=-1$

38 $\overline{AP}=\overline{AB}=\sqrt{3^2+1^2}=\sqrt{10}$이므로
점 P에 대응하는 수는 $3+\sqrt{10} \quad \therefore a=3+\sqrt{10}$
$\overline{AQ}=\overline{AD}=\sqrt{1^2+3^2}=\sqrt{10}$이므로
점 Q에 대응하는 수는 $3-\sqrt{10} \quad \therefore b=3-\sqrt{10}$
$\therefore ab=(3+\sqrt{10})(3-\sqrt{10})=3^2-(\sqrt{10})^2=9-10=-1$

39 오른쪽 그림과 같이 주어진 도형을 한 개의 정사각형과 한 개의 직사각형으로 나누면
(도형의 넓이)
=(정사각형의 넓이)+(직사각형의 넓이)
$=(\sqrt{3}+\sqrt{6})^2+\sqrt{3}(\sqrt{12}-\sqrt{6})$
$=3+6\sqrt{2}+6+6-3\sqrt{2}=15+3\sqrt{2}$

40 ① $\dfrac{3}{3-\sqrt{6}}=\dfrac{3(3+\sqrt{6})}{(3-\sqrt{6})(3+\sqrt{6})}=\dfrac{3(3+\sqrt{6})}{9-6}=3+\sqrt{6}$

② $\dfrac{3}{\sqrt{5}+\sqrt{2}}=\dfrac{3(\sqrt{5}-\sqrt{2})}{(\sqrt{5}+\sqrt{2})(\sqrt{5}-\sqrt{2})}$
$=\dfrac{3(\sqrt{5}-\sqrt{2})}{5-2}=\sqrt{5}-\sqrt{2}$

③ $\dfrac{\sqrt{2}}{3+2\sqrt{2}}=\dfrac{\sqrt{2}(3-2\sqrt{2})}{(3+2\sqrt{2})(3-2\sqrt{2})}=\dfrac{3\sqrt{2}-4}{9-8}=3\sqrt{2}-4$

④ $\dfrac{3\sqrt{2}}{2\sqrt{6}+3\sqrt{3}}=\dfrac{3\sqrt{2}(2\sqrt{6}-3\sqrt{3})}{(2\sqrt{6}+3\sqrt{3})(2\sqrt{6}-3\sqrt{3})}$
$=\dfrac{3\sqrt{2}(2\sqrt{6}-3\sqrt{3})}{24-27}=-4\sqrt{3}+3\sqrt{6}$

⑤ $\dfrac{\sqrt{5}+1}{\sqrt{5}-1}=\dfrac{(\sqrt{5}+1)^2}{(\sqrt{5}-1)(\sqrt{5}+1)}=\dfrac{5+2\sqrt{5}+1}{5-1}$
$=\dfrac{6+2\sqrt{5}}{4}=\dfrac{3+\sqrt{5}}{2}$
따라서 옳지 않은 것은 ③이다.

41 $\dfrac{2}{\sqrt{2}+\sqrt{3}}-\dfrac{3}{\sqrt{2}-\sqrt{3}}$
$=\dfrac{2(\sqrt{2}-\sqrt{3})}{(\sqrt{2}+\sqrt{3})(\sqrt{2}-\sqrt{3})}-\dfrac{3(\sqrt{2}+\sqrt{3})}{(\sqrt{2}-\sqrt{3})(\sqrt{2}+\sqrt{3})}$
$=\dfrac{2\sqrt{2}-2\sqrt{3}}{2-3}-\dfrac{3\sqrt{2}+3\sqrt{3}}{2-3}$
$=-2\sqrt{2}+2\sqrt{3}+3\sqrt{2}+3\sqrt{3}=\sqrt{2}+5\sqrt{3}$

42 $\dfrac{\sqrt{5}-\sqrt{2}}{\sqrt{5}+\sqrt{2}}-\dfrac{\sqrt{5}+\sqrt{2}}{\sqrt{5}-\sqrt{2}}$
$=\dfrac{(\sqrt{5}-\sqrt{2})^2}{(\sqrt{5}+\sqrt{2})(\sqrt{5}-\sqrt{2})}-\dfrac{(\sqrt{5}+\sqrt{2})^2}{(\sqrt{5}-\sqrt{2})(\sqrt{5}+\sqrt{2})}$
$=\dfrac{5-2\sqrt{10}+2}{5-2}-\dfrac{5+2\sqrt{10}+2}{5-2}$
$=\dfrac{7-2\sqrt{10}}{3}-\dfrac{7+2\sqrt{10}}{3}=-\dfrac{4\sqrt{10}}{3}$
따라서 $a=0$, $b=-\dfrac{4}{3}$이므로 $a+b=-\dfrac{4}{3}$

43 $\dfrac{3}{\sqrt{2}+1}+\dfrac{6}{\sqrt{6}}-\sqrt{2}(2+\sqrt{3})$
$=\dfrac{3(\sqrt{2}-1)}{(\sqrt{2}+1)(\sqrt{2}-1)}+\sqrt{6}-2\sqrt{2}-\sqrt{6}$
$=\dfrac{3\sqrt{2}-3}{2-1}+\sqrt{6}-2\sqrt{2}-\sqrt{6}$
$=3\sqrt{2}-3-2\sqrt{2}=\sqrt{2}-3$

44 $1<\sqrt{3}<2$에서 $3<2+\sqrt{3}<4$이므로
$a=3$, $b=(2+\sqrt{3})-3=\sqrt{3}-1$
$\therefore \dfrac{b}{a+b}=\dfrac{\sqrt{3}-1}{3+(\sqrt{3}-1)}=\dfrac{\sqrt{3}-1}{2+\sqrt{3}}$
$=\dfrac{(\sqrt{3}-1)(2-\sqrt{3})}{(2+\sqrt{3})(2-\sqrt{3})}$
$=\dfrac{2\sqrt{3}-3-2+\sqrt{3}}{4-3}=-5+3\sqrt{3}$

45 $\dfrac{1}{1+\sqrt{2}}+\dfrac{1}{\sqrt{2}+\sqrt{3}}+\dfrac{1}{\sqrt{3}+\sqrt{4}}+\dfrac{1}{\sqrt{4}+\sqrt{5}}+\dfrac{1}{\sqrt{5}+\sqrt{6}}$
$=\dfrac{1-\sqrt{2}}{(1+\sqrt{2})(1-\sqrt{2})}+\dfrac{\sqrt{2}-\sqrt{3}}{(\sqrt{2}+\sqrt{3})(\sqrt{2}-\sqrt{3})}$
$+\dfrac{\sqrt{3}-\sqrt{4}}{(\sqrt{3}+\sqrt{4})(\sqrt{3}-\sqrt{4})}+\dfrac{\sqrt{4}-\sqrt{5}}{(\sqrt{4}+\sqrt{5})(\sqrt{4}-\sqrt{5})}$
$+\dfrac{\sqrt{5}-\sqrt{6}}{(\sqrt{5}+\sqrt{6})(\sqrt{5}-\sqrt{6})}$
$=\dfrac{1-\sqrt{2}}{1-2}+\dfrac{\sqrt{2}-\sqrt{3}}{2-3}+\dfrac{\sqrt{3}-\sqrt{4}}{3-4}+\dfrac{\sqrt{4}-\sqrt{5}}{4-5}+\dfrac{\sqrt{5}-\sqrt{6}}{5-6}$
$=-(1-\sqrt{2})-(\sqrt{2}-\sqrt{3})-(\sqrt{3}-\sqrt{4})-(\sqrt{4}-\sqrt{5})$
$-(\sqrt{5}-\sqrt{6})$
$=-1+\sqrt{2}-\sqrt{2}+\sqrt{3}-\sqrt{3}+\sqrt{4}-\sqrt{4}+\sqrt{5}-\sqrt{5}+\sqrt{6}$
$=-1+\sqrt{6}$

46 △ADE와 △ABC에서
∠ADE=∠ABC(동위각)이고,
∠A는 공통이므로
△ADE∽△ABC(AA 닮음)
이때 △ABC의 넓이는 △ADE의 넓이의 2배이므로 두 삼각형 ADE, ABC의 닮음비는 $1:\sqrt{2}$이다.
$\overline{AD}=x$라 하면
$1:\sqrt{2}=x:(x+2)$, $\sqrt{2}x=x+2$, $(\sqrt{2}-1)x=2$
$\therefore x=\dfrac{2}{\sqrt{2}-1}=\dfrac{2(\sqrt{2}+1)}{(\sqrt{2}-1)(\sqrt{2}+1)}=\dfrac{2(\sqrt{2}+1)}{2-1}$
$=2(\sqrt{2}+1)=2(1+\sqrt{2})$

47 $(x+y)^2=(x-y)^2+4xy=(2\sqrt{6})^2+4\times3=36$

48 $x^2+y^2=(x-y)^2+2xy$에서
$5=(-3)^2+2xy$, $2xy=-4$ $\quad\therefore xy=-2$

49 $a^2+b^2=(a+b)^2-2ab=3^2-2\times(-2)=13$
$\therefore \frac{b}{a}+\frac{a}{b}=\frac{b^2+a^2}{ab}=-\frac{13}{2}$

50 $x=\frac{1}{2-\sqrt{3}}=\frac{2+\sqrt{3}}{(2-\sqrt{3})(2+\sqrt{3})}=\frac{2+\sqrt{3}}{4-3}=2+\sqrt{3}$,
$y=\frac{1}{2+\sqrt{3}}=\frac{2-\sqrt{3}}{(2+\sqrt{3})(2-\sqrt{3})}=\frac{2-\sqrt{3}}{4-3}=2-\sqrt{3}$
이므로
$x+y=(2+\sqrt{3})+(2-\sqrt{3})=4$
$xy=(2+\sqrt{3})(2-\sqrt{3})=4-3=1$
$\therefore x^2+y^2=(x+y)^2-2xy=4^2-2\times1=14$

51 $x^2+\frac{1}{x^2}=\left(x+\frac{1}{x}\right)^2-2=(-5)^2-2=23$

52 $x\neq0$이므로 $x^2+6x-1=0$의 양변을 x로 나누면
$x+6-\frac{1}{x}=0$ $\quad\therefore x-\frac{1}{x}=-6$
$\therefore x^2-5+\frac{1}{x^2}=x^2+\frac{1}{x^2}-5$
$=\left(x-\frac{1}{x}\right)^2+2-5$
$=(-6)^2-3=33$

53 $x=\frac{1}{\sqrt{5}-2}=\frac{\sqrt{5}+2}{(\sqrt{5}-2)(\sqrt{5}+2)}=\frac{\sqrt{5}+2}{5-4}=\sqrt{5}+2$
즉, $x-2=\sqrt{5}$이므로 양변을 제곱하면 $(x-2)^2=(\sqrt{5})^2$
$x^2-4x+4=5$ $\quad\therefore x^2-4x=1$
$\therefore x^2-4x+5=1+5=6$

Best 쌍둥이

65~66쪽

1 ④	2 ④	3 ①	4 6	5 ③
6 ⑤	7 ④	8 ①	9 ④	
10 $11\sqrt{5}+6\sqrt{10}$		11 ⑤	12 $5+2\sqrt{5}$	13 ③
14 ④				

1 $(2x-A)^2=4x^2-4Ax+A^2=4x^2-12x+B$이므로
$-4A=-12$, $A^2=B$
따라서 $A=3$, $B=9$이므로 $A+B=3+9=12$

2 $(x-1)(x+1)(x^2+1)(x^4+1)$
$=(x^2-1)(x^2+1)(x^4+1)$
$=(x^4-1)(x^4+1)$
$=x^8-1$
$\therefore \square=8$

3 $(x+5)(x+a)=x^2+(5+a)x+5a$
이때 x의 계수가 3이므로
$5+a=3$ $\quad\therefore a=-2$
따라서 상수항은 $5a=5\times(-2)=-10$

4 $\left(ax+\frac{3}{2}\right)\left(x-\frac{5}{6}\right)=ax^2+\left(-\frac{5}{6}a+\frac{3}{2}\right)x-\frac{5}{4}$
$=4x^2+bx+c$
이므로 $a=4$, $-\frac{5}{6}a+\frac{3}{2}=b$, $-\frac{5}{4}=c$
따라서 $a=4$, $b=-\frac{11}{6}$, $c=-\frac{5}{4}$이므로
$ac-6b=4\times\left(-\frac{5}{4}\right)-6\times\left(-\frac{11}{6}\right)$
$=-5+11=6$

5 ① $(2x+3)^2=4x^2+12x+9$
② $(-x+y)(x+y)=-x^2+y^2$
④ $(x+4)(3x-1)=3x^2+11x-4$
⑤ $\left(\frac{1}{2}x-3\right)(4x+5)=2x^2-\frac{19}{2}x-15$
따라서 옳은 것은 ③이다.

6 오른쪽 그림에서 색칠한 부분의 넓이는
$(5a-3b)^2+(3b)^2$
$=25a^2-30ab+9b^2+9b^2$
$=25a^2-30ab+18b^2$

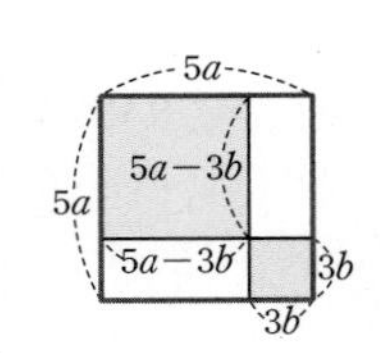

7 ① $97^2=(100-3)^2=100^2-2\times100\times3+3^2$
⇨ $(a-b)^2=a^2-2ab+b^2$
② $1003^2=(1000+3)^2=1000^2+2\times1000\times3+3^2$
⇨ $(a+b)^2=a^2+2ab+b^2$
③ $196\times204=(200-4)(200+4)=200^2-4^2$
⇨ $(a+b)(a-b)=a^2-b^2$
④ $101\times104=(100+1)(100+4)$
$=100^2+(1+4)\times100+1\times4$
⇨ $(x+a)(x+b)=x^2+(a+b)x+ab$
⑤ $51\times49=(50+1)(50-1)=50^2-1^2$
⇨ $(a+b)(a-b)=a^2-b^2$
따라서 주어진 곱셈 공식을 이용하여 계산하면 가장 편리한 것은 ④이다.

8 $\frac{779^2-778\times780-779}{778^2}$
$=\frac{779^2-(779-1)(779+1)-779}{778^2}$
$=\frac{779^2-(779^2-1)-779}{778^2}$
$=\frac{779^2-779^2+1-779}{778^2}$
$=-\frac{778}{778^2}=-\frac{1}{778}$

9 ① $(\sqrt{3}+3)(\sqrt{3}-4)=(\sqrt{3})^2+(3-4)\sqrt{3}+3\times(-4)$
$=3-\sqrt{3}-12=-9-\sqrt{3}$
② $(\sqrt{8}+\sqrt{5})^2=(\sqrt{8})^2+2\times\sqrt{8}\times\sqrt{5}+(\sqrt{5})^2$
$=8+2\sqrt{40}+5=13+4\sqrt{10}$
③ $(2\sqrt{3}-5)^2=(2\sqrt{3})^2-2\times2\sqrt{3}\times5+5^2$
$=12-20\sqrt{3}+25=37-20\sqrt{3}$
④ $(\sqrt{5}+3)(\sqrt{5}-3)=(\sqrt{5})^2-3^2=5-9=-4$
⑤ $(2\sqrt{3}+\sqrt{2})(3\sqrt{3}-4\sqrt{2})$
$=2\sqrt{3}\times3\sqrt{3}+2\sqrt{3}\times(-4\sqrt{2})+\sqrt{2}\times3\sqrt{3}+\sqrt{2}\times(-4\sqrt{2})$
$=18-8\sqrt{6}+3\sqrt{6}-8=10-5\sqrt{6}$
따라서 옳은 것은 ④이다.

10 $\overline{AP}=\overline{AD}=\sqrt{1^2+1^2}=\sqrt{2}$이므로 점 P에 대응하는 수는
$-3-\sqrt{2}$ $\quad\therefore a=-3-\sqrt{2}$
$\overline{EQ}=\overline{EF}=\sqrt{2^2+1^2}=\sqrt{5}$이므로 점 Q에 대응하는 수는 $\sqrt{5}$
$\therefore b=\sqrt{5}$
$\therefore a^2b=(-3-\sqrt{2})^2\times\sqrt{5}$
$=(9+6\sqrt{2}+2)\times\sqrt{5}$
$=(11+6\sqrt{2})\times\sqrt{5}$
$=11\sqrt{5}+6\sqrt{10}$

11 $\dfrac{6}{\sqrt{5}-\sqrt{3}}-\dfrac{3}{\sqrt{5}+\sqrt{3}}$
$=\dfrac{6(\sqrt{5}+\sqrt{3})}{(\sqrt{5}-\sqrt{3})(\sqrt{5}+\sqrt{3})}-\dfrac{3(\sqrt{5}-\sqrt{3})}{(\sqrt{5}+\sqrt{3})(\sqrt{5}-\sqrt{3})}$
$=\dfrac{6(\sqrt{5}+\sqrt{3})}{5-3}-\dfrac{3(\sqrt{5}-\sqrt{3})}{5-3}$
$=\dfrac{6\sqrt{5}+6\sqrt{3}}{2}-\dfrac{3\sqrt{5}-3\sqrt{3}}{2}$
$=\dfrac{9\sqrt{3}+3\sqrt{5}}{2}$
따라서 $a=\dfrac{9}{2}$, $b=\dfrac{3}{2}$이므로
$a+b=\dfrac{9}{2}+\dfrac{3}{2}=6$

12 $2<\sqrt{5}<3$이고 $-3<-\sqrt{5}<-2$에서
$1<4-\sqrt{5}<2$이므로 $a=1$
$b=(4-\sqrt{5})-1=3-\sqrt{5}$
$\therefore \dfrac{5a}{2b-a}=\dfrac{5\times1}{2(3-\sqrt{5})-1}=\dfrac{5}{5-2\sqrt{5}}$
$=\dfrac{5(5+2\sqrt{5})}{(5-2\sqrt{5})(5+2\sqrt{5})}$
$=\dfrac{5(5+2\sqrt{5})}{25-20}$
$=5+2\sqrt{5}$

13 $(x-y)^2=(x+y)^2-4xy$
$=(2\sqrt{10})^2-4\times(-9)=76$
이때 $x>y$이므로 $x-y=\sqrt{76}=2\sqrt{19}$

14 $x=\dfrac{2}{3-\sqrt{5}}=\dfrac{2(3+\sqrt{5})}{(3-\sqrt{5})(3+\sqrt{5})}$
$=\dfrac{2(3+\sqrt{5})}{9-5}=\dfrac{3+\sqrt{5}}{2}$,
$y=\dfrac{2}{3+\sqrt{5}}=\dfrac{2(3-\sqrt{5})}{(3+\sqrt{5})(3-\sqrt{5})}$
$=\dfrac{2(3-\sqrt{5})}{9-5}=\dfrac{3-\sqrt{5}}{2}$
이므로
$x+y=\left(\dfrac{3+\sqrt{5}}{2}\right)+\left(\dfrac{3-\sqrt{5}}{2}\right)=3$
$xy=\left(\dfrac{3+\sqrt{5}}{2}\right)\left(\dfrac{3-\sqrt{5}}{2}\right)=\dfrac{9-5}{4}=1$
$\therefore x^2-3xy+y^2=(x+y)^2-5xy$
$=3^2-5\times1=4$

100점 완성

67~68쪽

1-1	-7	**1-2**	36
2-1	①	**2-2**	$a^2-2ab+b^2+2a-2b-3$
3-1	$-18x^2+42xy-24y^2$	**3-2**	$-4x^2+45x-104$
4-1	⑤	**4-2**	②
5-1	$-1+\sqrt{11}$	**5-2**	2
6-1	$4\sqrt{3}$	**6-2**	$-\dfrac{7}{2}$

1-1 효린: $(x+4)(x+A)=x^2+(4+A)x+4A$
$=x^2+3x+B$
이므로 $4+A=3$, $4A=B$
$\therefore A=-1,\ B=-4$
유진: $(Cx-1)(x+3)=Cx^2+(3C-1)x-3$
$=Cx^2-7x-3$
이므로 $3C-1=-7$ $\quad\therefore C=-2$
$\therefore A+B+C=-1+(-4)+(-2)=-7$

1-2 유미: $(x+a)(x+7)=x^2+(a+7)x+7a$
$=x^2+x+b$
이므로 $a+7=1$, $7a=b$
$\therefore a=-6,\ b=-42$
정우: $(cx+4)(6-x)=-cx^2+(6c-4)x+24$
$=dx^2-22x+24$
이므로 $-c=d$, $6c-4=-22$
$\therefore c=-3,\ d=3$
$\therefore a-b+c+d=-6-(-42)+(-3)+3=36$

2-1 $3y-1=A$로 놓으면

$(x-3y+1)(x+3y-1)=\{x-(3y-1)\}\{x+(3y-1)\}$
$=(x-A)(x+A)$
$=x^2-A^2$
$=x^2-(3y-1)^2$
$=x^2-(9y^2-6y+1)$
$=x^2-9y^2+6y-1$

2-2 $a-b=A$로 놓으면

$(a-b+3)(a-b-1)=(A+3)(A-1)$
$=A^2+2A-3$
$=(a-b)^2+2(a-b)-3$
$=a^2-2ab+b^2+2a-2b-3$

3-1 □ABFE는 정사각형이므로 $\overline{AE}=\overline{AB}=\overline{DC}=2y$에서

$\overline{ED}=\overline{AD}-\overline{AE}=3x-2y$

□EGHD는 정사각형이므로

$\overline{DH}=\overline{ED}=3x-2y$에서

$\overline{HC}=\overline{DC}-\overline{DH}=2y-(3x-2y)=-3x+4y$

□IJCH는 정사각형이므로

$\overline{IH}=\overline{IJ}=\overline{HC}=-3x+4y$에서

$\overline{GI}=\overline{GH}-\overline{IH}=\overline{ED}-\overline{IH}$
$=3x-2y-(-3x+4y)=6x-6y$

따라서 직사각형 GFJI의 넓이는

$\overline{GI}\times\overline{IJ}=(6x-6y)(-3x+4y)=-18x^2+42xy-24y^2$

3-2 □AEFD는 정사각형이므로

$\overline{AE}=\overline{EF}=\overline{BC}=2x+3$에서

$\overline{EB}=\overline{AB}-\overline{AE}=5x-2-(2x+3)=3x-5$

□EBHG는 정사각형이므로

$\overline{BH}=\overline{EG}=\overline{EB}=3x-5$에서

$\overline{HC}=\overline{BC}-\overline{BH}=2x+3-(3x-5)=-x+8$

□IHCJ는 정사각형이므로 $\overline{IH}=\overline{IJ}=\overline{HC}=-x+8$에서

$\overline{GI}=\overline{GH}-\overline{IH}=\overline{EB}-\overline{IH}$
$=3x-5-(-x+8)=4x-13$

따라서 직사각형 GIJF의 넓이는

$\overline{IJ}\times\overline{GI}=(-x+8)(4x-13)=-4x^2+45x-104$

4-1 $98\times102\times(10^4+4)=(100-2)(100+2)(10^4+4)$
$=(10^2-2)(10^2+2)(10^4+2^2)$
$=(10^4-2^2)(10^4+2^2)$
$=10^8-2^4$

따라서 $a=8$, $b=2^4=16$이므로

$a+b=8+16=24$

4-2 $9\times11\times101\times10001$

$=(10-1)(10+1)(100+1)(10000+1)$
$=(10^2-1)(10^2+1)(10^4+1)$
$=(10^4-1)(10^4+1)$
$=10^8-1$

따라서 $a=8$, $b=1$이므로

$a-b=8-1=7$

5-1 $f(1)+f(2)+f(3)+\cdots+f(10)$

$=\frac{1}{\sqrt{2}+1}+\frac{1}{\sqrt{3}+\sqrt{2}}+\frac{1}{\sqrt{4}+\sqrt{3}}+\cdots+\frac{1}{\sqrt{11}+\sqrt{10}}$

$=\frac{\sqrt{2}-1}{(\sqrt{2}+1)(\sqrt{2}-1)}+\frac{\sqrt{3}-\sqrt{2}}{(\sqrt{3}+\sqrt{2})(\sqrt{3}-\sqrt{2})}$
$+\frac{\sqrt{4}-\sqrt{3}}{(\sqrt{4}+\sqrt{3})(\sqrt{4}-\sqrt{3})}+\cdots+\frac{\sqrt{11}-\sqrt{10}}{(\sqrt{11}+\sqrt{10})(\sqrt{11}-\sqrt{10})}$

$=\frac{\sqrt{2}-1}{2-1}+\frac{\sqrt{3}-\sqrt{2}}{3-2}+\frac{\sqrt{4}-\sqrt{3}}{4-3}+\cdots+\frac{\sqrt{11}-\sqrt{10}}{11-10}$

$=\sqrt{2}-1+\sqrt{3}-\sqrt{2}+\sqrt{4}-\sqrt{3}+\cdots+\sqrt{11}-\sqrt{10}$

$=-1+\sqrt{11}$

다른 풀이

$f(x)=\frac{1}{\sqrt{x+1}+\sqrt{x}}$
$=\frac{\sqrt{x+1}-\sqrt{x}}{(\sqrt{x+1}+\sqrt{x})(\sqrt{x+1}-\sqrt{x})}$
$=\frac{\sqrt{x+1}-\sqrt{x}}{x+1-x}$
$=\sqrt{x+1}-\sqrt{x}$

$\therefore f(1)+f(2)+f(3)+\cdots+f(10)$
$=\sqrt{2}-\sqrt{1}+\sqrt{3}-\sqrt{2}+\sqrt{4}-\sqrt{3}+\cdots+\sqrt{11}-\sqrt{10}$
$=-1+\sqrt{11}$

5-2 $\frac{1}{f(1)}+\frac{1}{f(2)}+\frac{1}{f(3)}+\cdots+\frac{1}{f(12)}$

$=\frac{1}{\sqrt{3}+\sqrt{1}}+\frac{1}{\sqrt{5}+\sqrt{3}}+\frac{1}{\sqrt{7}+\sqrt{5}}+\cdots+\frac{1}{\sqrt{25}+\sqrt{23}}$

$=\frac{\sqrt{3}-\sqrt{1}}{(\sqrt{3}+\sqrt{1})(\sqrt{3}-\sqrt{1})}+\frac{\sqrt{5}-\sqrt{3}}{(\sqrt{5}+\sqrt{3})(\sqrt{5}-\sqrt{3})}$
$+\frac{\sqrt{7}-\sqrt{5}}{(\sqrt{7}+\sqrt{5})(\sqrt{7}-\sqrt{5})}+\cdots+\frac{\sqrt{25}-\sqrt{23}}{(\sqrt{25}+\sqrt{23})(\sqrt{25}-\sqrt{23})}$

$=\frac{\sqrt{3}-\sqrt{1}}{3-1}+\frac{\sqrt{5}-\sqrt{3}}{5-3}+\frac{\sqrt{7}-\sqrt{5}}{7-5}+\cdots+\frac{\sqrt{25}-\sqrt{23}}{25-23}$

$=\frac{1}{2}(\sqrt{3}-\sqrt{1}+\sqrt{5}-\sqrt{3}+\sqrt{7}-\sqrt{5}+\cdots+\sqrt{25}-\sqrt{23})$

$=\frac{1}{2}(-\sqrt{1}+\sqrt{25})=\frac{1}{2}(-1+5)=2$

6-1 $(x-3)(y+3)=11$에서 $xy+3(x-y)-9=11$

이때 $xy=8$이므로 $8+3(x-y)-9=11$

$3(x-y)=12$ $\quad\therefore x-y=4$

$(x+y)^2=(x-y)^2+4xy=4^2+4\times8=48$

$\therefore x+y=\sqrt{48}=4\sqrt{3}$ ($\because x>0,\ y>0$)

6-2 $(x-2)(y-2)=-6$에서 $xy-2(x+y)+4=-6$

이때 $xy=-4$이므로 $-4-2(x+y)+4=-6$

$-2(x+y)=-6$ $\quad\therefore x+y=3$

$x^2+y^2=(x+y)^2-2xy=3^2-2\times(-4)=17$

$\therefore \frac{x-1}{y}+\frac{y-1}{x}=\frac{x(x-1)+y(y-1)}{xy}$
$=\frac{x^2+y^2-(x+y)}{xy}$
$=\frac{17-3}{-4}=-\frac{7}{2}$

서술형 완성

69~70쪽

1 (1) $x^2-4xy+4y^2$ (2) $-\frac{1}{4}x^2+36y^2$ (3) $x^2-2x-35$ (4) $2x^2-5x-12$ 2 46 3 $9a^2-4b^2$

4 1123 5 $\frac{9+3\sqrt{5}}{4}$ 6 $\frac{4}{3}$

7 (1) $x=\frac{4+\sqrt{6}}{5}$, $y=\frac{4-\sqrt{6}}{5}$ (2) $\frac{44}{25}$ 8 1

9 46 10 $1+\sqrt{6}$

1 (1) $(-x+2y)^2=(-x)^2-2\times x\times 2y+(2y)^2$
$=x^2-4xy+4y^2$

(2) $\left(-\frac{1}{2}x+6y\right)\left(\frac{1}{2}x+6y\right)=-\left(\frac{1}{2}x\right)^2+(6y)^2$
$=-\frac{1}{4}x^2+36y^2$

(3) $(x+5)(x-7)=x^2+(5-7)x+5\times(-7)$
$=x^2-2x-35$

(4) $(2x+3)(x-4)=2x^2+(-8+3)x+3\times(-4)$
$=2x^2-5x-12$

2 $(3x-2y)^2+(x+3y)(-x+3y)$
$=9x^2-12xy+4y^2+(-x^2+9y^2)$
$=8x^2-12xy+13y^2$ …… ①
따라서 $a=8$, $b=-12$, $c=13$이므로
$a-b+2c=8-(-12)+2\times13=46$ …… ②

단계	채점 기준	배점
①	좌변 전개하기	4점
②	답 구하기	2점

3 색칠한 직사각형의 가로의 길이는 $3a-2b$, 세로의 길이는 $3a+2b$이므로 …… ①
(색칠한 직사각형의 넓이)$=(3a-2b)(3a+2b)$
$=(3a)^2-(2b)^2$
$=9a^2-4b^2$ …… ②

단계	채점 기준	배점
①	색칠한 직사각형의 가로, 세로의 길이 구하기	3점
②	답 구하기	3점

4 $\frac{1123}{1121^2-1120\times1122}$
$=\frac{1123}{1121^2-(1121-1)(1121+1)}$ …… ①
$=\frac{1123}{1121^2-(1121^2-1)}$
$=\frac{1123}{1121^2-1121^2+1}=1123$ …… ②

단계	채점 기준	배점
①	곱셈 공식을 이용하여 주어진 식 변형하기	3점
②	답 구하기	3점

5 $\overline{AP}=\overline{AB}=\sqrt{2^2+1^2}=\sqrt{5}$이므로 점 P에 대응하는 수는 $-3+\sqrt{5}$ $\therefore a=-3+\sqrt{5}$
$\overline{AQ}=\overline{AD}=\sqrt{1^2+2^2}=\sqrt{5}$이므로 점 Q에 대응하는 수는 $-3-\sqrt{5}$ $\therefore b=-3-\sqrt{5}$ …… ①
$\therefore \frac{1}{a}-b=\frac{1}{-3+\sqrt{5}}-(-3-\sqrt{5})$
$=\frac{-3-\sqrt{5}}{(-3+\sqrt{5})(-3-\sqrt{5})}+3+\sqrt{5}$
$=\frac{-3-\sqrt{5}}{9-5}+3+\sqrt{5}$ …… ②
$=\frac{-3-\sqrt{5}}{4}+3+\sqrt{5}=\frac{9+3\sqrt{5}}{4}$ …… ③

단계	채점 기준	배점
①	a, b의 값 구하기	3점
②	분모를 유리화하기	3점
③	답 구하기	2점

6 $a^2+b^2=(a+b)^2-2ab$에서
$10=4^2-2ab$, $2ab=6$ $\therefore ab=3$ …… ①
$\therefore \frac{1}{a}+\frac{1}{b}=\frac{b+a}{ab}=\frac{4}{3}$ …… ②

단계	채점 기준	배점
①	ab의 값 구하기	3점
②	답 구하기	3점

7 (1) $x=\frac{2}{4-\sqrt{6}}=\frac{2(4+\sqrt{6})}{(4-\sqrt{6})(4+\sqrt{6})}$
$=\frac{2(4+\sqrt{6})}{16-6}=\frac{4+\sqrt{6}}{5}$
$y=\frac{2}{4+\sqrt{6}}=\frac{2(4-\sqrt{6})}{(4+\sqrt{6})(4-\sqrt{6})}$
$=\frac{2(4-\sqrt{6})}{16-6}=\frac{4-\sqrt{6}}{5}$

(2) $x+y=\left(\frac{4+\sqrt{6}}{5}\right)+\left(\frac{4-\sqrt{6}}{5}\right)=\frac{8}{5}$
$xy=\left(\frac{4+\sqrt{6}}{5}\right)\left(\frac{4-\sqrt{6}}{5}\right)=\frac{16-6}{25}=\frac{2}{5}$
$\therefore x^2+y^2=(x+y)^2-2xy$
$=\left(\frac{8}{5}\right)^2-2\times\frac{2}{5}=\frac{44}{25}$

8 $x=\frac{2}{\sqrt{3}+1}=\frac{2(\sqrt{3}-1)}{(\sqrt{3}+1)(\sqrt{3}-1)}=\frac{2(\sqrt{3}-1)}{3-1}=\sqrt{3}-1$ …… ①
즉, $x+1=\sqrt{3}$이므로 양변을 제곱하면
$(x+1)^2=(\sqrt{3})^2$, $x^2+2x+1=3$
$\therefore x^2+2x=2$ …… ②
$\therefore 2x^2+4x-3=2(x^2+2x)-3$
$=2\times2-3=1$ …… ③

단계	채점 기준	배점
①	x의 분모를 유리화하기	3점
②	x^2+2x의 값 구하기	3점
③	답 구하기	2점

9 $(8+4)(8^2+4^2)(8^4+4^4)(8^8+4^8)+2^{30}=2^x$의 양변에 $(8-4)$를 곱하면

$(8-4)(8+4)(8^2+4^2)(8^4+4^4)(8^8+4^8)+(8-4)\times2^{30}$
$=(8-4)\times2^x$ …… ①

$(8^2-4^2)(8^2+4^2)(8^4+4^4)(8^8+4^8)+2^2\times2^{30}=2^2\times2^x$

$(8^4-4^4)(8^4+4^4)(8^8+4^8)+2^{32}=2^{2+x}$

$(8^8-4^8)(8^8+4^8)+2^{32}=2^{2+x}$

$8^{16}-4^{16}+2^{32}=2^{2+x}$

$2^{48}-2^{32}+2^{32}=2^{2+x}$

$2^{48}=2^{2+x}$ …… ②

따라서 $2+x=48$이므로 $x=46$ …… ③

단계	채점 기준	배점
①	주어진 식의 양변에 $(8-4)$ 곱하기	3점
②	곱셈 공식을 이용하여 식 간단히 하기	5점
③	답 구하기	2점

10 $f(1)-f(2)+f(3)-f(4)+f(5)$

$=\frac{1}{\sqrt{2}-1}-\frac{1}{\sqrt{3}-\sqrt{2}}+\frac{1}{\sqrt{4}-\sqrt{3}}-\frac{1}{\sqrt{5}-\sqrt{4}}+\frac{1}{\sqrt{6}-\sqrt{5}}$ …… ①

$=\frac{\sqrt{2}+1}{(\sqrt{2}-1)(\sqrt{2}+1)}-\frac{\sqrt{3}+\sqrt{2}}{(\sqrt{3}-\sqrt{2})(\sqrt{3}+\sqrt{2})}$
$+\frac{\sqrt{4}+\sqrt{3}}{(\sqrt{4}-\sqrt{3})(\sqrt{4}+\sqrt{3})}-\frac{\sqrt{5}+\sqrt{4}}{(\sqrt{5}-\sqrt{4})(\sqrt{5}+\sqrt{4})}$
$+\frac{\sqrt{6}+\sqrt{5}}{(\sqrt{6}-\sqrt{5})(\sqrt{6}+\sqrt{5})}$

$=\frac{\sqrt{2}+1}{2-1}-\frac{\sqrt{3}+\sqrt{2}}{3-2}+\frac{\sqrt{4}+\sqrt{3}}{4-3}-\frac{\sqrt{5}+\sqrt{4}}{5-4}+\frac{\sqrt{6}+\sqrt{5}}{6-5}$

$=\sqrt{2}+1-(\sqrt{3}+\sqrt{2})+(\sqrt{4}+\sqrt{3})-(\sqrt{5}+\sqrt{4})+(\sqrt{6}+\sqrt{5})$ …… ②

$=\sqrt{2}+1-\sqrt{3}-\sqrt{2}+\sqrt{4}+\sqrt{3}-\sqrt{5}-\sqrt{4}+\sqrt{6}+\sqrt{5}$

$=1+\sqrt{6}$ …… ③

단계	채점 기준	배점
①	$f(x)$에 숫자 각각 대입하기	2점
②	분모를 유리화하기	5점
③	답 구하기	3점

실전 테스트

71~74쪽

1 ①	2 ②	3 ③	4 ①	5 ⑤
6 ④	7 ⑤	8 ③	9 ③	10 ⑤
11 ②	12 ④	13 ⑤	14 ③	15 ②
16 ③	17 ④	18 ②	19 -4996	
20 $\frac{3}{4}$	21 $5\sqrt{2}-\sqrt{10}$		22 2	

1 xy항이 나오는 부분만 전개하면

$2x\times(-y)+3y\times3x=7xy$ $\quad\therefore a=7$

y^2항이 나오는 부분만 전개하면

$3y\times(-y)=-3y^2$ $\quad\therefore b=-3$

$\therefore a+b=7+(-3)=4$

2 $(3x+a)^2=9x^2+6ax+a^2=bx^2-12x+c$이므로

$9=b$, $6a=-12$, $a^2=c$

따라서 $a=-2$, $b=9$, $c=4$이므로

$a+b+c=-2+9+4=11$

3 ㄱ. $(2a-b)^2=4a^2-4ab+b^2$

ㄴ. $(2a+b)^2=4a^2+4ab+b^2$

ㄷ. $(-2a-b)^2=4a^2+4ab+b^2$

ㄹ. $-(2a-b)^2=-(4a^2-4ab+b^2)=-4a^2+4ab-b^2$

ㅁ. $-(-2a-b)^2=-(4a^2+4ab+b^2)=-4a^2-4ab-b^2$

따라서 전개식이 같은 것끼리 짝 지은 것은 ㄴ, ㄷ이다.

4 $(a-1)(a+1)(a^2+1)(a^4+1)(a^8+1)$

$=(a^2-1)(a^2+1)(a^4+1)(a^8+1)$

$=(a^4-1)(a^4+1)(a^8+1)$

$=(a^8-1)(a^8+1)=a^{16}-1$

따라서 $m=16$, $n=-1$이므로 $mn=16\times(-1)=-16$

5 $(x+a)(x+b)=x^2+(a+b)x+ab=x^2+cx-12$

이므로 $a+b=c$, $ab=-12$

이때 $ab=-12$를 만족시키는 정수 a, b의 순서쌍 (a, b)는

$(-12, 1)$, $(-6, 2)$, $(-4, 3)$, $(-3, 4)$, $(-2, 6)$, $(-1, 12)$, $(1, -12)$, $(2, -6)$, $(3, -4)$, $(4, -3)$, $(6, -2)$, $(12, -1)$

$\therefore c=-11, -4, -1, 1, 4, 11$

6 $(2x-1)(x+A)=2x^2+(2A-1)x-A$

이때 상수항이 -2이므로 $-A=-2$ $\quad\therefore A=2$

따라서 x의 계수는 $2A-1=2\times2-1=3$

7 ① $\left(-x-\frac{1}{2}\right)^2=x^2+x+\frac{1}{4}$

② $(3x-2y)^2=9x^2-12xy+4y^2$

③ $(-x+11y)(-x-11y)=x^2-121y^2$

④ $(x+6)(x-3)=x^2+3x-18$

따라서 옳은 것은 ⑤이다.

8 $2(x+3)(x-3)+(7x-2)(x+5)$

$=2(x^2-9)+7x^2+33x-10$

$=2x^2-18+7x^2+33x-10$

$=9x^2+33x-28$

따라서 x의 계수는 33, 상수항은 -28이므로

x의 계수와 상수항의 합은 $33+(-28)=5$

9 오른쪽 그림에서 길을 제외한 화단의 넓이는

$(4x+5-2)(2x+3-2)$
$=(4x+3)(2x+1)$
$=8x^2+10x+3$

따라서 $a=8$, $b=10$, $c=3$이므로

$a+b+c=8+10+3=21$

10 ① $104^2=(100+4)^2=100^2+2\times100\times4+4^2$
⇨ $(a+b)^2=a^2+2ab+b^2$

② $96^2=(100-4)^2=100^2-2\times100\times4+4^2$
⇨ $(a-b)^2=a^2-2ab+b^2$

③ $52\times48=(50+2)(50-2)=50^2-2^2$
⇨ $(a+b)(a-b)=a^2-b^2$

④ $102\times103=(100+2)(100+3)$
$=100^2+(2+3)\times100+2\times3$
⇨ $(x+a)(x+b)=x^2+(a+b)x+ab$

⑤ $98\times102=(100-2)(100+2)=100^2-2^2$
⇨ $(a+b)(a-b)=a^2-b^2$

따라서 적절하지 않은 것은 ⑤이다.

11 $(5+1)(5^2+1)(5^4+1)(5^8+1)$
$=\frac{1}{5-1}(5-1)(5+1)(5^2+1)(5^4+1)(5^8+1)$
$=\frac{1}{4}(5^2-1)(5^2+1)(5^4+1)(5^8+1)$
$=\frac{1}{4}(5^4-1)(5^4+1)(5^8+1)$
$=\frac{1}{4}(5^8-1)(5^8+1)$
$=\frac{1}{4}(5^{16}-1)$
$=\frac{5^{16}-1}{4}$

따라서 $A=4$, $B=16$이므로 $\frac{B}{A}=\frac{16}{4}=4$

12 $(2\sqrt{2}-1)^2-(3-\sqrt{6})(3+\sqrt{6})$
$=(2\sqrt{2})^2-2\times2\sqrt{2}\times1+1^2-\{3^2-(\sqrt{6})^2\}$
$=8-4\sqrt{2}+1-9+6$
$=6-4\sqrt{2}$

13 $x=\frac{\sqrt{3}-1}{\sqrt{3}+1}=\frac{(\sqrt{3}-1)^2}{(\sqrt{3}+1)(\sqrt{3}-1)}$
$=\frac{3-2\sqrt{3}+1}{3-1}=\frac{4-2\sqrt{3}}{2}=2-\sqrt{3}$

$\therefore x+\frac{1}{x}=2-\sqrt{3}+\frac{1}{2-\sqrt{3}}$
$=2-\sqrt{3}+\frac{2+\sqrt{3}}{(2-\sqrt{3})(2+\sqrt{3})}$
$=2-\sqrt{3}+2+\sqrt{3}=4$

14 $\frac{18}{4+\sqrt{7}}=\frac{18(4-\sqrt{7})}{(4+\sqrt{7})(4-\sqrt{7})}=\frac{18(4-\sqrt{7})}{16-7}$
$=2(4-\sqrt{7})=8-2\sqrt{7}$

$5<2\sqrt{7}<6$이고 $-6<-2\sqrt{7}<-5$에서

$2<8-2\sqrt{7}<3$이므로

$a=2$, $b=(8-2\sqrt{7})-2=6-2\sqrt{7}$

$\therefore \frac{a-b}{b-a}=\frac{2-(6-2\sqrt{7})}{(6-2\sqrt{7})-2}=\frac{-4+2\sqrt{7}}{4-2\sqrt{7}}$
$=\frac{(-4+2\sqrt{7})(4+2\sqrt{7})}{(4-2\sqrt{7})(4+2\sqrt{7})}=\frac{-16+28}{16-28}=-1$

15 $\frac{1}{\sqrt{96}+\sqrt{97}}+\frac{1}{\sqrt{97}+\sqrt{98}}+\frac{1}{\sqrt{98}+\sqrt{99}}+\frac{1}{\sqrt{99}+\sqrt{100}}$
$=\frac{\sqrt{96}-\sqrt{97}}{(\sqrt{96}+\sqrt{97})(\sqrt{96}-\sqrt{97})}+\frac{\sqrt{97}-\sqrt{98}}{(\sqrt{97}+\sqrt{98})(\sqrt{97}-\sqrt{98})}$
$+\frac{\sqrt{98}-\sqrt{99}}{(\sqrt{98}+\sqrt{99})(\sqrt{98}-\sqrt{99})}$
$+\frac{\sqrt{99}-\sqrt{100}}{(\sqrt{99}+\sqrt{100})(\sqrt{99}-\sqrt{100})}$
$=\frac{\sqrt{96}-\sqrt{97}}{96-97}+\frac{\sqrt{97}-\sqrt{98}}{97-98}+\frac{\sqrt{98}-\sqrt{99}}{98-99}+\frac{\sqrt{99}-\sqrt{100}}{99-100}$
$=-(\sqrt{96}-\sqrt{97})-(\sqrt{97}-\sqrt{98})-(\sqrt{98}-\sqrt{99})$
$-(\sqrt{99}-\sqrt{100})$
$=-\sqrt{96}+\sqrt{97}-\sqrt{97}+\sqrt{98}-\sqrt{98}+\sqrt{99}-\sqrt{99}+\sqrt{100}$
$=-\sqrt{96}+\sqrt{100}=10-4\sqrt{6}$

16 $a^2+b^2=(a-b)^2+2ab=(-8)^2+2\times(-4)=56$

$\therefore \frac{1}{a^2}+\frac{1}{b^2}=\frac{b^2+a^2}{a^2b^2}=\frac{56}{(-4)^2}=\frac{7}{2}$

17 $x=\frac{2}{3+2\sqrt{2}}=\frac{2(3-2\sqrt{2})}{(3+2\sqrt{2})(3-2\sqrt{2})}$
$=\frac{2(3-2\sqrt{2})}{9-8}=6-4\sqrt{2}$,

$y=\frac{2}{3-2\sqrt{2}}=\frac{2(3+2\sqrt{2})}{(3-2\sqrt{2})(3+2\sqrt{2})}$
$=\frac{2(3+2\sqrt{2})}{9-8}=6+4\sqrt{2}$

이므로

$x+y=(6-4\sqrt{2})+(6+4\sqrt{2})=12$

$xy=(6-4\sqrt{2})(6+4\sqrt{2})=36-32=4$

$x^2+y^2=(x+y)^2-2xy=12^2-2\times4=136$

$\therefore \frac{y}{x}+\frac{x}{y}=\frac{y^2+x^2}{xy}=\frac{136}{4}=34$

18 $x\neq0$이므로 $x^2-7x+1=0$의 양변을 x로 나누면

$x-7+\frac{1}{x}=0$ $\quad\therefore x+\frac{1}{x}=7$

$\therefore x^2+x+\frac{1}{x}+\frac{1}{x^2}=\left(x^2+\frac{1}{x^2}\right)+\left(x+\frac{1}{x}\right)$
$=\left(x+\frac{1}{x}\right)^2-2+\left(x+\frac{1}{x}\right)$
$=7^2-2+7=54$

19 $4999^2-4998\times5002+4999$
$=(5000-1)^2-(5000-2)(5000+2)+(5000-1)$ …… ①
$=5000^2-2\times5000\times1+1^2-5000^2+2^2+5000-1$ …… ②
$=-5000+4$
$=-4996$ …… ③

단계	채점 기준	배점
①	주어진 식 변형하기	2점
②	곱셈 공식을 이용하여 식 전개하기	2점
③	답 구하기	2점

20 $(\sqrt{5}+2a)(2\sqrt{5}-3)=10+(-3+4a)\sqrt{5}-6a$
$=10-6a+(-3+4a)\sqrt{5}$ …… ①
이 식이 유리수가 되려면 $-3+4a=0$이어야 하므로
$4a=3$ $\quad\therefore a=\frac{3}{4}$ …… ②

단계	채점 기준	배점
①	주어진 식 전개하기	4점
②	답 구하기	2점

21 $\overline{AP}=\overline{AB}=\sqrt{2^2+1^2}=\sqrt{5}$이므로 점 P에 대응하는 수는
$-1+\sqrt{5}$ $\quad\therefore a=-1+\sqrt{5}$ …… ①
$\overline{AQ}=\overline{AC}=\sqrt{3^2+1^2}=\sqrt{10}$이므로 점 Q에 대응하는 수는
$-1+\sqrt{10}$ $\quad\therefore b=-1+\sqrt{10}$ …… ②
$\therefore ab+a=(-1+\sqrt{5})(-1+\sqrt{10})+(-1+\sqrt{5})$
$=1-\sqrt{10}-\sqrt{5}+5\sqrt{2}-1+\sqrt{5}$
$=5\sqrt{2}-\sqrt{10}$ …… ③

단계	채점 기준	배점
①	a의 값 구하기	2점
②	b의 값 구하기	2점
③	답 구하기	4점

22 $x=\frac{1}{2\sqrt{6}-5}$
$=\frac{2\sqrt{6}+5}{(2\sqrt{6}-5)(2\sqrt{6}+5)}$
$=\frac{2\sqrt{6}+5}{24-25}$
$=-2\sqrt{6}-5$ …… ①
즉, $x+5=-2\sqrt{6}$이므로 양변을 제곱하면
$(x+5)^2=(-2\sqrt{6})^2$
$x^2+10x+25=24$
$\therefore x^2+10x=-1$ …… ②
$\therefore \sqrt{x^2+10x+5}=\sqrt{-1+5}=\sqrt{4}=2$ …… ③

단계	채점 기준	배점
①	x의 분모를 유리화하기	3점
②	x^2+10x의 값 구하기	3점
③	답 구하기	2점

2 ★ 인수분해

필수 기출 76~84쪽

1 ②	2 ⑤	3 ③	4 ③	5 ③
6 ⑤	7 ③	8 $2ab(a-b)^2$		9 ②
10 ④	11 25	12 ②	13 $2a+\frac{1}{6}$	14 ⑤
15 ⑤	16 ④	17 ②	18 ④	19 -12
20 ⑤	21 ④	22 ③	23 ④	24 ②
25 ①	26 ③	27 ②, ④	28 ④	29 ②
30 ⑤	31 -32	32 ①	33 ③	
34 $(x+1)(x-6)$		35 $(x-4)(2x+3)$		36 ④
37 ④	38 ④	39 $(x+5)$m		40 8cm
41 ①, ③	42 1	43 ⑤	44 -55	45 ⑤
46 ③	47 ①	48 ④	49 ⑤	50 ⑤
51 $5\sqrt{2}+2$	52 $8\sqrt{5}$	53 ④	54 ②	55 ②
56 ②	57 $x+8$	58 2700π cm^3		59 1

2 ⑤ $2ab^2$, $-8b^2$은 $2ab^2-8b^2$의 인수가 아니다.

3 $3x^2y+12xy^2=3xy(x+4y)$

4 $x(3x-y)-2y(y-3x)=x(3x-y)+2y(3x-y)$
$=(3x-y)(x+2y)$

5 $ab^2+2a^2b-5ab=ab(b+2a-5)=ab(2a+b-5)$
따라서 ab^2+2a^2b-5ab의 인수가 아닌 것은 ③이다.

6 ① $x^2+10x+25=(x+5)^2$
② $4a^2+4a+1=(2a+1)^2$
③ $3x^2-12x+12=3(x^2-4x+4)=3(x-2)^2$
④ $\frac{1}{9}x^2+\frac{2}{3}xy+y^2=\left(\frac{1}{3}x+y\right)^2$
따라서 완전제곱식으로 인수분해할 수 없는 것은 ⑤이다.

7 $9x^2-12x+a=(3x+b)^2=9x^2+6bx+b^2$이므로
$-12=6b$, $a=b^2$
따라서 $a=4$, $b=-2$이므로
$a+b=4+(-2)=2$

8 $2a^3b-4a^2b^2+2ab^3=2ab(a^2-2ab+b^2)$
$=2ab(a-b)^2$

9 $4x^2-12x+a=(2x)^2-2\times2x\times3+a$이므로
$a=3^2=9$
$x^2+bx+25=(x\pm5)^2$이므로
$b=\pm2\times1\times5=\pm10$
이때 $b>0$이므로 $b=10$
$\therefore a+b=9+10=19$

10 $9x^2+(5k+2)x+49=(3x\pm7)^2$
이므로 $5k+2=\pm2\times3\times7=\pm42$
이때 $k>0$이므로 $5k+2=42$, $5k=40$ $\quad\therefore k=8$

11 $(x+4)(x-6)+k=x^2-2x-24+k$
$\qquad\qquad\qquad\quad=x^2-2\times x\times1-24+k$
이므로 $-24+k=1^2$ $\quad\therefore k=25$

다른 풀이
$(x+4)(x-6)+k=x^2-2x-24+k$에서
$-24+k=\left(\frac{-2}{2}\right)^2$, $-24+k=1$ $\quad\therefore k=25$

12 $5<x<8$일 때, $x-5>0$, $x-8<0$이므로
$\sqrt{x^2-10x+25}+\sqrt{x^2-16x+64}$
$=\sqrt{(x-5)^2}+\sqrt{(x-8)^2}=x-5-(x-8)$
$=x-5-x+8=3$

13 $0<3a<1$에서 $0<a<\frac{1}{3}$이므로 $a+\frac{1}{2}>0$, $a-\frac{1}{3}<0$
$\therefore \sqrt{a^2+a+\frac{1}{4}}-\sqrt{a^2-\frac{2}{3}a+\frac{1}{9}}$
$=\sqrt{\left(a+\frac{1}{2}\right)^2}-\sqrt{\left(a-\frac{1}{3}\right)^2}$
$=a+\frac{1}{2}-\left\{-\left(a-\frac{1}{3}\right)\right\}$
$=a+\frac{1}{2}+a-\frac{1}{3}=2a+\frac{1}{6}$

14 $x<y<0$일 때, $x+y<0$, $x-y<0$이므로
$\sqrt{x^2+2xy+y^2}+\sqrt{x^2-2xy+y^2}$
$=\sqrt{(x+y)^2}+\sqrt{(x-y)^2}=-(x+y)-(x-y)$
$=-x-y-x+y=-2x$

15 $9x^2-16y^2=(3x+4y)(3x-4y)$

16 $a^3-a=a(a^2-1)=a(a+1)(a-1)$
따라서 a^3-a의 인수가 아닌 것은 ④이다.

17 $x^2(y-2)-25(y-2)=(x^2-25)(y-2)$
$\qquad\qquad\qquad\qquad\quad=(x+5)(x-5)(y-2)$
이때 $a>0$이므로 $a=5$, $b=-5$, $c=-2$
$\therefore a+b+c=5+(-5)+(-2)=-2$

18 $x^2-7x+12=(x-3)(x-4)$

19 $x^2-3x+a=(x+3)(x+b)=x^2+(3+b)x+3b$이므로
$-3=3+b$, $a=3b$
따라서 $a=-18$, $b=-6$이므로
$a-b=-18-(-6)=-12$

20 $(x-1)(x+3)-12=x^2+2x-3-12$
$\qquad\qquad\qquad\qquad=x^2+2x-15$
$\qquad\qquad\qquad\qquad=(x-3)(x+5)$
따라서 두 일차식의 합은 $(x-3)+(x+5)=2x+2$

21 $x^2+Ax-24=(x+a)(x+b)=x^2+(a+b)x+ab$에서
$ab=-24$를 만족시키는 $a>b$인 두 정수 a, b의 순서쌍
(a, b)는 $(1, -24)$, $(2, -12)$, $(3, -8)$, $(4, -6)$,
$(6, -4)$, $(8, -3)$, $(12, -2)$, $(24, -1)$이다.
이때 $A=a+b$이므로 A의 값이 될 수 있는 수는
-23, -10, -5, -2, 2, 5, 10, 23이다.

22 $2x^2+5x+3=(x+1)(2x+3)$
따라서 $a=1$, $b=2$이므로 $a+b=1+2=3$

23 $18x^2-15xy+2y^2=(3x-2y)(6x-y)$
따라서 $18x^2-15xy+2y^2$의 인수인 것은 ④이다.

24 $4x^2-8x-45=(2x+5)(2x-9)$
따라서 두 일차식의 합은
$(2x+5)+(2x-9)=4x-4$

25 $6x^2+ax-12=(2x+3)(3x+b)=6x^2+(2b+9)x+3b$
이므로 $a=2b+9$, $-12=3b$
따라서 $a=1$, $b=-4$이므로 $a+b=1+(-4)=-3$

26 $3=1\times3=(-1)\times(-3)$, $2=1\times2=(-1)\times(-2)$
이므로 정수 k의 값을 모두 구하면 -7, -5, 5, 7이다.
따라서 정수 k의 값 중 가장 큰 수는 7, 가장 작은 수는 -7이므로 두 수의 합은 $7+(-7)=0$

27 ① $ab^2-a^3b=ab(b-a^2)$
③ $x^2-16xy+64y^2=(x-8y)^2$
⑤ $2x^2-3x+1=(x-1)(2x-1)$
따라서 옳은 것은 ②, ④이다.

28 ① $2x^2-18=2(x^2-9)=2(x+3)(x-3)$
② $6x^2-2x-4=2(3x^2-x-2)=2(x-1)(3x+2)$
③ $x^2y-xy-6y=y(x^2-x-6)=y(x+2)(x-3)$
④ $x^2+4x-12=\underline{(x-2)}(x+6)$
⑤ $3x^2+5x-2=(x+2)(3x-1)$
따라서 $x-2$를 인수로 갖는 것은 ④이다.

29 $x^2-6x+5=\underline{(x-1)}(x-5)$
$5x^2-3x-2=\underline{(x-1)}(5x+2)$
따라서 두 다항식의 공통인 인수는 $x-1$이다.

30 ① $2x^2+6x=2x\underline{(x+3)}$
② $x^2-9=\underline{(x+3)}(x-3)$
③ $x^2-x-12=\underline{(x+3)}(x-4)$
④ $2x^2+7x+3=\underline{(x+3)}(2x+1)$
⑤ $5x^2-13x-6=(x-3)(5x+2)$
따라서 나머지 넷과 같은 일차 이상의 인수를 갖지 않는 것은 ⑤이다.

31 $3x^2+4x+a$의 다른 한 인수를 $3x+m$ (m은 상수)으로 놓으면
$3x^2+4x+a=(x+4)(3x+m)=3x^2+(m+12)x+4m$
즉, $4=m+12$, $a=4m$이므로 $m=-8$, $a=-32$

32 $2x^2+ax+b=(2x-1)(x+5)=2x^2+9x-5$이므로
$a=9$, $b=-5$ $\quad\therefore a+b=9+(-5)=4$

33 x^2-4x+a의 다른 한 인수를 $x+m$ (m은 상수)으로 놓으면
$x^2-4x+a=(x-3)(x+m)=x^2+(-3+m)x-3m$
즉, $-4=-3+m$, $a=-3m$이므로 $m=-1$, $a=3$
또 $2x^2+bx-9$의 다른 한 인수를 $2x+n$ (n은 상수)으로 놓으면
$2x^2+bx-9=(x-3)(2x+n)=2x^2+(n-6)x-3n$
즉, $b=n-6$, $-9=-3n$이므로 $n=3$, $b=-3$
$\therefore a+b=3+(-3)=0$

34 다솔이는 상수항을 제대로 보았으므로
$(x-1)(x+6)=x^2+5x-6$에서
처음 이차식의 상수항은 -6이다.
상현이는 x의 계수를 제대로 보았으므로
$(x-2)(x-3)=x^2-5x+6$에서
처음 이차식의 x의 계수는 -5이다.
따라서 처음 이차식은 x^2-5x-6이므로 바르게 인수분해 하면 $x^2-5x-6=(x+1)(x-6)$

35 승민이는 x^2의 계수와 상수항을 제대로 보았으므로
$(x-12)(2x+1)=2x^2-23x-12$에서
처음 이차식의 x^2의 계수는 2, 상수항은 -12이다.
현주는 x^2의 계수와 x의 계수를 제대로 보았으므로
$(x+2)(2x-9)=2x^2-5x-18$에서
처음 이차식의 x^2의 계수는 2, x의 계수는 -5이다.
따라서 처음 이차식은 $2x^2-5x-12$이므로 바르게 인수분해 하면 $2x^2-5x-12=(x-4)(2x+3)$

36 주어진 사각형을 모두 사용하여 오른쪽 그림과 같은 큰 직사각형을 만들 수 있다. 새로 만든 직사각형의 넓이를 식으로 나타내면
$2x^2+3x+1=(x+1)(2x+1)$
따라서 새로 만든 직사각형의 둘레의 길이는
$2\times\{(x+1)+(2x+1)\}=2(3x+2)=6x+4$

37 $6a^2+19ab+10b^2=(2a+5b)(3a+2b)$
따라서 직사각형의 가로의 길이가 $2a+5b$이므로 세로의 길이는 $3a+2b$이다.

38 사다리꼴의 높이를 h라 하면
$\frac{1}{2}\times\{(x+3)+(x+7)\}\times h=10x^2+48x-10$
$\frac{1}{2}(2x+10)h=(x+5)(10x-2)$
$(x+5)h=(x+5)(10x-2)$ $\quad\therefore h=10x-2$
따라서 사다리꼴의 높이는 $10x-2$이다.

39 확장된 거실의 넓이는
$(2x^2+13x+15)+(x^2+x-20)$
$=3x^2+14x-5$
$=(x+5)(3x-1)(\text{m}^2)$
이때 확장된 거실의 세로의 길이가 $(3x-1)$ m이므로
확장된 거실의 가로의 길이는 $(x+5)$ m이다.

40 두 정사각형의 둘레의 길이의 합이 64 cm이므로
$4x+4y=64$, $4(x+y)=64$ $\quad\therefore x+y=16$
두 정사각형의 넓이의 차가 128 cm^{2}이고 $x>y$이므로
$x^2-y^2=128$, $(x+y)(x-y)=128$
$16(x-y)=128$ $\quad\therefore x-y=8$
따라서 두 정사각형의 한 변의 길이의 차는 8 cm이다.

41 $2.3\times5.5^2-2.3\times4.5^2$
$=2.3\times(5.5^2-4.5^2)$ $\quad\leftarrow ma+mb=m(a+b)$
$=2.3\times(5.5+4.5)(5.5-4.5)$ $\quad\leftarrow a^2-b^2=(a+b)(a-b)$
$=2.3\times10\times1=23$
이므로 가장 편리한 인수분해 공식은 ①, ③이다.

42 $\frac{2020\times2021+2020}{2021^2-1}=\frac{2020\times(2021+1)}{(2021+1)(2021-1)}$
$=\frac{2020\times2022}{2022\times2020}=1$

43 ① $103^2-97^2=(103+97)(103-97)=200\times6=1200$
② $5\times46+5\times54=5\times(46+54)=5\times100=500$
③ $29^2+58+1=29^2+2\times29\times1+1^2$
$=(29+1)^2=30^2=900$
④ $2.5\times65^2-2.5\times35^2=2.5\times(65^2-35^2)$
$=2.5\times(65+35)(65-35)$
$=2.5\times100\times30=7500$
⑤ $\sqrt{101^2-202+1}=\sqrt{101^2-2\times101\times1+1^2}$
$=\sqrt{(101-1)^2}=\sqrt{100^2}=100$
따라서 계산 결과가 가장 작은 것은 ⑤이다.

44 $1^2-2^2+3^2-4^2+5^2-6^2+7^2-8^2+9^2-10^2$
$=(1^2-2^2)+(3^2-4^2)+(5^2-6^2)+(7^2-8^2)+(9^2-10^2)$
$=(1+2)(1-2)+(3+4)(3-4)+(5+6)(5-6)$
$+(7+8)(7-8)+(9+10)(9-10)$
$=-(1+2)-(3+4)-(5+6)-(7+8)-(9+10)$
$=-(1+2+3+4+5+6+7+8+9+10)=-55$

45 $x+2y=A$로 놓으면
$(x+2y)^2-2(x+2y)-8=A^2-2A-8$
$=(A+2)(A-4)$
$=(x+2y+2)(x+2y-4)$

46 $3x-y=A$로 놓으면
$(3x-y)(3x-y-1)-2=A(A-1)-2$
$=A^2-A-2$
$=(A+1)(A-2)$
$=(3x-y+1)(3x-y-2)$

47 $x+2=A$, $x-3=B$로 놓으면

$(x+2)^2-3(x+2)(x-3)+2(x-3)^2$
$=A^2-3AB+2B^2$
$=(A-B)(A-2B)$
$=\{(x+2)-(x-3)\}\{(x+2)-2(x-3)\}$
$=5(-x+8)=-5(x-8)$

따라서 $a=-5$, $b=-8$이므로
$a+b=-5+(-8)=-13$

48 $x^2+2x-xy-2y=x(x+2)-y(x+2)$
$=(x+2)(x-y)$

따라서 $x^2+2x-xy-2y$의 인수는 ㄱ, ㄹ, ㅂ이다.

49 $x^2-y^2+8y-16=x^2-(y^2-8y+16)$
$=x^2-(y-4)^2$
$=\{x+(y-4)\}\{x-(y-4)\}$
$=(x+y-4)(x-y+4)$

50 x, y 중 차수가 낮은 y에 대하여 내림차순으로 정리하면

$2x^2+2xy-x+y-1=(2x+1)y+(2x^2-x-1)$
$=(2x+1)y+(2x+1)(x-1)$
$=(2x+1)(x+y-1)$

51 $x=\frac{1}{1-\sqrt{2}}=\frac{1+\sqrt{2}}{(1-\sqrt{2})(1+\sqrt{2})}=-1-\sqrt{2}$이므로

$x^2-3x-4=(x+1)(x-4)$
$=(-1-\sqrt{2}+1)(-1-\sqrt{2}-4)$
$=-\sqrt{2}\times(-5-\sqrt{2})=5\sqrt{2}+2$

52 $x+y=(\sqrt{5}+2)+(\sqrt{5}-2)=2\sqrt{5}$,
$x-y=(\sqrt{5}+2)-(\sqrt{5}-2)=4$이므로
$x^2-y^2=(x+y)(x-y)=2\sqrt{5}\times4=8\sqrt{5}$

53 $x=\frac{5}{\sqrt{6}+1}=\frac{5(\sqrt{6}-1)}{(\sqrt{6}+1)(\sqrt{6}-1)}=\sqrt{6}-1$이므로

$\frac{x^3-3x^2-x+3}{x^2-4x+3}=\frac{x^2(x-3)-(x-3)}{(x-1)(x-3)}$
$=\frac{(x-3)(x^2-1)}{(x-1)(x-3)}$
$=\frac{(x-3)(x+1)(x-1)}{(x-1)(x-3)}$
$=x+1=\sqrt{6}-1+1=\sqrt{6}$

54 $4x^2-25y^2=15$에서

$4x^2-25y^2=(2x+5y)(2x-5y)=-3(2x+5y)=15$
이므로 $2x+5y=-5$
$2x-5y=-3$, $2x+5y=-5$를 연립하여 풀면
$x=-2$, $y=-\frac{1}{5}$
$\therefore x+y=-2+\left(-\frac{1}{5}\right)=-\frac{11}{5}$

55 $x^2-y^2-3x-3y=(x^2-y^2)-3(x+y)$
$=(x+y)(x-y)-3(x+y)$
$=(x+y)(x-y-3)$
$=\sqrt{5}\times(\sqrt{6}-3)$
$=\sqrt{30}-3\sqrt{5}$

56 $x^2-y^2+2y-1=-12$에서

$x^2-y^2+2y-1=x^2-(y^2-2y+1)$
$=x^2-(y-1)^2$
$=(x+y-1)(x-y+1)$
$=(-3-1)(x-y+1)$
$=-4(x-y+1)=-12$

이므로 $x-y+1=3$
$\therefore x-y=2$

57 (도형 A의 넓이)

$=(2x+5)^2-(x-3)^2$
$=\{(2x+5)+(x-3)\}\{(2x+5)-(x-3)\}$
$=(3x+2)(x+8)$

이므로 도형 B의 세로의 길이는 $x+8$이다.

58 (입체도형의 부피)

=(큰 원기둥의 부피)−(작은 원기둥의 부피)
$=\pi\times14.5^2\times15-\pi\times5.5^2\times15$
$=15\pi(14.5^2-5.5^2)$
$=15\pi(14.5+5.5)(14.5-5.5)$
$=15\pi\times20\times9=2700\pi(\text{cm}^3)$

59 길의 한가운데를 지나는 원의 반지름의 길이를 r m라 하면

$2\pi r=32\pi$에서 $r=16$
(길의 넓이)
=(길을 포함한 원의 넓이)−(원 모양의 호수의 넓이)
$=\pi(16+a)^2-\pi(16-a)^2$
$=\pi\{(16+a)^2-(16-a)^2\}$
$=\pi\{(16+a)+(16-a)\}\{(16+a)-(16-a)\}$
$=\pi\times32\times2a$
$=64a\pi(\text{m}^2)$

따라서 $64a\pi=64\pi$이므로 $a=1$

Best 쌍둥이

85~86쪽

1 ③	2 ⑤	3 ⑤	4 ④	5 ⑤
6 ㄴ, ㅁ	7 ③	8 ⑤	9 ⑤	10 ①
11 ③	12 $(x+1)(x-1)(y+1)(y-1)$			13 ④
14 ④				

1 ③ $7y^2-2xy=y(7y-2x)$

2 ① $\square x^2+4x+1=\square x^2+2\times 2x\times 1+1^2$이므로 (제곱)

$\square=2^2=4$

② $x^2-2x+\square=x^2-2\times x\times 1+\square$이므로 (제곱)

$\square=1^2=1$

③ $x^2-\square x+9=(x\pm 3)^2$이므로

$\square=\pm 2\times 1\times 3=\pm 6$

이때 □ 안의 수는 양수이므로 6이다.

④ $\frac{1}{4}x^2-3x+\square=\left(\frac{1}{2}x\right)^2-2\times\frac{1}{2}x\times 3+\square$이므로

$\square=3^2=9$

⑤ $x^2+\square xy+\frac{1}{16}y^2=\left(x\pm\frac{1}{4}y\right)^2$이므로

$\square=\pm 2\times 1\times\frac{1}{4}=\pm\frac{1}{2}$

이때 □ 안의 수는 양수이므로 $\frac{1}{2}$이다.

따라서 가장 작은 수는 ⑤이다.

3 $-3<x<4$일 때, $x+3>0$, $x-4<0$이므로

$$\begin{aligned}\sqrt{x^2+6x+9}-\sqrt{x^2-8x+16}&=\sqrt{(x+3)^2}-\sqrt{(x-4)^2}\\&=x+3-\{-(x-4)\}\\&=x+3+x-4\\&=2x-1\end{aligned}$$

4 $x^2+Ax-8=(x+a)(x+b)=x^2+(a+b)x+ab$에서 $ab=-8$이고 a, b는 정수이므로 이를 만족시키는 순서쌍 (a, b)는 $(-8, 1)$, $(-4, 2)$, $(-2, 4)$, $(-1, 8)$, $(1, -8)$, $(2, -4)$, $(4, -2)$, $(8, -1)$이다.

이때 $A=a+b$이므로 A의 값이 될 수 있는 수는 -7, -2, 2, 7이다.

5 $$\begin{aligned}3x^2+(3a-1)x+15&=(x-b)(3x+5)\\&=3x^2+(5-3b)x-5b\end{aligned}$$

이므로 $3a-1=5-3b$, $15=-5b$

따라서 $b=-3$, $3a-1=14$에서 $3a=15$이므로 $a=5$

6 ㄱ. $-2xy+4y=-2y(x-2)$

ㄷ. $36x^2-4=4(9x^2-1)=4(3x+1)(3x-1)$

ㄹ. $x^2-2x-15=(x+3)(x-5)$

따라서 옳은 것은 ㄴ, ㅁ이다.

7 $x^2-3x-4=\underline{(x+1)}(x-4)$

$3x^2-x-4=\underline{(x+1)}(3x-4)$

따라서 두 다항식의 공통인 인수는 $x+1$이다.

8 $18x^2-ax+2$의 다른 한 인수를 $6x+m$ (m은 상수)으로 놓으면

$$\begin{aligned}18x^2-ax+2&=(3x-2)(6x+m)\\&=18x^2+(3m-12)x-2m\end{aligned}$$

즉, $-a=3m-12$, $2=-2m$이므로

$m=-1$, $-a=-15$ $\quad\therefore a=15$

9 주어진 직사각형을 모두 사용하여 오른쪽 그림과 같은 큰 직사각형을 만들 수 있다. 새로 만든 직사각형의 넓이를 식으로 나타내면

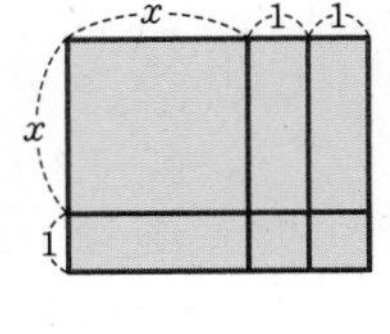

$x^2+3x+2=(x+1)(x+2)$

따라서 새로 만든 직사각형의 둘레의 길이는

$2\times\{(x+1)+(x+2)\}=2(2x+3)=4x+6$

10 $$\begin{aligned}\frac{996\times 985+996\times 15}{998^2-2^2}&=\frac{996\times(985+15)}{(998+2)(998-2)}\\&=\frac{996\times 1000}{1000\times 996}=1\end{aligned}$$

11 $$\begin{aligned}&7^2-3^2+12^2-8^2+52^2-48^2\\&=(7^2-3^2)+(12^2-8^2)+(52^2-48^2)\\&=(7+3)(7-3)+(12+8)(12-8)\\&\quad+(52+48)(52-48)\\&=10\times 4+20\times 4+100\times 4=520\end{aligned}$$

12 $$\begin{aligned}x^2y^2-x^2-y^2+1&=x^2(y^2-1)-(y^2-1)\\&=(x^2-1)(y^2-1)\\&=(x+1)(x-1)(y+1)(y-1)\end{aligned}$$

13 $x=\frac{1}{3+2\sqrt{2}}=\frac{3-2\sqrt{2}}{(3+2\sqrt{2})(3-2\sqrt{2})}=3-2\sqrt{2}$,

$y=\frac{1}{3-2\sqrt{2}}=\frac{3+2\sqrt{2}}{(3-2\sqrt{2})(3+2\sqrt{2})}=3+2\sqrt{2}$

이므로 $x+y=(3-2\sqrt{2})+(3+2\sqrt{2})=6$

$\therefore x^2+2xy+y^2=(x+y)^2=6^2=36$

14 $a^2-b^2+4b-4=12$에서

$$\begin{aligned}a^2-b^2+4b-4&=a^2-(b^2-4b+4)\\&=a^2-(b-2)^2\\&=(a+b-2)(a-b+2)\\&=(4-2)(a-b+2)\\&=2(a-b+2)=12\end{aligned}$$

이므로 $a-b+2=6$ $\quad\therefore a-b=4$

100점 완성

87~88쪽

1-1 5	1-2 ⑤	2-1 ①	2-2 15, 19
3-1 7개	3-2 ①	4-1 13	4-2 36, 102
5-1 ④	5-2 ①	6-1 ③	6-2 −28

1-1 $\sqrt{x}=a-1$에서 $x=(a-1)^2$

$$\begin{aligned}\therefore\ &\sqrt{x+6a+3}+\sqrt{x-4a+8}\\&=\sqrt{(a-1)^2+6a+3}+\sqrt{(a-1)^2-4a+8}\\&=\sqrt{a^2-2a+1+6a+3}+\sqrt{a^2-2a+1-4a+8}\\&=\sqrt{a^2+4a+4}+\sqrt{a^2-6a+9}\\&=\sqrt{(a+2)^2}+\sqrt{(a-3)^2}\end{aligned}$$

$1<a<3$일 때, $a+2>0$, $a-3<0$이므로
$\sqrt{(a+2)^2}+\sqrt{(a-3)^2}=a+2-(a-3)$
$=a+2-a+3=5$

1-2 $\sqrt{x}=a+3$에서 $x=(a+3)^2$
$\therefore \sqrt{x-10a-5}+\sqrt{x+4a+16}$
$=\sqrt{(a+3)^2-10a-5}+\sqrt{(a+3)^2+4a+16}$
$=\sqrt{a^2+6a+9-10a-5}+\sqrt{a^2+6a+9+4a+16}$
$=\sqrt{a^2-4a+4}+\sqrt{a^2+10a+25}$
$=\sqrt{(a-2)^2}+\sqrt{(a+5)^2}$
$-3<a<2$일 때, $a-2<0$, $a+5>0$이므로
$\sqrt{(a-2)^2}+\sqrt{(a+5)^2}=-(a-2)+(a+5)$
$=-a+2+a+5=7$

2-1 $x^2-8x-9=(x+1)(x-9)$이고, 자연수 x에 대하여 이 식의 값이 소수가 되려면 $x+1$, $x-9$의 값 중 하나는 1이어야 한다.
이때 $x-9<x+1$이므로 $x-9=1$ $\therefore x=10$
따라서 구하는 소수는
$x^2-8x-9=(x+1)(x-9)=(10+1)(10-9)=11$

2-2 $x^2-10x-56=(x+4)(x-14)$이고, 자연수 x에 대하여 이 식의 값이 소수가 되려면 $x+4$, $x-14$의 값 중 하나는 1이어야 한다.
이때 $x-14<x+4$이므로 $x-14=1$ $\therefore x=15$
따라서 구하는 소수는
$x^2-10x-56=(x+4)(x-14)=(15+4)(15-14)=19$

3-1 두 정수 a, $b(a>b)$에 대하여
$x^2-x-n=(x+a)(x+b)=x^2+(a+b)x+ab$라 하면
$a+b=-1$, $ab=-n$
이때 $10\le n\le 99$이므로 $-99\le -n\le -10$
$\therefore -99\le ab\le -10$
즉, a와 b는 서로 다른 부호이고, $a>b$이므로 $a>0$, $b<0$
합이 -1이고 $-99\le ab\le -10$을 만족시키는 $a>0$, $b<0$인 두 정수 a, b의 순서쌍 (a, b)는 $(3, -4)$, $(4, -5)$, $(5, -6)$, $(6, -7)$, $(7, -8)$, $(8, -9)$, $(9, -10)$이다.
따라서 두 자리의 자연수 n은 12, 20, 30, 42, 56, 72, 90의 7개이다.

3-2 두 정수 a, $b(a>b)$에 대하여
$x^2-6x-n=(x+a)(x+b)=x^2+(a+b)x+ab$라 하면
$a+b=-6$, $ab=-n$
이때 $10\le n\le 99$이므로 $-99\le -n\le -10$
$\therefore -99\le ab\le -10$
즉, a와 b는 서로 다른 부호이고, $a>b$이므로 $a>0$, $b<0$
합이 -6이고 $-99\le ab\le -10$을 만족시키는 $a>0$, $b<0$인 두 정수 a, b의 순서쌍 (a, b)는 $(2, -8)$, $(3, -9)$, $(4, -10)$, $(5, -11)$, $(6, -12)$, $(7, -13)$이다.
따라서 두 자리의 자연수 n은 16, 27, 40, 55, 72, 91의 6개이다.

4-1 $2022\times 2026-9+m$
$=2022\times(2022+4)-9+m$
$=2022^2+4\times 2022-9+m$
이때 이 식이 어떤 자연수의 제곱이 되려면 완전제곱식이어야 하므로
$-9+m=\left(\frac{4}{2}\right)^2$, $-9+m=4$ $\therefore m=13$

4-2 $(103+5)(103-7)+m=103^2-2\times 103-35+m$
이때 이 식이 n^2이 되려면 완전제곱식이어야 하므로
$-35+m=\left(\frac{-2}{2}\right)^2$, $-35+m=1$ $\therefore m=36$
$(103+5)(103-7)+m$
$=103^2-2\times 103-35+36$
$=103^2-2\times 103+1$
$=(103-1)^2=102^2=n^2$
$\therefore n=102$

5-1 $2^{16}-1=(2^8+1)(2^8-1)=(2^8+1)(2^4+1)(2^4-1)$
따라서 $2^{16}-1$은 10과 20 사이의 자연수인 2^4+1, 2^4-1, 즉 17, 15로 각각 나누어떨어지므로 구하는 두 자연수의 합은 $17+15=32$

5-2 $3^{24}-1=(3^{12}+1)(3^{12}-1)$
$=(3^{12}+1)(3^6+1)(3^6-1)$
$=(3^{12}+1)(3^6+1)(3^3+1)(3^3-1)$
따라서 $3^{24}-1$은 20과 30 사이의 자연수인 3^3+1, 3^3-1, 즉 28, 26으로 각각 나누어떨어지므로 구하는 두 자연수의 합은 $28+26=54$

6-1 $(x+1)(x+2)(x+3)(x+4)+1$
$=\{(x+1)(x+4)\}\{(x+2)(x+3)\}+1$
$=(x^2+5x+4)(x^2+5x+6)+1$
이때 $x^2+5x=A$로 놓으면
$(x^2+5x+4)(x^2+5x+6)+1=(A+4)(A+6)+1$
$=A^2+10A+25$
$=(A+5)^2$
$=(x^2+5x+5)^2$
따라서 $a=5$, $b=5$이므로 $a-b=5-5=0$

6-2 $(x+2)(x+4)(x-3)(x-5)+40$
$=\{(x+2)(x-3)\}\{(x+4)(x-5)\}+40$
$=(x^2-x-6)(x^2-x-20)+40$
이때 $x^2-x=A$로 놓으면
$(x^2-x-6)(x^2-x-20)+40$
$=(A-6)(A-20)+40$
$=A^2-26A+160$
$=(A-10)(A-16)$
$=(x^2-x-10)(x^2-x-16)$
따라서 $a=-1$, $b=-10$, $c=-1$, $d=-16$이므로
$a+b+c+d=-1+(-10)+(-1)+(-16)=-28$

서술형 완성

89~90쪽

1 (1) $(5x-2y)^2$ (2) $3a(x+4y)(x-4y)$
(3) $(x+2)(2x-11)$
2 44 3 -3
4 (1) -3 (2) -40 (3) $(x+5)(x-8)$ 5 $3a-2$
6 $10\sqrt{3}$ 7 60 8 14 9 $-2x$ 10 3

1 (1) $25x^2-20xy+4y^2=(5x)^2-2\times5x\times2y+(2y)^2$
$=(5x-2y)^2$
(2) $3ax^2-48ay^2=3a(x^2-16y^2)=3a\{x^2-(4y)^2\}$
$=3a(x+4y)(x-4y)$
(3) $2x^2-7x-22=(x+2)(2x-11)$

2 $4x^2+Axy+\frac{4}{9}y^2=\left(2x\pm\frac{2}{3}y\right)^2$
이때 $A>0$이므로 $A=2\times2\times\frac{2}{3}=\frac{8}{3}$ …… ①
$(3x-5)(3x+7)+B=9x^2+6x-35+B$
$=(3x)^2+2\times3x\times1-35+B$
이므로 $-35+B=1^2$ $\therefore B=36$ …… ②
$\therefore 3A+B=3\times\frac{8}{3}+36=44$ …… ③

단계	채점 기준	배점
①	A의 값 구하기	2점
②	B의 값 구하기	2점
③	$3A+B$의 값 구하기	2점

3 $x^2-13x+30=(x-3)(x-10)$ …… ①
$4x^2-11x-3=(x-3)(4x+1)$ …… ②
따라서 두 다항식의 공통인 인수는 $x-3$이므로
$a=-3$ …… ③

단계	채점 기준	배점
①	$x^2-13x+30$을 인수분해하기	2점
②	$4x^2-11x-3$을 인수분해하기	2점
③	a의 값 구하기	2점

4 (1) 미수는 x의 계수를 제대로 보았으므로
$(x+2)(x-5)=x^2-3x-10$에서
처음 이차식의 x의 계수는 -3이다.
(2) 현지는 상수항을 제대로 보았으므로
$(x+4)(x-10)=x^2-6x-40$에서
처음 이차식의 상수항은 -40이다.
(3) 처음 이차식은 $x^2-3x-40$이므로 바르게 인수분해하면
$x^2-3x-40=(x+5)(x-8)$

5 사다리꼴의 높이를 h라 하면
$\frac{1}{2}\times\{(a+2)+(a+4)\}\times h=3a^2+7a-6$ …… ①
$\frac{1}{2}(2a+6)h=(a+3)(3a-2)$
$(a+3)h=(a+3)(3a-2)$ $\therefore h=3a-2$
따라서 사다리꼴의 높이는 $3a-2$이다. …… ②

단계	채점 기준	배점
①	사다리꼴의 넓이를 이용하여 식 세우기	2점
②	사다리꼴의 높이 구하기	4점

6 $A=7\times7.5^2-7\times2.5^2=7\times(7.5^2-2.5^2)$
$=7\times(7.5+2.5)(7.5-2.5)=7\times10\times5=350$ …… ①
$B=\sqrt{48^2+4\times48+4}=\sqrt{48^2+2\times48\times2+2^2}$
$=\sqrt{(48+2)^2}=\sqrt{50^2}=50$ …… ②
$\therefore \sqrt{A-B}=\sqrt{350-50}=\sqrt{300}=10\sqrt{3}$ …… ③

단계	채점 기준	배점
①	A의 값 구하기	3점
②	B의 값 구하기	3점
③	$\sqrt{A-B}$의 값 구하기	2점

7 $x=\frac{1}{4+\sqrt{15}}=\frac{4-\sqrt{15}}{(4+\sqrt{15})(4-\sqrt{15})}=4-\sqrt{15}$,
$y=\frac{1}{4-\sqrt{15}}=\frac{4+\sqrt{15}}{(4-\sqrt{15})(4+\sqrt{15})}=4+\sqrt{15}$
이므로 $xy=(4-\sqrt{15})(4+\sqrt{15})=1$
$x-y=(4-\sqrt{15})-(4+\sqrt{15})=-2\sqrt{15}$ …… ①
$\therefore x^3y-2x^2y^2+xy^3=xy(x^2-2xy+y^2)$
$=xy(x-y)^2$ …… ②
$=1\times(-2\sqrt{15})^2=60$ …… ③

단계	채점 기준	배점
①	xy, $x-y$의 값 구하기	3점
②	주어진 식 간단히 하기	3점
③	답 구하기	2점

8 $a^2b-ab^2-a+b=8$에서
$a^2b-ab^2-a+b=ab(a-b)-(a-b)$
$=(a-b)(ab-1)$ …… ①
$=2\times(ab-1)=8$
이므로 $ab-1=4$ $\therefore ab=5$ …… ②
$\therefore a^2+b^2=(a-b)^2+2ab=2^2+2\times5=14$ …… ③

단계	채점 기준	배점
①	a^2b-ab^2-a+b를 인수분해하기	3점
②	ab의 값 구하기	2점
③	a^2+b^2의 값 구하기	3점

9 $0<x<1$에서 $\frac{1}{x}>1$이므로 $x-\frac{1}{x}<0$, $x+\frac{1}{x}>0$ …… ①
$\therefore \sqrt{\left(x+\frac{1}{x}\right)^2-4}-\sqrt{\left(x-\frac{1}{x}\right)^2+4}$
$=\sqrt{x^2+2+\frac{1}{x^2}-4}-\sqrt{x^2-2+\frac{1}{x^2}+4}$
$=\sqrt{x^2-2+\frac{1}{x^2}}-\sqrt{x^2+2+\frac{1}{x^2}}$
$=\sqrt{\left(x-\frac{1}{x}\right)^2}-\sqrt{\left(x+\frac{1}{x}\right)^2}$ …… ②
$=-\left(x-\frac{1}{x}\right)-\left(x+\frac{1}{x}\right)$
$=-x+\frac{1}{x}-x-\frac{1}{x}=-2x$ …… ③

단계	채점 기준	배점
①	$x-\frac{1}{x}$, $x+\frac{1}{x}$의 부호 정하기	4점
②	인수분해하기	4점
③	답 구하기	2점

10 $\overline{\mathrm{AD}}$를 지름으로 하는 원의 반지름의 길이를 r cm라 하면

$2\pi r=13\pi$에서 $r=\frac{13}{2}$

$\therefore \overline{\mathrm{AD}}=13(\mathrm{cm})$ …… ①

이때 색칠한 부분의 넓이는 $39\pi\ \mathrm{cm}^2$이므로

$\pi\left(\frac{13+a}{2}\right)^2-\pi\left(\frac{13-a}{2}\right)^2$

$=\pi\left(\frac{13+a}{2}+\frac{13-a}{2}\right)\left(\frac{13+a}{2}-\frac{13-a}{2}\right)$ …… ②

$=13a\pi$

$=39\pi$

$\therefore a=3$ …… ③

단계	채점 기준	배점
①	$\overline{\mathrm{AD}}$의 길이 구하기	4점
②	인수분해하기	4점
③	a의 값 구하기	2점

실전 테스트

91~94쪽

1 ③	2 ②	3 ③	4 ⑤	5 ①
6 ④	7 ⑤	8 ②	9 ③	10 ③
11 ②	12 ②	13 ④	14 ④	15 ④
16 ①	17 ⑤	18 ③	19 $\frac{3}{2}x-6$	
20 -6		21 $2x+3$	22 $-40\sqrt{6}$	

1 $2a^2b-10ab^2=2ab(a-5b)$

따라서 $2a^2b-10ab^2$의 인수가 아닌 것은 ③이다.

2 ② $4x^2-20xy+25y^2=(2x-5y)^2$

3 $(x-2)(x+8)+k=x^2+6x-16+k$

$=x^2+2\times x\times 3-16+k$

이므로 $-16+k=3^2$ $\therefore k=25$

다른 풀이

$(x-2)(x+8)+k=x^2+6x-16+k$

$-16+k=\left(\frac{6}{2}\right)^2$, $-16+k=9$ $\therefore k=25$

4 $x^2+kx+18=(x+a)(x+b)=x^2+(a+b)x+ab$에서

$ab=18$이고 a, b는 정수이므로 이를 만족시키는 순서쌍

(a, b)는 $(-18, -1)$, $(-9, -2)$, $(-6, -3)$,

$(-3, -6)$, $(-2, -9)$, $(-1, -18)$, $(1, 18)$, $(2, 9)$,

$(3, 6)$, $(6, 3)$, $(9, 2)$, $(18, 1)$

이때 $k=a+b$이므로 k의 값이 될 수 있는 수는

-19, -11, -9, 9, 11, 19이다.

따라서 k의 값 중 가장 큰 수는 19, 가장 작은 수는 -19이므로 두 수의 차는 $19-(-19)=38$

5 $6x^2-13x+5=(2x-1)(3x-5)$

따라서 두 일차식의 합은

$(2x-1)+(3x-5)=5x-6$

6 $8x^2+Ax-18=2(x+1)(4x+B)$

$=2\{4x^2+(B+4)x+B\}$

$=8x^2+2(B+4)x+2B$

이므로 $A=2B+8$, $-18=2B$

따라서 $A=-10$, $B=-9$이므로

$B-A=-9-(-10)=1$

7 ① $3ax+6ay=3a(x+2y)$

② $x^2-49=(x+7)(x-7)$

③ $25x^2-10x+1=(5x-1)^2$

④ $x^2+x-6=(x-2)(x+3)$

따라서 옳은 것은 ⑤이다.

8 $5x^2-80=5(x^2-16)=5(x+4)(x-4)$

$2x^2-3x-20=(x-4)(2x+5)$

따라서 두 다항식의 공통인 인수는 $x-4$이다.

9 $2x^2+ax-1$의 다른 한 인수를 $2x+m$ (m은 상수)으로 놓으면

$2x^2+ax-1=(x+1)(2x+m)=2x^2+(m+2)x+m$

즉, $a=m+2$, $-1=m$이므로 $a=1$

또 $3x^2+5x+b$의 다른 한 인수를 $3x+n$ (n은 상수)으로 놓으면

$3x^2+5x+b=(x+1)(3x+n)=3x^2+(n+3)x+n$

즉, $5=n+3$, $b=n$이므로 $n=2$, $b=2$

$\therefore a+b=1+2=3$

10 $3x^2+17x+10=(x+5)(3x+2)$

이때 직사각형의 가로의 길이가 $x+5$이므로 세로의 길이는 $3x+2$이다.

따라서 직사각형의 둘레의 길이는

$2\times\{(x+5)+(3x+2)\}=2(4x+7)=8x+14$

11 $103^2-6\times 103+9=103^2-2\times 103\times 3+3^2$

$=(103-3)^2$ ← $a^2-2ab+b^2=(a-b)^2$

$=100^2=10000$

이므로 가장 편리한 인수분해 공식은 ②이다.

12 $\left(1-\frac{1}{2^2}\right)\left(1-\frac{1}{3^2}\right)\left(1-\frac{1}{4^2}\right)\times\cdots\times\left(1-\frac{1}{8^2}\right)\left(1-\frac{1}{9^2}\right)$

$=\left(1-\frac{1}{2}\right)\left(1+\frac{1}{2}\right)\left(1-\frac{1}{3}\right)\left(1+\frac{1}{3}\right)\left(1-\frac{1}{4}\right)\left(1+\frac{1}{4}\right)$

$\times\cdots\times\left(1-\frac{1}{8}\right)\left(1+\frac{1}{8}\right)\left(1-\frac{1}{9}\right)\left(1+\frac{1}{9}\right)$

$=\frac{1}{2}\times\frac{3}{2}\times\frac{2}{3}\times\frac{4}{3}\times\frac{3}{4}\times\frac{5}{4}\times\cdots\times\frac{7}{8}\times\frac{9}{8}\times\frac{8}{9}\times\frac{10}{9}$

$=\frac{1}{2}\times\frac{10}{9}=\frac{5}{9}$

13 $3^{12}-1=(3^6+1)(3^6-1)=(3^6+1)(3^3+1)(3^3-1)$

$=730\times28\times26$

$=(2\times5\times73)\times(2^2\times7)\times(2\times13)$

$=2^4\times5\times7\times13\times73$

따라서 $3^{12}-1$의 약수가 아닌 것은 ④이다.

14 $x+2=A$로 놓으면

$(x+2)^2+7(x+2)+12=A^2+7A+12$

$=(A+3)(A+4)$

$=(x+5)(x+6)$

15 $9-x^2-4y^2+4xy=9-(x^2-4xy+4y^2)=9-(x-2y)^2$

$=\{3+(x-2y)\}\{3-(x-2y)\}$

$=(3+x-2y)(3-x+2y)$

따라서 $a=-2$, $b=3$, $c=-1$이므로

$a+b+c=-2+3+(-1)=0$

16 $3<\sqrt{10}<4$에서 $2<\sqrt{10}-1<3$이므로

$x=(\sqrt{10}-1)-2=\sqrt{10}-3$

$\therefore x^2-2x-15=(x+3)(x-5)$

$=\{(\sqrt{10}-3)+3\}\{(\sqrt{10}-3)-5\}$

$=\sqrt{10}\times(\sqrt{10}-8)=10-8\sqrt{10}$

17 $x^2-y^2+5x-5y=(x^2-y^2)+5(x-y)$

$=(x+y)(x-y)+5(x-y)$

$=(x-y)(x+y+5)$

$=\sqrt{2}\times(\sqrt{3}+5)=\sqrt{6}+5\sqrt{2}$

18 $\overline{\text{AC}}=x\text{cm}$라 하면

(색칠한 부분의 둘레의 길이)

=(작은 원의 둘레의 길이)+(큰 원의 둘레의 길이)

$=x\pi+(x+10)\pi=(2x+10)\pi=28\pi$

이므로 $2x+10=28$, $2x=18$ $\therefore x=9$

$\therefore$ (색칠한 부분의 넓이)

=(큰 원의 넓이)−(작은 원의 넓이)

$=\pi\left(\frac{19}{2}\right)^2-\pi\left(\frac{9}{2}\right)^2=\pi\left(\frac{19}{2}+\frac{9}{2}\right)\left(\frac{19}{2}-\frac{9}{2}\right)$

$=\pi\times14\times5=70\pi(\text{cm}^2)$

19 $2<x<5$에서 $1<\frac{1}{2}x<\frac{5}{2}$이므로

$\frac{1}{2}x-1>0$, $x-5<0$ …… ①

$\therefore \sqrt{\frac{1}{4}x^2-x+1}-\sqrt{x^2-10x+25}$

$=\sqrt{\left(\frac{1}{2}x-1\right)^2}-\sqrt{(x-5)^2}$ …… ②

$=\frac{1}{2}x-1-\{-(x-5)\}$

$=\frac{1}{2}x-1+x-5=\frac{3}{2}x-6$ …… ③

단계	채점 기준	배점
①	$\frac{1}{2}x-1$, $x-5$의 부호 정하기	2점
②	인수분해하기	2점
③	답 구하기	2점

20 $3x^2-11x+10=(x-2)(3x-5)$,

$x^2-4=(x+2)(x-2)$

이므로 두 다항식의 공통인 인수는 $x-2$이고 $2x^2-x+a$도 $x-2$를 인수로 가진다. …… ①

$2x^2-x+a$의 다른 한 인수를 $2x+m$ (m은 상수)으로 놓으면

$2x^2-x+a=(x-2)(2x+m)=2x^2+(m-4)x-2m$

즉, $-1=m-4$, $a=-2m$이므로

$m=3$, $a=-6$ …… ②

단계	채점 기준	배점
①	공통인 인수 찾기	4점
②	a의 값 구하기	4점

21 $4x^2+12x+5=(2x+1)(2x+5)$에서 ㈎의 세로의 길이가 $2x+5$이므로 가로의 길이는 $2x+1$이다. …… ①

즉, ㈎의 둘레의 길이는

$2\times\{(2x+1)+(2x+5)\}=2(4x+6)=8x+12$ …… ②

이때 두 직사각형 ㈎, ㈏의 둘레의 길이가 서로 같고 ㈏는 네 변의 길이가 같으므로 ㈏의 한 변의 길이는

$(8x+12)\div4=2x+3$ …… ③

단계	채점 기준	배점
①	㈎의 가로의 길이 구하기	3점
②	㈎의 둘레의 길이 구하기	2점
③	㈏의 한 변의 길이 구하기	1점

22 $xy=(5+2\sqrt{6})(5-2\sqrt{6})=5^2-(2\sqrt{6})^2=1$,

$x+y=(5+2\sqrt{6})+(5-2\sqrt{6})=10$,

$x-y=(5+2\sqrt{6})-(5-2\sqrt{6})=4\sqrt{6}$이므로 …… ①

$x^3y-xy^3-2x^2+2y^2=xy(x^2-y^2)-2(x^2-y^2)$

$=(x^2-y^2)(xy-2)$

$=(x+y)(x-y)(xy-2)$ …… ②

$=10\times4\sqrt{6}\times(1-2)$

$=-40\sqrt{6}$ …… ③

단계	채점 기준	배점
①	xy, $x+y$, $x-y$의 값 구하기	3점
②	주어진 식 인수분해하기	3점
③	답 구하기	2점

3 ★ 이차방정식의 뜻과 그 풀이

필수 기출 96~102쪽

1 ③, ④	2 ③	3 ⑤	4 $x=2$	5 $x=1$
6 ①	7 -4	8 ④	9 ①	10 ①
11 ③	12 ②	13 ②	14 ⑤	15 ④
16 ③	17 5개	18 ④	19 ④	20 ④
21 ②	22 $x=-\frac{4}{3}$	23 ⑤	24 -15	
25 5	26 ①	27 ④	28 ⑤	29 ④
30 ③	31 ①	32 ③	33 22	34 $\frac{2}{3}$
35 ⑤	36 14	37 ③	38 ⑤	
39 $x=\frac{4}{3}$ 또는 $x=2$	40 ④	41 ③	42 ①	
43 0	44 ④			

1 ① $2x-2=0$ (일차방정식)
② $2x-1=0$ (일차방정식)
③ $3x^2-3x=x^2-3$에서 $2x^2-3x+3=0$ (이차방정식)
④ $2x^2-4x-2=0$ (이차방정식)
⑤ $2x^2-3x+1+4x=2x^2$에서 $x+1=0$ (일차방정식)
따라서 이차방정식은 ③, ④이다.

2 $3(x^2-2x)+7=ax^2+6$에서 $3x^2-6x+7=ax^2+6$
$(3-a)x^2-6x+1=0$이 x에 대한 이차방정식이 되려면 이차항의 계수가 0이 아니어야 하므로 $a\neq3$

3 ① $2^2+2\times2=8\neq0$
② $4^2-4=12\neq0$
③ $(-1)^2-4\times(-1)+3=8\neq0$
④ $1^2+5\times1-2=4\neq0$
⑤ $2\times\left(\frac{1}{2}\right)^2-3\times\frac{1}{2}+1=0$
따라서 [ ] 안의 수가 주어진 이차방정식의 해인 것은 ⑤이다.

4 $x=-2$일 때, $(-2)^2+(-2)-6=-4\neq0$
$x=-1$일 때, $(-1)^2+(-1)-6=-6\neq0$
$x=0$일 때, $0^2+0-6=-6\neq0$
$x=1$일 때, $1^2+1-6=-4\neq0$
$x=2$일 때, $2^2+2-6=0$
따라서 주어진 이차방정식의 해는 $x=2$이다.

5 $5x-7\leq x+9$에서 $4x\leq16$ $\quad\therefore x\leq4$
이때 x는 자연수이므로 $x=1, 2, 3, 4$
$x=1$일 때, $1^2+4\times1-5=0$
$x=2$일 때, $2^2+4\times2-5=7\neq0$
$x=3$일 때, $3^2+4\times3-5=16\neq0$
$x=4$일 때, $4^2+4\times4-5=27\neq0$
따라서 주어진 이차방정식의 해는 $x=1$이다.

6 $2x^2-ax+8=0$에 $x=-2$를 대입하면
$2\times(-2)^2-a\times(-2)+8=0$
$2a+16=0$ $\quad\therefore a=-8$

7 $2x^2+ax+3=0$에 $x=3$을 대입하면
$2\times3^2+a\times3+3=0$
$3a+21=0$ $\quad\therefore a=-7$
$x^2+2x+b=0$에 $x=1$을 대입하면
$1^2+2\times1+b=0$
$3+b=0$ $\quad\therefore b=-3$
$\therefore a-b=-7-(-3)=-4$

8 $x^2-4x+1=0$에 $x=a$를 대입하면
$a^2-4a+1=0$ $\quad\therefore a^2-4a=-1$
$\therefore a^2-4a+3=-1+3=2$

9 $x^2-3x-8=0$에 $x=m$을 대입하면
$m^2-3m-8=0$ $\quad\therefore m^2-3m=8$
$x^2-6x-5=0$에 $x=n$을 대입하면
$n^2-6n-5=0$ $\quad\therefore n^2-6n=5$
$\therefore m^2-3m+2n^2-12n=m^2-3m+2(n^2-6n)$
$=8+2\times5=18$

10 $x^2+5x+1=0$에 $x=a$를 대입하면
$a^2+5a+1=0$ $\cdots$ ㉠
이때 $a=0$이면 등식이 성립하지 않으므로 $a\neq0$
즉, ㉠의 양변을 a로 나누면
$a+5+\frac{1}{a}=0$ $\quad\therefore a+\frac{1}{a}=-5$

11 $x^2-x-3=0$에 $x=a$를 대입하면
$a^2-a-3=0$ $\cdots$ ㉠
이때 $a=0$이면 등식이 성립하지 않으므로 $a\neq0$
즉, ㉠의 양변을 a로 나누면
$a-1-\frac{3}{a}=0$ $\quad\therefore a-\frac{3}{a}=1$
$\therefore a^2+\frac{9}{a^2}=\left(a-\frac{3}{a}\right)^2+2\times a\times\frac{3}{a}=1^2+6=7$

12 $x^2+3x-1=0$에 $x=a$를 대입하면
$a^2+3a-1=0$ $\cdots$ ㉠
이때 $a=0$이면 등식이 성립하지 않으므로 $a\neq0$
즉, ㉠의 양변을 a로 나누면
$a+3-\frac{1}{a}=0$ $\quad\therefore a-\frac{1}{a}=-3$
$a^2+\frac{1}{a^2}=\left(a-\frac{1}{a}\right)^2+2=(-3)^2+2=11$이므로
$a^2+a-\frac{1}{a}+\frac{1}{a^2}=a^2+\frac{1}{a^2}+a-\frac{1}{a}=11-3=8$

13 $(x-2)(3x+5)=0$에서 $x-2=0$ 또는 $3x+5=0$
$\therefore x=2$ 또는 $x=-\frac{5}{3}$

14 ① $-\frac{1}{2}x(x+3)=0$에서 $x=0$ 또는 $x+3=0$

$\therefore x=0$ 또는 $x=-3$

② $\left(\frac{1}{2}x-1\right)(x+3)=0$에서 $\frac{1}{2}x-1=0$ 또는 $x+3=0$

$\therefore x=2$ 또는 $x=-3$

③ $\left(\frac{1}{2}x+1\right)(x-3)=0$에서 $\frac{1}{2}x+1=0$ 또는 $x-3=0$

$\therefore x=-2$ 또는 $x=3$

④ $(2x+1)(x-3)=0$에서 $2x+1=0$ 또는 $x-3=0$

$\therefore x=-\frac{1}{2}$ 또는 $x=3$

⑤ $(2x-1)(x+3)=0$에서 $2x-1=0$ 또는 $x+3=0$

$\therefore x=\frac{1}{2}$ 또는 $x=-3$

따라서 이차방정식의 해가 $x=\frac{1}{2}$ 또는 $x=-3$인 것은 ⑤이다.

15 $3x^2+2x-1=0$에서 $(x+1)(3x-1)=0$

$\therefore x=-1$ 또는 $x=\frac{1}{3}$

16 $(x-2)(x+1)=4$에서 $x^2-x-2=4$, $x^2-x-6=0$

$(x+2)(x-3)=0$ $\quad\therefore x=-2$ 또는 $x=3$

이때 $a<b$이므로 $a=-2$, $b=3$

$\therefore b-a=3-(-2)=5$

17 $4x^2+16x=9$에서 $4x^2+16x-9=0$

$(2x+9)(2x-1)=0$ $\quad\therefore x=-\frac{9}{2}$ 또는 $x=\frac{1}{2}$

따라서 두 근 사이에 있는 정수는 -4, -3, -2, -1, 0의 5개이다.

18 $x(x-1)=12$에서 $x^2-x=12$, $x^2-x-12=0$

$(x+3)(x-4)=0$ $\quad\therefore x=-3$ 또는 $x=4$

이때 $a<b$이므로 $a=-3$, $b=4$

즉, $ax^2+bx-1=0$은 $-3x^2+4x-1=0$이므로

$3x^2-4x+1=0$, $(3x-1)(x-1)=0$

$\therefore x=\frac{1}{3}$ 또는 $x=1$

19 주어진 이차방정식의 x의 계수와 상수항을 서로 바꾸면

$x^2+(2m+1)x-3m=0$

이 이차방정식에 $x=-6$을 대입하면

$(-6)^2+(2m+1)\times(-6)-3m=0$

$30-15m=0$ $\quad\therefore m=2$

즉, $x^2-3mx+2m+1=0$은 $x^2-6x+5=0$이므로

$(x-1)(x-5)=0$ $\quad\therefore x=1$ 또는 $x=5$

20 $x^2-ax-4a=0$에 $x=4$를 대입하면

$4^2-a\times4-4a=0$, $16-8a=0$ $\quad\therefore a=2$

즉, $x^2-ax-4a=0$은 $x^2-2x-8=0$이므로

$(x+2)(x-4)=0$ $\quad\therefore x=-2$ 또는 $x=4$

따라서 다른 한 근은 $x=-2$이다.

21 $x^2+3x-2a=0$에 $x=-5$를 대입하면

$(-5)^2+3\times(-5)-2a=0$

$10-2a=0$ $\quad\therefore a=5$

즉, $x^2+3x-2a=0$은 $x^2+3x-10=0$이므로

$(x+5)(x-2)=0$ $\quad\therefore x=-5$ 또는 $x=2$

따라서 다른 한 근은 $x=2$이므로

$3x^2-2x+b=0$에 대입하면

$3\times2^2-2\times2+b=0$, $8+b=0$ $\quad\therefore b=-8$

22 $(k+1)x^2-(k^2-2)x-2k-4=0$에 $x=2$를 대입하면

$(k+1)\times2^2-(k^2-2)\times2-2k-4=0$

$4k+4-2k^2+4-2k-4=0$

$-2k^2+2k+4=0$, $k^2-k-2=0$

$(k+1)(k-2)=0$ $\quad\therefore k=-1$ 또는 $k=2$

이때 $k=-1$이면 이차방정식이 되지 않으므로 $k=2$

즉, 주어진 이차방정식은 $3x^2-2x-8=0$이므로

$(3x+4)(x-2)=0$ $\quad\therefore x=-\frac{4}{3}$ 또는 $x=2$

따라서 다른 한 근은 $x=-\frac{4}{3}$이다.

23 ㄱ. $x^2-9=0$에서 $(x+3)(x-3)=0$

$\therefore x=-3$ 또는 $x=3$

ㄴ. $x^2+x+\frac{1}{4}=0$에서 $\left(x+\frac{1}{2}\right)^2=0$ $\quad\therefore x=-\frac{1}{2}$

ㄷ. $(x-1)(x-2)=1-x$에서 $x^2-3x+2=1-x$

$x^2-2x+1=0$, $(x-1)^2=0$ $\quad\therefore x=1$

ㄹ. $4x^2+4x-1=-2$에서 $4x^2+4x+1=0$

$(2x+1)^2=0$ $\quad\therefore x=-\frac{1}{2}$

따라서 중근을 갖는 것은 ㄴ, ㄷ, ㄹ이다.

24 $x=-5$를 중근으로 갖고 x^2의 계수가 1인 이차방정식은

$(x+5)^2=0$, 즉 $x^2+10x+25=0$

$x^2+10x=-25$이므로 $a=10$, $b=-25$

$\therefore a+b=10+(-25)=-15$

25 $x^2-6x+2m-1=0$이 중근을 가지므로

$2m-1=\left(\frac{-6}{2}\right)^2$, $2m-1=9$ $\quad\therefore m=5$

26 $x^2+2ax+9=0$이 중근을 가지므로

$9=\left(\frac{2a}{2}\right)^2$, $a^2=9$, $a^2-9=0$

$(a+3)(a-3)=0$ $\quad\therefore a=-3$ 또는 $a=3$

따라서 모든 상수 a의 값의 곱은 $-3\times3=-9$

27 $(x-3)(x+11)+a=0$에서 $x^2+8x-33+a=0$이 중근을 가지므로

$-33+a=\left(\frac{8}{2}\right)^2$, $-33+a=16$ $\quad\therefore a=49$

즉, $x^2+8x-33+a=0$은 $x^2+8x+16=0$이므로

$(x+4)^2=0$ $\quad\therefore x=-4$

$\therefore b=-4$

$\therefore a+b=49+(-4)=45$

28 $x^2-4x+k-1=0$이 중근을 가지므로

$k-1=\left(\frac{-4}{2}\right)^2$, $k-1=4$ $\quad\therefore k=5$

즉, $(k-9)x^2+5x-1=0$은 $-4x^2+5x-1=0$이므로

$4x^2-5x+1=0$, $(4x-1)(x-1)=0$

$\therefore x=\frac{1}{4}$ 또는 $x=1$

따라서 두 근의 합은 $\frac{1}{4}+1=\frac{5}{4}$

29 $x^2+2x-15=0$에서 $(x+5)(x-3)=0$

$\therefore x=-5$ 또는 $x=3$

$2x^2-5x-3=0$에서 $(2x+1)(x-3)=0$

$\therefore x=-\frac{1}{2}$ 또는 $x=3$

따라서 두 이차방정식의 공통인 근은 $x=3$이다.

30 $2x^2+ax-3=0$에 $x=-1$을 대입하면

$2\times(-1)^2+a\times(-1)-3=0$

$-1-a=0$ $\quad\therefore a=-1$

즉, $ax^2-x-3b=0$은 $-x^2-x-3b=0$이므로

$x=-1$을 대입하면

$-(-1)^2-(-1)-3b=0$ $\quad\therefore b=0$

31 $3(x-1)^2=24$에서

$(x-1)^2=8$, $x-1=\pm2\sqrt{2}$

$\therefore x=1\pm2\sqrt{2}$

32 $(x-m)^2=n$에서 $x-m=\pm\sqrt{n}$ $\quad\therefore x=m\pm\sqrt{n}$

따라서 $m=-3$, $n=10$이므로

$m+n=-3+10=7$

33 $x^2+6x-1=0$에서 $x^2+6x=1$

$x^2+6x+9=1+9$, $(x+3)^2=10$

$x+3=\pm\sqrt{10}$ $\quad\therefore x=-3\pm\sqrt{10}$

따라서 $a=9$, $b=3$, $c=10$이므로

$a+b+c=9+3+10=22$

34 $3x^2-12x+4=0$의 양변을 3으로 나누면

$x^2-4x+\frac{4}{3}=0$, $x^2-4x=-\frac{4}{3}$

$x^2-4x+4=-\frac{4}{3}+4$, $(x-2)^2=\frac{8}{3}$

따라서 $p=-2$, $q=\frac{8}{3}$이므로

$p+q=-2+\frac{8}{3}=\frac{2}{3}$

35 $x^2-10x+k=0$에서 $x^2-10x=-k$

$x^2-10x+25=-k+25$, $(x-5)^2=-k+25$

$x-5=\pm\sqrt{25-k}$ $\quad\therefore x=5\pm\sqrt{25-k}$

따라서 $25-k=6$이므로 $k=19$

다른 풀이

$x-5=\pm\sqrt{6}$에서 $(x-5)^2=6$

$x^2-10x+25=6$ $\quad\therefore x^2-10x+19=0$

$\therefore k=19$

36 $2x^2+3x-1=0$에서

$x=\frac{-3\pm\sqrt{3^2-4\times2\times(-1)}}{2\times2}=\frac{-3\pm\sqrt{17}}{4}$

따라서 $a=-3$, $b=17$이므로

$a+b=-3+17=14$

37 $ax^2-4x-2=0$에서 일차항의 계수가 짝수이므로

$x=\frac{-(-2)\pm\sqrt{(-2)^2-a\times(-2)}}{a}=\frac{2\pm\sqrt{4+2a}}{a}$

따라서 $a=3$, $b=4+2a=4+2\times3=10$이므로

$a+b=3+10=13$

다른 풀이

$ax^2-4x-2=0$에서

$x=\frac{-(-4)\pm\sqrt{(-4)^2-4\times a\times(-2)}}{2\times a}=\frac{4\pm\sqrt{16+8a}}{2a}$

$=\frac{4\pm2\sqrt{4+2a}}{2a}=\frac{2\pm\sqrt{4+2a}}{a}$

따라서 $a=3$, $b=4+2a=4+2\times3=10$이므로

$a+b=3+10=13$

38 $x^2-7x+12=0$에서 $(x-3)(x-4)=0$

$\therefore x=3$ 또는 $x=4$

이때 $a>b$이므로 $a=4$, $b=3$

즉, $3x^2-2ax+b=0$은 $3x^2-8x+3=0$이고 일차항의 계수가 짝수이므로

$x=\frac{-(-4)\pm\sqrt{(-4)^2-3\times3}}{3}=\frac{4\pm\sqrt{7}}{3}$

39 주어진 이차방정식의 양변에 10을 곱하면

$3x^2-10x+8=0$, $(3x-4)(x-2)=0$

$\therefore x=\frac{4}{3}$ 또는 $x=2$

40 주어진 이차방정식의 양변에 8을 곱하면

$3x^2+4x-2=0$

일차항의 계수가 짝수이므로

$x=\frac{-2\pm\sqrt{2^2-3\times(-2)}}{3}=\frac{-2\pm\sqrt{10}}{3}$

따라서 $a=-2$, $b=10$이므로

$a+b=-2+10=8$

41 주어진 이차방정식의 양변에 12를 곱하면

$4x(x-7)-3(2x+1)(x-3)=24$

$4x^2-28x-6x^2+15x+9=24$

$2x^2+13x+15=0$, $(x+5)(2x+3)=0$

$\therefore x=-5$ 또는 $x=-\frac{3}{2}$

이때 $a>b$이므로 $a=-\frac{3}{2}$, $b=-5$

$\therefore a-b=-\frac{3}{2}-(-5)=\frac{7}{2}$

42 주어진 이차방정식의 양변에 6을 곱하면
$3(x+1)(x+3)=4x(x+2)$
$3x^2+12x+9=4x^2+8x$, $x^2-4x-9=0$
일차항의 계수가 짝수이므로
$x=-(-2)\pm\sqrt{(-2)^2-1\times(-9)}=2\pm\sqrt{13}$
두 근 중 큰 근은 $2+\sqrt{13}$이므로 $a=2+\sqrt{13}$
이때 $3<\sqrt{13}<4$이므로 $5<2+\sqrt{13}<6$
따라서 $5<a<6$이므로 구하는 정수 n의 값은 5이다.

43 $2x+1=A$로 놓으면 $A^2-2A-35=0$
$(A+5)(A-7)=0$ $\quad\therefore A=-5$ 또는 $A=7$
즉, $2x+1=-5$ 또는 $2x+1=7$이므로
$x=-3$ 또는 $x=3$
따라서 두 근의 합은 $-3+3=0$

44 $x-y=A$로 놓으면
$A(A-5)-2=0$, $A^2-5A-2=0$
$\therefore A=\dfrac{-(-5)\pm\sqrt{(-5)^2-4\times1\times(-2)}}{2\times1}=\dfrac{5\pm\sqrt{33}}{2}$
이때 $x>y$에서 $x-y>0$이므로 $x-y=\dfrac{5+\sqrt{33}}{2}$

Best 쌍둥이

103~104쪽

1 ㅁ, ㅂ	2 ①	3 ④	4 ④	5 12
6 ③	7 $\frac{1}{2}$	8 ②	9 ⑤	10 ⑤
11 $x=-3\pm2\sqrt{5}$	12 ④	13 ②	14 ⑤	

1 ㄱ. 이차방정식
ㄴ. $x^2-4x+4=3$에서 $x^2-4x+1=0$ (이차방정식)
ㄷ. $\frac{1}{4}x^2-1=0$ (이차방정식)
ㄹ. $4x^2-3x+2=0$ (이차방정식)
ㅁ. $x^2=x^2+2x-3$에서 $2x-3=0$ (일차방정식)
ㅂ. 분모에 미지수가 있으므로 이차방정식이 아니다.
따라서 이차방정식이 아닌 것은 ㅁ, ㅂ이다.

2 ① $8^2-16=48\neq0$
② $3^2-5\times3+6=0$
③ $3\times1^2-1-2=0$
④ $2\times\left(\frac{1}{2}\right)^2-5\times\frac{1}{2}+2=0$
⑤ $-(-1)^2+5\times(-1)+6=0$
따라서 [ ] 안의 수가 주어진 이차방정식의 해가 아닌 것은 ①이다.

3 $ax^2+x-15=0$에 $x=-3$을 대입하면
$a\times(-3)^2-3-15=0$
$9a-18=0$ $\quad\therefore a=2$

4 $x^2-3x-4=0$에 $x=a$를 대입하면
$a^2-3a-4=0$ $\quad\therefore a^2-3a=4$
$2x^2+6x+3=0$에 $x=b$를 대입하면
$2b^2+6b+3=0$ $\quad\therefore 2b^2+6b=-3$
$\therefore 3a^2-9a+2b^2+6b=3(a^2-3a)+2b^2+6b$
$=3\times4-3=9$

5 $x^2-6x-27=0$에서 $(x+3)(x-9)=0$
$\therefore x=-3$ 또는 $x=9$
따라서 두 근의 차는 $9-(-3)=12$

6 $(2x-1)(x-2)=14$에서 $2x^2-5x+2=14$
$2x^2-5x-12=0$, $(2x+3)(x-4)=0$
$\therefore x=-\frac{3}{2}$ 또는 $x=4$
이때 $a<b$이므로 $a=-\frac{3}{2}$, $b=4$
$\therefore 2a+b=2\times\left(-\frac{3}{2}\right)+4=1$

7 $2x^2+ax-3=0$에 $x=-1$을 대입하면
$2\times(-1)^2+a\times(-1)-3=0$
$-1-a=0$ $\quad\therefore a=-1$
즉, $2x^2+ax-3=0$은 $2x^2-x-3=0$이므로
$(x+1)(2x-3)=0$ $\quad\therefore x=-1$ 또는 $x=\frac{3}{2}$
따라서 $b=\frac{3}{2}$이므로 $a+b=-1+\frac{3}{2}=\frac{1}{2}$

8 ① $(2x+9)^2=0$에서 $x=-\frac{9}{2}$
② $7+x^2=4(x+3)$에서 $7+x^2=4x+12$
$x^2-4x-5=0$, $(x+1)(x-5)=0$
$\therefore x=-1$ 또는 $x=5$
③ $x^2=12(x-3)$에서 $x^2=12x-36$
$x^2-12x+36=0$, $(x-6)^2=0$ $\quad\therefore x=6$
④ $9x^2-6x+1=0$에서 $(3x-1)^2=0$ $\quad\therefore x=\frac{1}{3}$
⑤ $x^2+2x+1=0$에서 $(x+1)^2=0$ $\quad\therefore x=-1$
따라서 중근을 갖지 않는 것은 ②이다.

9 $x^2-6x+a=4x+5$에서 $x^2-10x+a-5=0$
이 이차방정식이 중근을 가지므로
$a-5=\left(\frac{-10}{2}\right)^2$, $a-5=25$ $\quad\therefore a=30$

10 $x^2+5x-14=0$에서 $(x+7)(x-2)=0$
$\therefore x=-7$ 또는 $x=2$
$(3x+1)(x-2)=0$ $\quad\therefore x=-\frac{1}{3}$ 또는 $x=2$
따라서 두 이차방정식의 공통인 근은 $x=2$이다.

11 $2(x+3)^2=40$에서
$(x+3)^2=20$, $x+3=\pm2\sqrt{5}$
$\therefore x=-3\pm2\sqrt{5}$

12 $2x^2+4x=(x-1)^2+1$에서
$2x^2+4x=x^2-2x+1+1$, $x^2+6x=2$
$x^2+6x+9=2+9$, $(x+3)^2=11$
따라서 $p=3$, $q=11$이므로
$p+q=3+11=14$

13 $3x^2+9x+4=0$에서
$x=\frac{-9\pm\sqrt{9^2-4\times3\times4}}{2\times3}=\frac{-9\pm\sqrt{33}}{6}$

14 주어진 이차방정식의 양변에 10을 곱하면
$4x^2+5x-5=0$
$\therefore x=\frac{-5\pm\sqrt{5^2-4\times4\times(-5)}}{2\times4}=\frac{-5\pm\sqrt{105}}{8}$
따라서 $a=-5$, $b=105$이므로
$b-a=105-(-5)=110$

100점 완성 105~106쪽

1-1 4	1-2 ⑤	2-1 ④	2-2 ③
3-1 ①	3-2 ②	4-1 ②	4-2 $\frac{13}{2}$
5-1 ②	5-2 ③		
6-1 (1, 5), (2, 4), (3, 3), (4, 2), (5, 1)		6-2 3개	

1-1 $x^2+x-1=0$에 $x=\alpha$를 대입하면
$\alpha^2+\alpha-1=0$ ⋯ ㉠
㉠에서 $1-\alpha=\alpha^2$, $1-\alpha^2=\alpha$
$\therefore \frac{\alpha^2}{1-\alpha}+\frac{3\alpha}{1-\alpha^2}=\frac{\alpha^2}{\alpha^2}+\frac{3\alpha}{\alpha}$
$=1+3$
$=4$

1-2 $x^2-7x-1=0$에 $x=\alpha$를 대입하면
$\alpha^2-7\alpha-1=0$ ⋯ ㉠
㉠에서 $\alpha^2-7\alpha=1$, $\alpha^2-1=7\alpha$
$\therefore \sqrt{\alpha(\alpha-7)}+\frac{\alpha^2-1}{\alpha}=\sqrt{\alpha^2-7\alpha}+\frac{\alpha^2-1}{\alpha}$
$=\sqrt{1}+\frac{7\alpha}{\alpha}$
$=1+7=8$

2-1 $y=ax+18$의 그래프가 점 $(-2a, 3a-a^2)$을 지나므로
$3a-a^2=-2a^2+18$, $a^2+3a-18=0$
$(a+6)(a-3)=0$ $\therefore a=-6$ 또는 $a=3$
이때 $y=ax+18$의 그래프가 제4사분면을 지나지 않으려면
$a>0$이어야 하므로 $a=3$

2-2 $y=ax+1$의 그래프가 점 $(a-2, -a^2+5a+5)$를 지나므로
$-a^2+5a+5=a(a-2)+1$
$-a^2+5a+5=a^2-2a+1$, $2a^2-7a-4=0$
$(2a+1)(a-4)=0$ $\therefore a=-\frac{1}{2}$ 또는 $a=4$
이때 $y=ax+1$의 그래프가 제3사분면을 지나지 않으려면
$a<0$이어야 하므로 $a=-\frac{1}{2}$

3-1 주사위 한 개를 두 번 던질 때 일어날 수 있는 모든 경우의 수는 $6\times6=36$
$x^2+\frac{2}{3}px+q=0$이 중근을 가지려면
$q=\left(\frac{1}{3}p\right)^2$ $\therefore p^2=9q$
따라서 $p^2=9q$를 만족시키는 p, q의 순서쌍 (p, q)는
$(3, 1)$, $(6, 4)$의 2가지이므로 구하는 확률은 $\frac{2}{36}=\frac{1}{18}$

3-2 서로 다른 두 개의 주사위를 동시에 던질 때 일어날 수 있는 모든 경우의 수는 $6\times6=36$
$x^2+2ax+b=0$이 중근을 가지려면
$b=\left(\frac{2a}{2}\right)^2$ $\therefore a^2=b$
따라서 $a^2=b$를 만족시키는 a, b의 순서쌍 (a, b)는 $(1, 1)$, $(2, 4)$의 2가지이므로 구하는 확률은 $\frac{2}{36}=\frac{1}{18}$

4-1 $x^2+ax+a-1=0$에서 $(x+1)(x+a-1)=0$
$\therefore x=-1$ 또는 $x=-a+1$
$x^2-(a+3)x+3a=0$에서 $(x-3)(x-a)=0$
$\therefore x=3$ 또는 $x=a$
(i) 공통인 근이 $x=-1$일 때, $a=-1$
(ii) 공통인 근이 $x=3$일 때,
$-a+1=3$, $-a=2$ $\therefore a=-2$
(iii) 공통인 근이 $x=a\,(a\neq-1, a\neq3)$일 때,
$-a+1=a$, $-2a=-1$ $\therefore a=\frac{1}{2}$
따라서 (i)~(iii)에 의해 모든 a의 값의 합은
$-1+(-2)+\frac{1}{2}=-\frac{5}{2}$

4-2 $x^2+(a-6)x-a+5=0$에서 $(x-1)(x+a-5)=0$
$\therefore x=1$ 또는 $x=-a+5$
$x^2-(a+2)x+2a=0$에서 $(x-2)(x-a)=0$
$\therefore x=2$ 또는 $x=a$
(i) 공통인 근이 $x=1$일 때, $a=1$
(ii) 공통인 근이 $x=2$일 때,
$-a+5=2$ $\therefore a=3$
(iii) 공통인 근이 $x=a\,(a\neq1, a\neq2)$일 때,
$-a+5=a$, $-2a=-5$ $\therefore a=\frac{5}{2}$
따라서 (i)~(iii)에 의해 모든 a의 값의 합은
$1+3+\frac{5}{2}=\frac{13}{2}$

5-1 $2x^2+x+a-3=0$에서

$x=\dfrac{-1\pm\sqrt{1^2-4\times2\times(a-3)}}{2\times2}=\dfrac{-1\pm\sqrt{25-8a}}{4}$

이때 해가 모두 유리수가 되려면 $\sqrt{25-8a}$가 정수이어야 한다. 즉, $25-8a$가 0 또는 (자연수)^2 꼴인 수이어야 하므로

$25-8a=0,\ 1,\ 4,\ 9,\ 16,\ 25,\ 36,\ \cdots$

$\therefore a=\dfrac{25}{8},\ 3,\ \dfrac{21}{8},\ 2,\ \dfrac{9}{8},\ 0,\ -\dfrac{11}{8},\ \cdots$

따라서 모든 자연수 a의 값의 합은 $3+2=5$

5-2 $x^2-6x-k=0$에서 일차항의 계수가 짝수이므로

$x=-(-3)\pm\sqrt{(-3)^2-1\times(-k)}=3\pm\sqrt{9+k}$

이때 해가 모두 정수가 되려면 $\sqrt{9+k}$가 정수이어야 한다. 즉, $9+k$가 0 또는 (자연수)^2 꼴인 수이어야 하므로

$9+k=0,\ 1,\ 4,\ 9,\ 16,\ 25,\ 36,\ \cdots$

$\therefore k=-9,\ -8,\ -5,\ 0,\ 7,\ 16,\ 27,\ \cdots$

따라서 20 이하의 자연수 k는 7, 16의 2개이다.

6-1 $(x+y)^2+x+y-42=0$에서

$x+y=A$로 놓으면 $A^2+A-42=0$

$(A+7)(A-6)=0 \qquad \therefore A=-7$ 또는 $A=6$

이때 x, y는 자연수이므로 $x+y=6$

따라서 주어진 방정식을 만족시키는 두 자연수 x, y의 순서쌍 (x, y)는 $(1, 5)$, $(2, 4)$, $(3, 3)$, $(4, 2)$, $(5, 1)$이다.

6-2 $2(2x+y)^2-15(2x+y)+7=0$에서

$2x+y=A$로 놓으면 $2A^2-15A+7=0$

$(2A-1)(A-7)=0 \qquad \therefore A=\dfrac{1}{2}$ 또는 $A=7$

이때 x, y는 자연수이므로 $2x+y=7$

따라서 주어진 방정식을 만족시키는 두 자연수 x, y의 순서쌍 (x, y)는 $(1, 5)$, $(2, 3)$, $(3, 1)$의 3개이다.

서술형 완성

107~108쪽

1 $x=1$ 또는 $x=2$ 2 (1) -3 (2) $x=7$
3 (1) 8 (2) $x=-3$ 4 $x=2$ 5 14
6 $x=\dfrac{5\pm\sqrt{17}}{2}$ 7 12 8 $x=-\dfrac{3}{2}$ 또는 $x=5$
9 2개 10 -2, 6

1 $2x^2-2x=(x-1)(x+2)$에서

$2x^2-2x=x^2+x-2,\ x^2-3x+2=0$ …… ①

$(x-1)(x-2)=0$ …… ②

$\therefore x=1$ 또는 $x=2$ …… ③

단계	채점 기준	배점
①	$ax^2+bx+c=0$ 꼴로 나타내기	2점
②	인수분해하기	2점
③	이차방정식의 해 구하기	2점

2 (1) $x^2+3ax-4a+2=0$에 $x=2$를 대입하면

$2^2+3a\times2-4a+2=0$

$4+6a-4a+2=0,\ 2a+6=0 \qquad \therefore a=-3$

(2) $x^2+3ax-4a+2=0$에 $a=-3$을 대입하면

$x^2-9x+14=0$이므로 $(x-2)(x-7)=0$

$\therefore x=2$ 또는 $x=7$

따라서 다른 한 근은 $x=7$이다.

3 (1) $(x+7)(x-1)+2k=0$에서 $x^2+6x-7+2k=0$

이 이차방정식이 중근을 가지므로

$-7+2k=\left(\dfrac{6}{2}\right)^2$

$-7+2k=9,\ 2k=16 \qquad \therefore k=8$

(2) $x^2+6x-7+2k=0$에 $k=8$을 대입하면

$x^2+6x-7+16=0,\ x^2+6x+9=0$

$(x+3)^2=0 \qquad \therefore x=-3$

4 $x^2+14=9x$에서 $x^2-9x+14=0$

$(x-2)(x-7)=0 \qquad \therefore x=2$ 또는 $x=7$ …… ①

$x^2+3x-10=0$에서 $(x+5)(x-2)=0$

$\therefore x=-5$ 또는 $x=2$ …… ②

따라서 두 이차방정식의 공통인 근은 $x=2$이다. …… ③

단계	채점 기준	배점
①	$x^2+14=9x$의 해 구하기	2점
②	$x^2+3x-10=0$의 해 구하기	2점
③	두 이차방정식의 공통인 근 구하기	2점

5 $2(x-p)^2=q$에서 $(x-p)^2=\dfrac{q}{2}$

$x-p=\pm\sqrt{\dfrac{q}{2}} \qquad \therefore x=p\pm\sqrt{\dfrac{q}{2}}$ …… ①

따라서 $p=4$, $\dfrac{q}{2}=5$에서 $p=4$, $q=10$ …… ②

$\therefore p+q=4+10=14$ …… ③

단계	채점 기준	배점
①	x에 대한 식으로 정리하기	4점
②	p, q의 값 구하기	2점
③	$p+q$의 값 구하기	2점

6 $3x^2-15x+6=0$의 양변을 3으로 나누면

$x^2-5x+2=0,\ x^2-5x=-2$

$x^2-5x+\dfrac{25}{4}=-2+\dfrac{25}{4}$

$\left(x-\dfrac{5}{2}\right)^2=\dfrac{17}{4}$ …… ①

$x-\dfrac{5}{2}=\pm\sqrt{\dfrac{17}{4}},\ x-\dfrac{5}{2}=\pm\dfrac{\sqrt{17}}{2}$

$\therefore x=\dfrac{5\pm\sqrt{17}}{2}$ …… ②

단계	채점 기준	배점
①	$(x+a)^2=b$ 꼴로 나타내기	5점
②	이차방정식의 해 구하기	3점

7 $5x^2-9x+3=0$에서

$x=\dfrac{-(-9)\pm\sqrt{(-9)^2-4\times5\times3}}{2\times5}$

$=\dfrac{9\pm\sqrt{21}}{10}$ …… ①

따라서 $a=9$, $b=21$이므로

$b-a=21-9=12$ …… ②

단계	채점 기준	배점
①	근의 공식을 이용하여 이차방정식의 해 구하기	5점
②	답 구하기	3점

8 주어진 이차방정식의 양변에 15를 곱하면

$3x(x-1)=5(x+1)(x-3)$ …… ①

$3x^2-3x=5x^2-10x-15$

$2x^2-7x-15=0$ …… ②

$(2x+3)(x-5)=0$

$\therefore x=-\dfrac{3}{2}$ 또는 $x=5$ …… ③

단계	채점 기준	배점
①	주어진 이차방정식의 양변에 15를 곱하기	2점
②	$ax^2+bx+c=0$ 꼴로 나타내기	3점
③	이차방정식의 해 구하기	3점

9 $<x>^2-<x>-6=0$에서

$(<x>+2)(<x>-3)=0$

$\therefore <x>=-2$ 또는 $<x>=3$ …… ①

이때 $<x>$는 자연수 x의 약수의 개수이므로

$<x>=3$ …… ②

따라서 약수의 개수가 3개인 10 이하의 자연수 x는 4, 9의 2개이다. …… ③

단계	채점 기준	배점
①	주어진 식을 인수분해하여 풀기	4점
②	약수의 개수 구하기	3점
③	답 구하기	3점

10 $(x-a)^2=4$에 $x=2$를 대입하면

$(2-a)^2=4$, $4-4a+a^2=4$

$a^2-4a=0$, $a(a-4)=0$

$\therefore a=0$ 또는 $a=4$ …… ①

(i) $a=0$인 경우, $x^2=4$에서 $x=\pm2$

(ii) $a=4$인 경우, $(x-4)^2=4$에서

$x^2-8x+16=4$, $x^2-8x+12=0$

$(x-2)(x-6)=0$

$\therefore x=2$ 또는 $x=6$ …… ②

따라서 다른 근이 될 수 있는 것은 -2, 6이다. …… ③

단계	채점 기준	배점
①	a의 값 구하기	4점
②	이차방정식의 해 구하기	5점
③	답 구하기	1점

실전 테스트

109~111쪽

1 ①　2 ①　3 ④　4 ①　5 ②
6 ②　7 ③　8 ①　9 ④　10 ⑤
11 ⑤　12 ④　13 ⑤　14 ③　15 ①
16 ②　17 ③　18 ④　19 $\dfrac{15}{2}$

20 (가) $\dfrac{c}{a}$ (나) $-\dfrac{c}{a}$ (다) $\dfrac{b^2}{4a^2}$ (라) $\dfrac{b^2-4ac}{4a^2}$ (마) $\dfrac{\sqrt{b^2-4ac}}{2a}$ (바) $\dfrac{-b\pm\sqrt{b^2-4ac}}{2a}$

21 -10　22 $x=-1$ 또는 $x=6$

1 ㄱ. 이차식

ㄴ. $x^2-x+2=0$ (이차방정식)

ㄷ. $x^2-3x=x^2$에서 $3x=0$ (일차방정식)

ㄹ. $x^2+1=2x^2-2x+1$에서 $x^2-2x=0$ (이차방정식)

ㅁ. $x^2+x^3=4+x^2$에서 $x^3-4=0$이므로 이차방정식이 아니다.

ㅂ. $4x^2=1+4x+4x^2$에서 $4x+1=0$ (일차방정식)

따라서 이차방정식은 ㄴ, ㄹ의 2개이다.

2 ① $2^2-2-2=0$

② $(2-1)^2-8=-7\neq0$

③ $2^2+2-3=3\neq0$

④ $3\times2^2-5\times2+4=6\neq0$

⑤ $2\times2^2-8\times2-7=-15\neq0$

따라서 $x=2$를 해로 갖는 것은 ①이다.

3 $2x^2-3x-a=0$에 $x=2$를 대입하면

$2\times2^2-3\times2-a=0$

$2-a=0$　$\therefore a=2$

$5x^2+2x-b=0$에 $x=-1$을 대입하면

$5\times(-1)^2+2\times(-1)-b=0$

$3-b=0$　$\therefore b=3$

$\therefore a+b=2+3=5$

4 $x^2-5x-2=0$에 $x=a$를 대입하면

$a^2-5a-2=0$　$\therefore a^2-5a=2$

① $a^2-5a+1=2+1=3$

② $2a^2-10a=2(a^2-5a)=2\times2=4$

③ $3a^2-15a+5=3(a^2-5a)+5$

$=3\times2+5=11$

④ $a^2-5a-2=0$ … ㉠

이때 $a=0$이면 등식이 성립하지 않으므로 $a\neq0$

즉, ㉠의 양변을 a로 나누면

$a-5-\dfrac{2}{a}=0$　$\therefore a-\dfrac{2}{a}=5$

⑤ $a^2+\dfrac{4}{a^2}=\left(a-\dfrac{2}{a}\right)^2+4$

$=5^2+4=29$

따라서 식의 값이 가장 작은 것은 ①이다.

5 $(2x+9)(3x+4)=0$에서
$2x+9=0$ 또는 $3x+4=0$
$\therefore\ x=-\frac{9}{2}$ 또는 $x=-\frac{4}{3}$
$(3x-1)(2x-7)=0$에서
$3x-1=0$ 또는 $2x-7=0$
$\therefore\ x=\frac{1}{3}$ 또는 $x=\frac{7}{2}$
따라서 두 이차방정식의 해를 모두 더하면
$-\frac{9}{2}+\left(-\frac{4}{3}\right)+\frac{1}{3}+\frac{7}{2}=-2$

6 $a^2x^2=-(a-2)x^2-4x+3a$에서
$(a^2+a-2)x^2+4x-3a=0$
$(a+2)(a-1)x^2+4x-3a=0$이 x에 대한 이차방정식이 되려면 이차항의 계수가 0이 아니어야 하므로
$a\neq-2$ 그리고 $a\neq1$

7 $x(x-2)+x-2=0$에서 $x^2-2x+x-2=0$
$x^2-x-2=0$, $(x+1)(x-2)=0$
$\therefore\ x=-1$ 또는 $x=2$
이때 $a>b$이므로 $a=2$, $b=-1$
$\therefore\ a+2b=2+2\times(-1)=0$

8 $5x^2-10x=10+x(1-x)$에서
$5x^2-10x=10+x-x^2$, $6x^2-11x-10=0$
$(3x+2)(2x-5)=0 \qquad \therefore\ x=-\frac{2}{3}$ 또는 $x=\frac{5}{2}$
이때 $a>b$이므로 $a=\frac{5}{2}$, $b=-\frac{2}{3}$
즉, $2ax^2+3bx-3=0$은 $5x^2-2x-3=0$이므로
$(5x+3)(x-1)=0 \qquad \therefore\ x=-\frac{3}{5}$ 또는 $x=1$
따라서 구하는 정수인 해는 $x=1$이다.

9 $(a-2)x^2-(a^2+a)x-5a+4=0$에 $x=-1$을 대입하면
$(a-2)\times(-1)^2-(a^2+a)\times(-1)-5a+4=0$
$a^2-3a+2=0$, $(a-1)(a-2)=0$
$\therefore\ a=1$ 또는 $a=2$
이때 $a=2$이면 이차방정식이 되지 않으므로 $a=1$

10 $ax^2+(2a-1)x+3=0$에 $x=1$을 대입하면
$a\times1^2+(2a-1)\times1+3=0$
$3a+2=0 \qquad \therefore\ a=-\frac{2}{3}$
즉, $ax^2+(2a-1)x+3=0$은 $-\frac{2}{3}x^2-\frac{7}{3}x+3=0$이므로
$2x^2+7x-9=0$, $(2x+9)(x-1)=0$
$\therefore\ x=-\frac{9}{2}$ 또는 $x=1 \qquad \therefore\ b=-\frac{9}{2}$
$\therefore\ ab=-\frac{2}{3}\times\left(-\frac{9}{2}\right)=3$

11 ① $x^2-7x+9=0$에서
$x=\frac{-(-7)\pm\sqrt{(-7)^2-4\times1\times9}}{2\times1}=\frac{7\pm\sqrt{13}}{2}$
② $3x^2-11x=4$에서 $3x^2-11x-4=0$
$(3x+1)(x-4)=0$
$\therefore\ x=-\frac{1}{3}$ 또는 $x=4$
③ $2x^2-2x-1=0$에서 일차항의 계수가 짝수이므로
$x=\frac{-(-1)\pm\sqrt{(-1)^2-2\times(-1)}}{2}=\frac{1\pm\sqrt{3}}{2}$
④ $4x^2-25x=-25$에서 $4x^2-25x+25=0$
$(4x-5)(x-5)=0 \qquad \therefore\ x=\frac{5}{4}$ 또는 $x=5$
⑤ $x^2-8x+16=0$에서
$(x-4)^2=0 \qquad \therefore\ x=4$
따라서 중근을 갖는 것은 ⑤이다.

12 $x^2+2kx+2k+3=0$이 중근을 가지므로
$2k+3=\left(\frac{2k}{2}\right)^2$, $2k+3=k^2$
$k^2-2k-3=0$, $(k+1)(k-3)=0$
$\therefore\ k=-1$ 또는 $k=3$
이때 $k>0$이므로 $k=3$
즉, $x^2+2kx+2k+3=0$은 $x^2+6x+9=0$이므로
$(x+3)^2=0 \qquad \therefore\ x=-3 \qquad \therefore\ a=-3$
$\therefore\ k+a=3+(-3)=0$

13 $(x+5)(x-5)=5-x$에서 $x^2-25=5-x$
$x^2+x-30=0$, $(x+6)(x-5)=0$
$\therefore\ x=-6$ 또는 $x=5$
두 근 중 작은 근은 -6이므로
$x^2-ax-10a=0$에 $x=-6$을 대입하면
$(-6)^2-a\times(-6)-10a=0$
$36-4a=0 \qquad \therefore\ a=9$

14 $(x+1)^2=3k$에서 $x+1=\pm\sqrt{3k}$
$\therefore\ x=-1\pm\sqrt{3k}$
이때 해가 모두 정수가 되려면 $\sqrt{3k}$가 정수이어야 한다.
즉, $3k$는 0 또는 (자연수)^2 꼴인 수이어야 하므로
$3k=0, 1, 4, 9, \cdots$
$\therefore\ k=0, \frac{1}{3}, \frac{4}{3}, 3, \cdots$
따라서 가장 작은 자연수 k의 값은 3이다.

15 $2x^2+4x-4=0$의 양변을 2로 나누면
$x^2+2x-2=0$, $x^2+2x=2$
x^2+2x+ (가) 1 $=2+$ (가) 1
$(x+$ (나) 1 $)^2=$ (다) 3
따라서 $x+1=\pm\sqrt{3}$이므로 $x=$ (라) $-1\pm\sqrt{3}$

16 $x^2-5x+1=0$에서
$x=\frac{-(-5)\pm\sqrt{(-5)^2-4\times1\times1}}{2\times1}=\frac{5\pm\sqrt{21}}{2}$

17 $3x^2+x-5=0$에서

$x=\frac{-1\pm\sqrt{1^2-4\times3\times(-5)}}{2\times3}=\frac{-1\pm\sqrt{61}}{6}$

이때 $7<\sqrt{61}<8$이므로 $6<-1+\sqrt{61}<7$

$\therefore 1<\frac{-1+\sqrt{61}}{6}<\frac{7}{6}$

$-8<-\sqrt{61}<-7$에서 $-9<-1-\sqrt{61}<-8$

$\therefore -\frac{3}{2}<\frac{-1-\sqrt{61}}{6}<-\frac{4}{3}$

따라서 $\frac{-1-\sqrt{61}}{6}$과 $\frac{-1+\sqrt{61}}{6}$ 사이에 있는 정수는 -1, 0, 1의 3개이다.

18 주어진 이차방정식의 x의 계수와 상수항을 서로 바꾸면

$x^2+ax+4a=0$

이 이차방정식에 $x=4$를 대입하면

$4^2+a\times4+4a=0$

$16+8a=0 \quad \therefore a=-2$

즉, $x^2+4ax+a=0$은 $x^2-8x-2=0$이고

일차항의 계수가 짝수이므로

$x=-(-4)\pm\sqrt{(-4)^2-1\times(-2)}=4\pm3\sqrt{2}$

19 $x^2-8x+12=0$에서 $(x-2)(x-6)=0$

$\therefore x=2$ 또는 $x=6$

$x^2+3x-10=0$에서 $(x+5)(x-2)=0$

$\therefore x=-5$ 또는 $x=2$ …… ①

두 이차방정식의 공통인 근은 $x=2$이므로 …… ②

$3x^2-ax+3=0$에 $x=2$를 대입하면

$3\times2^2-a\times2+3=0$

$15-2a=0 \quad \therefore a=\frac{15}{2}$ …… ③

단계	채점 기준	배점
①	두 이차방정식의 해 구하기	3점
②	공통인 근 구하기	1점
③	a의 값 구하기	2점

20 $ax^2+bx+c=0$의 양변을 a로 나누면

$x^2+\frac{b}{a}x+\frac{c}{a}=0$ …… ①

$x^2+\frac{b}{a}x=-\frac{c}{a}$ …… ②

$x^2+\frac{b}{a}x+\frac{b^2}{4a^2}=-\frac{c}{a}+\frac{b^2}{4a^2}$ …… ③

$\left(x+\frac{b}{2a}\right)^2=\frac{b^2-4ac}{4a^2}$ …… ④

$x+\frac{b}{2a}=\pm\frac{\sqrt{b^2-4ac}}{2a}$ …… ⑤

$\therefore x=\frac{-b\pm\sqrt{b^2-4ac}}{2a}$ …… ⑥

따라서 (가) $\frac{c}{a}$, (나) $-\frac{c}{a}$, (다) $\frac{b^2}{4a^2}$, (라) $\frac{b^2-4ac}{4a^2}$, (마) $\frac{\sqrt{b^2-4ac}}{2a}$, (바) $\frac{-b\pm\sqrt{b^2-4ac}}{2a}$이다.

단계	채점 기준	배점
①~⑥	(가)~(바)에 알맞은 식 구하기	각 1점

21 $2x-\frac{x^2-1}{3}=0.5(x-1)$의 양변에 6을 곱하면

$12x-2(x^2-1)=3(x-1)$

$12x-2x^2+2=3x-3$

$2x^2-9x-5=0$, $(2x+1)(x-5)=0$

$\therefore x=-\frac{1}{2}$ 또는 $x=5$ …… ①

이때 정수인 근은 $x=5$이므로 …… ②

$x^2-3x+k=0$에 $x=5$를 대입하면

$5^2-3\times5+k=0$, $10+k=0$

$\therefore k=-10$ …… ③

단계	채점 기준	배점
①	$2x-\frac{x^2-1}{3}=0.5(x-1)$의 해 구하기	4점
②	정수인 근 구하기	1점
③	k의 값 구하기	3점

22 $x-2=A$로 놓으면

$A^2-A-12=0$, $(A+3)(A-4)=0$

$\therefore A=-3$ 또는 $A=4$ …… ①

즉, $x-2=-3$ 또는 $x-2=4$이므로

$x=-1$ 또는 $x=6$ …… ②

단계	채점 기준	배점
①	$x-2=A$로 놓고 A의 값 구하기	4점
②	답 구하기	4점

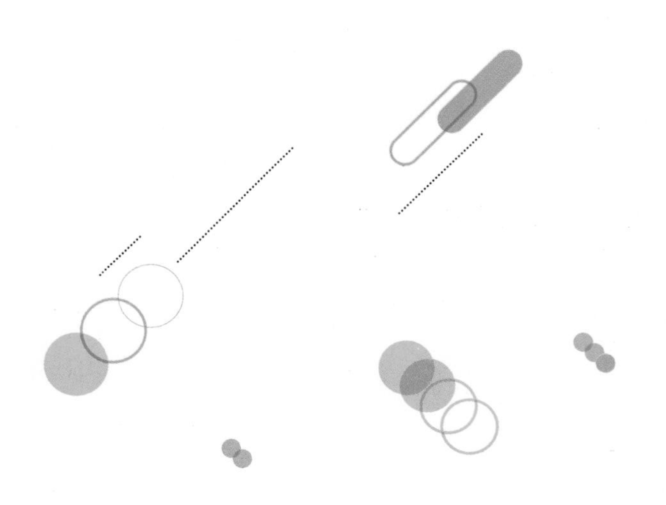

일일 과제

1회 114~122쪽

1 ⑤	2 ②	3 ③	4 ⑤	5 ①, ④
6 ④	7 ②	8 P: $5+\sqrt{2}$, Q: $5-\sqrt{2}$	9 ④	
10 ③	11 ⑤	12 ②	13 ⑤	14 ②
15 ②	16 ⑤	17 ②	18 ③	19 ③
20 27	21 ③	22 ①	23 ②	24 ④
25 ②	26 ③	27 ②	28 18	29 12
30 ④	31 ①	32 ②	33 ②	34 ①
35 ④	36 ①	37 ④	38 ④	39 ⑤
40 $x+5$	41 ②	42 2	43 ③	44 8
45 ②	46 ③	47 ②	48 -5	49 24
50 $\frac{\sqrt{13}}{3}$				

1 x는 15의 제곱근이다. 즉, x를 제곱하면 15가 된다.
⇨ $x^2=15$

2 $\sqrt{16}=4$의 양의 제곱근은 2이므로 $a=2$
$\sqrt{81}=9$의 음의 제곱근은 -3이므로 $b=-3$
$(-4)^2=16$의 음의 제곱근은 -4이므로 $c=-4$
$\therefore a+b+c=2+(-3)+(-4)=-5$

3 $A=\sqrt{16}\times(-\sqrt{24})^2\div\sqrt{(-8)^2}$
$=4\times24\div8=12$
$B=-(-\sqrt{5})^2\times(\sqrt{0.6})^2-\sqrt{1.44}$
$=-5\times0.6-1.2=-4.2$
$\therefore A+B=12+(-4.2)=7.8$

4 $0<a<1$에서 $\frac{1}{a}>1$이므로 $a<\frac{1}{a}$이다.
따라서 $a+\frac{1}{a}>0$, $a-\frac{1}{a}<0$이므로
$\sqrt{\left(a+\frac{1}{a}\right)^2}+\sqrt{\left(a-\frac{1}{a}\right)^2}=a+\frac{1}{a}-\left(a-\frac{1}{a}\right)$
$=a+\frac{1}{a}-a+\frac{1}{a}=\frac{2}{a}$

5 $\sqrt{108x}=\sqrt{2^2\times3^3\times x}$가 자연수가 되려면 $x=3\times(\text{자연수})^2$ 꼴이어야 한다.
① $3=3\times1^2$ ② $6=3\times2$ ③ $9=3\times3$
④ $12=3\times2^2$ ⑤ $15=3\times5$
따라서 자연수 x의 값이 될 수 있는 것은 ①, ④이다.

6 $4<\sqrt{3x}<5$에서 $4=\sqrt{16}$, $5=\sqrt{25}$이므로
$\sqrt{16}<\sqrt{3x}<\sqrt{25}$, $16<3x<25$ $\therefore \frac{16}{3}<x<\frac{25}{3}$
따라서 자연수 x의 값은 6, 7, 8이고 이 중에서 가장 큰 수는 8이다.

7 ① 0 ⇨ 유리수
③ $\sqrt{\frac{1}{4}}=\frac{1}{2}$ ⇨ 유리수
④ $\sqrt{\frac{1}{9}}=\frac{1}{3}$, 3.1415 ⇨ 유리수
⑤ $\sqrt{\left(\frac{2}{5}\right)^2}=\frac{2}{5}$, $\frac{\sqrt{25}}{4}=\frac{5}{4}$ ⇨ 유리수
따라서 순환소수가 아닌 무한소수, 즉 무리수로만 이루어진 것은 ②이다.

8 $\overline{AP}=\overline{AB}=\sqrt{1^2+1^2}=\sqrt{2}$이므로 점 P에 대응하는 수는 $5+\sqrt{2}$
$\overline{AQ}=\overline{AD}=\sqrt{1^2+1^2}=\sqrt{2}$이므로 점 Q에 대응하는 수는 $5-\sqrt{2}$

9 ① 모든 순환소수는 유리수이다.
② $\sqrt{4}=2$는 유리수이다.
③ $\sqrt{2}$와 $-\sqrt{2}$의 합은 0으로 유리수이다.
⑤ 수직선은 유리수와 무리수, 즉 실수에 대응하는 점으로 완전히 메울 수 있다.
따라서 옳은 것은 ④이다.

10 ① $\sqrt{5}<\sqrt{6}$에서 $-\sqrt{5}>-\sqrt{6}$이므로 양변에 4를 더하면 $4-\sqrt{5}>4-\sqrt{6}$
② $\sqrt{13}<\sqrt{14}$이므로 양변에 1을 더하면 $1+\sqrt{13}<\sqrt{14}+1$
③ $3-(1+\sqrt{3})=2-\sqrt{3}=\sqrt{4}-\sqrt{3}>0$ $\therefore 3>1+\sqrt{3}$
④ $-1>-2$이므로 양변에 $\sqrt{2}$를 더하면 $\sqrt{2}-1>\sqrt{2}-2$
⑤ $\sqrt{6}<\sqrt{7}$이므로 양변에 $\sqrt{5}$를 더하면 $\sqrt{5}+\sqrt{6}<\sqrt{5}+\sqrt{7}$
따라서 옳은 것은 ③이다.

11 ① $(-\sqrt{3})\times(-2\sqrt{7})=(-1)\times(-2)\times\sqrt{3\times7}=2\sqrt{21}$
② $\sqrt{\frac{6}{7}}\times\sqrt{\frac{14}{3}}=\sqrt{\frac{6}{7}\times\frac{14}{3}}=\sqrt{4}=2$
③ $3\sqrt{2}\times2\sqrt{3}=3\times2\times\sqrt{2\times3}=6\sqrt{6}$
④ $\sqrt{35}\div\sqrt{10}=\frac{\sqrt{35}}{\sqrt{10}}=\sqrt{\frac{35}{10}}=\sqrt{\frac{7}{2}}$
⑤ $12\sqrt{30}\div(-2\sqrt{3})=-\frac{12\sqrt{30}}{2\sqrt{3}}=-6\times\sqrt{\frac{30}{3}}=-6\sqrt{10}$
따라서 옳은 것은 ⑤이다.

12 $\sqrt{27}=\sqrt{3^2\times3}=3\sqrt{3}$ $\therefore a=3$
$3\sqrt{5}=\sqrt{3^2\times5}=\sqrt{45}$ $\therefore b=45$
$\therefore b-a=45-3=42$

13 ① $\sqrt{0.03}=\sqrt{\frac{3}{100}}=\sqrt{\frac{3}{10^2}}=\frac{\sqrt{3}}{10}=\frac{1.732}{10}=0.1732$
② $\sqrt{0.27}=\sqrt{\frac{27}{100}}=\sqrt{\frac{3^2\times3}{10^2}}=\frac{3\sqrt{3}}{10}$
$=\frac{3\times1.732}{10}=0.5196$
③ $\sqrt{75}=\sqrt{5^2\times3}=5\sqrt{3}=5\times1.732=8.66$
④ $\sqrt{300}=\sqrt{100\times3}=\sqrt{10^2\times3}=10\sqrt{3}$
$=10\times1.732=17.32$
⑤ $\sqrt{480}=\sqrt{4^2\times30}=4\sqrt{30}$
⇨ $\sqrt{3}$의 값을 이용하여 그 값을 구할 수 없다.
따라서 그 값을 구할 수 없는 것은 ⑤이다.

14 ① $\frac{3}{\sqrt{5}}=\frac{3\times\sqrt{5}}{\sqrt{5}\times\sqrt{5}}=\frac{3\sqrt{5}}{5}$

② $\frac{6}{\sqrt{3}}=\frac{6\times\sqrt{3}}{\sqrt{3}\times\sqrt{3}}=\frac{6\sqrt{3}}{3}=2\sqrt{3}$

③ $\frac{2}{3\sqrt{2}}=\frac{2\times\sqrt{2}}{3\sqrt{2}\times\sqrt{2}}=\frac{2\sqrt{2}}{6}=\frac{\sqrt{2}}{3}$

④ $\frac{\sqrt{3}}{2\sqrt{5}}=\frac{\sqrt{3}\times\sqrt{5}}{2\sqrt{5}\times\sqrt{5}}=\frac{\sqrt{15}}{10}$

⑤ $\sqrt{\frac{5}{12}}=\frac{\sqrt{5}}{\sqrt{12}}=\frac{\sqrt{5}}{2\sqrt{3}}=\frac{\sqrt{5}\times\sqrt{3}}{2\sqrt{3}\times\sqrt{3}}=\frac{\sqrt{15}}{6}$

따라서 옳지 않은 것은 ②이다.

15 (삼각형의 넓이) $=\frac{1}{2}\times\sqrt{40}\times\sqrt{24}$

$=\frac{1}{2}\times2\sqrt{10}\times2\sqrt{6}=4\sqrt{15}$

평행사변형의 높이를 x라 하면

(평행사변형의 넓이) $=\sqrt{28}\times x=2\sqrt{7}x$

따라서 $4\sqrt{15}=2\sqrt{7}x$이므로

$x=\frac{4\sqrt{15}}{2\sqrt{7}}=\frac{2\sqrt{15}}{\sqrt{7}}=\frac{2\sqrt{105}}{7}$

따라서 평행사변형의 높이는 $\frac{2\sqrt{105}}{7}$이다.

16 $3\sqrt{2}-\sqrt{252}-3\sqrt{7}+\sqrt{50}=3\sqrt{2}-6\sqrt{7}-3\sqrt{7}+5\sqrt{2}$

$=8\sqrt{2}-9\sqrt{7}$

따라서 $a=8$, $b=-9$이므로

$4a-b=4\times8-(-9)=41$

17 $b=a+\frac{1}{a}=\sqrt{5}+\frac{1}{\sqrt{5}}=\sqrt{5}+\frac{\sqrt{5}}{5}=\frac{6\sqrt{5}}{5}=\frac{6}{5}a$

따라서 b는 a의 $\frac{6}{5}$배이다.

18 $\frac{1}{\sqrt{2}}(\sqrt{3}+2\sqrt{2})-\left(\sqrt{2}-\frac{4}{\sqrt{3}}\right)\div\frac{2}{\sqrt{3}}$

$=\frac{\sqrt{3}}{\sqrt{2}}+2-\left(\sqrt{2}-\frac{4}{\sqrt{3}}\right)\times\frac{\sqrt{3}}{2}$

$=\frac{\sqrt{6}}{2}+2-\frac{\sqrt{6}}{2}+2=4$

19 $-6\sqrt{3}+(2+\sqrt{3})a-9=-6\sqrt{3}+2a+a\sqrt{3}-9$

$=2a-9+(-6+a)\sqrt{3}$

이 식이 유리수가 되려면 $-6+a=0$이어야 하므로

$a=6$

20

(주어진 도형의 넓이)

$=(\sqrt{3}+\sqrt{24})\times\sqrt{24}-3\times\sqrt{8}+\sqrt{3}\times\sqrt{3}$

$=\sqrt{72}+24-3\sqrt{8}+3$

$=6\sqrt{2}+24-6\sqrt{2}+3=27$

21 xy항이 나오는 부분만 전개하면

$3x\times ay+(-2y)\times5x=3axy-10xy=(3a-10)xy$

이때 xy의 계수가 -7이므로

$3a-10=-7$, $3a=3$ $\quad\therefore a=1$

22 $(3x-4y)^2=9x^2-24xy+16y^2$

따라서 $a=9$, $b=-24$, $c=16$이므로

$a+b-c=9+(-24)-16=-31$

23 $\left(\frac{1}{5}a+\frac{3}{4}b\right)\left(\frac{1}{5}a-\frac{3}{4}b\right)=\left(\frac{1}{5}a\right)^2-\left(\frac{3}{4}b\right)^2$

$=\frac{1}{25}a^2-\frac{9}{16}b^2$

$=\frac{1}{25}\times50-\frac{9}{16}\times32$

$=2-18=-16$

24 $(4x+6)\left(ax-\frac{3}{2}\right)=4ax^2+(-6+6a)x-9$

이때 x^2의 계수와 x의 계수가 같으므로

$4a=-6+6a$, $-2a=-6$ $\quad\therefore a=3$

25 $(x-5)^2-(2x+3)(3x-4)$

$=x^2-10x+25-(6x^2+x-12)$

$=x^2-10x+25-6x^2-x+12$

$=-5x^2-11x+37$

26 $57^2=(60-3)^2=60^2-2\times60\times3+3^2$

$=60^2-360+3^2$

이므로 (가)$=3$, (나)$=360$

$38\times42=(40-2)(40+2)=40^2-2^2=40^2-4$

이므로 (다)$=4$

따라서 (가)~(다)에 들어갈 수의 합은

$3+360+4=367$

27 $(\sqrt{5}-2)^2(\sqrt{5}+2)^2(1-\sqrt{3})^3(1+\sqrt{3})^3$

$=\{(\sqrt{5}-2)(\sqrt{5}+2)\}^2\{(1-\sqrt{3})(1+\sqrt{3})\}^3$

$=\{(\sqrt{5})^2-2^2\}^2\{1^2-(\sqrt{3})^2\}^3$

$=(5-4)^2(1-3)^3$

$=1^2\times(-2)^3=-8$

28 $\frac{2}{5\sqrt{2}-7}+\frac{3}{5\sqrt{2}+7}$

$=\frac{2(5\sqrt{2}+7)}{(5\sqrt{2}-7)(5\sqrt{2}+7)}+\frac{3(5\sqrt{2}-7)}{(5\sqrt{2}+7)(5\sqrt{2}-7)}$

$=\frac{10\sqrt{2}+14}{50-49}+\frac{15\sqrt{2}-21}{50-49}$

$=10\sqrt{2}+14+15\sqrt{2}-21$

$=-7+25\sqrt{2}$

따라서 $a=-7$, $b=25$이므로

$a+b=-7+25=18$

29 $x+y=(\sqrt{5}+1)+(\sqrt{5}-1)=2\sqrt{5}$
$xy=(\sqrt{5}+1)(\sqrt{5}-1)=5-1=4$
$\therefore\ x^2+y^2=(x+y)^2-2xy=(2\sqrt{5})^2-2\times4=12$

30 $x=2-\sqrt{3}$에서 $x-2=-\sqrt{3}$
양변을 제곱하면 $(x-2)^2=(-\sqrt{3})^2$
$x^2-4x+4=3 \qquad \therefore\ x^2-4x=-1$
$\therefore\ x^2-4x+3=-1+3=2$

32 ① $\square x^2+6x+1=\square x^2+2\times 3x\times 1+1^2$이므로
$\square=3^2=9$ (제곱)
② $x^2-10x+\square=x^2-2\times x\times 5+\square$이므로
$\square=5^2=25$ (제곱)
③ $\square x^2+x+\frac{1}{4}=\square x^2+2\times x\times\frac{1}{2}+\left(\frac{1}{2}\right)^2$이므로
$\square=1^2=1$
④ $16x^2+8x+\square=(4x)^2+2\times 4x\times 1+1^2$이므로
$\square=1^2=1$
⑤ $x^2+\square xy+\frac{1}{49}y^2=\left(x\pm\frac{1}{7}y\right)^2$이므로
$\square=\pm2\times1\times\frac{1}{7}=\pm\frac{2}{7}$
즉, 절댓값은 $\frac{2}{7}$이다.
따라서 □ 안의 수의 절댓값이 가장 큰 것은 ②이다.

33 $-1<5x<1$에서 $-\frac{1}{5}<x<\frac{1}{5}$이므로
$x-\frac{1}{5}<0,\ x+\frac{1}{5}>0$
$$\therefore\ \sqrt{x^2-\frac{2}{5}x+\frac{1}{25}}-\sqrt{x^2+\frac{2}{5}x+\frac{1}{25}}$$
$$=\sqrt{\left(x-\frac{1}{5}\right)^2}-\sqrt{\left(x+\frac{1}{5}\right)^2}$$
$$=-\left(x-\frac{1}{5}\right)-\left(x+\frac{1}{5}\right)=-2x$$

34 $6x^2-11x-10=(2x-5)(3x+2)$
따라서 $a=2,\ b=-5,\ c=2$이므로
$a+b+c=2+(-5)+2=-1$

35 ①, ②, ③, ⑤ 4 ④ 5
따라서 □ 안의 수가 나머지 넷과 다른 하나는 ④이다.

36 x^2+ax+8의 다른 한 인수를 $x+m$ (m은 상수)으로 놓으면
$x^2+ax+8=(x-4)(x+m)=x^2+(-4+m)x-4m$
즉, $a=-4+m,\ 8=-4m$이므로 $m=-2,\ a=-6$

37 주어진 사각형을 모두 사용하여 오른쪽 그림과 같은 큰 직사각형을 만들 수 있다. 새로 만든 직사각형의 넓이를 식으로 나타내면
$x^2+4x+3=(x+1)(x+3)$
따라서 새로 만든 직사각형의 둘레의 길이는
$2\times\{(x+1)+(x+3)\}=2(2x+4)$
$=4x+8$

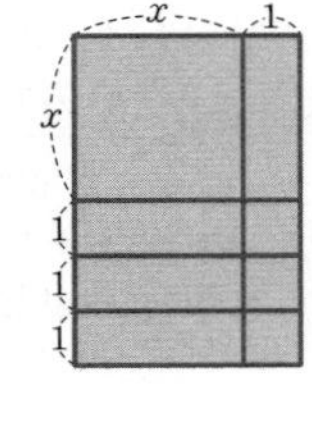

38 $\sqrt{52^2-48^2}=\sqrt{(52+48)(52-48)}=\sqrt{100\times4}=\sqrt{400}=20$

39 $2<\sqrt{8}<3$이므로 $x=\sqrt{8}-2$
$x+4=A$로 놓으면
$(x+4)^2-4(x+4)+4=A^2-4A+4=(A-2)^2$
$=(x+4-2)^2=(x+2)^2$
$=(\sqrt{8}-2+2)^2=(\sqrt{8})^2=8$

40 (직사각형의 넓이)=(가로의 길이)×(세로의 길이)이고, ㈎의 가로의 길이가 $x+6$이므로 $x^2+10x+a$는 $x+6$을 인수로 가진다. $x^2+10x+a$의 다른 한 인수를 $x+m$ (m은 상수)으로 놓으면
$x^2+10x+a=(x+6)(x+m)=x^2+(6+m)x+6m$
즉, $10=6+m,\ a=6m$이므로 $m=4,\ a=24$
㈎의 세로의 길이는 $x+4$이므로 ㈎의 둘레의 길이는
$2\times\{(x+6)+(x+4)\}=2(2x+10)=4x+20$
이때 두 직사각형 ㈎, ㈏의 둘레의 길이가 서로 같고, ㈏는 네 변의 길이가 같으므로 ㈏의 한 변의 길이는
$(4x+20)\div4=x+5$

41 ㄱ. 일차방정식
ㄴ. 이차식
ㄷ. $x^2+3x-10=x^2$, $3x-10=0$ (일차방정식)
ㄹ. 분모에 미지수가 있으므로 이차방정식이 아니다.
ㅁ. $3x^2-x+2=2x^2+4x+2$, $x^2-5x=0$ (이차방정식)
따라서 이차방정식은 ㅁ이다.

42 $x^2-2x-1=0$에 $x=a$를 대입하면
$a^2-2a-1=0 \quad \cdots$ ㉠
이때 $a=0$이면 등식이 성립하지 않으므로 $a\neq0$
즉, ㉠의 양변을 a로 나누면
$a-2-\frac{1}{a}=0 \qquad \therefore\ a-\frac{1}{a}=2$

43 $3x^2+4x-7=0$에서 $(3x+7)(x-1)=0$
$\therefore\ x=-\frac{7}{3}$ 또는 $x=1$

44 $x^2-ax+a+1=0$에 $x=2$를 대입하면
$2^2-a\times2+a+1=0,\ -a+5=0 \qquad \therefore\ a=5$
즉, $x^2-ax+a+1=0$은 $x^2-5x+6=0$이므로
$(x-2)(x-3)=0 \qquad \therefore\ x=2$ 또는 $x=3$
따라서 다른 한 근은 $x=3$이므로 a의 값과 다른 한 근의 합은
$5+3=8$

45 $(x+1)(x-2)=-5(x+a)$에서 $x^2-x-2=-5x-5a$
즉, $x^2+4x+5a-2=0$이 중근을 가지므로
$5a-2=\left(\frac{4}{2}\right)^2,\ 5a-2=4 \qquad \therefore\ a=\frac{6}{5}$

46 $x^2+ax-8=0$에 $x=2$를 대입하면
$2^2+a\times2-8=0,\ 2a-4=0 \qquad \therefore\ a=2$
즉, $x^2+(b+1)x+a=0$은 $x^2+(b+1)x+2=0$이므로
$x=2$를 대입하면 $2^2+(b+1)\times2+2=0$
$2b+8=0 \qquad \therefore\ b=-4$
$\therefore\ 2a+b=2\times2-4=0$

47 $2(3x-4)^2=56$에서 $(3x-4)^2=28$
$3x-4=\pm2\sqrt{7}$, $3x=4\pm2\sqrt{7}$ $\therefore x=\frac{4\pm2\sqrt{7}}{3}$

48 $3x^2-6x-9=0$의 양변을 3으로 나누면
$x^2-2x-3=0$, $x^2-2x=3$
$x^2-2x+1=3+1$, $(x-1)^2=4$
따라서 $a=-1$, $b=4$이므로
$a-b=-1-4=-5$

49 $3x^2+ax-1=0$에서
$x=\frac{-a\pm\sqrt{a^2-4\times3\times(-1)}}{2\times3}=\frac{-a\pm\sqrt{a^2+12}}{6}$
이므로 $-a=-3$, $a^2+12=b$
따라서 $a=3$, $b=3^2+12=21$이므로
$a+b=3+21=24$

50 주어진 이차방정식의 양변에 6을 곱하면
$3(x+1)(x-1)-4(x-1)=x$
$3x^2-3-4x+4-x=0$, $3x^2-5x+1=0$
$\therefore x=\frac{-(-5)\pm\sqrt{(-5)^2-4\times3\times1}}{2\times3}=\frac{5\pm\sqrt{13}}{6}$
이때 $a>b$이므로 $a=\frac{5+\sqrt{13}}{6}$, $b=\frac{5-\sqrt{13}}{6}$
$\therefore a-b=\frac{5+\sqrt{13}}{6}-\frac{5-\sqrt{13}}{6}=\frac{\sqrt{13}}{3}$

2회 123~131쪽

1 ②, ③	2 ②	3 ④	4 ④	5 ④
6 ④	7 ④	8 ②	9 ③	10 ⑤
11 ③	12 ⑤	13 ③	14 ④	15 ①
16 ②	17 $-\sqrt{15}$	18 ③	19 $26\sqrt{2}$cm	
20 ②	21 ②	22 ②	23 ⑤	
24 $49a^2-42ab+18b^2$	25 ④	26 ⑤	27 ①	
28 ④	29 ③	30 x^2-y^2+2y-1	31 ③	
32 ④	33 ⑤	34 ⑤	35 ③	
36 $(x+3)(3x-4)$	37 ①	38 ④	39 ⑤	
40 $(x+4)$m	41 ④	42 ⑤	43 ①	
44 ③	45 ⑤	46 ⑤	47 ①	48 ⑤
49 ⑤	50 ⑤			

1 ① π의 제곱근은 $\pm\sqrt{\pi}$이다.
② 음수의 제곱근은 없다.
③ 양수의 제곱근은 양수와 음수 2개이다.
따라서 옳지 않은 것은 ②, ③이다.

2 $1.\dot{7}=\frac{17-1}{9}=\frac{16}{9}$의 제곱근 ⇨ $\pm\sqrt{\frac{16}{9}}=\pm\frac{4}{3}$
$\sqrt{16}=4$의 제곱근 ⇨ $\pm\sqrt{4}=\pm2$
따라서 근호를 사용하지 않고 제곱근을 나타낼 수 있는 수는 $1.\dot{7}$, $\sqrt{16}$의 2개이다.

3 $xy>0$에서 x, y의 부호는 서로 같고, $x+y<0$이므로
$x<0$, $y<0$
따라서 $4x<0$, $-y>0$, $x+y<0$이므로
$\sqrt{16x^2}-\sqrt{(-y)^2}-\sqrt{(x+y)^2}$
$=\sqrt{(4x)^2}-\sqrt{(-y)^2}-\sqrt{(x+y)^2}$
$=-4x-(-y)-\{-(x+y)\}$
$=-4x+y+x+y$
$=-3x+2y$

4 $\sqrt{15-x}$가 정수가 되려면 $15-x$가 0 또는 15보다 작은 (자연수)^2 꼴인 수이어야 하므로
$15-x=0, 1, 4, 9$ $\therefore x=15, 14, 11, 6$
따라서 구하는 합은 $15+14+11+6=46$

5 $6\le\sqrt{2(x-1)}<7$에서 $6=\sqrt{36}$, $7=\sqrt{49}$이므로
$\sqrt{36}\le\sqrt{2(x-1)}<\sqrt{49}$, $36\le2(x-1)<49$
$18\le x-1<\frac{49}{2}$ $\therefore 19\le x<\frac{51}{2}$
따라서 자연수 x는 19, 20, 21, …, 25의 7개이다.

6 $\sqrt{25}=5$, $\sqrt{36}=6$이므로
$f(26)=f(27)=f(28)=\cdots=f(35)=f(36)=5$
따라서 $f(x)=5$를 만족시키는 자연수 x는
26, 27, 28, …, 35, 36의 11개이다.

7 ① 순환하지 않는 무한소수는 $\sqrt{5}$, $\sqrt{7}+1$, π, $\frac{2\sqrt{3}}{5}$의 4개이다.
② 유리수는 $\sqrt{49}=7$, $1.\dot{2}\dot{5}=\frac{125-1}{99}=\frac{124}{99}$의 2개이다.
③ π는 무리수이다.
⑤ 수직선 위에서 가장 오른쪽에 위치하는 수는 $\sqrt{49}$이다.
따라서 옳은 것은 ④이다.

8 $\overline{AP}=\overline{AD}=\sqrt{1^2+1^2}=\sqrt{2}$이므로 점 P에 대응하는 수는
$2-\sqrt{2}$
$\overline{EQ}=\overline{EF}=\sqrt{1^2+2^2}=\sqrt{5}$이므로 점 Q에 대응하는 수는
$5+\sqrt{5}$

9 $\sqrt{5.83}=2.415$

10 $\sqrt{\frac{1}{2}}=\sqrt{\frac{8}{16}}$, $\frac{3}{4}=\sqrt{\frac{9}{16}}$에서 $\sqrt{\frac{1}{2}}<\frac{3}{4}$이므로 $-\sqrt{\frac{1}{2}}>-\frac{3}{4}$
$\therefore A>B$
$B-C=-\frac{3}{4}-(1-\sqrt{5})=-\frac{7}{4}+\sqrt{5}$
$=-\sqrt{\frac{49}{16}}+\sqrt{\frac{80}{16}}>0$
$\therefore B>C$
$\therefore C<B<A$

11 $\sqrt{15}\times\sqrt{80}=\sqrt{15}\times4\sqrt{5}=20\sqrt{3}$ $\therefore a=20$

12 ㄱ. $\sqrt{0.023}=\sqrt{\frac{2.3}{100}}=\sqrt{\frac{2.3}{10^2}}=\frac{\sqrt{2.3}}{10}=0.1a$

ㄴ. $\sqrt{0.23}=\sqrt{\frac{23}{100}}=\sqrt{\frac{23}{10^2}}=\frac{\sqrt{23}}{10}=0.1b$

ㄷ. $\sqrt{920}=\sqrt{400\times2.3}=\sqrt{20^2\times2.3}=20\sqrt{2.3}=20a$

ㄹ. $\sqrt{2300}=\sqrt{100\times23}=\sqrt{10^2\times23}=10\sqrt{23}=10b$

따라서 옳은 것은 ㄷ, ㄹ이다.

13 $\frac{\sqrt{11}}{2\sqrt{3}}=\frac{\sqrt{11}\times\sqrt{3}}{2\sqrt{3}\times\sqrt{3}}=\frac{\sqrt{33}}{6}\qquad\therefore a=\frac{1}{6}$

$\frac{\sqrt{5}}{\sqrt{8}}=\frac{\sqrt{5}}{2\sqrt{2}}=\frac{\sqrt{5}\times\sqrt{2}}{2\sqrt{2}\times\sqrt{2}}=\frac{\sqrt{10}}{4}\qquad\therefore b=\frac{1}{4}$

$\therefore 3a+2b=3\times\frac{1}{6}+2\times\frac{1}{4}=\frac{1}{2}+\frac{1}{2}=1$

14 정육면체의 한 모서리의 길이를 $x$cm라 하면

$\overline{BF}=x$cm, $\overline{FH}=\sqrt{x^2+x^2}=\sqrt{2}x$(cm)이므로

$\triangle$BFH에서 $\overline{BH}=\sqrt{x^2+(\sqrt{2}x)^2}=\sqrt{3}x=6$

$\therefore x=\frac{6}{\sqrt{3}}=\frac{6\times\sqrt{3}}{\sqrt{3}\times\sqrt{3}}=2\sqrt{3}$

따라서 $\overline{BF}=2\sqrt{3}$cm, $\overline{FH}=\sqrt{2}\times2\sqrt{3}=2\sqrt{6}$(cm)이므로

$\triangle BFH=\frac{1}{2}\times2\sqrt{6}\times2\sqrt{3}=6\sqrt{2}(cm^2)$

15 $a\sqrt{\frac{5b}{a}}+b\sqrt{\frac{a}{5b}}=\sqrt{a^2\times\frac{5b}{a}}+\sqrt{b^2\times\frac{a}{5b}}$

$=\sqrt{5ab}+\sqrt{\frac{ab}{5}}$

$=\sqrt{50}+\sqrt{2}$

$=5\sqrt{2}+\sqrt{2}=6\sqrt{2}$

16 $\frac{15}{\sqrt{5}}-\sqrt{3}(2\sqrt{15}-\sqrt{12})+2\sqrt{5}=3\sqrt{5}-6\sqrt{5}+6+2\sqrt{5}$

$=6-\sqrt{5}$

17 $A=\sqrt{27}-\sqrt{3}=3\sqrt{3}-\sqrt{3}=2\sqrt{3}$

$B=\sqrt{3}A+3\sqrt{5}=\sqrt{3}\times2\sqrt{3}+3\sqrt{5}=6+3\sqrt{5}$

$\therefore C=2\sqrt{3}-\frac{B}{\sqrt{3}}=2\sqrt{3}-\frac{6+3\sqrt{5}}{\sqrt{3}}$

$=2\sqrt{3}-\frac{(6+3\sqrt{5})\times\sqrt{3}}{\sqrt{3}\times\sqrt{3}}$

$=2\sqrt{3}-\frac{6\sqrt{3}+3\sqrt{15}}{3}$

$=2\sqrt{3}-2\sqrt{3}-\sqrt{15}=-\sqrt{15}$

18 $2\sqrt{7}=\sqrt{28}$이고 $5<\sqrt{28}<6$이므로 $6<1+2\sqrt{7}<7$

$\therefore a=(1+2\sqrt{7})-6=2\sqrt{7}-5$

$2<\sqrt{7}<3$이고 $-3<-\sqrt{7}<-2$이므로 $1<4-\sqrt{7}<2$

$\therefore b=(4-\sqrt{7})-1=3-\sqrt{7}$

$\therefore a+2b=(2\sqrt{7}-5)+2(3-\sqrt{7})$

$=2\sqrt{7}-5+6-2\sqrt{7}=1$

19 넓이가 각각 $32cm^2$, $18cm^2$, $8cm^2$인 세 정사각형의 한 변의 길이는 각각 $\sqrt{32}=4\sqrt{2}$(cm), $\sqrt{18}=3\sqrt{2}$(cm), $\sqrt{8}=2\sqrt{2}$(cm)이다.

오른쪽 그림에서

$a+b+c=4\sqrt{2}$(cm)

이므로

(도형의 둘레의 길이)

$=2(4\sqrt{2}+3\sqrt{2}+2\sqrt{2})$

$\quad+2\times4\sqrt{2}$

$=18\sqrt{2}+8\sqrt{2}=26\sqrt{2}$(cm)

20 ① $3\sqrt{7}=\sqrt{63}$, $8=\sqrt{64}$이고 $\sqrt{63}<\sqrt{64}$이므로 $3\sqrt{7}<8$

② $5\sqrt{2}=\sqrt{50}$, $3\sqrt{5}=\sqrt{45}$이고 $\sqrt{50}>\sqrt{45}$이므로 $5\sqrt{2}>3\sqrt{5}$

③ $3\sqrt{2}-(\sqrt{10}+\sqrt{2})=3\sqrt{2}-\sqrt{10}-\sqrt{2}=2\sqrt{2}-\sqrt{10}$

$=\sqrt{8}-\sqrt{10}<0$

$\therefore 3\sqrt{2}<\sqrt{10}+\sqrt{2}$

④ $(2+\sqrt{5})-(\sqrt{7}+\sqrt{5})=2+\sqrt{5}-\sqrt{7}-\sqrt{5}=2-\sqrt{7}$

$=\sqrt{4}-\sqrt{7}<0$

$\therefore 2+\sqrt{5}<\sqrt{7}+\sqrt{5}$

⑤ $(2\sqrt{3}+2)-(3\sqrt{3}+1)=2\sqrt{3}+2-3\sqrt{3}-1$

$=-\sqrt{3}+1<0$

$\therefore 2\sqrt{3}+2<3\sqrt{3}+1$

따라서 □ 안의 부등호의 방향이 나머지 넷과 다른 하나는 ②이다.

21 ㄱ. $(x-3)^2=x^2-6x+9$

ㄴ. $-(x-3)^2=-(x^2-6x+9)=-x^2+6x-9$

ㄷ. $(-x-3)^2=x^2+6x+9$

ㄹ. $-(x+3)^2=-(x^2+6x+9)=-x^2-6x-9$

ㅁ. $(-x+3)^2=x^2-6x+9$

따라서 전개식이 같은 것끼리 짝 지은 것은 ㄱ, ㅁ이다.

22 $(2x-1)(3x+B)=6x^2+(2B-3)x-B$

$=6x^2+Ax-2$

이므로 $2B-3=A$, $-B=-2$

따라서 $A=1$, $B=2$이므로

$A-2B=1-2\times2=-3$

23 $(3x-2)^2=9x^2-12x+4\qquad\therefore □=12$

$(4x+5)(-4x+5)=-16x^2+25\qquad\therefore □=25$

$(x+4)(x-2)=x^2+2x-8\qquad\therefore □=2$

따라서 □ 안에 들어갈 수를 모두 더하면

$12+25+2=39$

24 오른쪽 그림에서 색칠한 부분의 넓이는

$(7a-3b)^2+(3b)^2$

$=49a^2-42ab+9b^2+9b^2$

$=49a^2-42ab+18b^2$

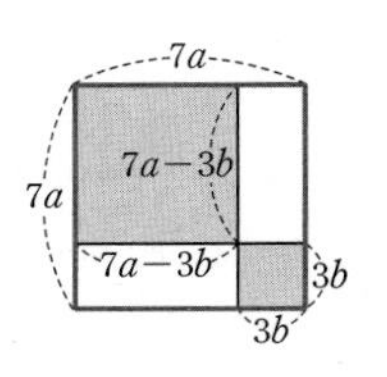

25 ① $102^2=(100+2)^2=100^2+2\times100\times2+2^2$
⇨ $(a+b)^2=a^2+2ab+b^2$
② $299^2=(300-1)^2=300^2-2\times300\times1+1^2$
⇨ $(a-b)^2=a^2-2ab+b^2$
③ $304\times307=(300+4)(300+7)$
$=300^2+(4+7)\times300+4\times7$
⇨ $(x+a)(x+b)=x^2+(a+b)x+ab$
④ $22\times18=(20+2)(20-2)=20^2-2^2$
⇨ $(a+b)(a-b)=a^2-b^2$
⑤ $101\times104=(100+1)(100+4)$
$=100^2+(1+4)\times100+1\times4$
⇨ $(x+a)(x+b)=x^2+(a+b)x+ab$
따라서 주어진 곱셈 공식을 이용하여 계산하면 가장 편리한 것은 ④이다.

26 ① $(1+\sqrt{5})^2=1^2+2\times1\times\sqrt{5}+(\sqrt{5})^2$
$=1+2\sqrt{5}+5=6+2\sqrt{5}$
② $(2-3\sqrt{2})^2=2^2-2\times2\times3\sqrt{2}+(3\sqrt{2})^2$
$=4-12\sqrt{2}+18=22-12\sqrt{2}$
③ $(3+\sqrt{2})(3-\sqrt{2})=3^2-(\sqrt{2})^2=9-2=7$
④ $(\sqrt{2}-2)(\sqrt{2}+3)=(\sqrt{2})^2+(-2+3)\sqrt{2}+(-2)\times3$
$=2+\sqrt{2}-6=-4+\sqrt{2}$
⑤ $(4\sqrt{2}+1)(2\sqrt{2}-3)$
$=4\sqrt{2}\times2\sqrt{2}+4\sqrt{2}\times(-3)+1\times2\sqrt{2}+1\times(-3)$
$=16-12\sqrt{2}+2\sqrt{2}-3=13-10\sqrt{2}$
따라서 옳지 않은 것은 ⑤이다.

27 $\overline{PA}=\overline{PQ}=\sqrt{1^2+1^2}=\sqrt{2}$이므로 점 A에 대응하는 수는
$-1-\sqrt{2}$ $\quad\therefore a=-1-\sqrt{2}$
$\overline{RB}=\overline{RS}=\sqrt{1^2+1^2}=\sqrt{2}$이므로 점 B에 대응하는 수는
$1+\sqrt{2}$ $\quad\therefore b=1+\sqrt{2}$
$\therefore ab=(-1-\sqrt{2})(1+\sqrt{2})=-(1+\sqrt{2})^2$
$=-1-2\sqrt{2}-2=-3-2\sqrt{2}$

28 $\dfrac{2-\sqrt{2}}{2+\sqrt{2}}=\dfrac{(2-\sqrt{2})^2}{(2+\sqrt{2})(2-\sqrt{2})}=\dfrac{4-4\sqrt{2}+2}{4-2}$
$=\dfrac{6-4\sqrt{2}}{2}=3-2\sqrt{2}$
따라서 $a=3$, $b=-2$이므로 $a^2+b^2=3^2+(-2)^2=13$

29 $x=\dfrac{\sqrt{3}-\sqrt{2}}{\sqrt{3}+\sqrt{2}}=\dfrac{(\sqrt{3}-\sqrt{2})^2}{(\sqrt{3}+\sqrt{2})(\sqrt{3}-\sqrt{2})}$
$=\dfrac{3-2\sqrt{6}+2}{3-2}=5-2\sqrt{6}$,
$y=\dfrac{\sqrt{3}+\sqrt{2}}{\sqrt{3}-\sqrt{2}}=\dfrac{(\sqrt{3}+\sqrt{2})^2}{(\sqrt{3}-\sqrt{2})(\sqrt{3}+\sqrt{2})}$
$=\dfrac{3+2\sqrt{6}+2}{3-2}=5+2\sqrt{6}$
이므로
$x+y=(5-2\sqrt{6})+(5+2\sqrt{6})=10$
$xy=(5-2\sqrt{6})(5+2\sqrt{6})=25-24=1$
$\therefore x^2+xy+y^2=(x+y)^2-xy=10^2-1=99$

30 $1-y=A$로 놓으면
$(x-1+y)(x+1-y)=\{x-(1-y)\}\{x+(1-y)\}$
$=(x-A)(x+A)$
$=x^2-A^2$
$=x^2-(1-y)^2$
$=x^2-(1-2y+y^2)$
$=x^2-y^2+2y-1$

31 $a(b+4)-(b+4)=(a-1)(b+4)$

32 ① $a^2+8a+16=(a+4)^2$
② $\dfrac{1}{4}x^2+x+1=\left(\dfrac{1}{2}x+1\right)^2$
③ $1+2y+y^2=(1+y)^2$
⑤ $2x^2-8xy+8y^2=2(x^2-4xy+4y^2)=2(x-2y)^2$
따라서 완전제곱식으로 인수분해할 수 없는 것은 ④이다.

33 $4x^2-9ax+b+(ax+b)=4x^2-8ax+2b$
$=(2x)^2-2\times2x\times2a+2b$
이므로 $2b=(2a)^2$, 즉 $b=2a^2$
이를 만족시키는 100 이하인 자연수 a, b의 순서쌍 (a, b)는 (1, 2), (2, 8), (3, 18), (4, 32), (5, 50), (6, 72), (7, 98)의 7개이다.

34 $x^2+kx-12=(x+a)(x+b)=x^2+(a+b)x+ab$에서
$ab=-12$이고 a, b는 정수이므로 이를 만족시키는 순서쌍 (a, b)는 $(-12, 1)$, $(-6, 2)$, $(-4, 3)$, $(-3, 4)$, $(-2, 6)$, $(-1, 12)$, $(1, -12)$, $(2, -6)$, $(3, -4)$, $(4, -3)$, $(6, -2)$, $(12, -1)$이다.
이때 $k=a+b$이므로 k의 값이 될 수 있는 수는
-11, -4, -1, 1, 4, 11이다.
따라서 k의 값 중 가장 큰 수는 11, 가장 작은 수는 -11이므로 두 수의 차는 $11-(-11)=22$

35 $x^2-x-6=(x+2)(x-3)$
$3x^2+5x-2=(x+2)(3x-1)$
따라서 두 다항식의 공통인 인수는 $x+2$이다.

36 기준이는 x^2의 계수와 상수항을 제대로 보았으므로
$3(x-1)(x+4)=3(x^2+3x-4)=3x^2+9x-12$에서
처음 이차식의 x^2의 계수는 3, 상수항은 -12이다.
승우는 x^2의 계수와 x의 계수를 제대로 보았으므로
$(x-1)(3x+8)=3x^2+5x-8$에서
처음 이차식의 x^2의 계수는 3, x의 계수는 5이다.
따라서 처음 이차식은 $3x^2+5x-12$이므로 바르게 인수분해하면 $3x^2+5x-12=(x+3)(3x-4)$

37 $\dfrac{73\times17+73\times13}{37^2-36^2}=\dfrac{73\times(17+13)}{(37+36)(37-36)}$
$=\dfrac{73\times30}{73}=30$

38 $x^2-y^2+6x+9=(x^2+6x+9)-y^2$
$=(x+3)^2-y^2$
$=\{(x+3)+y\}\{(x+3)-y\}$
$=(x+3+y)(x+3-y)$
$=(x+y+3)(x-y+3)$

39 $x+y=(3+\sqrt{2})+(3-\sqrt{2})=6$,
$x-y=(3+\sqrt{2})-(3-\sqrt{2})=2\sqrt{2}$,
$xy=(3+\sqrt{2})(3-\sqrt{2})=3^2-(\sqrt{2})^2=7$이므로
$x^3y-xy^3=xy(x^2-y^2)$
$=xy(x+y)(x-y)$
$=7\times6\times2\sqrt{2}=84\sqrt{2}$

40 (꽃밭의 넓이)$=(x+7)^2-3^2$
$=\{(x+7)+3\}\{(x+7)-3\}$
$=(x+7+3)(x+7-3)$
$=(x+10)(x+4)(\text{m}^2)$
이때 직사각형의 넓이는 꽃밭의 넓이와 같고 이 직사각형의 가로의 길이가 $(x+10)$m이므로 세로의 길이는 $(x+4)$m이다.

41 $2(x-3)^2=kx(x-2)+5$에서
$2x^2-12x+18=kx^2-2kx+5$
$(2-k)x^2+(2k-12)x+13=0$이 x에 대한 이차방정식이 되려면 이차항의 계수가 0이 아니어야 하므로 $k\neq2$

42 ① $(-2-2)^2-9=7\neq0$
② $(-1+2)(-1-1)=-2\neq0$
③ $2\times(-1)^2+(-1)-3=-2\neq0$
④ $3\times(-2)\times(-2-2)-4=20\neq0$
⑤ $4\times\left(\frac{1}{2}\right)^2-4\times\frac{1}{2}+1=0$
따라서 [ ] 안의 수가 주어진 이차방정식의 해인 것은 ⑤이다.

43 $3(x+5)(2x-1)=0$에서 $x+5=0$ 또는 $2x-1=0$
$\therefore x=-5$ 또는 $x=\frac{1}{2}$
이때 $a<b$이므로 $a=-5$, $b=\frac{1}{2}$
$\therefore a-b=-5-\frac{1}{2}=-\frac{11}{2}$

44 주어진 이차방정식의 x^2의 계수와 상수항을 서로 바꾸면
$(k+2)x^2+4x+k=0$
이 이차방정식에 $x=3$을 대입하면
$(k+2)\times3^2+4\times3+k=0$
$10k+30=0$, $10k=-30$ $\therefore k=-3$
즉, $kx^2+4x+k+2=0$에서 $-3x^2+4x-1=0$이므로
$3x^2-4x+1=0$, $(3x-1)(x-1)=0$
$\therefore x=\frac{1}{3}$ 또는 $x=1$
따라서 두 근 중 큰 근은 $x=1$이다.

45 ① $x^2-16=0$에서 $(x+4)(x-4)=0$
$\therefore x=-4$ 또는 $x=4$
② $x^2+3x=0$에서 $x(x+3)=0$
$\therefore x=0$ 또는 $x=-3$
③ $x^2-11x+24=0$에서 $(x-3)(x-8)=0$
$\therefore x=3$ 또는 $x=8$
④ $6x^2-13x+5=0$에서 $(2x-1)(3x-5)=0$
$\therefore x=\frac{1}{2}$ 또는 $x=\frac{5}{3}$
⑤ $9x^2-12x+4=0$에서 $(3x-2)^2=0$
$\therefore x=\frac{2}{3}$
따라서 중근을 갖는 것은 ⑤이다.

46 $3x^2-10x+8=0$에서 $(3x-4)(x-2)=0$
$\therefore x=\frac{4}{3}$ 또는 $x=2$
$2(x-1)(2x-5)=-x$에서 $4x^2-13x+10=0$
$(4x-5)(x-2)=0$ $\therefore x=\frac{5}{4}$ 또는 $x=2$
따라서 두 이차방정식의 공통인 근은 $x=2$이다.

47 $(x-5)^2=k$에서 $x-5=\pm\sqrt{k}$ $\therefore x=5\pm\sqrt{k}$
이때 해가 모두 자연수가 되려면 $5-\sqrt{k}>0$
즉, $\sqrt{k}<5$이고 k가 (자연수)^2 꼴이어야 하므로
$k=1, 4, 9, 16$
따라서 모든 자연수 k의 값의 합은
$1+4+9+16=30$

48 $3x^2+4x-3=0$의 양변을 3으로 나누면
$x^2+\frac{4}{3}x-\boxed{①\ 1}=0$
$x^2+\frac{4}{3}x=\boxed{①\ 1}$의 양변에 $\boxed{②\ \frac{4}{9}}$를 더하면
$x^2+\frac{4}{3}x+\boxed{②\ \frac{4}{9}}=\boxed{①\ 1}+\boxed{②\ \frac{4}{9}}$
$\left(x+\frac{2}{3}\right)^2=\boxed{③\ \frac{13}{9}}$
$x+\frac{2}{3}=\boxed{④\ \pm\frac{\sqrt{13}}{3}}$ $\therefore x=\boxed{⑤\ \frac{-2\pm\sqrt{13}}{3}}$

49 $3x^2-6x-24=0$에서 $3(x^2-2x-8)=0$
$3(x+2)(x-4)=0$ $\therefore x=-2$ 또는 $x=4$
이때 $a>b$이므로 $a=4$, $b=-2$
즉, $x^2-2ax+b=0$은 $x^2-8x-2=0$이고 일차항의 계수가 짝수이므로
$x=-(-4)\pm\sqrt{(-4)^2-1\times(-2)}=4\pm\sqrt{18}=4\pm3\sqrt{2}$
따라서 두 근의 차는 $4+3\sqrt{2}-(4-3\sqrt{2})=6\sqrt{2}$

50 $x-y=A$로 놓으면 $A^2-3A-18=0$
$(A+3)(A-6)=0$ $\therefore A=-3$ 또는 $A=6$
즉, $x-y=-3$ 또는 $x-y=6$
이때 $x<y$에서 $x-y<0$이므로 $\therefore x-y=-3$
$\therefore x^2+y^2=(x-y)^2+2xy$
$=(-3)^2+2\times10=29$

3회 132~140쪽

1 ①	2 $\sqrt{21}$ m	3 ③	4 ④	5 ②
6 ①	7 ①	8 ②	9 ①	
10 A: $2-\sqrt{2}$, B: $-1+\sqrt{5}$, C: $1+\sqrt{3}$				11 ②
12 ⑤	13 ③	14 ②	15 ④	16 ①
17 $-3+\sqrt{15}$		18 $16\sqrt{2}$	19 $5-\sqrt{2}$	20 ⑤
21 ⑤	22 ③	23 -1	24 ③	
25 $18x^2-3x-10$		26 ②	27 ⑤	28 $8-5\sqrt{2}$
29 ①	30 -28	31 ④	32 ④	33 ③
34 ④	35 ⑤	36 ②	37 ③	38 ③, ④
39 5	40 650π cm³		41 ②	42 ①
43 ②	44 ②	45 ⑤	46 ③	47 ④
48 ②	49 $x=\frac{-1\pm\sqrt{13}}{2}$		50 $3+\sqrt{10}$	

1 ① $\sqrt{9}=3$ ②, ③, ④, ⑤ ± 3
따라서 그 값이 나머지 넷과 다른 하나는 ①이다.

2 (삼각형의 넓이)$=\frac{1}{2}\times 7\times 6=21(\text{m}^2)$이므로
정사각형의 한 변의 길이를 x m라 하면 $x^2=21$
이때 $x>0$이므로 $x=\sqrt{21}$
따라서 정사각형 모양의 꽃밭의 한 변의 길이는 $\sqrt{21}$ m이다.

3 ① -64 ② -7 ③ 9 ④ 3 ⑤ 6
따라서 가장 큰 수는 ③이다.

4 ① $\sqrt{16}+\sqrt{(-2)^2}=4+2=6$
② $(\sqrt{15})^2-\sqrt{11^2}=15-11=4$
③ $(\sqrt{7})^2+(-\sqrt{2})^2=7+2=9$
④ $(-\sqrt{5})^2\times\sqrt{\frac{9}{25}}=5\times\frac{3}{5}=3$
⑤ $-\sqrt{81}\div(-\sqrt{3})^2=-9\div 3=-3$
따라서 옳지 않은 것은 ④이다.

5 $a<0$일 때, $-a>0$, $2a<0$, $-4a>0$이므로
$-\sqrt{(-a)^2}-\sqrt{(2a)^2}+\sqrt{(-4a)^2}$
$=-(-a)-(-2a)+(-4a)=-a$

6 $-1<a<2$일 때, $a-2<0$, $a+1>0$이므로
$a-3<0$, $a+2>0$
$\therefore \sqrt{(a-3)^2}-\sqrt{(a+2)^2}=-(a-3)-(a+2)$
$=-a+3-a-2=-2a+1$

7 $v=\sqrt{2\times 9.8\times h}=\sqrt{\frac{2\times 7^2\times h}{5}}$가 자연수가 되려면
$h=2\times 5\times$(자연수)^2 꼴이어야 한다.
따라서 가장 작은 두 자리의 자연수 h의 값은 10이다.

8 $3<\sqrt{n}<6$에서 $\sqrt{9}<\sqrt{n}<\sqrt{36}$, 즉 $9<n<36$이고 n은 자연수이므로 10, 11, 12, …, 35의 26개이다.
$\sqrt{n}$이 유리수가 되려면 $n=$(자연수)^2 꼴이어야 하므로 16, 25의 2개이다.
따라서 $\sqrt{n}$이 무리수가 되도록 하는 n의 개수는
$26-2=24$(개)

9 ㄱ. $\sqrt{3}$과 $\sqrt{11}$ 사이에는 2, 3의 2개의 정수가 있다.
ㄴ. 양의 유리수는 양의 제곱근, 음의 제곱근 2개가 항상 존재한다.
ㄹ. 4의 제곱근은 ± 2, 즉 유리수이다.
ㅁ. 0에 가장 가까운 유리수는 정할 수 없다.
따라서 옳은 것은 ㄱ, ㄷ이다.

10 $\sqrt{1}<\sqrt{3}<\sqrt{4}$에서 $1<\sqrt{3}<2$이므로 $2<1+\sqrt{3}<3$
$\sqrt{4}<\sqrt{5}<\sqrt{9}$에서 $2<\sqrt{5}<3$이므로 $1<-1+\sqrt{5}<2$
$\sqrt{1}<\sqrt{2}<\sqrt{4}$에서 $1<\sqrt{2}<2$이므로 $-2<-\sqrt{2}<-1$
$\therefore 0<2-\sqrt{2}<1$
따라서 세 점 A, B, C에 대응하는 수는 각각
$2-\sqrt{2}$, $-1+\sqrt{5}$, $1+\sqrt{3}$이다.

11 $\sqrt{2}\times\sqrt{3}\times\sqrt{a}\times\sqrt{2a}=\sqrt{2\times 3\times a\times 2a}=\sqrt{12a^2}=2a\sqrt{3}$
따라서 $2a=4$이므로 $a=2$

12 ① $\sqrt{0.055}=\sqrt{\frac{5.5}{100}}=\sqrt{\frac{5.5}{10^2}}=\frac{\sqrt{5.5}}{10}=\frac{2.345}{10}=0.2345$
② $\sqrt{5.73}=2.394$
③ $\sqrt{560}=\sqrt{100\times 5.6}=\sqrt{10^2\times 5.6}=10\sqrt{5.6}$
$=10\times 2.366=23.66$
④ $\sqrt{58400}=\sqrt{10000\times 5.84}=\sqrt{100^2\times 5.84}=100\sqrt{5.84}$
$=100\times 2.417=241.7$
⑤ $\sqrt{5610}=\sqrt{100\times 56.1}=\sqrt{10^2\times 56.1}=10\sqrt{56.1}$
⇨ 주어진 제곱근표에서 $\sqrt{56.1}$의 값은 구할 수 없다.
따라서 그 값을 구할 수 없는 것은 ⑤이다.

13 $\sqrt{1.35}=\sqrt{\frac{135}{100}}=\sqrt{\frac{3^3\times 5}{10^2}}=\frac{3\times\sqrt{3}\times\sqrt{5}}{10}=\frac{3}{10}ab$
따라서 □ 안에 들어갈 알맞은 수는 $\frac{3}{10}$이다.

14 ① $4\sqrt{3}\times 3\sqrt{2}\div\sqrt{6}=4\sqrt{3}\times 3\sqrt{2}\times\frac{1}{\sqrt{6}}=12$
② $2\sqrt{5}\div\frac{\sqrt{3}}{4}\div\frac{\sqrt{5}}{\sqrt{7}}=2\sqrt{5}\times\frac{4}{\sqrt{3}}\times\frac{\sqrt{7}}{\sqrt{5}}=\frac{8\sqrt{7}}{\sqrt{3}}$
$=\frac{8\sqrt{7}\times\sqrt{3}}{\sqrt{3}\times\sqrt{3}}=\frac{8\sqrt{21}}{3}$
③ $\frac{\sqrt{10}}{\sqrt{27}}\times\frac{\sqrt{3}}{\sqrt{40}}=\frac{\sqrt{10}}{3\sqrt{3}}\times\frac{\sqrt{3}}{2\sqrt{10}}=\frac{1}{6}$
④ $\sqrt{2}\times\sqrt{24}\div\sqrt{3}=\sqrt{2}\times 2\sqrt{6}\times\frac{1}{\sqrt{3}}=4$
⑤ $\frac{2}{\sqrt{6}}\times\sqrt{12}\div\sqrt{2}=\frac{2}{\sqrt{6}}\times\sqrt{12}\times\frac{1}{\sqrt{2}}=2$
따라서 계산 결과가 무리수인 것은 ②이다.

15 $\overline{BC}=\sqrt{8}=2\sqrt{2}$, $\overline{CD}=\sqrt{18}=3\sqrt{2}$
$\therefore \square ABCD=\overline{BC}\times\overline{CD}=2\sqrt{2}\times 3\sqrt{2}=12$

16 $\sqrt{28}-4\sqrt{6}-5\sqrt{7}+\sqrt{54}=2\sqrt{7}-4\sqrt{6}-5\sqrt{7}+3\sqrt{6}$
$=-\sqrt{6}-3\sqrt{7}$
따라서 $a=-1$, $b=-3$이므로
$a+b=-1+(-3)=-4$

17 $\frac{\sqrt{5}-\sqrt{3}}{\sqrt{5}}-\sqrt{3}\left(\frac{4}{\sqrt{3}}-\frac{6\sqrt{5}}{5}\right)$

$=\frac{(\sqrt{5}-\sqrt{3})\times\sqrt{5}}{\sqrt{5}\times\sqrt{5}}-4+\frac{6\sqrt{15}}{5}$

$=\frac{5-\sqrt{15}}{5}-4+\frac{6\sqrt{15}}{5}=-3+\sqrt{15}$

18 $A=\sqrt{18}+2\sqrt{50}+\sqrt{98}=3\sqrt{2}+10\sqrt{2}+7\sqrt{2}=20\sqrt{2}$

$B=\sqrt{\frac{3}{5}}\div\sqrt{\frac{3}{10}}+3\sqrt{2}-\sqrt{128}$

$=\sqrt{\frac{3}{5}}\times\sqrt{\frac{10}{3}}+3\sqrt{2}-8\sqrt{2}$

$=\sqrt{2}+3\sqrt{2}-8\sqrt{2}=-4\sqrt{2}$

$\therefore A+B=20\sqrt{2}+(-4\sqrt{2})=16\sqrt{2}$

19 $\overline{AP}=\overline{AC}=\sqrt{1^2+1^2}=\sqrt{2}$이므로

점 P에 대응하는 수는 $1+\sqrt{2}$ $\quad\therefore a=1+\sqrt{2}$

이때 □ABCD는 한 변의 길이가 1인 정사각형이므로

점 B에 대응하는 수는 2이다.

$\overline{BQ}=\overline{BD}=\sqrt{1^2+1^2}=\sqrt{2}$이므로

점 Q에 대응하는 수는 $2-\sqrt{2}$ $\quad\therefore b=2-\sqrt{2}$

$\therefore a+2b=(1+\sqrt{2})+2(2-\sqrt{2})$

$=1+\sqrt{2}+4-2\sqrt{2}=5-\sqrt{2}$

20 ① $(3\sqrt{2}-\sqrt{3})-2\sqrt{2}=\sqrt{2}-\sqrt{3}<0$

$\therefore 3\sqrt{2}-\sqrt{3}<2\sqrt{2}$

② $(\sqrt{20}+\sqrt{3})-3\sqrt{5}=2\sqrt{5}+\sqrt{3}-3\sqrt{5}=-\sqrt{5}+\sqrt{3}<0$

$\therefore \sqrt{20}+\sqrt{3}<3\sqrt{5}$

③ $(\sqrt{3}+1)-(2\sqrt{3}-1)=\sqrt{3}+1-2\sqrt{3}+1$

$=-\sqrt{3}+2=-\sqrt{3}+\sqrt{4}>0$

$\therefore \sqrt{3}+1>2\sqrt{3}-1$

④ $\sqrt{24}-(\sqrt{6}+1)=2\sqrt{6}-\sqrt{6}-1=\sqrt{6}-1>0$

$\therefore \sqrt{24}>\sqrt{6}+1$

⑤ $(\sqrt{3}+\sqrt{2})-(4\sqrt{2}-\sqrt{3})=\sqrt{3}+\sqrt{2}-4\sqrt{2}+\sqrt{3}$

$=-3\sqrt{2}+2\sqrt{3}$

$=-\sqrt{18}+\sqrt{12}<0$

$\therefore \sqrt{3}+\sqrt{2}<4\sqrt{2}-\sqrt{3}$

따라서 옳은 것은 ⑤이다.

21 $(x+a)^2=x^2+2ax+a^2=x^2-bx+\frac{9}{16}$이므로

$2a=-b,\ a^2=\frac{9}{16}$

이때 $a>0$이므로 $a=\frac{3}{4},\ b=-2a=-2\times\frac{3}{4}=-\frac{3}{2}$

$\therefore a-b=\frac{3}{4}-\left(-\frac{3}{2}\right)=\frac{9}{4}$

22 $(x+a)(x+b)=x^2+(a+b)x+ab=x^2+cx+28$

이므로 $a+b=c,\ ab=28$

이때 $ab=28$을 만족시키는 정수 a, b의 순서쌍 (a, b)는

$(-28, -1), (-14, -2), (-7, -4), (-4, -7),$

$(-2, -14), (-1, -28), (1, 28), (2, 14), (4, 7),$

$(7, 4), (14, 2), (28, 1)$

$\therefore c=-29, -16, -11, 11, 16, 29$

23 $(4x+a)(3x+4)=12x^2+(16+3a)x+4a$

$=12x^2+25x+b$

이므로 $16+3a=25,\ 4a=b$ $\quad\therefore a=3,\ b=12$

$(cx-4y)(3x+y)=3cx^2+(c-12)xy-4y^2$

$=-6x^2+dxy-4y^2$

이므로 $3c=-6,\ c-12=d$ $\quad\therefore c=-2,\ d=-14$

$\therefore a+b+c+d=3+12+(-2)+(-14)=-1$

24 ㄱ. $(3x+4y)^2=9x^2+24xy+16y^2$

ㄴ. $(3x+4y)(3x-4y)=9x^2-16y^2$

ㄷ. $(-3x+4y)(3x-4y)=-9x^2+24xy-16y^2$

ㄹ. $(-3x-4y)(3x-4y)=-9x^2+16y^2$

ㅁ. $(-3x-4y)^2=9x^2+24xy+16y^2$

따라서 전개식이 같은 것끼리 짝 지은 것은 ㄱ, ㅁ이다.

25 오른쪽 그림에서 길을 제외한 꽃밭의 넓이는

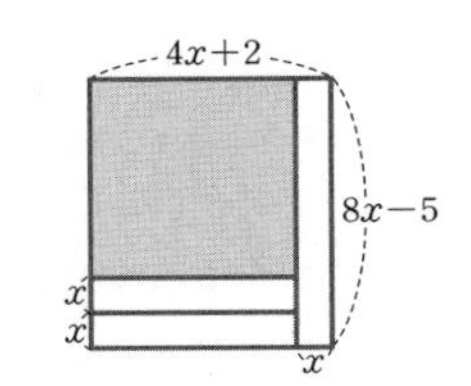

$(4x+2-x)(8x-5-2x)$

$=(3x+2)(6x-5)$

$=18x^2-3x-10$

26 $\frac{98\times102+4}{100}=\frac{(100-2)(100+2)+4}{100}$

$=\frac{(100^2-2^2)+4}{100}=\frac{100^2}{100}=100$

27 $(\sqrt{3}-a)(2\sqrt{3}+4)=6+(4-2a)\sqrt{3}-4a$

$=(6-4a)+(4-2a)\sqrt{3}$

이 식이 유리수가 되려면 $4-2a=0$이어야 하므로

$-2a=-4$ $\quad\therefore a=2$

28 $(\sqrt{2^3}-\sqrt{32})\div\sqrt{(-2)^2}+2\sqrt{8}\times\frac{1}{\sqrt{2}+1}$

$=(2\sqrt{2}-4\sqrt{2})\div2+4\sqrt{2}\times\frac{\sqrt{2}-1}{(\sqrt{2}+1)(\sqrt{2}-1)}$

$=\frac{-2\sqrt{2}}{2}+4\sqrt{2}(\sqrt{2}-1)$

$=-\sqrt{2}+8-4\sqrt{2}=8-5\sqrt{2}$

29 $x^2+y^2=(x-y)^2+2xy=8^2+2\times(-12)=40$

$\therefore \frac{y}{x}+\frac{x}{y}=\frac{y^2+x^2}{xy}=\frac{40}{-12}=-\frac{10}{3}$

30 $x^2+2x-10=0$에서 $x^2+2x=10$이므로

$(x-2)(x-4)(x+4)(x+6)$

$=(x-2)(x+4)(x-4)(x+6)$

$=(x^2+2x-8)(x^2+2x-24)$

$=(10-8)(10-24)$

$=2\times(-14)=-28$

31 $2ab^2-4a^2b+6ab=2ab(b-2a+3)$

따라서 $2ab^2-4a^2b+6ab$의 인수가 아닌 것은 ④이다.

32 $(x+4)(x-10)+k=x^2-6x-40+k$
$=x^2-2\times x\times 3-40+k$
이므로 $-40+k=3^2$, $-40+k=9$ $\therefore k=49$

33 $5<x<8$일 때, $x-5>0$, $x-8<0$이므로
$\sqrt{4x^2-40x+100}+\sqrt{x^2-16x+64}$
$=\sqrt{4(x^2-10x+25)}+\sqrt{x^2-16x+64}$
$=\sqrt{4(x-5)^2}+\sqrt{(x-8)^2}$
$=2(x-5)-(x-8)$
$=2x-10-x+8=x-2$

34 $x^2+2x-63=(x-7)(x+9)$
따라서 두 일차식의 합은
$(x-7)+(x+9)=2x+2$

35 $2x^2+ax-2$의 다른 한 인수를 $2x+m$ (m은 상수)으로 놓으면
$2x^2+ax-2=(x+2)(2x+m)=2x^2+(m+4)x+2m$
즉, $a=m+4$, $-2=2m$이므로 $m=-1$, $a=3$
또 $3x^2+7x+b$의 다른 한 인수를 $3x+n$ (n은 상수)으로 놓으면
$3x^2+7x+b=(x+2)(3x+n)=3x^2+(n+6)x+2n$
즉, $7=n+6$, $b=2n$이므로 $n=1$, $b=2$
$\therefore ab=3\times 2=6$

36 $2x^2+5xy-12y^2=(x+4y)(2x-3y)$
따라서 직사각형의 가로의 길이가 $x+4y$이므로 세로의 길이는 $2x-3y$이다.

37 $1^2-3^2+5^2-7^2+9^2-11^2+13^2-15^2$
$=(1^2-3^2)+(5^2-7^2)+(9^2-11^2)+(13^2-15^2)$
$=(1+3)(1-3)+(5+7)(5-7)+(9+11)(9-11)$
$+(13+15)(13-15)$
$=(-2)\times(1+3+5+7+9+11+13+15)$
$=(-2)\times 64=-128$

38 $ab-a+b-1=a(b-1)+(b-1)=(b-1)(a+1)$

39 $a^2-b^2+2a-2b=40$에서
$a^2-b^2+2a-2b=(a+b)(a-b)+2(a-b)$
$=(a-b)(a+b+2)$
$=8(a-b)=40$
이므로 $a-b=5$

40 (입체도형의 부피)
=(큰 원기둥의 부피)−(작은 원기둥의 부피)
$=\pi\times 8.25^2\times 10-\pi\times 1.75^2\times 10$
$=10\pi(8.25^2-1.75^2)$
$=10\pi(8.25+1.75)(8.25-1.75)$
$=10\pi\times 10\times 6.5=650\pi(\text{cm}^3)$

41 ① $x^2+x-4=0$ (이차방정식)
② $x-4=0$ (일차방정식)
③ $2x^2-2x=x^2-8x+16$에서 $x^2+6x-16=0$ (이차방정식)
④ $-2x^2-5x=0$ (이차방정식)
⑤ $3x^2+x=2x^2+5x-3$에서 $x^2-4x+3=0$ (이차방정식)
따라서 이차방정식이 아닌 것은 ②이다.

42 $x^2+4x+k-2=0$에 $x=-2+2\sqrt{2}$를 대입하면
$(-2+2\sqrt{2})^2+4\times(-2+2\sqrt{2})+k-2=0$
$4-8\sqrt{2}+8-8+8\sqrt{2}+k-2=0$
$2+k=0$ $\therefore k=-2$

43 $x^2-2x-15=0$에서 $(x+3)(x-5)=0$
$\therefore x=-3$ 또는 $x=5$
이때 $a>b$이므로 $a=5$, $b=-3$
즉, $ax^2+bx-2=0$은 $5x^2-3x-2=0$이므로
$(5x+2)(x-1)=0$ $\therefore x=-\frac{2}{5}$ 또는 $x=1$

44 $(3x-2)^2=(n^2+8n)x^2-3$에서
$9x^2-12x+4=(n^2+8n)x^2-3$
$(n^2+8n-9)x^2+12x-7=0$
$(n+9)(n-1)x^2+12x-7=0$이 x에 대한 이차방정식이 되려면 이차항의 계수가 0이 아니어야 하므로
$n\neq -9$ 그리고 $n\neq 1$

45 $x^2+ax-3=0$에 $x=-3$을 대입하면
$(-3)^2+a\times(-3)-3=0$, $6-3a=0$ $\therefore a=2$
즉, $x^2+ax-3=0$은 $x^2+2x-3=0$이므로
$(x+3)(x-1)=0$ $\therefore x=-3$ 또는 $x=1$
따라서 다른 한 근은 $x=1$이므로
$3x^2+bx-2=0$에 대입하면
$3\times 1^2+b\times 1-2=0$, $1+b=0$ $\therefore b=-1$
$\therefore a-b=2-(-1)=3$

46 $x^2-8x-5k+1=0$이 중근을 가지므로
$-5k+1=\left(\frac{-8}{2}\right)^2$, $-5k+1=16$ $\therefore k=-3$
즉, $(k+5)x^2+kx-k^2=0$은 $2x^2-3x-9=0$이므로
$(2x+3)(x-3)=0$
$\therefore x=-\frac{3}{2}$ 또는 $x=3$

47 $2(x+2)^2=a$에서 $(x+2)^2=\frac{a}{2}$
$x+2=\pm\sqrt{\frac{a}{2}}$ $\therefore x=-2\pm\sqrt{\frac{a}{2}}$
$b=-2$, $7=\frac{a}{2}$이므로 $a=14$
$\therefore a-b=14-(-2)=16$

48 $x^2-5x+3=0$에서
$x=\frac{-(-5)\pm\sqrt{(-5)^2-4\times 1\times 3}}{2\times 1}=\frac{5\pm\sqrt{13}}{2}$
이때 $a<b$이므로 $a=\frac{5-\sqrt{13}}{2}$, $b=\frac{5+\sqrt{13}}{2}$
따라서 $2a-5<n<2b-5$는 $-\sqrt{13}<n<\sqrt{13}$이므로 이를 만족시키는 정수 n은 -3, -2, -1, 0, 1, 2, 3의 7개이다.

49 $0.3(x+1)^2+\frac{1}{5}(x-3)=0$의 양변에 10을 곱하면
$3(x+1)^2+2(x-3)=0$, $3x^2+6x+3+2x-6=0$
$3x^2+8x-3=0$, $(x+3)(3x-1)=0$
$\therefore x=-3$ 또는 $x=\frac{1}{3}$
이때 $a>b$이므로 $a=\frac{1}{3}$, $b=-3$
즉, $x^2+3ax+b=0$은 $x^2+x-3=0$이므로
$x=\frac{-1\pm\sqrt{1^2-4\times1\times(-3)}}{2\times1}=\frac{-1\pm\sqrt{13}}{2}$

50 $x-y=A$로 놓으면 $A(A-6)-1=0$, $A^2-6A-1=0$
일차항의 계수가 짝수이므로
$A=-(-3)\pm\sqrt{(-3)^2-1\times(-1)}=3\pm\sqrt{10}$
이때 $x>y$에서 $x-y>0$이므로 $x-y=3+\sqrt{10}$

4회 141~148쪽

1 ③	2 ③	3 ②, ④	4 $-2a-4b$	
5 147	6 45m^2	7 ⑤	8 $3-\sqrt{5}$	9 ③
10 ④	11 ㄴ, ㄹ	12 ②	13 ③	14 $4\sqrt{15}\text{cm}^2$
15 ⑤	16 ②	17 ⑤	18 ②	19 ②
20 3	21 ⑤	22 ③	23 ②	24 ④
25 ④	26 $-4a^2+35a-24$	27 ④	28 ①	
29 ③	30 58	31 ⑤	32 ③	33 ①
34 ⑤	35 ⑤	36 ②	37 ③	38 ②
39 ③	40 ⑤	41 ⑤	42 ④	43 ⑤
44 $x=3$	45 ④	46 ③	47 ④	48 ②
49 ②	50 ③			

1 $(-7)^2=49$의 제곱근은 $\pm\sqrt{49}=\pm7$

2 ① 제곱근 64는 $\sqrt{64}=8$이다.
② 양수의 제곱근은 2개, 0의 제곱근은 1개, 음수의 제곱근은 없다.
③ $(\sqrt{9})^2=9$의 제곱근은 ±3이다.
④ 제곱근 $(-\sqrt{3})^2=3$은 $\sqrt{3}$이다.
⑤ $\sqrt{(-5)^2}=5$의 음의 제곱근은 $-\sqrt{5}$이다.
따라서 옳은 것은 ③이다.

3 ① $2a<0$이므로 $-\sqrt{4a^2}=-\sqrt{(2a)^2}=-(-2a)=2a$
② $-a>0$이므로 $\sqrt{(-a)^2}=-a$
③ $3a<0$이므로 $\sqrt{(3a)^2}=-3a$
④ $-5a>0$이므로 $-\sqrt{(-5a)^2}=-(-5a)=5a$
⑤ $7a<0$이므로 $\sqrt{49a^2}=\sqrt{(7a)^2}=-7a$
따라서 옳은 것은 ②, ④이다.

4 $a<0$, $b>0$일 때, $5b>0$, $a-b<0$이므로
$\sqrt{a^2}-\sqrt{25b^2}+\sqrt{(a-b)^2}=\sqrt{a^2}-\sqrt{(5b)^2}+\sqrt{(a-b)^2}$
$=-a-5b-(a-b)$
$=-a-5b-a+b=-2a-4b$

5 $\sqrt{\frac{112}{x}}=\sqrt{\frac{2^4\times7}{x}}$이 자연수가 되려면 x는 112의 약수이면서 $7\times(\text{자연수})^2$ 꼴이어야 한다.
따라서 자연수 x의 값은 7, 7×2^2, 7×4^2이므로
구하는 합은 $7+28+112=147$

6 A, B의 한 변의 길이는 각각 $\sqrt{12n}\,\text{m}$, $\sqrt{36-n}\,\text{m}$이므로 이 두 값이 각각 자연수가 되어야 한다.
(i) $\sqrt{12n}=\sqrt{2^2\times3\times n}$이 자연수가 되려면 $n=3\times(\text{자연수})^2$ 꼴이어야 하므로
$n=3$, $3\times2^2(=12)$, $3\times3^2(=27)$, $3\times4^2(=48)$, $\cdots$
(ii) $\sqrt{36-n}$이 자연수가 되려면 $36-n$이 36보다 작은 $(\text{자연수})^2$ 꼴인 수이어야 하므로
$36-n=1, 4, 9, 16, 25$ $\quad\therefore n=35, 32, 27, 20, 11$
즉, (i), (ii)를 모두 만족시키는 자연수 n의 값은 27이므로
A의 한 변의 길이는 $\sqrt{12n}=\sqrt{12\times27}=\sqrt{324}=18(\text{m})$
B의 한 변의 길이는 $\sqrt{36-n}=\sqrt{36-27}=\sqrt{9}=3(\text{m})$
따라서 C의 가로의 길이는 3m, 세로의 길이는 $18-3=15(\text{m})$이므로 C의 넓이는 $3\times15=45(\text{m}^2)$

7 ① $11<13$이므로 $\sqrt{11}<\sqrt{13}$
② $5=\sqrt{25}$이고 $25<26$이므로 $\sqrt{25}<\sqrt{26}$ $\quad\therefore 5<\sqrt{26}$
③ $\frac{1}{6}=\sqrt{\frac{1}{36}}$이고 $\frac{1}{36}<\frac{1}{6}$이므로 $\sqrt{\frac{1}{36}}<\sqrt{\frac{1}{6}}$
$\therefore \frac{1}{6}<\sqrt{\frac{1}{6}}$
④ $3=\sqrt{9}$이고 $\sqrt{9}<\sqrt{10}$이므로 $-\sqrt{9}>-\sqrt{10}$
$\therefore -3>-\sqrt{10}$
⑤ $0.2=\sqrt{0.04}$이고 $0.2>0.04$이므로 $\sqrt{0.2}>\sqrt{0.04}$
$\therefore \sqrt{0.2}>0.2$
따라서 옳은 것은 ⑤이다.

8 정사각형 ABCD의 한 변의 길이는 $\sqrt{5}$이므로
$\overline{AP}=\overline{AB}=\sqrt{5}$
따라서 점 A에 대응하는 수는 $3-\sqrt{5}$이다.

9 ③ 1에 가장 가까운 무리수는 정할 수 없다.

10 $\sqrt{4}<\sqrt{5}<\sqrt{9}$에서 $2<\sqrt{5}<3$
$\sqrt{16}<\sqrt{17}<\sqrt{25}$에서 $4<\sqrt{17}<5$
① $3<\sqrt{5}+1<4$이므로 $\sqrt{5}<\sqrt{5}+1<\sqrt{17}$
② $3=\sqrt{9}$이므로 $\sqrt{5}<\sqrt{9}<\sqrt{17}$ $\quad\therefore \sqrt{5}<3<\sqrt{17}$
③ $3.9<\sqrt{17}-0.1<4.9$이므로 $\sqrt{5}<\sqrt{17}-0.1<\sqrt{17}$
④ $4-\sqrt{5}<\sqrt{17}-\sqrt{5}<5-\sqrt{5}$이므로
$\frac{4-\sqrt{5}}{2}<\frac{\sqrt{17}-\sqrt{5}}{2}<\frac{5-\sqrt{5}}{2}$이고
$5-\sqrt{5}<3$에서 $\frac{5-\sqrt{5}}{2}<\frac{3}{2}<\sqrt{5}$이므로
$\frac{\sqrt{17}-\sqrt{5}}{2}<\sqrt{5}$

⑤ $\frac{\sqrt{5}+\sqrt{17}}{2}$은 $\sqrt{5}$와 $\sqrt{17}$의 평균이므로

$\sqrt{5}<\frac{\sqrt{5}+\sqrt{17}}{2}<\sqrt{17}$

따라서 $\sqrt{5}$와 $\sqrt{17}$ 사이에 있는 수가 아닌 것은 ④이다.

11 ㄱ. $\sqrt{\frac{7}{16}}=\sqrt{\frac{7}{4^2}}=\frac{\sqrt{7}}{4}$

ㄴ. $\sqrt{\frac{3}{100}}=\sqrt{\frac{3}{10^2}}=\frac{\sqrt{3}}{10}$

ㄷ. $\sqrt{\frac{20}{18}}=\sqrt{\frac{10}{9}}=\sqrt{\frac{10}{3^2}}=\frac{\sqrt{10}}{3}$

ㄹ. $\sqrt{0.12}=\sqrt{\frac{12}{100}}=\sqrt{\frac{2^2\times3}{10^2}}=\frac{2\sqrt{3}}{10}=\frac{\sqrt{3}}{5}$

따라서 옳은 것은 ㄴ, ㄹ이다.

12 $\sqrt{0.05}=\sqrt{\frac{5}{100}}=\sqrt{\frac{5}{10^2}}=\frac{\sqrt{5}}{10}=\frac{2.236}{10}=0.2236$

13 $\sqrt{24}=\sqrt{2^2\times6}=2\sqrt{6}$이므로 $a=2$

$\frac{5}{\sqrt{2}}=\frac{5\times\sqrt{2}}{\sqrt{2}\times\sqrt{2}}=\frac{5\sqrt{2}}{2}$이므로 $b=\frac{5}{2}$

$\therefore ab=2\times\frac{5}{2}=5$

14 △ABD에서

$\overline{AD}=\sqrt{(4\sqrt{2})^2-(2\sqrt{3})^2}=2\sqrt{5}(cm)$

$\therefore$ □ABCD$=2\sqrt{5}\times2\sqrt{3}=4\sqrt{15}(cm^2)$

15 ① $4\sqrt{2}+\sqrt{2}=5\sqrt{2}$

② $9\sqrt{14}\div3\sqrt{7}=9\sqrt{14}\times\frac{1}{3\sqrt{7}}=3\sqrt{2}$

③ $\sqrt{\frac{13}{7}}\times\sqrt{\frac{7}{4}}\div\sqrt{\frac{13}{2}}=\sqrt{\frac{13}{7}}\times\sqrt{\frac{7}{4}}\times\sqrt{\frac{2}{13}}$

$=\frac{1}{\sqrt{2}}=\frac{\sqrt{2}}{2}$

④ $(-3\sqrt{5})\times(-8\sqrt{2})=24\sqrt{10}$

⑤ $\sqrt{8}-\sqrt{5}+\sqrt{18}+\sqrt{80}=2\sqrt{2}-\sqrt{5}+3\sqrt{2}+4\sqrt{5}$

$=5\sqrt{2}+3\sqrt{5}$

따라서 옳지 않은 것은 ⑤이다.

16 $2A-B=2(-2\sqrt{2}+3\sqrt{3})-(\sqrt{2}+\sqrt{3})$

$=-4\sqrt{2}+6\sqrt{3}-\sqrt{2}-\sqrt{3}$

$=-5\sqrt{2}+5\sqrt{3}$

17 $\sqrt{18}-\frac{\sqrt{2}}{\sqrt{3}}+\sqrt{2}(1+3\sqrt{3})=3\sqrt{2}-\frac{\sqrt{6}}{3}+\sqrt{2}+3\sqrt{6}$

$=4\sqrt{2}+\frac{8\sqrt{6}}{3}$

따라서 $a=4$, $b=\frac{8}{3}$이므로

$a+b=4+\frac{8}{3}=\frac{20}{3}$

18 $1<\sqrt{2}<2$에서 $-2<-\sqrt{2}<-1$ $\quad\therefore 1<3-\sqrt{2}<2$

따라서 $a=1$, $b=(3-\sqrt{2})-1=2-\sqrt{2}$이므로

$a+2b=1+2(2-\sqrt{2})=1+4-2\sqrt{2}=5-2\sqrt{2}$

19 □ABCD$=\frac{1}{2}\times\{(\sqrt{2}+\sqrt{3})+(3\sqrt{2}+\sqrt{3})\}\times\sqrt{2}$

$=\frac{1}{2}\times(4\sqrt{2}+2\sqrt{3})\times\sqrt{2}$

$=4+\sqrt{6}(cm^2)$

20 $-1-\sqrt{7}$은 음수이고, $\sqrt{3}+\sqrt{7}$, 3, $1+\sqrt{7}$은 양수이다.

$(\sqrt{3}+\sqrt{7})-(1+\sqrt{7})=\sqrt{3}-1>0$이므로

$\sqrt{3}+\sqrt{7}>1+\sqrt{7}$

$(1+\sqrt{7})-3=-2+\sqrt{7}=-\sqrt{4}+\sqrt{7}>0$이므로

$1+\sqrt{7}>3$

$\therefore \sqrt{3}+\sqrt{7}>1+\sqrt{7}>3>-1-\sqrt{7}$

따라서 세 번째로 큰 수는 3이다.

21 xy항이 나오는 부분만 전개하면

$x\times(-3y)+ay\times2x=(2a-3)xy$

이때 xy의 계수가 -5이므로

$2a-3=-5$ $\quad\therefore a=-1$

상수항이 나오는 부분만 전개하면 $-2b$

이때 상수항이 4이므로

$-2b=4$ $\quad\therefore b=-2$

$\therefore a-b=-1-(-2)=1$

22 $(x+a)(x-5)=x^2+(a-5)x-5a=x^2+bx-45$이므로

$a-5=b$, $-5a=-45$ $\quad\therefore a=9$, $b=4$

$\therefore a-2b=9-2\times4=1$

23 $(x-5)(6x+a)=6x^2+(a-30)x-5a$

이때 x의 계수와 상수항이 같으므로

$a-30=-5a$, $6a=30$ $\quad\therefore a=5$

24 ㄱ. $(x+2)^2=x^2+4x+4$

ㄷ. $(a+2b)(a-2b)=a^2-4b^2$

따라서 옳은 것은 ㄴ, ㄹ, ㅁ이다.

25 $(3x+2y)^2+(4x-y)(4x+y)$

$=9x^2+12xy+4y^2+16x^2-y^2$

$=25x^2+12xy+3y^2$

따라서 $A=25$, $B=3$이므로 $A+B=25+3=28$

26 $\overline{FC}=\overline{BC}-\overline{BF}=\overline{BC}-\overline{AB}$

$=7a+2-(3a+5)=4a-3$

$\overline{HF}=\overline{EF}-\overline{EH}=\overline{EF}-\overline{HG}=\overline{EF}-\overline{FC}$

$=3a+5-(4a-3)=-a+8$

$\therefore$ (색칠한 직사각형의 넓이)$=\overline{FC}\times\overline{HF}$

$=(4a-3)(-a+8)$

$=-4a^2+35a-24$

27 $15(2^4+1)(2^8+1)(2^{16}+1)$
$=(2^4-1)(2^4+1)(2^8+1)(2^{16}+1)$
$=(2^8-1)(2^8+1)(2^{16}+1)$
$=(2^{16}-1)(2^{16}+1)$
$=2^{32}-1$
$\therefore\ a=32$

28 $(3-a\sqrt{5})+(b+\sqrt{5})=3+b+(1-a)\sqrt{5}$
이 식이 유리수가 되려면 $1-a=0$이어야 하므로 $a=1$
$(3-a\sqrt{5})(b+\sqrt{5})=(3-\sqrt{5})(b+\sqrt{5})$
$=3b-5+(3-b)\sqrt{5}$
이 식이 유리수가 되려면 $3-b=0$이어야 하므로 $b=3$
$\therefore\ a-b=1-3=-2$

29 $x^2+y^2=(x-y)^2+2xy$에서
$12=2^2+2xy,\ 2xy=8 \qquad \therefore\ xy=4$
$\therefore\ \frac{1}{y}-\frac{1}{x}=\frac{x-y}{xy}=\frac{2}{4}=\frac{1}{2}$

30 $x\neq0$이므로 $x^2-4x-1=0$의 양변을 x로 나누면
$x-4-\frac{1}{x}=0 \qquad \therefore\ x-\frac{1}{x}=4$
$\therefore\ 3x^2+x+\frac{3}{x^2}-\frac{1}{x}=3\left(x^2+\frac{1}{x^2}\right)+\left(x-\frac{1}{x}\right)$
$=3\left\{\left(x-\frac{1}{x}\right)^2+2\right\}+\left(x-\frac{1}{x}\right)$
$=3\times(4^2+2)+4=58$

32 $x^2-10x+\square=x^2-2\times x\times5+\square$이므로
$\square=5^2=25$
$9x^2+\square x+16=(3x\pm4)^2$이므로
$\square=\pm2\times3\times4=\pm24$
따라서 $\square$ 안에 알맞은 수를 차례로 구하면 25, ±24이다.

33 $25x^2-36y^2=(5x+6y)(5x-6y)$
따라서 $a=5,\ b=6$이므로
$a+b=5+6=11$

34 $x^2(x+1)-9(x+1)=(x+1)(x^2-9)$
$=(x+1)(x+3)(x-3)$
④ $x^2-2x-3=(x+1)(x-3)$
⑤ $x^2+2x-3=(x-1)(x+3)$
따라서 $x^2(x+1)-9(x+1)$의 인수가 아닌 것은 ⑤이다.

35 $5=1\times5=(-1)\times(-5)$,
$6=1\times6=(-1)\times(-6)=2\times3=(-2)\times(-3)$
이므로 정수 k의 값을 모두 구하면
$-31,\ -17,\ -13,\ -11,\ 11,\ 13,\ 17,\ 31$
따라서 정수 k의 값 중 가장 큰 수는 31이다.

36 ② $\frac{1}{9}x^2-16y^2=\left(\frac{1}{3}x+4y\right)\left(\frac{1}{3}x-4y\right)$

37 $98^2-4=98^2-2^2$
$=(98+2)(98-2)$ ← $a^2-b^2=(a+b)(a-b)$
$=100\times96=9600$
이므로 가장 편리한 인수분해 공식은 ③이다.

38 x에 대하여 내림차순으로 정리하면
$2x^2+3xy+y^2-3x-y-2$
$=2x^2+(3y-3)x+(y^2-y-2)$
$=2x^2+(3y-3)x+(y+1)(y-2)$
$=\{2x+(y+1)\}\{x+(y-2)\}$
$=(2x+y+1)(x+y-2)$
따라서 $a=1,\ b=-1,\ c=-1,\ d=-2$이므로
$a+b+c+d=1+(-1)+(-1)+(-2)=-3$

39 $\frac{x^3+2x^2-x-2}{x^2+x-2}=\frac{x^2(x+2)-(x+2)}{(x-1)(x+2)}$
$=\frac{(x+2)(x^2-1)}{(x-1)(x+2)}$
$=\frac{(x+2)(x+1)(x-1)}{(x-1)(x+2)}$
$=x+1$
$=(\sqrt{6}-2)+1$
$=\sqrt{6}-1$

40 $(a-b)^2=(a+b)^2-4ab=4^2-4\times2=8$
$\therefore\ a^2(a-b)+b^2(b-a)=a^2(a-b)-b^2(a-b)$
$=(a-b)(a^2-b^2)$
$=(a-b)(a+b)(a-b)$
$=(a+b)(a-b)^2$
$=4\times8$
$=32$

41 ① $1^2-3\times1=-2\neq0$
② $(x-1)^2=1$에서 $(x-1)^2-1=0$
$(1-1)^2-1=-1\neq0$
③ $1^2-5\times1-6=-10\neq0$
④ $(1+1)(1-2)=-2\neq0$
⑤ $2\times1^2+1-3=0$
따라서 $x=1$을 해로 갖는 것은 ⑤이다.

42 $x^2-5x-8=0$에 $x=a$를 대입하면
$a^2-5a-8=0 \qquad \therefore\ a^2-5a=8$
$\therefore\ 2a^2-10a-3=2(a^2-5a)-3$
$=2\times8-3=13$

43 $(x-3)^2=-2x+14$에서 $x^2-6x+9=-2x+14$
$x^2-4x-5=0,\ (x+1)(x-5)=0$
$\therefore\ x=-1$ 또는 $x=5$
따라서 두 근 중 큰 근은 $x=5$이다.

44 $(a-1)x^2-(a^2+1)x+2(a+1)=0$에 $x=2$를 대입하면
$(a-1)\times 2^2-(a^2+1)\times 2+2(a+1)=0$
$2a^2-6a+4=0$, $2(a-1)(a-2)=0$
$\therefore a=1$ 또는 $a=2$
이때 $a=1$이면 이차방정식이 되지 않으므로 $a=2$
즉, 주어진 이차방정식은 $x^2-5x+6=0$이므로
$(x-2)(x-3)=0$ $\therefore x=2$ 또는 $x=3$
따라서 다른 한 근은 $x=3$이다.

45 $6b=\left(\frac{-12a}{2}\right)^2$, 즉 $b=6a^2$을 만족시키는 200 이하인 자연수 a, b의 순서쌍 (a, b)는 $(1, 6)$, $(2, 24)$, $(3, 54)$, $(4, 96)$, $(5, 150)$의 5개이다.

46 $x^2+10=7x$에서 $x^2-7x+10=0$
$(x-2)(x-5)=0$ $\therefore x=2$ 또는 $x=5$
두 근 중 작은 근이 $x=2$이므로 $x^2+ax-19-a=0$에 $x=2$를 대입하면
$2^2+a\times 2-19-a=0$ $\therefore a=15$

47 $(x+3)^2=k$에서 $x+3=\pm\sqrt{k}$
$\therefore x=-3\pm\sqrt{k}$
두 근의 차가 8이므로
$-3+\sqrt{k}-(-3-\sqrt{k})=8$
$2\sqrt{k}=8$, $\sqrt{k}=4$ $\therefore k=16$

48 $x^2-2x-a=0$에서 $x^2-2x=a$, $x^2-2x+1=a+1$
$(x-1)^2=a+1$, $x-1=\pm\sqrt{a+1}$
$\therefore x=1\pm\sqrt{a+1}$
따라서 $a+1=11$이므로 $a=10$
다른 풀이
$x-1=\pm\sqrt{11}$, $(x-1)^2=11$
$x^2-2x+1=11$, $x^2-2x-10=0$
$\therefore a=10$

49 일차항의 계수가 짝수이므로
$x=\frac{-(-1)\pm\sqrt{(-1)^2-3\times A}}{3}$
$=\frac{1\pm\sqrt{1-3A}}{3}$
따라서 $B=1$, $13=1-3A$에서 $A=-4$이므로
$A+B=-4+1=-3$

50 $x^2-8x+2(a-1)=0$에서 일차항의 계수가 짝수이므로
$x=-(-4)\pm\sqrt{(-4)^2-1\times 2(a-1)}$
$=4\pm\sqrt{18-2a}$
이때 해가 모두 정수가 되려면 $\sqrt{18-2a}$가 정수이어야 한다.
즉, $18-2a$가 0 또는 (자연수)^2 꼴인 수이어야 하므로
$18-2a=0, 1, 4, 9, 16, 25, \cdots$
$\therefore a=9, \frac{17}{2}, 7, \frac{9}{2}, 1, -\frac{7}{2}, \cdots$
따라서 자연수 a는 1, 7, 9의 3개이다.

실전 모의고사

1회 149~152쪽

1 ⑤	2 ②	3 ④	4 ②	5 ③
6 ④	7 ⑤	8 ①	9 ③	10 ⑤
11 ⑤	12 ②	13 ②	14 ②	15 ①, ③
16 ④	17 ④	18 ①	19 ②	20 ③
21 $2a-2b$	22 $2ab$	23 $-6\sqrt{5}-\sqrt{10}$		
24 $(x+3)(x-5)$		25 $\frac{11}{2}$		

1 $(-5)^2=25$의 양의 제곱근은 5이므로 $a=5$
$\sqrt{\frac{1}{256}}=\frac{1}{16}$의 음의 제곱근은 $-\frac{1}{4}$이므로 $b=-\frac{1}{4}$
$\therefore a+4b=5+4\times\left(-\frac{1}{4}\right)=4$

2 $\sqrt{121}-(-\sqrt{5})^2+\sqrt{(-2)^2}-(\sqrt{3})^2=11-5+2-3=5$

3 $\sqrt{60x}=\sqrt{2^2\times 3\times 5\times x}$가 자연수가 되려면
$x=3\times 5\times$(자연수)^2 꼴이어야 한다.
따라서 가장 작은 자연수 x의 값은 $3\times 5=15$

4 ㄴ. $1.2\dot{7}=\frac{127-12}{90}=\frac{115}{90}=\frac{23}{18}$ ⇨ 유리수
ㄷ. $\sqrt{\frac{25}{36}}=\frac{5}{6}$ ⇨ 유리수 ㅁ. $(-\sqrt{0.5})^2=0.5$ ⇨ 유리수
따라서 무리수는 ㄱ, ㄹ이다.

5 ① $\sqrt{561}=\sqrt{100\times 5.61}=\sqrt{10^2\times 5.61}=10\sqrt{5.61}$
$=10\times 2.369=23.69$
③ $\sqrt{5810}=\sqrt{100\times 58.1}=\sqrt{10^2\times 58.1}=10\sqrt{58.1}$
⇨ 주어진 제곱근표에서 $\sqrt{58.1}$의 값은 구할 수 없다.
④ $\sqrt{59400}=\sqrt{10000\times 5.94}=\sqrt{100^2\times 5.94}=100\sqrt{5.94}$
$=100\times 2.437=243.7$
⑤ $\sqrt{0.0626}=\sqrt{\frac{6.26}{100}}=\sqrt{\frac{6.26}{10^2}}=\frac{\sqrt{6.26}}{10}=\frac{2.502}{10}=0.2502$
따라서 옳지 않은 것은 ③이다.

6 $6\sqrt{2}-\sqrt{75}-\frac{6}{\sqrt{2}}+2\sqrt{27}=6\sqrt{2}-5\sqrt{3}-3\sqrt{2}+6\sqrt{3}$
$=3\sqrt{2}+\sqrt{3}$
따라서 $a=3$, $b=1$이므로 $ab=3\times 1=3$

7 $2<\sqrt{7}<3$에서 $5<\sqrt{7}+3<6$이므로
$a=5$, $b=(\sqrt{7}+3)-5=\sqrt{7}-2$
$\therefore a-b=5-(\sqrt{7}-2)=5-\sqrt{7}+2=7-\sqrt{7}$

8 $a-b=(3+\sqrt{3})-\sqrt{27}=3+\sqrt{3}-3\sqrt{3}$
$=3-2\sqrt{3}=\sqrt{9}-\sqrt{12}<0$
$\therefore a<b$
$b-c=\sqrt{27}-(2+\sqrt{12})=3\sqrt{3}-2-2\sqrt{3}$
$=\sqrt{3}-2=\sqrt{3}-\sqrt{4}<0$
$\therefore b<c$
$\therefore a<b<c$

9 ① $(2x+1)^2=4x^2+4x+1$
② $(x-3)^2=x^2-6x+9$
④ $(x-2)(x-5)=x^2-7x+10$
⑤ $(2x-1)(3x+2)=6x^2+x-2$
따라서 옳은 것은 ③이다.

10 색칠한 직사각형의 가로의 길이는 $a+b$, 세로의 길이는 $a-2b$이므로 색칠한 직사각형의 넓이는
$(a+b)(a-2b)=a^2-ab-2b^2$

11 주어진 식의 양변에 $(3-1)$을 곱하면
$(3-1)(3+1)(3^2+1)(3^4+1)(3^8+1)(3^{16}+1)$
$=\frac{1}{2}(3^n-1)\times(3-1)$
$(3^2-1)(3^2+1)(3^4+1)(3^8+1)(3^{16}+1)=3^n-1$
$(3^4-1)(3^4+1)(3^8+1)(3^{16}+1)=3^n-1$
$(3^8-1)(3^8+1)(3^{16}+1)=3^n-1$
$(3^{16}-1)(3^{16}+1)=3^n-1$
$3^{32}-1=3^n-1$ $\quad\therefore n=32$

12 $(x+y)^2=(x-y)^2+4xy=(-4)^2+4\times(-2)=8$

13 $25x^2+(7k-9)xy+16y^2=(5x\pm4y)^2$
이므로 $7k-9=\pm2\times5\times4=\pm40$
이때 $k>0$이므로 $7k-9=40$ $\quad\therefore k=7$

14 $x^2+3x-18=(x-3)(x+6)$
$3x^2-2x-21=(x-3)(3x+7)$
따라서 두 다항식의 공통인 인수는 $x-3$이다.

15 $2\times0.75^2-2\times0.25^2$
$=2\times(0.75^2-0.25^2)$ $\quad\leftarrow ma+mb=m(a+b)$
$=2\times(0.75+0.25)(0.75-0.25)$ $\quad\leftarrow a^2-b^2=(a+b)(a-b)$
$=2\times1\times0.5=1$
이므로 가장 알맞은 인수분해 공식은 ①, ③이다.

16 $a^2-b^2+2b-1=36$에서
$a^2-b^2+2b-1=a^2-(b^2-2b+1)=a^2-(b-1)^2$
$=(a+b-1)(a-b+1)$
$=(\sqrt{7}-1)(a-b+1)=36$
이므로 $a-b+1=\frac{36}{\sqrt{7}-1}=\frac{36(\sqrt{7}+1)}{(\sqrt{7}-1)(\sqrt{7}+1)}=6(\sqrt{7}+1)$
$\therefore a-b=6(\sqrt{7}+1)-1=6\sqrt{7}+5$

17 ① $(-2)^2+(-2)-6=-4\neq0$
② $(-1)^2-4\times(-1)+4=9\neq0$
③ $(-1)^2-6\times(-1)+5=12\neq0$
④ $x(x+4)=x+4$에서 $x(x+4)-x-4=0$
$1\times(1+4)-1-4=0$
⑤ $(x-1)(x-5)=-3$에서 $(x-1)(x-5)+3=0$
$(5-1)(5-5)+3=3\neq0$
따라서 [ ] 안의 수가 주어진 이차방정식의 해인 것은 ④이다.

18 $x^2+x-6=-5x+10$에서 $x^2+6x-16=0$
$(x+8)(x-2)=0$ $\quad\therefore x=-8$ 또는 $x=2$
따라서 이 이차방정식의 양수인 근은 $x=2$이다.

19 $x^2+2kx+2k-1=0$이 중근을 가지므로 $2k-1=\left(\frac{2k}{2}\right)^2$
$k^2-2k+1=0$, $(k-1)^2=0$ $\quad\therefore k=1$
$x^2+3x+2k=0$에 $k=1$을 대입하면
$x^2+3x+2=0$, $(x+2)(x+1)=0$
$\therefore x=-2$ 또는 $x=-1$

20 $x^2+8x+2k+3=0$에서 일차항의 계수가 짝수이므로
$x=-4\pm\sqrt{4^2-1\times(2k+3)}=-4\pm\sqrt{13-2k}$
따라서 $13-2k=3$이므로 $k=5$

21 $a>b>c>0$일 때, $b-a<0$, $c-b<0$, $a-c>0$이므로 …… ①
$\sqrt{(b-a)^2}-\sqrt{(c-b)^2}+\sqrt{(a-c)^2}$
$=-(b-a)-\{-(c-b)\}+(a-c)$ …… ②
$=-b+a+c-b+a-c=2a-2b$ …… ③

단계	채점 기준	배점
①	$b-a$, $c-b$, $a-c$의 부호 구하기	2점
②	주어진 식을 근호를 사용하지 않고 나타내기	2점
③	식을 간단히 하기	1점

22 $84=2^2\times3\times7$이므로 …… ①
$\sqrt{84}=\sqrt{2^2\times3\times7}=2\times\sqrt{3}\times\sqrt{7}=2ab$ …… ②

단계	채점 기준	배점
①	84를 소인수분해하기	2점
②	$\sqrt{84}$를 a, b를 사용하여 나타내기	3점

23 $\overline{AP}=\overline{AD}=\sqrt{1^2+2^2}=\sqrt{5}$이므로
점 P에 대응하는 수는 $3-\sqrt{5}$ $\quad\therefore a=3-\sqrt{5}$ …… ①
$\overline{EQ}=\overline{EF}=\sqrt{1^2+1^2}=\sqrt{2}$이므로
점 Q에 대응하는 수는 $6+\sqrt{2}$ $\quad\therefore b=6+\sqrt{2}$ …… ②
$\therefore ab-3b=(3-\sqrt{5})(6+\sqrt{2})-3(6+\sqrt{2})$
$=18+3\sqrt{2}-6\sqrt{5}-\sqrt{10}-18-3\sqrt{2}$
$=-6\sqrt{5}-\sqrt{10}$ …… ③

단계	채점 기준	배점
①	a의 값 구하기	1점
②	b의 값 구하기	1점
③	$ab-3b$의 값 구하기	3점

24 건형이는 x^2의 계수와 상수항을 제대로 보았으므로
$(x-3)(x+5)=x^2+2x-15$에서
처음 이차식의 x^2의 계수는 1, 상수항은 -15이고, …… ①
수지는 x^2의 계수와 x의 계수를 제대로 보았으므로
$(x-6)(x+4)=x^2-2x-24$에서
처음 이차식의 x^2의 계수는 1, x의 계수는 -2이다. …… ②
따라서 처음 이차식은 $x^2-2x-15$이므로 바르게 인수분해하면 $x^2-2x-15=(x+3)(x-5)$ …… ③

단계	채점 기준	배점
①	처음 이차식의 x^2의 계수와 상수항 구하기	2점
②	처음 이차식의 x^2의 계수와 x의 계수 구하기	2점
③	처음 이차식 인수분해하기	1점

25 $4x^2+ax-5=0$에 $x=-2$를 대입하면

$4\times(-2)^2+a\times(-2)-5=0$

$11-2a=0 \quad \therefore a=\frac{11}{2}$ …… ①

$x^2+3x+b=0$에 $x=-3$을 대입하면

$(-3)^2+3\times(-3)+b=0 \quad \therefore b=0$ …… ②

$\therefore a-b=\frac{11}{2}-0=\frac{11}{2}$ …… ③

단계	채점 기준	배점
①	a의 값 구하기	2점
②	b의 값 구하기	2점
③	$a-b$의 값 구하기	1점

2회 153~156쪽

1 ③, ⑤	2 ③	3 ⑤	4 ④	5 ②
6 ④	7 ①	8 ③	9 ④	10 ①
11 ③	12 ④	13 ③	14 ④	15 ②
16 ③	17 ④	18 ⑤	19 ②	20 ①
21 4	22 5	23 6	24 4	25 6

1 ③ $(-2)^2=4$의 제곱근은 ±2이다.

⑤ $\sqrt{0.\dot{4}}=\sqrt{\frac{4}{9}}=\frac{2}{3}$의 제곱근은 $\pm\sqrt{\frac{2}{3}}$이다.

2 ① $-\sqrt{7^2}+(-\sqrt{6})^2=-7+6=-1$

② $\sqrt{35^2}-\sqrt{(-17)^2}=35-17=18$

③ $-\sqrt{4^2}\times\sqrt{\left(\frac{1}{2}\right)^2}=-4\times\frac{1}{2}=-2$

④ $(-\sqrt{12})^2\div\sqrt{3^2}=12\div3=4$

⑤ $\sqrt{(-5)^2}\times\sqrt{16}\div\sqrt{(-2)^2}=5\times4\div2=10$

따라서 계산 결과가 가장 작은 것은 ③이다.

3 $\sqrt{100-n}$이 자연수가 되려면 $100-n$이 100보다 작은 (자연수)^2 꼴인 수이어야 하므로

$100-n=1, 4, 9, 16, 25, 36, 49, 64, 81$

$\therefore n=99, 96, 91, 84, 75, 64, 51, 36, 19$

따라서 n의 값 중 가장 큰 수 $A=99$, 가장 작은 수 $B=19$이므로 $A+B=99+19=118$

4 $\sqrt{2.14}=1.463$, $\sqrt{22.1}=4.701$이므로

$\sqrt{2.14}+\sqrt{22.1}=1.463+4.701=6.164$

5 $\frac{\sqrt{5}}{3}\div\frac{\sqrt{6}}{6\sqrt{2}}\times\frac{a\sqrt{3}}{2}=\frac{\sqrt{5}}{3}\times\frac{6\sqrt{2}}{\sqrt{6}}\times\frac{a\sqrt{3}}{2}=a\sqrt{5}$

$\therefore a=3$

6 ① $\sqrt{2}+\sqrt{8}=\sqrt{2}+2\sqrt{2}=3\sqrt{2}$

② $6\sqrt{2}-3\sqrt{2}=3\sqrt{2}$

③ $3\sqrt{2}+2\sqrt{3}\neq5\sqrt{5}$

⑤ $4\sqrt{5}-\sqrt{3}+\sqrt{5}=5\sqrt{5}-\sqrt{3}$

따라서 옳은 것은 ④이다.

7 $A=(\sqrt{6}-\sqrt{18})\div\sqrt{2}=(\sqrt{6}-3\sqrt{2})\times\frac{1}{\sqrt{2}}=\sqrt{3}-3$

$B=\frac{\sqrt{3}}{2}(4\sqrt{3}+12)=6+6\sqrt{3}$

$\therefore 6A-B=6(\sqrt{3}-3)-(6+6\sqrt{3})$
$=6\sqrt{3}-18-6-6\sqrt{3}=-24$

8 $\overline{BP}=\overline{BD}=\sqrt{1^2+1^2}=\sqrt{2}$이므로

점 P에 대응하는 수는 $-3-\sqrt{2}$

$\overline{EQ}=\overline{EG}=\sqrt{1^2+1^2}=\sqrt{2}$이므로

점 Q에 대응하는 수는 $-2+\sqrt{2}$

$\therefore \overline{PQ}=(-2+\sqrt{2})-(-3-\sqrt{2})$
$=-2+\sqrt{2}+3+\sqrt{2}=1+2\sqrt{2}$

9 $(3x-5y)(Ax+3y)=3Ax^2+(9-5A)xy-15y^2$
$=-6x^2+Bxy-15y^2$

이므로 $3A=-6$, $9-5A=B$

따라서 $A=-2$, $B=9-5\times(-2)=19$이므로

$A+B=-2+19=17$

10 $(2x-3)^2-(x+3)(x+4)$
$=4x^2-12x+9-(x^2+7x+12)$
$=4x^2-12x+9-x^2-7x-12$
$=3x^2-19x-3$

11 $\frac{2020^2-2018\times2022}{2020^2-2019\times2021}=\frac{2020^2-(2020-2)(2020+2)}{2020^2-(2020-1)(2020+1)}$
$=\frac{2020^2-(2020^2-4)}{2020^2-(2020^2-1)}=\frac{4}{1}=4$

12 $x=\frac{1}{2+\sqrt{3}}=\frac{2-\sqrt{3}}{(2+\sqrt{3})(2-\sqrt{3})}=2-\sqrt{3}$

즉, $x-2=-\sqrt{3}$이므로 양변을 제곱하면

$(x-2)^2=(-\sqrt{3})^2$

$x^2-4x+4=3 \quad \therefore x^2-4x=-1$

$\therefore x^2-4x+3=-1+3=2$

13 $18x^2-ax+2=(bx-1)(3x+c)=3bx^2+(bc-3)x-c$

이므로 $18=3b$, $-a=bc-3$, $2=-c$

따라서 $a=15$, $b=6$, $c=-2$이므로

$a-b+c=15-6+(-2)=7$

14 ① $x^2-5x+6=(x-2)(x-3)$

② $-x^2+49y^2=-(x^2-49y^2)=-(x+7y)(x-7y)$

③ $x^2+3x-18=(x-3)(x+6)$

⑤ $4x^2-8x+4=4(x^2-2x+1)=4(x-1)^2$

따라서 인수분해를 바르게 한 것은 ④이다.

15 주어진 사각형을 모두 사용하여 오른쪽 그림과 같은 큰 직사각형을 만들 수 있다.

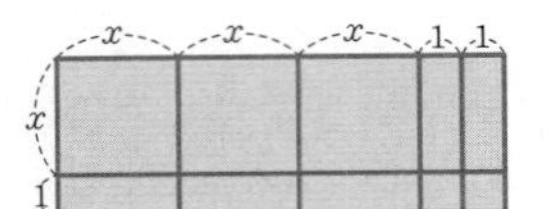

새로 만든 직사각형의 넓이를 식으로 나타내면

$3x^2+5x+2=(x+1)(3x+2)$

이때 새로 만든 직사각형의 세로의 길이가 $x+1$이므로 가로의 길이는 $3x+2$이다.

16 $\left(1-\frac{1}{2^2}\right)\left(1-\frac{1}{3^2}\right)\left(1-\frac{1}{4^2}\right)\times\cdots\times\left(1-\frac{1}{49^2}\right)\left(1-\frac{1}{50^2}\right)$

$=\left(1-\frac{1}{2}\right)\left(1+\frac{1}{2}\right)\left(1-\frac{1}{3}\right)\left(1+\frac{1}{3}\right)\left(1-\frac{1}{4}\right)\left(1+\frac{1}{4}\right)$

$\times\cdots\times\left(1-\frac{1}{49}\right)\left(1+\frac{1}{49}\right)\left(1-\frac{1}{50}\right)\left(1+\frac{1}{50}\right)$

$=\frac{1}{2}\times\frac{3}{2}\times\frac{2}{3}\times\frac{4}{3}\times\frac{3}{4}\times\frac{5}{4}\times\cdots\times\frac{48}{49}\times\frac{50}{49}\times\frac{49}{50}\times\frac{51}{50}$

$=\frac{1}{2}\times\frac{51}{50}=\frac{51}{100}$

17 $2x^2+8x-13=a(x-3)^2$에서

$2x^2+8x-13=ax^2-6ax+9a$

$(2-a)x^2+(8+6a)x-13-9a=0$이 x에 대한 이차방정식이 되려면 이차항의 계수가 0이 아니어야 하므로 $a\neq2$

18 $x^2+2ax-(4a-1)=0$에 $x=3$을 대입하면

$3^2+2a\times3-(4a-1)=0$

$2a+10=0\quad\therefore a=-5$

즉, $x^2+2ax-(4a-1)=0$은 $x^2-10x+21=0$이므로

$(x-3)(x-7)=0\quad\therefore x=3$ 또는 $x=7$

따라서 다른 한 근은 $x=7$이다.

19 $(x+3)(x+7)=20$에서 $x^2+10x+21=20$

$x^2+10x=-1$, $x^2+10x+25=-1+25$, $(x+5)^2=24$

따라서 $p=5$, $q=24$이므로 $q-p=24-5=19$

20 주어진 이차방정식의 양변에 20을 곱하면

$5(x^2+1)-4x(x-4)-4x+20=0$

$5x^2+5-4x^2+16x-4x+20=0$, $x^2+12x+25=0$

일차항의 계수가 짝수이므로

$x=-6\pm\sqrt{6^2-1\times25}=-6\pm\sqrt{11}$

따라서 두 근 중 큰 근은 $x=-6+\sqrt{11}$이다.

21 $\sqrt{82-x}-\sqrt{y+21}$이 가장 큰 자연수가 되려면 $\sqrt{82-x}$는 가장 큰 자연수, $\sqrt{y+21}$은 가장 작은 자연수이어야 한다.

$\sqrt{82-x}$가 가장 큰 자연수가 되려면 $82-x$가 82보다 작은 (자연수)^2 꼴인 수 중 가장 큰 수이어야 하므로

$82-x=81\quad\therefore x=1$ …… ①

$\sqrt{y+21}$이 가장 작은 자연수가 되려면 $y+21$은 21보다 큰 (자연수)^2 꼴인 수 중 가장 작은 수이어야 하므로

$y+21=25\quad\therefore y=4$ …… ②

$\therefore xy=1\times4=4$ …… ③

단계	채점 기준	배점
①	x의 값 구하기	2점
②	y의 값 구하기	2점
③	xy의 값 구하기	1점

22 $5\sqrt{2}-\sqrt{12}+2\sqrt{18}-4\sqrt{3}=5\sqrt{2}-2\sqrt{3}+6\sqrt{2}-4\sqrt{3}$

$=11\sqrt{2}-6\sqrt{3}$ …… ①

따라서 $a=11$, $b=-6$이므로

$a+b=11+(-6)=5$ …… ②

단계	채점 기준	배점
①	주어진 식 간단히 하기	3점
②	$a+b$의 값 구하기	2점

23 $\frac{\sqrt{6}-\sqrt{3}}{\sqrt{6}+\sqrt{3}}+\frac{\sqrt{6}+\sqrt{3}}{\sqrt{6}-\sqrt{3}}$

$=\frac{(\sqrt{6}-\sqrt{3})^2}{(\sqrt{6}+\sqrt{3})(\sqrt{6}-\sqrt{3})}+\frac{(\sqrt{6}+\sqrt{3})^2}{(\sqrt{6}-\sqrt{3})(\sqrt{6}+\sqrt{3})}$ …… ①

$=\frac{6-6\sqrt{2}+3}{6-3}+\frac{6+6\sqrt{2}+3}{6-3}$

$=\frac{9-6\sqrt{2}}{3}+\frac{9+6\sqrt{2}}{3}=6$ …… ②

단계	채점 기준	배점
①	분모를 유리화하기	3점
②	답 구하기	2점

24 $3x^2y-9xy=3xy(\underline{x-3})$

$(2x-3)(x+1)-12=2x^2-x-15=(\underline{x-3})(2x+5)$

이므로 두 다항식의 공통인 인수는 $x-3$이고,

$x^2+ax-21$도 $x-3$을 인수로 가진다. …… ①

$x^2+ax-21$의 다른 한 인수를 $x+m$ (m은 상수)으로 놓으면

$x^2+ax-21=(x-3)(x+m)=x^2+(-3+m)x-3m$

즉, $a=-3+m$, $-21=-3m$이므로

$m=7$, $a=-3+7=4$ …… ②

단계	채점 기준	배점
①	공통인 인수 구하기	2.5점
②	a의 값 구하기	2.5점

25 일차항의 계수가 짝수이므로

$x=\frac{-3\pm\sqrt{3^2-4\times(-2+a)}}{4}=\frac{-3\pm\sqrt{17-4a}}{4}$ …… ①

이때 해가 모두 유리수가 되려면 $\sqrt{17-4a}$가 정수이어야 한다. 즉, $17-4a$는 0 또는 17보다 작은 (자연수)^2 꼴인 수이어야 하므로 $17-4a=0, 1, 4, 9, 16$

$\therefore a=\frac{17}{4}, 4, \frac{13}{4}, 2, \frac{1}{4}$ …… ②

따라서 구하는 모든 자연수 a의 값의 합은

$2+4=6$ …… ③

단계	채점 기준	배점
①	이차방정식의 해 구하기	2점
②	a의 값 구하기	2점
③	답 구하기	1점

3회 157~160쪽

1 ①	2 ③	3 ③	4 ⑤	5 ③
6 ③	7 ③	8 ③	9 ④	10 ⑤
11 ⑤	12 ③	13 ③	14 ③	15 ②
16 ⑤	17 ③	18 ⑤	19 ③	20 ④
21 15, 60	22 $6\sqrt{3}$	23 $10-2\sqrt{5}$		24 $9+\sqrt{15}$
25 $x=\frac{-5\pm\sqrt{17}}{4}$				

1 $\sqrt{a^2}=-a$이므로 $a<0$
$\sqrt{(-b)^2}=b$에서 $-b<0$이므로 $b>0$
따라서 $5a<0$, $-4b<0$이므로
$\sqrt{25a^2}-\sqrt{(-4b)^2}=\sqrt{(5a)^2}-\sqrt{(-4b)^2}$
$=-5a-\{-(-4b)\}=-5a-4b$

2 $\sqrt{36}=6$, $\sqrt{49}=7$이므로 $6<\sqrt{37}<7$
$\therefore f(37)=(\sqrt{37}$ 이하의 자연수의 개수$)=6$
$\sqrt{64}=8$, $\sqrt{81}=9$이므로 $8<\sqrt{70}<9$
$\therefore f(70)=(\sqrt{70}$ 이하의 자연수의 개수$)=8$
$\therefore f(37)+f(70)=6+8=14$

3 ㄷ. $\sqrt{2}\times\sqrt{2}=2$와 같이 무리수와 무리수의 곱은 유리수가 될 수도 있다.
ㅁ. $\sqrt{9}=3$과 같이 근호 안의 수가 (유리수)^2 꼴인 수는 유리수이다.
ㅂ. 0.1과 5 사이에는 무수히 많은 무리수가 있다.
따라서 옳은 것은 ㄱ, ㄴ, ㄹ의 3개이다.

4 ① $3=\sqrt{9}$이고 $\sqrt{8}<\sqrt{9}$에서 $\sqrt{8}<3$ $\quad\therefore -\sqrt{8}>-3$
② $(\sqrt{5}-2)-2=\sqrt{5}-4=\sqrt{5}-\sqrt{16}<0$ $\quad\therefore \sqrt{5}-2<2$
③ $2=\sqrt{4}$이고 $\sqrt{3}<\sqrt{4}$에서 $\sqrt{3}<2$이므로
양변에 $\sqrt{7}$을 더하면 $\sqrt{3}+\sqrt{7}<\sqrt{7}+2$
④ $2<5$이므로 양변에서 $\sqrt{10}$을 빼면 $2-\sqrt{10}<5-\sqrt{10}$
⑤ $6=\sqrt{36}$이고 $\sqrt{36}>\sqrt{28}$에서 $6>\sqrt{28}$이므로
양변에서 $\sqrt{13}$을 빼면 $6-\sqrt{13}>\sqrt{28}-\sqrt{13}$
따라서 옳지 않은 것은 ⑤이다.

5 $29.27=10\times2.927=10\sqrt{8.57}$
$=\sqrt{10^2\times8.57}=\sqrt{100\times8.57}=\sqrt{857}$
$\therefore a=857$

6 $3\times\sqrt{5}\times\sqrt{a}=\sqrt{3^2\times5\times a}=\sqrt{45a}$,
$\sqrt{3}\times\sqrt{75}=\sqrt{3\times75}=\sqrt{225}$이므로
$\sqrt{45a}=\sqrt{225}$, $45a=225$ $\quad\therefore a=5$

7 $\frac{6}{\sqrt{3}}(\sqrt{3}-\sqrt{2})-\frac{\sqrt{8}+2\sqrt{3}}{\sqrt{2}}=6-\frac{6\sqrt{2}}{\sqrt{3}}-\frac{(2\sqrt{2}+2\sqrt{3})\times\sqrt{2}}{\sqrt{2}\times\sqrt{2}}$
$=6-\frac{6\sqrt{2}\times\sqrt{3}}{\sqrt{3}\times\sqrt{3}}-\frac{4+2\sqrt{6}}{2}$
$=6-2\sqrt{6}-2-\sqrt{6}$
$=4-3\sqrt{6}$

8 $\overline{AP}=\overline{AD}=\sqrt{1^2+3^2}=\sqrt{10}$이므로
점 P에 대응하는 수는 $2-\sqrt{10}$ $\quad\therefore m=2-\sqrt{10}$
$\overline{AQ}=\overline{AB}=\sqrt{3^2+1^2}=\sqrt{10}$이므로
점 Q에 대응하는 수는 $2+\sqrt{10}$ $\quad\therefore n=2+\sqrt{10}$
$\therefore 3m+2n=3(2-\sqrt{10})+2(2+\sqrt{10})$
$=6-3\sqrt{10}+4+2\sqrt{10}$
$=10-\sqrt{10}$

9 $(2x-1)(2x+1)(4x^2+1)(16x^4+1)$
$=(4x^2-1)(4x^2+1)(16x^4+1)$
$=(4^2x^4-1)(4^2x^4+1)=4^4x^8-1$
따라서 $a=4$, $b=8$, $c=-1$이므로
$a+b+c=4+8-1=11$

10 ①, ②, ③, ④ 4 ⑤ 16
따라서 □ 안의 수가 나머지 넷과 다른 하나는 ⑤이다.

11 (타일을 붙이지 않은 부분의 넓이)
$=\frac{4}{12}\times$(벽면의 넓이)
$=\frac{1}{3}(5x+9y)(3x+4y)$
$=\frac{1}{3}(15x^2+47xy+36y^2)$
$=5x^2+\frac{47}{3}xy+12y^2$
따라서 $a=5$, $b=\frac{47}{3}$, $c=12$이므로
$a+3b-c=5+3\times\frac{47}{3}-12=40$

12 ③ $81\times79=(80+1)(80-1)=80^2-1^2$
⇨ $(a+b)(a-b)=a^2-b^2$

13 $0<x<7$일 때, $x+7>0$, $x-7<0$이므로
$\sqrt{x^2+14x+49}-\sqrt{x^2-14x+49}=\sqrt{(x+7)^2}-\sqrt{(x-7)^2}$
$=x+7-\{-(x-7)\}$
$=2x$

14 $x^2+Ax-32=(x+a)(x+b)=x^2+(a+b)x+ab$에서
$ab=-32$를 만족시키는 $a>b$인 두 정수 a, b의 순서쌍
(a, b)는 $(1, -32)$, $(2, -16)$, $(4, -8)$, $(8, -4)$, $(16, -2)$, $(32, -1)$이다.
이때 $A=a+b$이므로 A의 값이 될 수 있는 수는
-31, -14, -4, 4, 14, 31이다.

15 ㄱ. $x^2-3x=x(x-3)$
ㄴ. $x^3-16x=x(x^2-16)=x(x+4)(x-4)$
ㄷ. $x^2+6x+9=(x+3)^2$
ㄹ. $x^2+8x+15=(x+3)(x+5)$
ㅁ. $2x^2-5x-3=(x-3)(2x+1)$
따라서 $x-3$을 인수로 갖는 것은 ㄱ, ㅁ이다.

16 사다리꼴의 높이를 h라 하면

$\frac{1}{2}\times\{(x+3)+(x+5)\}\times h=6x^2+16x-32$

$(x+4)h=(x+4)(6x-8)$ $\quad\therefore h=6x-8$

따라서 사다리꼴의 높이는 $6x-8$이다.

17 ① x^2+9x-7 (이차식)

② $2x+4=0$ (일차방정식)

③ $x^2-4x+4=3x^2+5x$에서 $2x^2+9x-4=0$ (이차방정식)

④ $2x^2+4x=x^3+2x^2+x-3$에서 $x^3-3x-3=0$이므로 이차방정식이 아니다.

⑤ 분모에 미지수가 있으므로 이차방정식이 아니다.

따라서 이차방정식은 ③이다.

18 $x^2-4x+7=6$에서 $x^2-4x+1=0$

$x^2-4x+1=0$에 $x=a$를 대입하면

$a^2-4a+1=0$ $\quad\cdots$ ㉠

이때 $a=0$이면 등식이 성립하지 않으므로 $a\neq0$

즉, ㉠의 양변을 a로 나누면

$a-4+\frac{1}{a}=0$ $\quad\therefore a+\frac{1}{a}=4$

$\therefore a^2+\frac{1}{a^2}=\left(a+\frac{1}{a}\right)^2-2=4^2-2=14$

19 일차항의 계수가 짝수이므로

$x=\frac{-(-3)\pm\sqrt{(-3)^2-2\times(-11)}}{2}=\frac{3\pm\sqrt{31}}{2}$

이때 $5<\sqrt{31}<6$이므로 $8<3+\sqrt{31}<9$

$\therefore 4<\frac{3+\sqrt{31}}{2}<\frac{9}{2}$

$-6<-\sqrt{31}<-5$에서 $-3<3-\sqrt{31}<-2$

$\therefore -\frac{3}{2}<\frac{3-\sqrt{31}}{2}<-1$

따라서 $\frac{3-\sqrt{31}}{2}$과 $\frac{3+\sqrt{31}}{2}$ 사이에 있는 정수는 -1, 0, 1, 2, 3, 4의 6개이다.

20 $x-1=A$로 놓으면 $A^2-5A-36=0$, $(A+4)(A-9)=0$

$\therefore A=-4$ 또는 $A=9$

즉, $x-1=-4$ 또는 $x-1=9$이므로 $x=-3$ 또는 $x=10$

따라서 $a=-3$, $b=10$이므로 $3a+b=3\times(-3)+10=1$

21 135를 소인수분해하면 $135=3^3\times5$ $\quad\cdots\cdots$ ①

$\sqrt{135x}=\sqrt{3^3\times5\times x}$가 자연수가 되려면

$x=3\times5\times(\text{자연수})^2$, 즉 $x=15\times(\text{자연수})^2$ 꼴이어야 한다. $\quad\cdots\cdots$ ②

따라서 두 자리의 자연수 x의 값은

15, $15\times2^2=60$ $\quad\cdots\cdots$ ③

단계	채점 기준	배점
①	135를 소인수분해하기	1점
②	$\sqrt{135x}$가 자연수가 되도록 하는 조건 구하기	2점
③	두 자리의 자연수 x의 값 구하기	2점

22 (삼각형의 넓이)$=\frac{1}{2}\times x\times\sqrt{20}=\frac{1}{2}\times x\times2\sqrt{5}$

$=\sqrt{5}x(\text{cm}^2)$ $\quad\cdots\cdots$ ①

(직사각형의 넓이)$=\sqrt{30}\times\sqrt{18}=\sqrt{30}\times3\sqrt{2}$

$=6\sqrt{15}(\text{cm}^2)$ $\quad\cdots\cdots$ ②

따라서 $\sqrt{5}x=6\sqrt{15}$이므로

$x=\frac{6\sqrt{15}}{\sqrt{5}}=6\sqrt{3}$ $\quad\cdots\cdots$ ③

단계	채점 기준	배점
①	삼각형의 넓이를 x에 대한 식으로 나타내기	1.5점
②	직사각형의 넓이 구하기	1.5점
③	x의 값 구하기	2점

23 $\frac{1}{\sqrt{21}+\sqrt{20}}+\frac{1}{\sqrt{22}+\sqrt{21}}+\frac{1}{\sqrt{23}+\sqrt{22}}+\cdots+\frac{1}{\sqrt{100}+\sqrt{99}}$

$=\frac{\sqrt{21}-\sqrt{20}}{(\sqrt{21}+\sqrt{20})(\sqrt{21}-\sqrt{20})}+\frac{\sqrt{22}-\sqrt{21}}{(\sqrt{22}+\sqrt{21})(\sqrt{22}-\sqrt{21})}$

$+\frac{\sqrt{23}-\sqrt{22}}{(\sqrt{23}+\sqrt{22})(\sqrt{23}-\sqrt{22})}$

$+\cdots+\frac{\sqrt{100}-\sqrt{99}}{(\sqrt{100}+\sqrt{99})(\sqrt{100}-\sqrt{99})}$

$=\frac{\sqrt{21}-\sqrt{20}}{21-20}+\frac{\sqrt{22}-\sqrt{21}}{22-21}+\frac{\sqrt{23}-\sqrt{22}}{23-22}$

$+\cdots+\frac{\sqrt{100}-\sqrt{99}}{100-99}$ $\quad\cdots\cdots$ ①

$=\sqrt{21}-\sqrt{20}+\sqrt{22}-\sqrt{21}+\sqrt{23}-\sqrt{22}+\cdots+\sqrt{100}-\sqrt{99}$

$=-\sqrt{20}+\sqrt{100}$

$=10-2\sqrt{5}$ $\quad\cdots\cdots$ ②

단계	채점 기준	배점
①	분모를 유리화하기	3점
②	답 구하기	2점

24 $3<\sqrt{15}<4$에서 $6<\sqrt{15}+3<7$이므로

$a=6$, $b=(\sqrt{15}+3)-6=\sqrt{15}-3$ $\quad\cdots\cdots$ ①

$\therefore ab+a+b^2+b=a(b+1)+b(b+1)$

$=(b+1)(a+b)$ $\quad\cdots\cdots$ ②

$=(\sqrt{15}-3+1)(6+\sqrt{15}-3)$

$=(\sqrt{15}-2)(\sqrt{15}+3)$

$=15+\sqrt{15}-6$

$=9+\sqrt{15}$ $\quad\cdots\cdots$ ③

단계	채점 기준	배점
①	a, b의 값 구하기	1점
②	인수분해하여 식 간단히 하기	2점
③	답 구하기	2점

25 주어진 이차방정식의 양변에 10을 곱하면

$2x^2+5x+1=0$ $\quad\cdots\cdots$ ①

$\therefore x=\frac{-5\pm\sqrt{5^2-4\times2\times1}}{2\times2}=\frac{-5\pm\sqrt{17}}{4}$ $\quad\cdots\cdots$ ②

단계	채점 기준	배점
①	이차방정식을 간단히 하기	2점
②	이차방정식의 해 구하기	3점

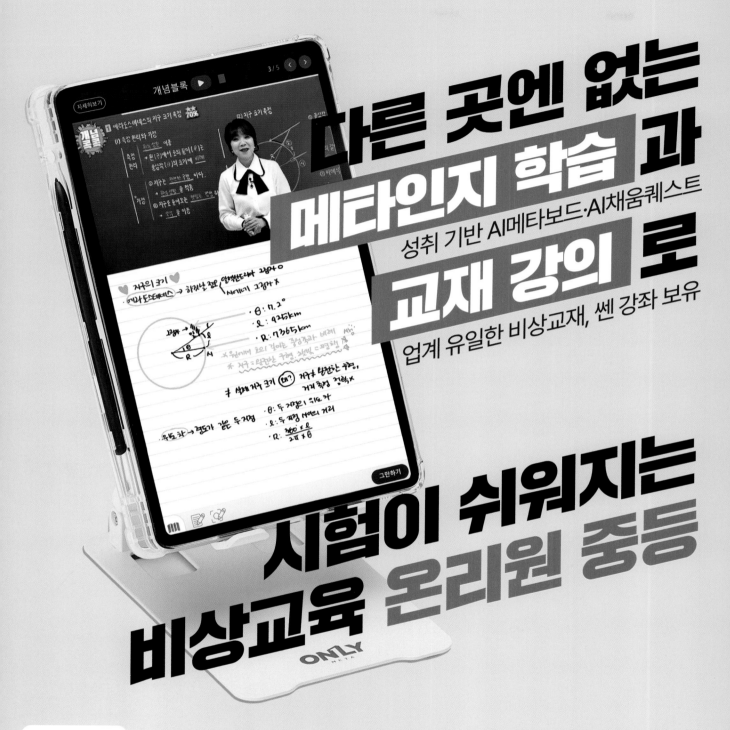

수학만 수학만의 알찬 구성으로 수학 100점에 도전합니다.

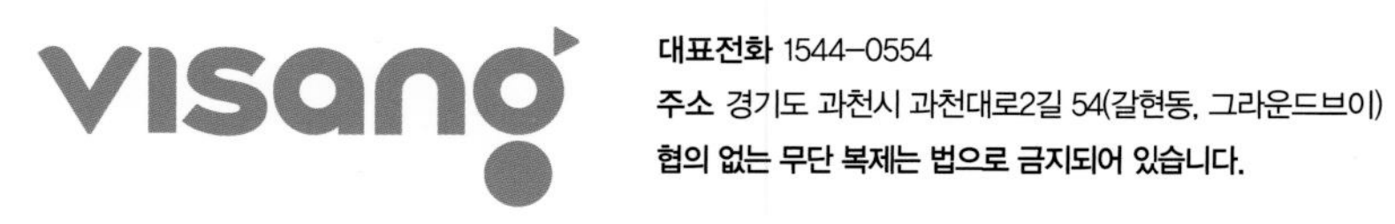

대표전화 1544-0554
주소 경기도 과천시 과천대로2길 54(갈현동, 그라운드브이)